# VOLTA AO PODER

# VOLTA AO PODER

*A correspondência*
*entre Getulio Vargas e a filha Alzira*

**volume I · 1946 a 1948**

*organização*
**Adelina Novaes e Cruz \ Regina da Luz Moreira**

FGV Editora \ Ouro sobre Azul
Rio de Janeiro 2018

# ÍNDICE

Lindolpho de Carvalho Dias \ **Nota inicial** \ 7

Antonio Candido \ **Prós e contras** \ 9

Adelina Novaes e Cruz \ Regina da Luz Moreira \ **Apresentação** \ 13

**Procedimentos adotados** \ 16

*A correspondência*

**1946** \ 18 a 183 • **1947** \ 184 a 279 • **1948** \ 280 a 417

*Iconografia* \ 419

# NOTA INICIAL

**Lindolpho de Carvalho Dias**
Membro do Conselho Diretor da FGV
Rio de Janeiro, outubro de 2017

A Fundação Getulio Vargas – FGV – foi criada em 1944 como uma instituição de bom nível, visando a formação de um quadro competente de administradores para o serviço público do Brasil.

Em pouco tempo essa meta foi atingida e ampliada para a área de administração de empresas, não necessariamente públicas. Com o passar do tempo a FGV se firmou como um centro de alto nível acadêmico, devotado também a outras áreas ligadas às ciências sociais, onde passou a desenvolver pesquisas da maior relevância dirigidas ao estudo da sociedade brasileira.

Nessa direção foi implantado, em 1973, no âmbito da Fundação Getulio Vargas, o Centro de Pesquisa e Documentação de História Contemporânea do Brasil – CPDOC – com a missão de se constituir num grande repositório de documentação sobre a história e o desenvolvimento do país. A partir de então, até os dias atuais, vem recebendo doações de relevantes arquivos de personalidades e instituições.

Destacam-se, entre estes, os arquivos do presidente Getulio Vargas e de sua filha Alzira Vargas do Amaral Peixoto, doados por ela ao CPDOC. Dentre os documentos que integram o arquivo de Alzira encontra-se um conjunto de 568 cartas e bilhetes, totalizando cerca de 1.650 páginas, trocados entre ela e o pai, no período de 1946 a 1950, quando Vargas esteve recolhido nas fazendas da família, no Rio Grande do Sul.

Em 1995, a Editora FGV, associada à Editora Siciliano, publicou a transcrição dos diários de Vargas, publicação esta que se constitui em importante documento para aqueles que se interessam pela história do Brasil na época correspondente.

Em continuidade à proposta de difundir fontes primárias da história do Brasil, a FGV decidiu publicar a íntegra do conjunto documental acima mencionado, produzindo este livro que consideramos de grande importância para o conhecimento da história política do Brasil contemporâneo, que teve em Getulio Vargas um protagonista importante, pelo fato de ter tocado a ele governar o país em um período de grandes transformações, quando se iniciou a transição de uma economia de base essencialmente agrícola para uma nova fase industrial.

Sua presença como governante se estendeu de 1930 a 1954, com uma interrupção no período de 1945 a 1950. A matéria deste livro se refere especificamente a esta interrupção e consiste no diálogo de Getulio Vargas com a filha, confidente e secretária, por meio da correspondência trocada entre ambos, ele em São Borja e ela no Rio de Janeiro.

São dignos de nota o poder de análise e a vivacidade mental dos dois correspondentes, cujas informações e, sobretudo, comentários constituem um acervo relevante para o entendimento do que ocorreu naquele momento e, em seguida, na volta de Getulio Vargas ao poder por meio de uma eleição democrática seguida, quatro anos depois, de trágico desfecho.

Um dos traços salientes deste material epistolar é a naturalidade com que se desenvolve o diálogo entre pai e filha, em contraste com o teor frequentemente convencional dos documentos desta natureza. Isto resultou do profundo entendimento afetivo e intelectual que existia entre ambos, fazendo com que este livro seja de grande interesse tanto pelo aspecto humano quanto pela importância histórica.

Ao publicá-lo em coedição, as editoras FGV e Ouro Sobre Azul estão certas de oferecer aos estudiosos e ao público em geral um acervo de excepcional valor.

Não se pode terminar estas observações sem destacar o primoroso e exaustivo trabalho de decodificação dos manuscritos, nem sempre de fácil leitura, bem como a classificação dos mesmos executados pelas pesquisadoras do CPDOC Adelina Novaes e Cruz e Regina da Luz Moreira.

# PRÓS E CONTRAS[*]

**Antonio Candido**
São Paulo, 5 de abril de 1997

Viver muito favorece as revisões. Se eu tivesse morrido com a idade de meu pai, 56 anos, o meu passado teria continuado para mim a parecer o mesmo, e as coisas que fiz teriam guardado a coerência que me pareciam ter quando as fiz. Mas perto dos 80, elas podem parecer diferentes do que foram, porque entre elas e eu se estende um tempo enorme que operou mudanças na visão.

Penso, por exemplo, em Getulio Vargas e na luta contra ele da qual fui participante mínimo de 1942 a 1945. Penso também no conceito drasticamente negativo em que o tive desde 1937 até depois de sua morte. Outros rapazes do meu tipo pensavam o mesmo, por isso nos associamos à opinião liberal e sua ação oposicionista, pois eram os aliados disponíveis. Como ela, sentíamos falta das liberdades democráticas e do funcionamento do Congresso. Mas o que eram tais liberdades? Eram um bem restrito à parcela ínfima da nação, e esta parcela tinha a ilusão de que elas faziam falta a todo o povo, à quase totalidade do país que vivia à margem da civilização urbana e dos elementos culturais que caracterizavam o nosso segmento social. Os que estavam no tempo da República Velha eram poucos; os que se cooptavam no governo, desde o município até a presidência, eram um punhado, que segundo Campos Sales deveria mesmo ser pequeno, porque os poucos tomam decisões mais acertadas.

Pensando assim, e delimitando o terreno para argumentar, vê-se que a ditadura de Getulio Vargas privava das liberdades muito pouca gente, a pouca gente que sobrenadava na miséria e na ignorância gerais. Daí uma pergunta perigosa mas pertinente: a ditadura oferecia alguma compensação válida a troco dessa privação?

As liberdades, na República Velha, coexistiam com uma grande indiferença em relação ao povo marginalizado. Por isso, pouco serviam a este, embora servissem muito à pequena minoria de cima. E é possível que a sua suspensão entre 1930 e 1945, com o breve interregno 1935-1937, tenha favorecido as reformas que então modificaram essencialmente o Brasil. Lembro de pessoas liberais dizerem que a legislação social era uma aberração que estimulava reinvidicações sem base, criava falsos problemas, forjava tensões artificias entre empregados e empregadores... Ouvi isso muitas vezes, o que me leva a crer que sem uma ação do tipo autoritário as medidas começadas com a criação do

---

[*] **Nota da editora** \ *Prós e contras* é um dos inumeráveis textos escritos por Antonio Candido em seus cadernos, hábito iniciado na infância por sugestão da mãe. A intenção inicial teria sido resumir as leituras em que mergulhou intensamente em torno dos 10 anos, cuja lembrança temia lhe escapasse a cada livro.

Estabelecido o costume, os cadernos se tornaram companheiros constantes onde registrava, além dos resumos e das reflexões suscitadas pelas leituras, ideias para ensaios, notas de aula, observações sobre fatos cotidianos – ocorridos tanto no âmbito familiar quanto público –, sonhos, inquietações e juízos acerca de tudo o que o tocasse.

A iniciativa de trazer a público o conteúdo desses cadernos é uma tarefa delicada, devendo cada caso ser avaliado com extremo critério.

No que se refere ao texto presente, a publicação apresentou-se oportuna, à *Ouro sobre Azul*, pelo fato de tornar explícita a possibilidade, ao alcance de todos nós, de rever posições face aos desdobramentos históricos a que está sujeita a trajetória de qualquer país.

Ministério do Trabalho em 1930 no Governo Provisório, e aceleradas depois de 1937, dificilmente teriam vingado. O liberalismo brasileiro era insensível às condições em que viviam os trabalhadores do campo e da cidade.

Ora, a legislação social era indispensável para as novas relações de trabalho devidas à passagem do Brasil agrário ao Brasil em processo de industrialização, de modo que o regime autoritário, em suas duas fases, deve ter sido útil a essa passagem, que significava a modernização e a entrada do país no ritmo do mundo contemporâneo. Ele foi uma espécie de patrono da modernização porque freou as tendências conservadoras da oligarquia e assim limpou o caminho. O gênio de Getulio Vargas consistiu em parte no discernimento de que o seu destino político estava ligado à modernização, que ele sentia confusamente e não encarava como ruptura com a tradição, mas como compromisso entre dois períodos históricos, um descendente, outro emergente. A emergência do novo se fez porque a oligarquia estava meio jugulada e as liberdades suspensas não interfeririam. Um processo meio subterrâneo que exprimia os tempos novos. Lembro da surpresa geral quando, nas eleições de 1945, o eleitorado das zonas urbanizadas apareceu como força nova, diferente do pequeno número anterior dos clientes da oligarquia. Foi um regalo ver os chefes regionais derrotados e os homens novos subirem em seu lugar. O eleitorado novo correspondia ao trabalhador novo, ao qual se dirigia a ação paternalista do governo, um progresso em relação à tutela coronelística de antes. Estava se esboçando no Brasil uma verdadeira vontade popular, que os interesses de Getulio canalizaram invés de cortar, ao contrário, portanto, do que teriam feito as oligarquias se estivessem no poder, com as suas liberdades para uso próprio e restrito. De fato, os adversários liberais de Getulio, aos quais nos ligamos politicamente em 1945, tinham no fundo mentalidade oligárquica e rural, cujo correspondente econômico é a exportação de produtos tropicais, que favorece a dependência em relação aos países centrais. Por isso, foram certos homens mais modernos da classe dominante, como Roberto Simonsen e Horácio Lafer, que apesar dos vínculos com a mentalidade do regresso, expressa na Revolução de 1932, acabaram compreendendo que era mais lógica a sua aproximação a Getulio. Homens como Júlio de Mesquita Filho, Armando de Sales Oliveira, Otávio Mangabeira representavam uma visão retórica das liberdades, pressupondo a democracia para os *happy few*, não para a massa, da qual se consideravam tutores esclarecidos.

Por isso tudo, estar contra Getulio, como estivemos, foi por um lado ter sido meio insensíveis ao Brasil novo e, involuntariamente, ligados ao Brasil velho, que agia em nós como atavismo, porque era o de nossos pais e avós, fazendeiros, comerciantes, profissionais liberais, funcionários. Era justo lutarmos pela restauração das liberdades, mas nós o fizemos sem perceber o coeficiente inovador que Getulio representava, na sua heterodoxia de homem dividido, ele próprio, entre dois ritmos históricos, criando simbolicamente, de um lado, o PTB; de outro, o PSD, numa das manobras de contraponto mais hábeis e singulares da história política do ocidente. Em 1946, mais ou menos,

Livio Xavier, velho trotskista meio desencantado, dizia que estávamos errados criando grupinhos socialistas sem futuro, pois a força popular inovadora estava potencialmente no PTB, que deveria ser trabalhada a fim de libertar-se da burocracia ministerial e do peleguismo. É o que nós jovens socialistas deveríamos tentar (dizia ele), entrando para o PTB e lutando lá dentro com os seus elementos avançados (tipo Alberto Pasqualini, Fernando Ferrari, Lucio Bittencourt, mais tarde, Santiago Dantas).

Talvez Lívio tivesse razão. Combatendo o PTB como instrumento do getulismo, não percebemos a semente positiva que ele trazia; e ajudamos a deixá-lo deteriorar-se na mão dos diversos Hugo Borghis. Mais tarde, nas vésperas da ditadura militar, o nosso PSB se articulou bem com o PTB na formação de uma frente de esquerda, mas já era tarde. No entanto, uma combinação desse tipo, efetuada em tempo, talvez houvesse favorecido a criação antecipada de um forte partido de esquerda com base realmente operária, como seria 20 anos depois o PT.

Mas é preciso introduzir um elemento atenuante nessa reconsideração tardia: enquanto os liberais viam em Getulio sobretudo a suspensão das (restritas) liberdades, nós víamos sobretudo a sua afinidade com o fascismo. Vista deste ângulo, a luta contra ele se justifica muito mais. A sua força inovadora (que não percebíamos) era comprometida pela interferência visível dessa componente odiosa, e isso dificultava qualquer atitude eventualmente compreensiva da nossa parte. Hoje, com a poeira da história assentada, os aspectos inovadores se revelam com clareza, e é curioso pensar que num país semicolonial, como era o Brasil, o autoritarismo, mesmo com seu halo inquietador de fascismo, foi talvez condição de estabelecimento das inovações. Já na Europa, o fascismo reforçou a manutenção do passado. O Estado Novo português, por exemplo, solução com laivos de fascismo, que influiu na solução brasileira, foi apenas uma eficiente economia doméstica que pôs as finanças em ordem mas paralisou o país. Ele apenas estabeleceu na casa uma ordem imobilista que manteve o passado, ao contrário do congênere brasileiro, que foi instrumento da industrialização, do advento das classes trabalhadoras, da reforma educacional etc. É só pensar no que seria o Brasil se o verdadeiro fascismo, o integralismo retrógrado tivesse tomado o poder nos anos de 1930. Ou se as oligarquias houvessem triunfado em reações como a de 1932.

Isso posto, mesmo com a correção trazida pelo tempo, a nossa atitude se justificava pelo menos em parte devido ao nosso antifascismo, embora nos tenha levado à aliança com a UDN, que Paulo Emilio [Salles Gomes] no fim da vida considerava um erro calamitoso e comprometedor; mas que se explica pelas condições do momento, sobretudo o desejo de lutar contra o que parecia manifestação local de fascismo.

# APRESENTAÇÃO

**Adelina Novaes e Cruz \ Regina da Luz Moreira**
Rio de Janeiro, julho de 2017

Após praticamente 15 anos no poder, Getulio Vargas foi deposto da presidência da República em 29 de outubro de 1945. Dois dias depois, embarcava para sua cidade natal, São Borja, no Rio Grande do Sul, a bordo de um avião da Força Aérea Brasileira (FAB). A mulher, D. Darcy, permaneceu no Rio de Janeiro, assim como a filha Alzira e o genro Ernani Amaral Peixoto, ocupados com a retirada dos pertences da família dos palácios Guanabara, no Rio, e do Ingá, em Niterói – o primeiro, até então residência de Getulio, e o segundo, de Ernani, que na época também deixou o cargo de interventor no Estado do Rio. Alguns dias depois, em 8 de novembro, Alzira, acompanhada de Ernani e da filha Celina, seguiria em avião da Cruzeiro do Sul para Porto Alegre e dali para São Borja, onde permaneceria até os primeiros dias de janeiro de 1946. Nesse meio-tempo, em 2 de dezembro de 1945, realizaram-se eleições para a presidência da República e para a Assembleia Nacional Constituinte, e Vargas, assim como Ernani, foi eleito para esta última.

Foi em São Borja, mais precisamente na Estância Santos Reis, de início, e depois na Fazenda do Itu, que Vargas permaneceu a maior parte do tempo até a volta ao poder com a eleição para a presidência da República em 1950. Sua permanência em solo gaúcho sofreu apenas breves interrupções, para que tomasse posse na Constituinte em junho de 1946, e no Senado em dezembro do mesmo ano, ou ainda para cumprir formalidades, como a obtenção de sucessivas licenças. Teve assim início o período por ele mesmo chamado de exílio. Exílio da família, exílio da capital da República, mas jamais da política. Afinal, foi o manifesto que dirigiu ao povo brasileiro em fins de novembro de 1945 que garantiu pouco depois a eleição de seu antigo ministro da Guerra, general Eurico Gaspar Dutra, para a presidência da República como candidato do PSD. E mesmo sem ter feito campanha para a Constituinte, o próprio Vargas foi o grande vencedor, simplesmente graças a seu carisma e prestígio popular: conforme permitia a legislação eleitoral da época, foi eleito senador por dois estados (Rio Grande do Sul, na legenda do PSD, e São Paulo, na do PTB) e deputado por seis (Rio Grande do Sul, São Paulo, Estado do Rio, Minas Gerais, Paraná e Bahia), além do Distrito Federal, sempre pelo PTB. Uma vitória eleitoral, sem dúvida, consagradora.

Como era preciso decidir que cadeira ocupar antes do início dos trabalhos da Constituinte em 2 de fevereiro de 1946, Vargas preferiu deixar vencer o prazo e colocou a decisão nas mãos da própria Assembleia, cujo regimento considerava eleito o candidato que recebesse maior número de votos por uma circunscrição eleitoral. Assim, tornou--se senador pelo Rio Grande do Sul, seu estado natal, sem que tivesse que desprezar a votação obtida em São Paulo, reduto tradicionalmente seu adversário.

Vargas retardou sua posse até 4 de junho, mas o fato de ter sido empossado não garantiria sua presença no Distrito Federal, sempre interrompida por sucessivas licenças. Quando da promulgação da nova Constituição, em 18 de setembro, já não estava presente e, portanto, não chegou a assiná-la. Encontrava-se então na Estância Santos Reis, de onde acompanhou, principalmente através da correspondência, o começo da legislatura ordinária e, entre outros acontecimentos, a inauguração da usina da Companhia

Siderúrgica Nacional (CSN), empreendimento no qual tanto se empenhara. Somente em dezembro, de volta ao Rio de Janeiro, assumiu sua cadeira no Senado, em muito motivado pela necessidade de anunciar o rompimento político com o presidente Eurico Gaspar Dutra, que desde maio vinha se aproximando da UDN e promovendo o isolamento do PTB. Foi então que pronunciou seu primeiro discurso, rejeitado no plenário, mas ovacionado por mais de 3 mil pessoas que cercavam o Palácio Monroe, então sede do Senado Federal.

A permanência de Vargas no Rio Grande do Sul certamente não o privou do contato com políticos dos mais diferenciados matizes, que em certos momentos chegaram a fazer verdadeiras romarias à pacata Estância Santos Reis. Entretanto, o afastamento afetivo da família foi muito sentido, por se tratar de uma época em que as ligações telefônicas e os deslocamentos eram difíceis, e o correio irregular – sem falar no medo, sempre presente, da possível ação dos órgãos de censura contra o ex-ditador, mesmo sendo ele um senador da República.

É desse período que trata este livro: dos primeiros dias de janeiro de 1946 a dezembro de 1950, quando Vargas, já eleito presidente da República na legenda do PTB, estendia sua estada na Estância São Pedro, de Batista Luzardo, antes de retornar ao Distrito Federal. Esse caminho de volta ao poder se revela amplamente na correspondência mantida entre Getulio e Alzira, parte integrante do Arquivo Alzira Vargas do Amaral Peixoto, doado ao Centro de Pesquisa e Documentação de História Contemporânea do Brasil (CPDOC) da Fundação Getulio Vargas (FGV) em 1985. Dentro do arquivo, esse conjunto de cartas encontrava-se separado dos demais documentos, em pastas identificadas pela própria Alzira, como se já fosse prevista alguma destinação para elas.

São 568 cartas, hoje disponibilizadas ao público através do sítio do CPDOC na internet <http://www.fgv.br/cpdoc/acervo/arquivo>. Cartas informais trocadas entre pai e filha, em que são tratados os mais variados assuntos: as saudades que a neta Celina sentia do "vovô Otúlio", as dificuldades financeiras enfrentadas por D. Darcy, os problemas familiares de Luthero e Jandyra, os momentos de depressão, isolamento e solidão vivenciados por Getulio, ou ainda os frequentes pedidos de mudas a serem plantadas na Fazenda do Itu, de meias de lã, bombachas e camisas, remédios, revistas e principalmente charutos. Muitos charutos!

A esses temas, juntavam-se outros, de natureza política, de análise do comportamento de partidários e opositores, da estruturação e do desempenho do PTB, bem como da situação política e econômica vivida pelo país ao longo de todo o governo Dutra (1946-1951). Ficam assim nítidos os bastidores e as articulações políticas que "costuraram" todo o processo da volta de Vargas ao poder em 1950. Alzira, enquanto sua mais segura interlocutora, possibilitava a Vargas definir estratégias políticas, elaborar pronunciamentos e preparar, enfim, seu retorno à cena pública.

São cerca de 1.650 folhas manuscritas em que, de um lado, Alzira procura suprir o pai de tudo aquilo a que a distância o impede de ter acesso (do dia a dia da política aos casos familiares, mas principalmente afeto) e, de outro, Vargas apresenta à filha um sem-número de necessidades, não sem uma pequena chantagem quando o silêncio de Alzira se faz prolongado. As cartas são numeradas sequencialmente, como forma de controle quanto ao envio e ao recebimento. Os períodos em que a troca de correspondência ficava suspensa traduziam os momentos em que Vargas se deslocava para o Rio ou São Paulo, ou Alzira conseguia brechas para chegar a Santos Reis ou ao Itu, sozinha ou acompanhada dos "piolhos" – como carinhosamente se referia aos sobrinhos e à própria filha. Essa numeração – que não consta nesta versão impressa – traduz bem as irregularidades e/ou dificuldades que Getulio e Alzira tinham com o correio normal, e o medo da censura por parte do governo federal. Realidade ou ilusão, o fato é que tanto um quanto outro davam sempre preferência aos "pombos-correios", o que, por sua vez, acarretava uma nova dificuldade: conseguir portadores da mais absoluta confiança.

É este o universo de que trata a correspondência aqui editada, e ao longo de todo o processo de edição pudemos contar com a inestimável colaboração de Celina Vargas do Amaral Peixoto e de Francisco Reynaldo de Barros, quer na leitura dos originais para elucidar nossas dúvidas, quer na identificação de pessoas e locais registrados nas imagens. Ou ainda nas palavras de incentivo. A eles, nosso agradecimento.

# PROCEDIMENTOS ADOTADOS

Ao contrário do que pode pensar o leitor, não se fez neste livro uma reprodução fac-similar da correspondência de Getulio e Alzira. Fez-se, sim, um esforço no sentido de articular uma narrativa, de modo a dotá-la de coerência para o leitor comum, suprimindo tropeços decorrentes da pressa com que as cartas eram escritas, ou do avançado da noite em que o cansaço se fazia presente. Assim, a transposição do texto original das 568 cartas exigiu um esforço para a definição e adoção de procedimentos que garantissem ser o livro uma reconstituição fidedigna dos originais e ao mesmo tempo permitissem ao leitor uma leitura ágil. Eis um resumo dos cuidados que guiaram esta edição.

Concluída a digitação dos originais, foi feita a conferência de fidelidade, ou seja, o cotejo cuidadoso do texto manuscrito com o transcrito, com a preocupação de, sempre que necessário, elucidar a grafia e o conteúdo informativo.

Os originais sem data receberam uma data aproximada colocada entre colchetes, calculada em função de seu conteúdo, o que permitiu que as cartas fossem colocadas na sequência mais próxima possível do real.

De modo geral, a ortografia foi atualizada. Entretanto, foi respeitada a grafia dos nomes próprios utilizada por Getulio e Alzira, como no caso de Luthero e Jandyra, por exemplo. Não foram objeto de notação especial palavras e locuções repetidas inadvertidamente, as quais foram suprimidas, bem como artigos, pronomes, preposições ou conjunções que foram inseridos, de modo a não sobrecarregar o texto impresso com realces gráficos excessivos. O mesmo não ocorreu com verbos, substantivos e adjetivos introduzidos para suprir lapsos e/ou omissões, que foram assinalados entre colchetes, evitando-se assim acréscimos conjeturais e buscando-se reproduzir vocábulos utilizados pelo autor.

Maiúsculas, minúsculas e numerais foram uniformizados. Iniciais e abreviaturas de nomes de pessoas, bem como abreviaturas de vocábulos, foram desdobradas. As expressões em língua estrangeira foram assinaladas em itálico, adotando-se a forma itálico-redondo para as exceções, como "*leader*ança". Sublinhados e parênteses são destaques dos autores. Já colchetes indicam intervenção da edição: [...] - corresponde a espaços deixados em branco pelo autor com vistas a possíveis acréscimos; [?] - indica palavra ininteligível ou omissão; [sic] - informa sobre a reprodução literal de passagens incompletas, imprecisas, de significado dúbio, incorreto ou pouco usual, cujos elementos não foram alterados para não haver quebra grave do sentido.

Tendo em vista a pontuação irregular dos manuscritos, sempre que necessário houve intervenção, de modo a propiciar o imediato entendimento do texto. Procurou-se assim evitar ambiguidades e assegurar a coerência quando de sua leitura. Manteve-se sempre o estilo dos autores. Pontos de interrogação, exclamação e reticências são convenções por eles adotadas, e foram mantidos, bem como palavras e letras por eles riscadas, por refletirem dúvidas, revisões e correções.

As notas de pé de página foram evitadas ao máximo e, em geral, tiveram por objetivo apenas esclarecer trechos ambíguos quanto ao episódio ou pessoa mencionada.

Além desses cuidados, cabe observar que na diagramação do livro foram utilizados tipos distintos, para reforçar a diferença entre as duas falas. Assim, as cartas escritas por Getulio ficaram com o tipo Minion Pro, enquanto às de Alzira coube o Conduit ITC, de desenho mais atual.

Finalmente, foi elaborado um índice, com o objetivo de informar e esclarecer o leitor quanto aos nomes incompletos e apelidos utilizados no corpo das cartas. A linguagem coloquial utilizada tanto por Getulio quanto por Alzira faz com que eles muitas vezes se refiram a amigos, correligionários e mesmo opositores utilizando abreviaturas, apelidos, iniciais ou partes dos nomes. A título de exemplo, Eurico Gaspar Dutra muitas vezes é tratado como "Grão de Bico"; já "Dr. Barbante" refere-se a José Linhares, e "Piano de Cauda" a José Eduardo de Macedo Soares. O índice esclarecedor permitiu a redução do número de notas de rodapé, sendo estas utilizadas apenas para os casos de esclarecimentos pontuais.

A entrada dos nomes se faz pela forma como os personagens são citados na correspondência, podendo assim haver uma ou mais entradas para uma mesma pessoa. Procurou-se com isso evitar o uso de remissivas, sempre de uso desagradável para o leitor. A paginação foi colocada apenas nos casos de nomes iguais para pessoas diferentes, de modo a permitir sua identificação.

Quanto aos nomes completos, apresentam em itálico a forma consagrada, tendo sido ordenados alfabeticamente. Além disso, sempre que possível, buscou-se estabelecer os vínculos familiares no que diz respeito a membros das famílias Amaral Peixoto, Dornelles, Sarmanho e Vargas.

Outra característica do índice é não ficar restrito aos nomes. Nele foram incorporados apelidos, expressões, termos irônicos, nomes de partidos, jornais e revistas, fazendas e palácios de governo. Cabe ressaltar, contudo, que foram deixados de lado os órgãos integrantes da estrutura administrativa do Estado, como os ministérios e o Banco do Brasil.

# 1946

**1 \ A ·** [São Borja, 2 de janeiro]

Querido Gê

**1946**   A Celina passou o dia falando no "Potonilho" para onde o vovô e o Tasio tinham ido no fon--fon. De vez em quando dizia: "Mamãe, qué vovô".

Fomos surpreendidos pela visita do Borghi e do César, que para aí vão carregados de notícias.

A desintegração do PTB vai a passos largos, se não for posto um dique imediato. Se o Borghi te falar com a mesma franqueza com que me falou aqui saberás de tudo. Em resumo:

1º) Nelson Fernandes é seu subordinado, recebe ordens dele.

2º) Recusa na carta que te entregará a presidência do PTB, por motivos não explicados.

3º) Borghi recusa qualquer composição com Segadas-Baeta.

4º) Borghi desejaria uma palavra tua pessoal de agradecimento por sua atuação. Confessou-me ser a única recompensa que deseja.

5º) Está disposto a todas as renúncias, mas no fundo deseja ser o presidente do PTB.

6º) Precisa ser amaciado em relação ao PSD.

7º) Se o PSD e o PTB começarem a brigar agora e a UDN se mantiver coesa, esta sairá ganhando.

8º) Borghi confessou ter desejado ser ministro mas já abandonou a ideia para não prejudicar o partido.

9º) O PSD está procurando obter a desistência do PTB do quinhão prometido por Dutra.

10º) Otacílio Negrão de Lima é a última esperança do PTB fazer o ministro, já que Nelson Fernandes foi rejeitado pelos conservadores (Daudt-Lodi).

Foi mais ou menos o que consegui, num rápido vomitório, entender.

Junto devolvo-te a carta do Nelson Fernandes caso resolvas modificar em face das novas informações que vais receber. Poderás mandar-me pelo próprio Borghi para refazer.

Junto vão uma carta da Mamãe trazida por ele e mais os jornais.

Qualquer ordem nova é só mandar.

Ao lado vão as notícias de hoje do rádio, caso não as tenhas ouvido.

Chegaram os retratos.

Um beijo muito carinhoso da **Alzira**

*Fazenda do Itu.* Itaqui, RS, s/d.

*Aniversário de Celina, tendo a seu lado o primo Getulinho
e Paulo Castilho de Lima; e atrás os pais Alzira e Ernani.
Ao fundo, no centro, Alzira de Abreu Pompeu, e no canto inferior direito,
Edith Maria. Na página ao lado, no mesmo dia, os primos Edith Maria,
Celina e Getulinho. Hotel Quitandinha.*
*Petrópolis, RJ, fevereiro de 1946.*

Notícias do rádio – 2-1-46                                                                                                1946

1º – Morreu Antônio Carlos. Honras de chefe de Estado. Conversou quatro horas com Dutra antes de adoecer.
2º – Senador eleito por mais de um estado deverá optar na primeira sessão, por ocasião da entrega dos diplomas.
3º – Hamilton Nogueira acha que a UDN não se deve esfacelar e é partidário da Constituição de 91.
Barreto Pinto e outros próceres do PTB negam apoio a Nelson Fernandes e chamam Hugo Borghi de intruso.
Massena nega ter feito recurso sobre votação G. V., apenas uma consulta.
Segadas destituído do cargo de secretário do PTB.
4º – Promulgada nova lei de ensino, fazendo maior confusão no cenário.
5º – Estão subindo as águas do Paraíba e do São Francisco, inundando várias cidades.
6º – A conferência dos chanceleres no Rio em março.
7º – Causou decepção entre os funcionários da Polícia a o ~~reforma~~ aumento concedido.
8º – [1]

1. O oitavo item não foi preenchido por Alzira.

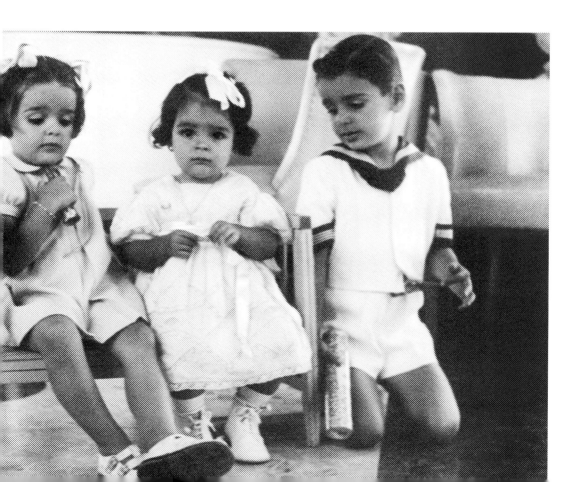

**1 \ G ·** [Estância Santos Reis], 5 de janeiro

Alzira

**1946**   Recebi tua carta e informes resumidos em pílulas. Está uma secretária como eu preciso. É pena que se vá embora. Espero que deixes o Maneco mais amansado, para substituir-te.

Estava pensando em regressar domingo, para despedir-me da Celina, da mãe da Celina e do pai. O Protasio ficaria ainda aqui. Mas talvez não vá. A despedida de longe é menos emocionante. E eu, como velho, devo precaver-me contra emoções fortes. O Vergara trouxe-me uma grande papelada que ainda não tive tempo de ler.

Nada tenho a alterar no que já conversamos.

Recebi a carta do Neves que vou responder para que o Vergara ta entregue.

Recebi a carta de tua mãe que ainda não acusa o recebimento da última que lhe escrevi. Convém que ela mande a caderneta ao banco, para pô-la em dia e verificar quanto resta. Quem me fazia isso era o Teles.

Um abraço muito saudoso do **Getulio**

Na casa não há envelopes, vai junto a carta para o Neves

**1946**

(Na casa não há envelopes, vou
junto a carta p.ª o Neves.

Alzira

Recebi tua carta e informações resumidas
em pílulas. Está uma secretaria como eu
preciso. É pena que se vá embora. Espero
que sejas o Mancas mais amansado,
p.ª substituí-lo.
Estava pensando em regressar Domingo, p.ª
despedir-me da Celina, da mãe da Celina e
do pai. O Antonio ficaria ainda aqui.
Mas, talvez não vá. A despedida de longe é menos emocionante. E eu, como se-
melhos, devo poupar-me outra emoções fortes.
O Verjara trouxe-me uma grande papelada que ainda não tive tempo de ler.
Nada tenho a alterar no que já conversamos.
Recebi a carta do Neves que vou responder
p.ª que o Verjara t'a entregue.
Recebi a carta de tua mãe que ainda não
acusa o recebimento da ultima que lhe escrevi. Convém que se mande à conta no
Banco, p.ª pô-la em dia e verificar quanto
resta. Diz-me p.ª que era o Teles.
Um abraço muito saudoso
do Lutelu       5-1-946.

**2 \ G · [São Borja], 8 de janeiro**

Minha querida filha

**1946**    Ontem daqui partiste, deixando o ambiente povoado de saudades. Devo porém confessar que o cartaz da Celina é maior que o teu. Todos repetem seus ditos, suas gracinhas, suas momices.

Já tenho matéria nova para tratar contigo e aproveito a viagem do Luzardo para tratar dos assuntos.

Apesar do muito que tens a atender preciso que sejas aí o meu fiscal, a fim de que meus pedidos e encomendas sejam satisfeitos. Como fiscal podes também fazer ponderações sobre aqueles que não te pareçam convenientes. Estou tomando algumas notas, mas, afastado de meus livros, preciso que me remetas dois discursos do Costa publicados em folhetos, um pronunciado no banquete oferecido pelos banqueiros e outro numa conferência no Ministério da Fazenda, respondendo a um discurso do candidato da UDN.

Pedirás também ao Alvim umas notas já tomadas por ele sobre as despesas dos ministérios militares em 29 e 30 e as do meu governo até o ano findo.

O Borghi, o Carrazzoni, o Andrade Queiroz e o Vergara falaram-me ou escreveram sobre a necessidade da fundação no Rio de um grande jornal trabalhista, com repercussão em todo o país.

Achei a ideia excelente, mas os seus propugnadores não estão entendidos no sentido dum esforço conjugado. Isso é que seria conveniente.

Recebi hoje, pelo correio, essa carta da Ingeborg. Desejo que tomes conhecimento da mesma. Ignoro que fatos novos levaram o Luthero a mudar de atitude depois da conciliação. Acho o assunto muito escabroso e difícil para uma demanda. Não sei que elementos de prova tem ele para propor uma ação. Não pode fazê-lo por simples suspeitas. É preciso não agir precipitadamente. Há o problema da posse da filha. Se o que há de verdade é uma irredutível incompatibilidade será preferível um desquite amigável. Mas nesse caso ela poderá estabelecer condições que não sejam aceitáveis. Enfim, meu objetivo enviando a carta é provocar um exame mais cauteloso do caso contigo, Luthero e Darcy.

A Ondina chegou ontem, após uma penosa viagem de trem. Nada mais de novo. Muitas saudades a todos e um abraço saudoso do teu pai **Getulio Vargas**

**2 \ A ·** [Rio de Janeiro], 8 de janeiro

Gê querido

Escrevo-te na primeira folga conforme prometi, dando as notícias mais imediatas. Estou **1946** em casa de Maria Luiza com Wandinha e Celina, que está dormindo. Esta portou-se como uma mocinha toda a viagem, falando em ti todo o tempo – "Qué vovô Otu". Vou dar as notícias em sistema pílulas e debaixo da primeira impressão, sem ter tido tempo de meditar. Mais tarde escreverei com mais exatidão.

1º) Mamãe muito bem. Já está saindo para arrumar o apartamento, foi até a casa de móveis. Recebeu uma proposta para trocar pela casa do Ceglia. Fui contra pelas seguintes razões: a) manutenção cara, pelo menos seis empregados, b) pouca proteção ~~para~~ contra os visitantes e pedintes prováveis, c) inconveniência de acordos bocais com gente de dinheiro, embora amigos. No entanto, se desejares o contrário, haverá tempo. Caso Luthero na mesma. Muito irritado contra a jovem, que estava disposta a ir até aí para te cabalar para o seu lado. Motivo da saída, completa saturação e libertação do predomínio moral em que ele vivia. Surgiu muita coisa, inclusive a quase certeza de serviços de espionagem por vários lados.

2º) Pedro Brando. Conversa rápida e informações não confirmadas. Dutra muito firme e igual, desejoso de sua colaboração em qualquer terreno. Permanência do Góes, forçada por este, contra a vontade do primeiro, que desejava afastá-lo a pretexto de sua saúde. Médico atendente declara que nunca esteve mais bem disposto. Caso Prefeitura, prejudicado o nome do Nonô pela intervenção do Padre[1] atossicado pelo Agamenon.

3º) João Neves. Longa conversa, mais provável. Desejo absoluto do Dutra de tua colaboração. Estranhou ideia do Neves de te fazer viajar, pois julga tua presença muito útil. Viagem bolação do próprio Neves para teu interesse pessoal. Afastar do ambiente local, evitar desgaste de prestígio pela colisão de interesses partidários e ver coisas novas e se distrair. Góes refere-se a ti como um amigo em viagem com a mesma *sans façon*. Caso Ministério do Trabalho, Dutra aceita Vital muito bem com aplausos do Agamenon. Neves acha outros dois inconvenientes por razões de decoro pessoal. A mulher de César deve ser e parecer pura. Neves havia anteriormente vetado Vital, temendo que não contasse com o apoio do Trabalhista. Situação PTB de absoluta desmoralização de ambas as correntes por suas próprias atitudes. Não têm envergadura política nem escola para enfrentar os velhos malandros do PSD. Ora se entregam, ora negaceiam sem propósito. Caso tua escolha, Neves acha deverias optar por São Paulo. Fui contra dando-lhe minhas razões: a) Em caso de conflito de interesses entre São Paulo e Rio Grande ficarias em situação difícil, b) Pouca preparação dos deputados eleitos para funcionarem como conjuntos partidários nacionais, haverá ainda formações regionais em alguns estados com simbioses estranhas (p. ex. PSD e UDN em São Paulo), c) mágoa do Rio Grande, que foi o primeiro a lançar teu nome. Neves aceitou minhas razões dizendo não haver ainda pensado nisto, e neste caso não necessitarias optar por nenhum, visto por lei ser o candidato obrigado a aceitar aquele que lhe desse maior votação, neste caso o PSD do Rio Grande. Somente quando o candidato prefere outro deve fazer a declaração. Se resolveres optar por outro que não o Rio Grande

---

1. Padre Olímpio de Melo.

**1946** deverás, se não estiveres presente à primeira sessão, enviar procuração ao Neves para fazer a declaração por ti.

Caso Prefeitura perturbado por Dodsworth, que deseja a qualquer preço continuar com um posto no governo. Levantaram o nome de Benjamim do Monte para atrapalhar a situação do Nonô. Permanência Góes no ministério desejo do Dutra por ainda temer os colegas, que até há pouco ainda estavam em efervescência. Góes muito doente, prefere voltar para Montevidéu, ficará para servir algum tempo. Candidato do Dutra é Canrobert, que ele considera como filho da casa. Neves achou Góes muito combalido e ofegante, realmente doente. Proclamação Dutra provavelmente depois de amanhã. José Carlos em desgraça, não conseguirá o Ministério da Fazenda como deseja. Está querendo... o céu também. Oswaldo desarvorado e mal de finanças. UDN em estado de choque resume-se em recalques pessoais de alguns elementos. Neves insiste na conveniência de uma viagem tua e pediu minha colaboração nesse sentido... Situação embaixada em Buenos Aires muito má. Necessidade de mudar todo mundo, inclusive Luzardo e Dom Boto, por incompatibilidades pessoais lá. João Neves deseja tua aprovação para esta mudança total, visto serem todos amigos teus. Julga imprescindível para a política de aproximação Brasil-Argentina. Luzardo ainda ignora e ele está tratando do assunto diplomaticamente para não feri-lo. Parece que é só.

3º)[2] Conversa Ernani-Dutra esta manhã. Dutra muito firme, agindo com grande lealdade em relação a ele. Protestos de amor eterno e desejo de colaboração. No mais assuntos da esquina.

---

Assuntos gerais — Ernani dará hoje uma entrevista pondo em xeque acordo PSD-UDN para fechar as porteiras com aplausos do Dutra. Maria Luiza manda dizer [que] está saindo muita sujeira na política do Distrito. Dodsworth, como sempre, bailando. Esquecia-me: Borghi não apresentou ao Dutra o nome do Vital. Quando este disse que aceitaria Negrão engoliu o terceiro nome. Dutra meio [que] se comprometeu com Negrão, embora ainda não o tenha convidado. Ernani está tentando remendar, Wandinha está te mandando um beijo. Tribo, como previa, está meio desconjuntada. Vou ver se ponho um pouco de azeite na máquina. Mamãe em plena forma.

Família presidencial completamente desmoralizada. Estão sendo tascados como balão na rua. Anedotas de todos os estilos. Diga ao Maneco para acusar sem falta o recebimento desta, por telegrama, senão não saberia se posso continuar no mesmo tom.

Tivemos grande manifestação com palmas e vivas à nossa chegada, ensaio para a tua que está sendo preparada, segundo dizem, com grande entusiasmo. Demonstrações de carinho de toda parte. Comoventes. Dos 15 assuntos trazidos estão liquidados 3 – 3º sondagem sobre tua situação em face do novo governo, 4º situação Nelson Fernandes e PTB, e 7º assuntos Vergara. Vou tratar em seguida dos demais. As saudades são arrasadoras.

Um grande beijo de tua **Alzira**

<hr style="width:10%" />

Saudades a todos de nós três

2. Numeração repetida pela própria Alzira.

**3 \ A ·** [Rio de Janeiro], 9 de janeiro

Querido papai

Meia noite e trinta. Acabo de chegar da casa da tia Wanda, onde soube da partida do Costa esta madrugada para aí. Vim para casa correndo para escrever. Esta é a segunda. Peço-te que sem falta mandes acusar o recebimento da primeira, pois só assim saberei que meu sistema funciona bem e poderei continuar com regularidade.

**1946**

Mamãe está muito bem e firme. Fomos hoje ver o apartamento e combinar a arrumação. Já é um grande progresso. Luthero tem me preocupado bastante por sua instabilidade, ora animado, ora irritado, ainda não aprendeu a dar valor ao tempo e ao silêncio. Mamãe tem feito tudo e creio que conseguiremos levar o assunto a bom termo. Não te preocupes, por enquanto. A jovem insiste em falar contigo antes de tomar uma resolução. És a única pessoa da família que presta. Parece que espera de ti um aliado. Não se avistou comigo. Vamos dar tempo ao tempo.

---

João Zaratini, Silva e Antonio foram me visitar, contaram-me muita coisa engraçada da tribo e estão loucos de saudades. Esperam com ansiedade tua volta. João assumiu uma espécie de *leader*ança do pessoal (como o mais sabido), controla-lhes o mau humor em servir e amacia com suas respostas meio atrevidas embuçadas de respeitoso acatamento as exigências e desconfianças da tribo. Braga está danado, porque quem faz os menus diários é o Sr. Presidente. Silva recusou dirigir o automóvel em substituição ao Euclides quando este entrou em férias. Euclides está firme e inconsolável. Barbosa e Medina me telefonaram, esperando folga para uma visita. Adão veio me ver também. Afirma que os chapéus foram dentro de uma chapeleira marrom grande, um escuro preto, um cinza e um panamá. Diz que se estiverem aí o cabeça de palha não é ele. No entanto prometeu amanhã dar uma busca, bem como achar os cremes de barba. Mandá-los-ei pelo Napoleão, que levará também notícias do Maciel (Incumbências 8 e 12). Adão limita-se a passar a roupa do homem sem lhe falar. Já foi prejudicado em seu emprego, mas não se importa, desde que possa um dia te servir novamente.

Já conversei com Queiroz Lima (Incumbência 1), que está coletando com paciência chinesa o que ele chama a ~~bet~~ *sotiserie* do governo. Não mandou pelo Vergara, supondo que seria para teu uso aqui. Seguem agora o Nembutal, a loção e os *Fon-Fon* (Incumbências 8-14 e 15).

Já conversei com o Bejo, que esteve bastante doente com uma infecção intestinal braba (Incumbência 9). Vai tratar do assunto. Alencastro (Incumbência 10) está trabalhando. Por agora é só.

Hoje decidiu-se o caso da Prefeitura. De comum acordo Dutra, Ernani, Padre e Nonô acertaram o nome do Hildebrando Góes, que já foi convidado e aceitou. Perguntou-me hoje se havias recebido seu telegrama de solidariedade e pediu que te dissesse que continua o mesmo queremista de antes. É teu soldado e deseja que o continues a considerar como tal.

Ernani pede para te dizer que tem conversado com vários elementos do PTB e todos concordam na organização de uma comissão com nomes indicados por ti para a reorganização do partido. A convenção elegeria esta comissão, dando-lhe plenos poderes para este fim. O tempo é curto.

**1946**   Junto uma carta do Martins com charutos e outra que supomos ser a do Welles, trazida pelo Sílvio Noronha.

Celina continua a querer vovô Otúlio e a fazer festinhas em teu retrato. Diz ao Maneco que vou escrever-lhe pelo Napoleão, hoje o tempo está curto. Não tenho parado. Mamãe também escreverá por ele.

Saudades a todos, um ósculo para o Maneco.

Um beijo muito carinhoso de tua filha **Alzira**

---

Junto vai a famosa lista, para sossego da Auristalina.

*Família Amaral Peixoto reunida: Sentados, Augusto (pai), Alice e Graciela. Em pé, Maria Luiza, Carlos Henrique e Alzira, com Celina no colo.* Teresópolis, RJ, 1946.

**4\A·** [Petrópolis, de 13 a 15 de janeiro]

Querido Gê

Escrevo-te de Petrópolis, aonde vim com Ernani escolher aposentos para alojar D. Celina. **1946**
O calor no Rio está brabo e ela fica impertinente e sem apetite. Pretendemos subir dia 18,
após acertar vários assuntos ainda pendentes no Rio. Celina fala no vovô Otu continua-
mente. Mamãe está começando a arrumar o apartamento e eu a levo para lá sempre. Ontem descobriu um retrato teu e, após fazer-lhe "fitinha" e beijá-lo, começou a ninar com o
mesmo carinho e afeição que dedica a suas "necas". Levei-a ao médico há dias para medir e
pesar. Engordou apenas 200g mas cresceu em seis meses 5cm. Está com 82cm o <u>gigante</u>
da família e em plena forma.

———————

Adão não conseguiu encontrar teus chapéus. Garante e jura que ele mesmo pôs no avião
a chapeleira marrom da mamãe, contendo os três de uso. No entanto pedi-lhe que fizesse
novas buscas.

———————

Tenho sido atacada na rua, em lojas e no hotel por marmiteiros de todas as espécies que
perguntam com ansiedade quando vens e como estás de saúde. Uma garota, após indagar
de tua pessoa e da data aproximada de tua chegada, disse-me: "Que bom se ele chegasse
no dia do meu aniversário, era meu melhor presente". Perguntei-lhe quando era e prometi
que te mandaria dizer. Saiu radiante. Tenho distribuído por conta própria abraços teus a
todo mundo (que mereça, naturalmente). Maciel diz: – o Dr. Getulio agora virou mocinho de
cinema, envolto em mistério e distante, todos suspiram por ele. Para manter a aura de mis-
ticismo ele não se poderá vulgarizar nunca mais. Ainda não me defrontei com os grã-finos,
felizmente, mas terei de encará-los em breve. Tenho sabido aqui de muita coisa que houve
e muita que não houve. A maioria é para melhor.

———————

Hoje almoçamos com o futuro prefeito, o Hildebrando Góes, que me pediu que te mandasse um abraço e reafirmasse sua solidariedade. Em sua casa está havendo agora uma
séria disputa. A filha dele, Elza, tua *fan*, vai se casar em abril e levará naturalmente o retrato
que lhe deste quando terminou o curso. O filho Hildebrando Jr. não se quer conformar. Depois do almoço (com o casal e mais Regina e Isnard) apareceram Jorge Vidal e Aprígio dos
Anjos. Recitou-nos seus últimos sonetos, gozadíssimos, principalmente um sobre as eleições. Pedi-lhe que mos desse para te mandar, porém me declarou que deseja ele mesmo te
escrever, remetendo. Maciel prometeu escrever pelo primeiro portador. Já está com tudo
pronto. Suspendi a divulgação solicitada por telegrama. – Palitos, o cômico, está trabalhando aqui e todas as noites após o *show* vem conversar conosco. É teu *fan* ardoroso e diz
que na Argentina tens tanto prestígio quanto no Brasil. Lourival contou-me que a atitude
do Martins foi mais do que digna, ardorosa, de modo que retiro todas as expressões anteriores. Palitos está muito interessado em saber se recebeste um livro que ele te mandou.
Prometi perguntar.

**1946** Rio de Janeiro, 15 de janeiro • Recebi ontem tua carta, vinda pelo Luzardo. Descemos para arrebanhar os tarecos e a Celina. Ainda não pude tratar do assunto do jornal, mas acho o Carrazzoni fraco para a luta. Quanto ao assunto Ingeborg, já deves estar melhor esclarecido por minhas cartas anteriores. Está no mesmo pé. As provas originais ainda não chegaram. Só temos cópias. Aconselhei Luthero a, de posse dessas, propor desquite amigável para evitar escândalo, pois ele perderá mais do que ela. Estou certa de que, perdidas as esperanças, aceitará. Ela tem recusado qualquer entendimento em base amigável na firme convicção de que ele não obterá as provas pedidas. Daí a desconfiança dela ter algum pistolão forte por lá. Luthero destruiu o teu retrato por julgá-la indigna de o possuir, depois de algumas afirmações contra toda a família, inclusive tua pessoa. O negócio é brabo mesmo. Pelo Otero mando um pote do creme. Adão recusou entregar outro porque disse que assim virás mais depressa.

Tenho trabalhado à beça para aprontar o apartamento, que está saindo salgado.

Política • Já está em definitivo assentada a maioria do ministério: Guerra — Góes por algum tempo, Marinha — Sílvio Noronha, ainda em segredo, Exterior — Neves, Justiça — Carlos Luz, Fazenda — Vidigal, Viação — Edmundo, Trabalho — Otacílio, Agricultura — Neto Campelo de Pernambuco, Aeronáutica — Trompowsky. Só falta Educação. Polícia — Pereira Lyra. Prefeito — Hildebrando Góes. Ernani esteve hoje com Dutra, que continua bem mandado. Declarou considerar Dodsworth e Valadares dois homens politicamente liquidados. Tudo o mais em ordem. Por hoje é só, pois já estou com fome e o portador esperando. Greves em quantidade, mas isso é assunto para outra carta.

Beija-te com muito carinho tua filha **Alzira**

**3 \ G ·** [Estância Santos Reis, de 14 a 16 de janeiro]

Alzira

Embora não tenha recebido teu primeiro relatório, dando conta dos assuntos que te **1946** recomendei, sinto necessidade de escrever-te para comunicar alguma cousa.

Não tenho motivos para acreditar no espiritismo mas minha situação é um tanto semelhante àquela descrita pelos espíritas, da pessoa que morre e a alma não desencarna, continua vagando na terra, como se fosse viva.

Eu me explico. De um lado elegem-me para várias funções públicas, entre as quais eu tenho de optar por uma ou renunciar a todas.

De outro lado aconselham-me a não entrar no exercício dessas funções, considerando-me um homem perigoso ou prejudicial. Estarei vivo ou morto, para a vida pública do meu país? Esta situação confusa de meio-termo, de claro-escuro é que me perturba. Preciso decidir-me e tomar um rumo.

Aqueles dois assuntos de que te falei constituíram um elemento de preparação dos espíritos antes do meu regresso. Depois passei-te um telegrama. O intuito deste não era suspender a medida, mas deixá-la a teu critério, conforme sugeri na carta que enviei pelo Luzardo.

Os atos praticados pelo Linhares e que têm sido tão criticados pela opinião pública e tão penosa impressão têm causado, não há duvida que revelam seu caráter e a forma por que ele interpreta o interesse público. Mas a culpa não é só dele. É também dos que lá o colocaram e são hoje os fiadores dessa conduta. Esses também precisam ser criticados.

Isto é o que tinha a dizer-te, uns minutos de reflexão, a sombra do cinamomo onde estou escrevendo está sobre o braço de uma daquelas cadeiras de palha, tão cômodas e tão tuas conhecidas.

Ontem fomos à cidade, participar do grande churrasco, tão anunciado. A chuva prejudicou-o um tanto. Mas houve grande comparecimento de pessoal daqui e de municípios vizinhos. Vários discursos, entre eles um meu, de resposta, que não foi apanhado, porque não havia taquígrafos. O Maneco ficou lá para o baile e ainda não voltou.

15 de janeiro · Esta foi interrompida pelo Souza Costa e Cilon, que chegaram ontem, aqui pousaram regressando hoje.

Recebi tua carta e todos os objetos nela referidos e mais alguns não referidos. Muito bem. A Sra. é uma menina preciosa e pontual. Ciente das informações do Amaral, de sua entrevista, muito boa. Cumprimentos ao Hildebrando Góes pela acertada escolha.

Não recebi ainda a primeira carta de que me falas. Seria interessante que mandasses qualquer notícia da Celina para o pessoal daqui. Ela continua muito lembrada e comentada por todos, desde a Glasfira até o pessoal todo da cozinha.

Não guardei cópia da lista de incumbências que levaste. Isto me facilitaria tratar dos assuntos, pelos números. Não posso fazê-lo. Por isso usei de analogias, quando me referi à preparação prévia, antes de minha chegada, e às responsabilidades dos fiadores que precisam ser lembrados.

Não me refiro ao que está com o Alencastro, talvez já sem oportunidade, mas ao outro que levaste em minuta e me parece mais conveniente, com algumas alterações.

**1946**  Quanto aos chapéus, a Glasfira os encontrou, não na chapeleira marrom que examinamos aqui, mas numa outra escura que eu não conhecia e não revirei supondo que fosse da casa e não minha.

Chegou o correio de ontem e nada de tua carta.

Vou ficar por aqui. Muitas saudades a todos os nossos e um abraço do teu pai.
**Getulio Vargas**

---

16 de janeiro • Tive conhecimento, pelo rádio, de que estavam publicando em boletins, ou antes divulgando em boletins, um manifesto meu logo após o golpe de 29.[1] Parece-me que isso não tem mais oportunidade, principalmente após meu manifesto sobre as eleições de 2 de dezembro. Se puderes evitar que continuem essa divulgação será preferível.

1. Vargas se refere ao golpe que o depôs em 29 de outubro de 1945.

*Em uma das poucas viagens a seu estado natal, Getulio aproveitou para visitar o pai, Manoel, que faleceria em outubro de 1943. S/d.*

**4 \ G ·** [Estância Santos Reis], 16 de janeiro

Alzira

Até agora recebi duas cartas tuas, uma trazida pelo Costa, outra pelo Otero. **1946**

Nestas não se trata de alguns dos assuntos mais urgentes da minha lista. Peço esclarecimentos necessários e dos quais dependem providências a tomar: 1º) decisão do Tribunal Eleitoral sobre minha eleição; 2º) opção, qual o ambiente a respeito? O que cabe ao Tribunal decidir e o que ficou atribuído à Constituinte?; 3º) quando devo estar aí, por força dessas decisões.

Há outros assuntos particulares, de ordem financeira, menos urgentes, mas sobre os quais também preciso ser informado – conversa com o Teles, pagamentos a este, imposto de renda, recebimento de juros dos bônus de guerra que ficaram contigo etc.

Tua ida para Petrópolis é necessária, principalmente, por causa da Celina. Isso dificultará um tanto tua vigilância sobre os assuntos, mas poderás encarregar alguém de fazê-lo.

Agora assuntos gerais de ordem política. O governo Linhares está a findar, mas as reformas continuam. Que pensa o nosso presidente sobre as mesmas? Quais as relações entre ambos? Li que recentemente tiveram longa conferência no Guanabara.

Quanto às duas divulgações, não sei o que chegou a ser feito, e que resultado produziram. Na carta pelo Luzardo deixei a teu critério e na outra enviada pelo correio e que ignoro se recebeste dava meu ponto de vista a respeito.

Desses assuntos eleitorais de opção, viagem etc. eu já havia encarregado Luzardo e João Neves, mas até agora nada.

Estou dependendo de tuas informações.

Amanhã devem reunir-se aqui alguns representantes da bancada pessedista do Rio Grande. Provavelmente esta carta irá por algum deles.

Quanto à tua carta, parece que a combinação que fizeste falhou pela ausência do Pataco, sem deixar pessoa encarregada. A América parece que está no Rio, em casa do Bejo.

Encarregamos o Dinarte de ver se encontra tua carta.

Algumas despesas que faças com essas encomendas vou autorizar tua mãe a indenizá-las.

Continua uma grande procura de retratos e o *stock* acabou-se. **[sem assinatura]**

[com letra de Alzira]:
Borghi – carta – Sampaio – Scarcela
Jornal – trab. – patrões

**5 \ A ·** [Rio de Janeiro], 17 de janeiro

Querido papai

**1946** Escrevi-te anteontem pelo Otero, soube que o Napoleão ia depois de amanhã e lá vai mais uma. Confesso-te que tenho tido muitas saudades daí e muito remorso por te ter abandonado, e escrevendo seguido tenho a impressão, no desalinhavo de minhas observações, que estou conversando contigo e me sinto melhor. Tenho vivido aqui um torvelinho, disputada por complicações de todas as espécies: materiais (arrumação e desarrumação de malas, abrição e fechação de caixas e caixotes, compras e vendas de coisas), familiares (casos e casinhos, alguns graves, outros sem importância, mas todos incomodativos), políticas (procuro me informar para te informar) e habitacionais (os dramas do apartamento). – Sigo amanhã para Petrópolis, levando Celina, para descansar um pouco. Voltarei na próxima semana para restabelecer contato. Seguem junto mais fotografias enviadas pelo Adolfo, e os dois últimos *Fon-Fon*. Tens recebido com regularidade? Gostaria de saber se minha correspondência tem sido recebida, pois não tenho a menor indicação.

Política · Valadares procurou Agamenon, dizendo desejar ser, como presidente da Comissão Executiva do PSD em Minas, o presidente da Constituinte. Caso não o fosse preferiria que a presidência coubesse a outro estado. Com o fim de alijar o Melo Viana, Dutra, consultado a respeito, respondeu não lhe caber a decisão, ser assunto a resolver pela Assembleia, mas que considerava o nome do Melo Viana excelente... Benê está arrasado. Os três mineiros em evidência, Negrão, Melo Viana e Carlos Luz, não rezam por sua cartilha. Dutra aguarda chance para se desfazer também do Piano de Cauda, que não está em graça, devido às suas manobras udenistas.

O *Diário Carioca* estampou ontem, fazendo grande alarde e uma série de intrigas, o manifesto (completo) de 29. Quase não teve repercussão. Dizia no entanto que o "casal Peixoto" havia sido o portador do mesmo. Ernani, abordado sobre o assunto, declarou que era mentira a insinuação e que sabia que não havias autorizado tal publicação, que visava apenas criar uma situação desagradável entre o Exército e tua pessoa. Já passou.

O Borghi está em luta aberta contra o Linhares, a quem tem desacatado pelo rádio em grande estilo. O homenzinho tem coragem de verdade. O descrédito do governo é apenas incrível, ninguém mais os leva a sério, nenhum escapa, tais as besteiras que têm feito.

O PTB está de mal a pior. Um Zebedeu lá de Minas declarou que o cargo de secretário do partido, pelos Estatutos, lhe pertencia com a renúncia do Segadas e que o Nelson Fernandes estava indebitamente agindo como tal, até a realização da convenção. Seus membros não se entendem. O Borghi vai ao Dutra e exige para o partido qualquer coisa, no dia seguinte dois ou três se reúnem e declaram que o Borghi não é membro da diretoria e não fala em nome do partido. O Nelson está na mesma situação, embora ~~mais~~ atenuada, por sua posição de menor destaque. Estão perdendo a autoridade e o prestígio tão brilhantemente conquistado em tuas costas. E é uma lástima.

**1946**

Enquanto isto o PCB, sob uma disciplina férrea, continua em ação. Iniciaram hoje a campanha da autonomia do Distrito, parece que terão como candidato o Odilon Batista e como bandeira o nome do Pedro Ernesto. Se os outros não se mexerem estão fritos, sem saber como. Disse-me o Maciel que Prestes já está consciente de que o único adversário para ele és tu, portanto irá sabotar tua chegada. Uma demonstração de que ele reconhece esta situação é que estão recuando nas greves organizadas, com medo que teu prestígio, paradoxalmente, cresça com patrões e operários.

O Nonô aceitou a direção do Lloyd Brasileiro em substituição ao Fleming com o Dutra; o Hildebrando levará para a Prefeitura o Ernani Cardoso (Justiça) e talvez o Saturnino Braga (Viação). O Padre quer a Educação, mas ainda não conseguiu. Hildebrando deseja o Lourenço mas este é impugnado pela LEC, o que não é interessante agora. A Saúde está sendo namorada violentamente pelo Xico Elísio, ainda sem proveito. Dodsworth resolveu abandonar a política, já que esta lhe foi infiel. Ninguém chorou. Dutra está dando mais atenção às reivindicações do PTB que às do Dodsworth. Sinal dos tempos.

Consta que a permanência do Trompas na Aeronáutica será temporária, até a promoção do Ajalmar Mascarenhas, pois o homem só quer ministros no último posto da carreira. E na Aeronáutica ele está como o português do bonde – trocar com quem? O Secco é considerado uma edição apenas melhorada do Arariboia.

Mando-te estas notícias tais como as recebo, sem comentários e sem tomar partido. Felizmente não me encontrei ainda com nenhum daqueles elementos. Não sou político, nem assinei aquela "quitação" e não perco por esperar. O meu dia chegará...

Quando vou ao apartamento da Mamãe, tenho a impressão de entrar no Guanabara, pois o pessoal sempre que pode dar uma fugida bate por lá! João Zaratini, Silva, Roberto, Antonio, Lopes, Joaquim, João Escarlato e outros. Não se convencem de que nada mais temos com eles.

Mando-te um recorte de jornal com as normas para a instalação da Constituinte. Lê antes de te decidir pois tua votação em São Paulo já está passando a do Rio Grande.

Das missões de que me incumbiste só faltam três: a do Nero, que ainda não encontrei, a do Paquet, que não me interessou muito depois que soube ter ele denunciado todos os oficiais partidários da reação no dia 29 como comunistas, e a dos chapéus, que não foi possível encontrar.

**1946**   Hoje é aniversário do Getulinho, cinco anos. Celina compareceu em grande estilo. Cândida, a quem vi pela primeira vez, está bonitinha, mas meio desconfiada. Não sei o que estarão metendo naquela cabecinha.

Ernani está aqui, pedindo que te mande um abraço. Embora pareça elogio, devo te dizer que tem procurado agir em tudo o que te possa ser útil e com bastante acerto. Bejo continua quieto.
Celina e eu enviamos-te um beijo muito carinhoso e cheio de saudades, que repartirás com o Maneco.
Tua filha **Alzira**

Na revista *7 Dias* há uma entrevista do João, que ele te manda.

*Graciela, Maria Luiza, Alice e Augusto do Amaral Peixoto (pai), tendo à frente Celina e Alzira.* Teresópolis, RJ, 1946.

5 \ **G** · [Estância Santos Reis], 22 de janeiro

Minha querida Alzira

Recebi tua carta de que foi portador o Napoleão, cuja visita me deu muito prazer. Tenho tido muitas saudades de vocês. Quando pela manhã saio do quarto, lembro-me da Celina, que vem a mim de braços estendidos: "Vovozinho, vamo passiá". E eu a levava ao colo pelo jardim, apanhando os paquequé, quando, com o braço um pouco cansado, sentávamos a conversar. Hoje sinto que o peso da minha saudade é bem maior que o dela sobre o meu braço.

Tua primeira carta ainda não foi recebida. Teu sistema combinado com o Maneco falhou. Se veio do Rio pelo correio, há perigo de ter-se extraviado. Se veio por portador, este poderá informar a quem entregou.

Estou um tanto sem notícias do Rio, pois o *Radical*, único jornal daí que leio, não tem vindo. É preciso que providencies a respeito. Se estou devendo pague, mas que me remetam o jornal. Já escrevi à tua mãe, dizendo que te indenize de algumas despesas que deves ter feito, atendendo a minhas pequenas encomendas.

Sobre o Paquet, não precisas indagar, pois já recebi seu telegrama. Meu nome foi também apresentado pelo PTB de Minas, para deputado. Ignoro se fui eleito. Informa-te sobre isso. A carta que eu te enviei pelo Costa parece que não foi assinada. Ela estava pronta, faltando o encerramento que esperava fazer após receber os deputados, acrescentando mais alguma cousa. Mas não houve tempo e eu fechei a carta como estava, sem me lembrar que não a concluíra.

Um saudoso abraço do teu pai **Getulio Vargas**

**1946**

*Maria Luiza (sentada), Ernani, Augusto, Alice, Raul, Graciela, Augusto (pai), Alzira e Celina.* Teresópolis, RJ, 1946.

**6 \ A ·** [Petrópolis, de 23 a 25 de janeiro]

Meu querido pai

**1946**   Recebi hoje tua carta, sem data nem assinatura, trazida pelo Costa. É a segunda que chega, a do correio ainda não veio. Esta é a quinta que te escrevo no espaço de 16 dias, a primeira pelo tal caminho que não funcionou, a segunda pelo Costa, a terceira pelo Otero e a quarta pelo Napoleão. Na primeira justamente mandava-te todas as respostas pedidas e relatava outros assuntos. É pena que se tenha perdido. Vou tentar reproduzir de memória alguns pontos, pois não fiz cópia.

Conversa com o Neves no dia da chegada:

a) Atitude do Dutra a teu respeito a mais cordial e acolhedora possível. Consciente de que te deve a vitória, deseja e julga imprescindível tua colaboração. A ideia de uma viagem ao estrangeiro surgiu da cabeça do João Neves, que deseja ardentemente que te poupes das pequenas mesquinharias e atritos pessoais que vão infalivelmente surgir e ao mesmo tempo oferecer-te umas férias merecidas e divertidas. Dutra não colaborou na ideia e até estranhou, João Neves pediu que te influísse, ao que me opus por razões que explicarei mais adiante.

b) Neves opinou que devias optar pela senatoria do PTB em São Paulo, que ficaria muito *chic* etc. Dei-lhe minhas razões em contrário e ele concordou comigo, dizendo não haver pensado antes nisso. As razões são estas: 1º) a Câmara que vem aí ainda não está preparada para funcionar <u>nacionalmente</u> e é obvio que irá se congregar ainda em grupos regionalistas. Se amanhã surgir um caso, como é fácil de prever, entre São Paulo e Rio Grande, ficarias em situação delicada, acusado de ambos os lados qualquer que fosse tua decisão; 2º) o Rio Grande foi o primeiro a lançar a tua candidatura como protesto, e ficaria com justa razão sentido; 3º) cortarias as amarras com o PSD, em favor de um partido que ainda não tem outra expressão além da exploração em larga escala de teu nome; 4º) não necessitarias optar, porque, de acordo com a decisão do Tribunal Eleitoral (que te mandei pelo Napoleão), o candidato que não optar será considerado eleito pelo estado que lhe tiver dado a maior votação. Este 4º item parece-me que agora já está prejudicado pois tua votação em São Paulo está passando a do Rio Grande. Em caso de opção não precisas estar presente, basta mandar procuração ao próprio Neves ou então agora já ao Costa. Quase todas as pessoas com quem tenho falado a este respeito, entusiasmadas pela tua eleição por São Paulo, deixam-se [ilegível] por estas razões. Não sei se se dará o mesmo contigo.

c) Neves acha que os generais, embora ainda temerosos de teu nome, estão contentes com a <u>quitação</u>, e o Góes fala em ti como de um amigo ausente, alegando que foi para ti a melhor solução (começo a lhe dar razão).

d) Dutra considera José Carlos como cidadão altamente inconveniente e está firme em vedar as portas aos udenistas como bloco. Poderá aceitá-los em separado e sem compromissos.

e) Neves está preocupado com a situação do Luzardo em Buenos Aires e de toda a embaixada, excetuando apenas o genro do Oswaldo, em consideração ao <u>amigo</u> e por ser um rapaz bom e discreto. Considera todos os outros, inclusive Dom Boto e Diniz, muito comprometidos com a facção Perón. Se este vencer Luzardo poderá voltar, se não pede-te mãos livres, visto serem quase todos amigos teus, para agir, com o fito de preservar a <u>amizade</u> argentino-brasileira.

40

Esta era a parte principal de minha carta. O resto era ou confirmação disto ou já perdeu **1946**
a atualidade. Quanto à lista que me deste aí vai o resultado: 1º) Queiroz Lima, em ação, já
tem muita coisa; 2º) Alvim também em ação; 3º) sua situação junto ao Dutra, respondido na transcrição da palestra com João Neves; 4º) situação duelo Baeta e Segadas *ver-
sus* Nelson explicada em minha última carta; 5º) telegrama Paquet, ainda não verifiquei;
6º) Maciel, vai junto o relatório com a resposta; 7º) Vergara já resolvido; 8º, 14º e 15º) encomendas já remetidas; 9º) Bejo, já respondi em carta anterior; 10º) Alencastro, mandei
suspender em vista da publicação do *Diário Carioca*; 11º) Nero estava em São Paulo, não
lhe pude falar; 12º) chapéus, não foi possível achar; 13º) Teles, remeti carta pelo Napoleão.
Confere?

Agora assunto novo:

Estamos há quase uma semana em Petrópolis. Celina tem se dado admiravelmente. Já
fez relações, é o centro de atração da sala das crianças e seus *fans* variam de nove a 10
anos. Ela ora os considera, ora maltrata, sem que eles desistam, o que para minha velhice não é bom presságio... Continua falando em todos daí. Todas as flores pertencem à tia
Dafira, todas as pretas velhas são tia Osa e todo doce de leite tem que ser da Taina, cartão
de visita é trabalho para o Pito, e toda criança de colo é Aide. O vovô Otu continua ocupan-
do suas preferências e cada retrato teu que enxerga é uma festa. Já posou a pedido para
um pintor teu *fan*, Dimitri Ismailovitch, e Chacarian já leu sua mão, sem que eu soubesse.
Vaticinou-lhe vida calma, diferente da mãe, inteligência viva e muita sensatez, casamento
feliz antes dos 20 anos.

---

Comecei a me encontrar com os dromedários de todas as espécies. A princípio, conforme
me havia proposto, atirei as patas a torto e a direito mas já me arrependi e prometo não
fazer mais. Não será uma patada a mais ou uma patada a menos que os fará regenerar-se,
e soube que nos arraiais eleitos há uma grande expectativa em relação à atitude que eu
vou tomar, porque, julgam eles, será um espelho de teu pensamento. Certos ou errados,
não quero que meu comportamento possa de longe te causar aborrecimentos, por isso não
serei amável, mas não soltarei mais as patas. Minha primeira vítima foi o Manzon, que depois de meu frio acolhimento derramou lágrimas de francês no ombro do Ladislau. Alguns,
mais safados, não perderão por esperar, mas outros vou passar em julgado. No domingo, à
hora do almoço, minha frieza teve que se derreter ao calor abrasador dos sorrisos de dois
ministros: o Pires do Rio e o Dodsworth Martins, que atravessaram a sala para me cumprimentar e... saber de ti.

---

Tua carta. 1ª pergunta – O Tribunal ainda não se pronunciou a respeito do recurso da UDN
do Distrito Federal, mas isto só afetará, caso ele se pronuncie, tua cadeira no Distrito e
portanto os "assentos" daquela turminha braba do PTB. Mas é pouco provável, apesar dos
palpites da imprensa. Já foste diplomado por vários estados, sem contestação. 2ª – Quan-

**1946** to à opção, foi um decreto pelo Napoleão e minha abalizada opinião acima. 3º – Quanto à tua vinda, aqui a porca torce o rabo. Os teus amigos verdadeiros e que enxergam um palmo adiante do nariz, entre eles, embora a contragosto porque estou com saudades, eu, acham que deves postergar o mais possível e sob todos os pretextos tua vinda. Quanto mais tarde vieres melhor, e isto para evitar a necessidade da tal viagem preconizada pelo Neves, que seria desastrosa a meu ver. Razões. Imprensa não ataca governo nascente e precisa atacar alguém. Esse alguém será fatalmente Getulio Vargas, porque foi ele quem derrotou Eduardo Gomes e puxou a toalha da mesa e impediu que eles manobrassem o Dutra. Procurarão intrigar-te com o governo por todos os meios. O povo, habituado a receber favores de G. V. durante 15 anos, pensará que este poderá continuar a fazê-lo e será diariamente uma romaria à tua porta. Do governo não obterás nem 50% e o descontentamento virá. O contato diário irá desgastar tuas energias e dilapidar teu prestígio sem proveito para ninguém. O trabalhador irá buscar teu apoio em todas as questiúnculas que surgirem e te lançará contra o governo e contra o Partido Comunista, também sem resultado prático. Os generais, de consciência pesada, estão com o complexo da derrota e ainda fortes, duplo perigo. Dutra ainda está meio prisioneiro deles, daí o não ter podido mudar os detentores das pastas militares, como era seu desejo manifestado. O governo, por sua vez, ficará muito contente se alguém apanhar por ele, porque ele irá apanhar assim que decorrerem seus primeiros meses. A situação geral é tão calamitosa no mundo inteiro, e principalmente no Brasil, porque nos interessa, que ninguém a poderá remediar. Os prognósticos são terríveis. Inflação sem lastro, greves monstros, carestia e aumento do custo de vida, questões operárias, Partido Comunista, tudo isso... e a Constituinte também. Quando o negócio estiver bem feio, serás a única esperança de salvação e não mais o culpado, o ditador etc. Se passares por aqui e depois fores viajar, os trabalhadores se considerarão corneados, pois te elegeram e tu foste passear, mas se ficares, aí, espiritualmente prisioneiro, nem o Rodolfo Valentino te ganha em prestígio. Tenho conversado com várias pessoas alheias à política e todas acham que para ti foi muito bom ter largado o rastilho de pólvora desta maneira, embora seja perigoso para o Brasil.

Minha vinda para Petrópolis não prejudicará nada porque continuo mantendo os contatos e descerei pelo menos uma vez por semana.

Quanto às relações Dutra-Linhares, não são boas. O primeiro está irritado com as traquinadas do segundo. O PSD já se reuniu e delegou poderes ao Agamenon para ir dizer ao Dr. Barbante que chega. E ele prometeu parar... O Sampaio Doria teve a ingenuidade de deixar uma Constituição de presente para o Dutra nos seguintes termos: "De acordo com o art. 18 da Constituição de 1937, fica revogada a dita Constituição". Que tal para um jurista. O PSD estrilou e ele zangadinho foi para São Paulo e fez outra baseada na Constituição de 91 para servir de anteprojeto. O PSD reuniu-se outra vez, achou ruim e nomeou uma comissão de pessedistas – Carlos Luz, Agamenon, Benedito, Góes, Nereu, Clodomir, Souza Costa, Cirilo Jr. – para redigir o anteprojeto.

O Dutra não gostou também da atitude do Linhares nomeando uma comissão de militares para apurar o caso Borghi. Este caso aliás é o assunto do dia. Por esta razão e por outras vou te fazer um pedido. Autorizar-me a desfazer teu compromisso com o Borghi, dele te ir **1946** buscar aí na fazenda. Com ou sem razão ele é um homem muito visado e tua chegada aqui com ele seria péssima sob vários aspectos. O Bento Ribeiro mandou me dizer que põe um avião da Cruzeiro à tua disposição para ir te buscar aí quando quiseres. Pensa e me diz qualquer coisa. – Não sei se estás informado sobre o famigerado caso Borghi. É mais ou menos assim. A imprensa sem assunto e a família Linhares, desejosa de distrair a atenção do público de suas próprias malandrices, deram publicidade a documentos secretos do Banco do Brasil sobre o caso do algodão dando a entender que houvera sujeira grossa. Borghi, para sua defesa, solicitou uma carta do banco, respondendo a 15 perguntas por ele feitas. Passam-se os dias e a resposta não vem. Borghi ameaça Linhares de dar publicidade a um empréstimo de 250 contos por ele feito a José Vicente Linhares, sobrinho e secretário, a pedido do então presidente do Tribunal, sem juros e não pago até hoje, já esgotado o prazo. Linhares, assustado, deu uma nota cretina, dizendo-se "ameaçado de difamações", mandou prender o Borghi localmente e chamou o Dutra para dar um jeito. Dutra reprovou a atitude de ameaça do Borghi, mas declarou que este tinha direito a uma resposta para se defender. A imprensa, porém, já tinha ido muito longe e o homem não pôde recuar. Para assustar resolveu então nomear uma comissão de militares udenistas para fazer inquérito. Seriam Gal. Sampaio, Brig. Sá Earp e Almte. Vasconcelos. O Dutra parece que se mexeu novamente e Sampaio foi substituído por Scarcela Portela (100% Dutra) e as outras duas armas não se pronunciaram. A coisa está neste pé.

Quanto ao jornal trabalhista, acho o *team* indicado heterogêneo e inexperiente para o assunto. Conversei com o Maciel em linhas gerais. Sua impressão – imprescindível mais tarde. Devemos começar a preparar agora para sair daqui a cinco ou seis meses. Agora a melhor política é apanhar calado, preparando a documentação para a defesa. Razões: jornal não se faz sem dinheiro e dinheiro quem tem são os industriais udenistas. Caminho: primeiro fazê-los sentir saudades da era getuliana, por meio de greves e comunismo, e então procurarão fortalecer o Trabalhista, soltando a grana. O jornal deverá ser *sui generis*, sem anúncios, para não ter peias de espécie alguma. Sente-se capaz de o organizar. Não prossegui na conversa e também não abordei o grupo citado, ainda. Quais são as ordens?

Em relação a tuas grandes encomendas, não te preocupes que não abrirei falência por isso. Quando apresentar a conta dos meus honorários, incluirei um capítulo de perdas e danos.

25 de janeiro • Borghi procurou-me ontem de manhã. Góes deu uma entrevista reprovando a nomeação de comissão militar para um caso bancário e aconselhou Scarcela a recusar o convite. Borghi está tranquilo quanto à solução que só lhe pode ser favorável, apenas deseja que seja feito antes do governo Dutra para que não digam que houve pressão. Quanto ao PTB, está cada vez pior. Agora os grupos são três. Nelson-Borghi chefiando alguns diretórios estaduais, Segadas-Baeta fazendo pressão através da bancada do Distrito, e França (o preto) ameaçado com seu grupo de expulsão pelos segundos. Por isso Borghi anseia por tua vinda e me disse que te ia escrever. Estou mais no ponto de vista do Maciel, embora o

**1946** futuro do PTB seja trágico. O Pinto acaba de me telefonar, comunicando que parte depois de amanhã. Preciso aproveitar o Ernani, que desce agora, para remeter. Não tenho por isso tempo de responder ao Maneco. Quanto às indicações que pede sobre o novo ministro da Fazenda, dá-lhe a ler a carta do Maciel.

Faço-te também o portador de um beijo para ele. Ernani te manda um abraço e Celina um beijo.

Para ti todo o carinho de tua filha **Alzira**

*Cordeiro de Farias (à esq.) e Batista Luzardo em cerimônia na Argentina.*
*Buenos Aires, entre os anos de 1946 e 1947.*

**6 \ G ·** [Estância Santos Reis], 24 de janeiro

Minha querida Alzira

Só hoje, 24, recebi tua carta de 8 do corrente, denotando a pressa da chegada, por não estarem os assuntos bem coados através da crítica.

**1946**

Envio-te alguns recortes do *Correio do Povo* de 22. Um deles contém a entrevista do Macedo Soares, que parece estar numa situação de grande prestígio. Ele e o Góes.

Li uma entrevista deste sobre a publicação dum manifesto feita por jornal inimigo.

Está em inteira contradição com sua pretendida amizade, apregoada em conversas privadas.

1º) É mentirosa quando diz que fiz várias propostas para continuar no governo. A verdade é que recusei a única que me propuseram, de tornar sem efeito a nomeação do chefe de polícia.

2º) É ainda mentirosa quando diz que o Cordeiro de Farias custou a me convencer de que deveria renunciar. Minha resposta foi pronta e enérgica. Tenho disso testemunhas.

3º) Afirma que houve divergências no conclame de generais e que ele opinou pela minha saída do governo. Se isso é exato demonstra que a má vontade foi dele. Por conseguinte estava mentindo quando afirmou ao M. que fora forçado a essa atitude.

Os outros dois recortes de jornais são apenas exemplares da desfaçatez com que certos jornalistas deturpam a verdade ou inventam cousas inteiramente falsas.

Bem. Tudo isso é um desabafo, talvez sem consequências práticas.

Quanto à minha opção, parece melhor não optar, deixando que o Tribunal decida.

---

Assim que tiveres tempo, deves escrever uma cartinha à Glasfira.

Junto envio uma fotografia dos pretendentes, para a Eva escolher...

Lembranças ao Amaral, um beijo à Celina e outro do teu pai **Getulio Vargas**

**7 \ A ·** [Petrópolis], 26 de janeiro

Querido papai

**1946** Pelo Pinto escrevi-te uma longa carta. Agora acabo de saber que o Gilberto Sá vai segunda-feira e apresso-me a escrever novamente. Desta vez é sobre o PTB. O negócio está cada vez mais sério. As facções, agora três, brigam entre si e não conseguem fazer um único candidato. Ameaçam-se pelos jornais e atiram uns aos outros impropérios e injúrias perdendo terreno cada dia que passa. O grupo Nelson-Borghi, que tem força (dinheiro e votos), é praticamente ilegal, pois sua situação baseia-se em uma carta particular do presidente de honra ausente. O grupo Segadas e cia. sem força, mas legal, lança impropérios, atrapalha a ação dos outros e ameaça seus opositores de expulsão do partido. Não querem admitir sangue novo com medo de perder as posições. Ambos os grupos, sem experiência política e sem maleabilidade, usam e abusam de teu nome e pedem aos outros partidos para solucionar suas contendas internas. Esquecem-se de que ninguém tem interesse em que o PTB se organize e que todos procuram pôr mais lenha na fogueira.

Hoje falei duro com o Gilberto: – Vocês estão gastando e enxovalhando a única força que possuem, o nome de G.V. Precisam resolver sozinhos seus problemas, apresentar-se como um partido decente e depois, com programa e ideias e não com o nome de um homem. Somente depois disto G.V. poderá ser presidente, e não juiz de brigas de comadres. – É isso Gê, que eu te peço fazê-los sentir. Com a melhor das intenções eles estão te usando como panaceia, ambos os grupos. Ernani está aqui junto e também pede para te dizer que a turma é fraquíssima para um embate. No Estado do Rio, onde até agora vinham mantendo certa linha, resolveram sem mais nem menos expulsar o presidente do partido. Só depois de harmonizados tu te poderás empenhar com eles. Já lhes disse isso. Resolvam os casos e vão pedir orientação, e não criem casos para ir depois pedir a bênção. Há dois dias os Diários Associados fazem um bruto escândalo com o nome do Loureiro para presidente do Rio Grande. Não sabemos o que é que há. Ernani pergunta se deve desmentir, informando de teus compromissos com o Jobim, ou se deve deixar. Se puderes responde por intermédio do Gilberto. – Junto também duas entrevistas, a do Góes e a do Portela sobre o caso Borghi, para te rires um pouco com o couro da barriga.

O caso mais grave no momento é a greve dos bancários. Grave sobretudo pela cegueira ou safadeza do governo atual. Não sei se o Carneiro de Mendonça é mais burro ainda do que se diz ou se está agindo de má-fé, pois continua afirmando que Dutra não tomará posse. Os funcionários do Banco do Brasil aderiram hoje à greve e a coisa ameaça ser braba, com caso de polícia e retrocessos sociais assustadores. Que saudades do baixinho, já andam suspirando.

Não posso escrever mais porque o portador já vai descer.

Beija-te com muito carinho

tua filha **Alzira**

Um quebra ossos para o Maneco.

*Celina, Alzira e Getulio,
tendo ao lado Augusto do Amaral Peixoto (pai).
Teresópolis, RJ, 1946.*

7 \ **G** • [Estância Santos Reis], 27 de janeiro

Minha querida Alzira

**1946**  Esta vai, como diria nosso amigo Ornellas, à guisa de <u>adminículo</u> às cartas anteriores. Já escrevi várias, quase todas levadas por portador. Só duas, esta e a anterior, vão pelo correio, uma vez que não tive outra maneira de enviá-las. Vão a título de experiência. Encarreguei-te, e este é o objetivo principal da carta, de falar ao Alvim para que me organizasse um quadro, uma informação numérica ou coisa equivalente, das minhas eleições em diversos estados. Qual a minha votação em cada um deles e a dos meus contendores.

Nada me disseste se já havias tratado disso. Desejo que esse trabalho me seja remetido imediatamente para aqui.

Quanto ao de que foi encarregado o Queiroz Lima, é para o meu regresso. Não esquecendo a nota do *Correio da Manhã* sobre o pagamento do M. e os detalhes do mesmo pela Fazenda.

Estou recebendo avisos dos presidentes dos tribunais eleitorais para receber os diplomas. Se eu não mandar recebê-los, qual o procedimento deles? Remeterão os diplomas para o Tribunal Superior, para a Constituinte?

Isto é o que desejo saber e deu lugar ao telegrama que te passou o Maneco.

E hoje fico por aqui com muitas lembranças a todos e abraços do teu pai **Getulio Vargas**

PS.: O caso do Borghi deu em briga de generais. Realmente eles não devem estar se metendo em assuntos estranhos à sua profissão, mas ficaram com o bico doce.

*Getulio entre o pai Manoel e um empregado da Estância Santos Reis, em foto anterior a outubro de 1943. São Borja, RS, s/d.*

## 8 \ G · São Borja, 1 de fevereiro

Rapariguinha,

Respondo, com esta, tua carta trazida pelo Pinto. Tenho escrito várias, algumas por portador e outras pelo correio. Estas devem estar em marcha.

**1946**

Estou um pouco prevenido com a tua dialética. Quando te convences de uma cousa, tens certo poder de argumentação que abala, com frequência, opiniões já formadas em sentido contrário. A menos que essa concordância seja para tornar-se agradável à articulista, o que me parece pouco provável. Assim, sem ~~reviadr~~ revidar a argumentação, vou tratar dos assuntos resumidamente, dando-te minhas opiniões contrárias ou favoráveis às tuas, sem discutir.

Partido Trabalhista · São realmente lamentáveis as discussões e hostilidades de grupos surgidas entre os trabalhistas, exploradas e mesmo estimuladas pela oposição e constituindo uma ameaça de desagregação para eles. Por isso mesmo penso que não devo abandoná-los à própria sorte, mas, ao contrário, fazer um esforço, intervindo e aconselhando com o intuito de congregá-los para que se tornem um elemento útil de colaboração.

Com esse propósito e respondendo a consultas, escrevi ao Nelson Fernandes uma carta da qual o Maneco te enviará cópia.

Política internacional · Provocado pelo Neves, escrevi-lhe também, dando minha opinião sobre a política de colaboração com os Estados Unidos e a atitude com a Argentina. Ele não me falou sobre a substituição do pessoal da embaixada de Buenos Aires. Por isso não tratei desse assunto na carta que lhe escrevi. Ignoro os motivos ou informações que possui a respeito, mas de minha parte não lhe virão dificuldades para as providências que pense tomar. Deve ele, entretanto, acautelar-se se essas informações provêm de seus antecessores na pasta.

Opção eleitoral · Já renunciei a eleições para deputado, ficando com as duas de senador. Quanto a essas não pretendo optar. Conforme sugeres, parece preferível deixar a decisão ao Tribunal Eleitoral. Que preciso fazer para isso, depois da declaração que já remeti ao Waldemar Falcão? Conviria que o Amaral conversasse com este, deixando de parte suas predileções pelo PSD.

Partida para o Rio · Estou de acordo em postergar a viagem o mais possível. O prazo para tomar posse está, porém, marcado em lei. Parece-me que é ele de 60 dias. Quando começa a ser contado e quando termina? Esta é a questão! Quanto à companhia, autorizo-te a desligar o Borghi do compromisso.

Candidatura do Loureiro pelo PTB ao governo do Rio Grande do Sul. Há dois compromissos assumidos pelo PSD do Rio Grande do Sul, com a aquiescência do Dutra. A nomeação do Cilon para a interventoria e a candidatura do Jobim para governador.

Recentemente o *Diário de Notícias*, associado de Porto Alegre, sem falar nesses compromissos, lançou dois boatos. Um deles é a divergência entre três nomes que estavam sendo cogitados para interventor: o Paim, o deputado Bittencourt Azambuja, irmão do comandante da 3ª Região, e o Protasio. O outro é a candidatura do Loureiro para governador pelo PTB. Tudo boato. Aqui, que eu saiba, ninguém tratou disso, além do referido jornal. Pagará a pena estar valorizando esses boatos com desmentidos? Ou será preferível deixar que caiam por si mesmos?

**1946**   *O Radical* · Já estou recebendo.

Atitude Góes · Suas conversas particulares estão em desacordo com contínuas entrevistas provocadoras. Ainda recentemente, a propósito do caso Borghi, declarou que ele, Góes, era o alvo predileto dos meus rancores, dos de minha família e dos meus partidários. Isso, porém, não o afastaria do cumprimento dos seus deveres. Ora, eu nada tenho dito a respeito dele. Não lhe tenho rancor, nem desejo sua morte. Meu sentimento por ele é mais do desprezo que se tem geralmente pelos mentirosos e traidores. Mas mesmo isso só estou dizendo a ti em segredo.

O Diretório Trabalhista do Rio Grande do Sul deseja a nomeação do José Luiz do Prado para delegado regional do Trabalho no estado. Não deseja a volta do Paranaguá, tendo queixas do mesmo. Eu já havia, porém, indicado o nome dele, em carta ao Nelson Fernandes. Convém que faças, junto a este, a retificação pelo nome de José Luiz do Prado.

Não telegrafei ao Dutra pela sua posse porque pedira ao Luzardo que lhe apresentasse cumprimentos em meu nome.

Os Estados Unidos estão comerciando normalmente com a Argentina e enviando missões militares de instrução e praticando atos de colaboração que destoam da atitude política do Braden.

Gostei muito da carta do Maciel, que vou responder.

Penso que tua atitude com essa gente mascarada que procura aproximar-se deve ser mais tolerante, por diversos motivos, entre os quais não deve ser desprezado o de saber o que se passa entre eles. Quanto a outros argumentos, estou de acordo com a carta do Maneco.

Apareceu-me aqui um Sr. José Adão Alves, que veio pedir-me uma colocação. Não podendo despachar o homem sem uma providência, dei-lhe um cartão de recomendação ao Amaral. Não conheço o recomendado, nada sei sobre seus antecedentes, nem tenho qualquer interesse. É um abacaxi que tive de descascar. Ele é esperto e inteligente, mas não serve para orador ou *speaker* de rádio. Só se fizer como Demóstenes.

Abraços a todos e um especial do teu pai  **Getulio Vargas**

**8 \ A ·** [Petrópolis, de 3 a 8 de fevereiro]

Querido papai

Recebi anteontem tua carta de 14 de janeiro, vinda pelo correio. Fez um viajão. É a terceira que recebo.

Respondo-a em primeiro lugar. Provavelmente teu estado de espírito em relação às desencarnações já mudou, em todo caso compreendo muito bem, pois era como eu me sentia também. Hoje mais ambientada e reencarnada explico melhor a situação. O golpe de 29 foi a consequência absurda de uma série perfeitamente lógica. Já se sente um certo pudor e quase vergonha dos autores, coautores e torcedores do mesmo como se desejassem que tal dia nunca tivesse existido, mas já que ele existiu é necessário explicá-lo, justificá-lo, embelezá-lo. Como? Aí é que está a encrenca. Só mentindo, inventando e denegrindo sua vítima. Mas mesmo isto não dá resultado: primeiro, porque não encontram eco em parte alguma e o jogo de invenções se desfaz à primeira dúvida do interlocutor; segundo porque eles próprios não estão convencidos para poder convencer, mentem a si próprios para poder mentir ao público. 29 de outubro foi a arrebentação de uma onda de recalques e desilusões que se vinha formando desde 1930. A cristalização se deu em torno dos decaídos de 30, Mangabeira e cia.; a ele se juntaram aqueles que fizeram 1932, lentamente, Euclides Figueiredo, Morato etc.; depois os de 35, sempre apenas os inspiradores, nunca as vítimas, Hermes, Leonidas, Juracy etc.; mais tarde os bigodeados de 37. De 37 a 44 apenas administraste o Brasil sem fazer política e sem ouvir os políticos. Todos os messias incubados se foram recalcando, começaram a se juntar e a conspirar. Aos poucos foram namorando e conquistando nosso pessoal de 30, que, mais ou menos posto à margem, se foi deixando enlear. A nomeação do Coriolano para a Polícia foi a pedra de toque para o consórcio final. Julgando-se finalmente corneada por ti, a tenentada se jogou nos braços dos inimigos de ontem, sem exceção e de olhos fechados, Juarez, Roberto Carneiro de Mendonça (também), Nelson, Cordeiros, Etchegoyen e finalmente o Góes. Como não se animavam por amor ou remorso a te atacar de frente, atacavam Dutra, para eles o responsável indireto de teu alheamento deles. Já que tinhas o chefe do Exército, não precisavas mais deles e isso era duro de engolir. Tentaram destruir o Dutra a princípio, e ele era presa fácil a intrigas, e não o conseguindo, puseram-se a conquistá-lo. Com o lançamento de sua candidatura, perderam o trunfo e a cabeça e passaram a tentar tudo para impedir sua eleição. Açulados pelos políticos profissionais passaram a conspirar e tramar e deu-se a melódia. Estou hoje quase convencida de que a intenção dos autores do golpe era impedir a ascensão do Dutra a qualquer preço, ainda que fosses a vítima, e a dos inspiradores era derrubar-te, ainda que com a vitória do Dutra. Foi um casamento esdrúxulo e que terá pouca duração. Soube que o Nelson de Mello se anda lamentando: – "Que castigo nos impôs o Getulio". O Carneiro de Mendonça até uma semana antes da posse afirmava que esta não se daria. No dia da posse, que decorreu sem entusiasmo e num ambiente de quase indiferença (a não ser nos jornais), todos os militares graduados apresentavam, no dizer de Ernani – cara de quem engoliu M... O Oswaldo Cordeiro e mais o irmão correram para cumprimentar o Ernani, ~~era e~~ o primeiro teve tal recepção que o segundo não se animou a chegar. D. Santinha, no dia da posse, ao ouvir alguém dizer – "Abram caminho para a primeira-dama" – virou-se para o seu séquito e disse: – "Queiram ou não queiram". Não consegui ainda entender bem o caráter

**1946**

**1946**  do Dutra, não sei se ele está sendo realmente decente, se está com medo ainda, ou se é apenas dissimulado. O fato é que indiretamente tem te dado as maiores demonstrações de bons propósitos. Escolhendo para seus auxiliares homens que te eram fiéis e continuam a ser e dando ao Ernani demonstrações de tão marcado apreço que se diz por aí que é ele atualmente a pessoa que mais força tem junto ao Dutra. Se fosse por gratidão, neste caso o Benedito seria o homem dele. Para mim não passa de mensagem indireta. Não comparecemos a nenhuma das festas ou solenidades (Ernani só foi à posse), de modo que felizmente ainda não me encontrei com a macacada. Mando-te contar estes detalhes para que possas fazer um juízo do ambiente e para te poderes reencarnar. O motivo por que, de acordo com Bejo, não fiz aquela divulgação foi a sua desnecessidade. A desmoralização do governo Linhares foi tão integral que nem um empurrão mais era útil. Para culminar, nas vésperas de deixar o governo assinou um decreto devolvendo os bens às firmas Herm Stolz e outras do Eixo com indenização. Os próprios jornais que o incensam e procuram disfarçar suas monstruosidades foram obrigados a gritar por decência, e um dia antes da proclamação do Dutra seu Linhares anulou o próprio ato. O Doria fez e disse tanta besteira que se desmascarou para sempre

*7 de fevereiro* • Nestes quatro dias recebi três cartas tuas. Duas pelo correio, uma pelo Gilberto e outra pelo Pinto. Não me avistei ainda com os portadores porque Celina e Eva em conjunto resolveram me trazer num pé só durante três dias. Ambas adoeceram ao mesmo tempo de gripe intestinal e eu me vi pequeninha para atendê-las. Hoje, felizmente, aproveito enquanto ambas estão almoçando para continuar. Pela América foi um bilhete e um *Fon-Fon*, e esta se não surgir portador irá por intermédio do Dinarte.

1º) Assunto Alvim foi tratado assim que cheguei, já deve estar pronto. Vou telefonar-lhe para que remeta o resultado das eleições. Quanto à parte dos orçamentos militares, disse-me que havia uma pequena dificuldade visto ter deixado no Guanabara os estudos que estivera fazendo. Vai tentar recompor. É para mandar logo ou pode esperar aqui? O Queiroz Lima está trabalhando.

2º) Quanto aos diplomas, creio já ter respondido que o próprio partido se encarrega de os receber em nome do candidato. Possuis uma mobília de nove cadeiras e duas poltronas. Isto é, há 10 sentadores aguardando sua chance. Em Minas tiveste maior votação em Belo Horizonte que o Juscelino, que está muito acabrunhado pois se julgava dono da cidade. Com este resultado Otacílio está tentando se refazer fazendo o prefeito de Belo Horizonte com o Trabalhista. Juscelino está estrilando, dizendo que quem venceu não foi o trabalhismo e sim o getulismo.

3º) O caso Borghi teve enterro de primeira classe com as declarações do Góes e a prisão do Scarcela. Maciel, um pouco suspeito por ser mais Góes que Dutra, afirma que foi Dutra quem deixou por intermédio do Canrobert a porta aberta para o escândalo, pois deseja a destruição ou enfraquecimento do Trabalhista. Daí (ainda Maciel) as declarações do Góes de que era o mais odiado pela família para que seus cupinchas não pensassem que sua atitude houvesse sido pró-Getulio. A situação do Góes é gozada. Está feito donzela arrependida de um mau passo, com *béguin* por aquele que a desvirginou, obrigada a casar com **1946** outro, e que não quer confessar nem o mau passo nem o autor do mesmo. Não sei si dá pra entender. Bonito!

4º) Quando escrevi aquela carta sobre o PTB estava por conta com as sujeiras que estavam fazendo entre <u>si</u> e desejei te deixar à margem das cafajestadas que estão fazendo ainda. Já que tens, porém, decidida vocação para Quixote, limitar-me-ei a substituir o Vergara, de vez em quando, em suas sandices. Confere? O Barreto Pinto continua fazendo miséria, como verás, pelos jornais. Falei, ou melhor, deixei um bilhete ao Nelson Fernandes para que fizesse a substituição dos nomes para o DRT e ele já me respondeu que será atendido.

5º) Ainda não estive com o Neves depois de tua carta, mas parece que ficou assentada a volta do Luzardo para Buenos Aires caso vença o Perón.

6º) Caso não desejes escolher entre as duas senatorias, só precisas ficar quieto. A decisão já agora saiu da alçada do Tribunal Eleitoral e cabe à mesa da Assembleia. Ernani desceu hoje e conversará com Nereu e Melo Viana. O prazo para a posse começa a vigorar da instalação da Assembleia. Corre aqui que virás em princípios de março. Parece-me boa época, porque já então os ânimos estarão mais calmos. As primeiras sessões têm sido apenas tumultuárias, devido à ação dos partidários de Prestes, que pelo caminho que vai derreterá antes do prazo previsto. Mangabeira foi eleito segundo-presidente da Mesa. Consta que (Maciel) motivado por um acordo do Dutra com a UDN para evitar que esta apresente um projeto de delimitação dos poderes discricionários do presidente e de revogação da Constituição de 37 até a proclamação da nova. Diz-se, porém, que Mangabeira não terá forças para evitar, visto ser desejo do Bernardes e seu PR. A prova está na publicação dos jornais udenistas de uma súmula do projeto a ser apresentado. Segundo Maciel (através de Coelho dos Reis), Dutra teria dito que até a proclamação da Constituição faria um governo político e depois faria o <u>seu governo</u>.

7º) Preciso que me informes com certa antecedência da data provável de tua vinda para tecer os pauzinhos quanto à forma e <u>companhia</u> para a viagem.

8º) Já modifiquei a atitude em relação aos mascarados. Já estou distribuindo sorrisos, embora isto às vezes me dê voltas no estômago.

---

Mamãe muda-se amanhã para o apartamento, embora ainda não esteja totalmente pronto, para poder ter o Luthero junto dela. O Adão-Demóstenes ainda não apareceu.

<u>8 de fevereiro</u> • Vou terminar aqui para aproveitar a ida do Ernani ao Rio. Vai ser apresentado um projeto na Assembleia prorrogando o prazo de posse para 120 dias, com vistas ao <u>baixinho</u>. Maciel já tem quase pronto o segundo artigo. Diz ao Maneco que ontem jantei com a Lana Turner, é um bocado de loura. Um beijo muito carinhoso para ti e Maneco da **Alzira**

**9 \ G ·** [Estância Santos Reis, de 3 a 5 de fevereiro]

Rapariguinha

**1946** Estou a escrever-te esta à sombra do velho cinamomo, sobre o braço de uma cadeira. Apesar da carta recente, levada pelo Pinto, lá vou novamente bater à porta de tua casa para saber novidades e obter a solução de algumas incumbências.

Novo governo – impressões, festividades, expectativas, planos etc.

Li que foi organizada uma comissão para apresentar um projeto de Constituição. Dela consta que faz parte o Benedito. Seria conveniente que alguém lhe sugerisse, sem falar no meu nome, que o projeto assegurasse firmes garantias para a autonomia dos estados contra intervenções do centro. Isso, por um lado, estaria no interesse dele, e por outro nas linhas do plano Maciel.

Relembro as seguintes incumbências ainda não atendidas:

1º) remessa quadros minha eleição, incumbência Alvim;

2º) idem informes sobre pagamento M... incumbência A Queiroz Lima;

3º) prazo meu comparecimento aí;

4º) remessa dois folhetos discursos Costa;

Minhas notas estão paralisadas, por falta desses dados.

Desejo saber que efeito teve minha carta ao Nelson Fernandes, da qual o Maneco te enviou cópia. Uma sondagem discreta, saber se Otacílio teve conhecimento e se aceitou incumbência sugerida.

Desejo também saber se minhas cartas enviadas pelo correio foram recebidas.

5 de fevereiro · Durante esse prazo o panorama alterou-se. Caíram grandes chuvas e não pude continuar a escrever à sombra do cinamomo.

Antes de encerrar esta, desejo mais alguns informes. Que fez mais o Linhares antes de entregar o governo? Nomeou o chefe de polícia ministro do Supremo? Seus atos serão mantidos, haverá revisão dos mesmos? E o caso Borghi, como ficou? E o diretor da Central, e o dos Correios? Permanecem os mesmos? Os rádios do Borghi continuam suspensos? A lei que permite a suspensão não foi revogada? Decididamente eu fui um ditador muito canja!

Como vês, estou atrasado em muitos informes e isso me enerva, porque não indago essas cousas sem objetivo.

E a Celina, e tua mãe e o Amaral? Movimente-se, Rapariguinha, e mande notícias e receba um abraço do seu pai **Getulio Vargas**

**10 \ G ·** [Estância Santos Reis], 6 de fevereiro

Rapariguinha

Estou me sentindo um tanto esquecido ou isolado, pela falta de noticias daí.  **1946**

Após a mudança de governo, nada mais soube. Mesmo desta apenas discursos de posse, em resumo no *Correio do Povo*, fotografias do homem sempre ao lado do infalível Georgino. Nada mais.

O rádio falou ontem à noite na instalação da Constituinte, na eleição do Mangabeira para vice-presidente, e o mais que já se esperava. Só a do vice foi novidade para mim. Isso resultou do encontro com o Dutra, noticiado pelos jornais?

Eu não censuro, nem comento, talvez até seja bom para o país.

Anoto apenas e desejo saber se é um ato isolado de simpatia ou se resulta duma política de colaboração espontânea ou provocada.

Qual a impressão sobre o governo, o ministério, seus primeiros atos etc.

Suponho que seja boa, no início tudo são flores.

Não houve nenhuma referência ao meu governo, nem mesmo do ministro do Trabalho. Foi melhor assim e foi também acertado que eu não telegrafasse a ninguém.

Desejaria saber se recebeste as cartas enviadas de Porto Alegre.

E a Celina, ainda se lembra do vovô?

Lembranças ao Amaral e um abraço do teu pai  **Getulio Vargas**

segue

Desejo ainda que me informes se foram recebidas minhas cartas enviadas daqui pelo correio, e que há sobre a interventoria de São Paulo. O último número de *Fon-Fon* que recebi é de 19 de janeiro.

**9\A·** [Petrópolis, de 12 a 14 de fevereiro]

Meu querido pai

**1946**  Já te havia escrito uma longa carta, que seguiu via Dinarte, quando recebi telegrama do Maneco pedindo notícias. Passei uma semana atrapalhada com a doença simultânea de Celina e Eva, o que me descontrolou um pouco. Agora já posso recomeçar. Tenho sempre tanto o que te contar que esqueço as gracinhas do rebento. Mando-te por isso as fotografias para matar ou avivar as saudades. Ela continua a falar em todos daí, às vezes sem propósito algum, apenas enumerando nomes.

13 de fevereiro · Ontem estava com tanta raiva que fiquei com medo de não me conter e escrever veneno, e resolvi deixar para hoje, com a cabeça mais clara. O motivo aí vai *ab ovo*, como diria o Matinha. Ruiu em Copacabana um edifício de 12 andares que, segundo me informaram, estivera interditado no tempo da "ditadura". *O Globo*, por canalhice, publica que o prédio "seria do Cel. Benjamim Vargas". O Bejo, que já andava por conta com outras, telefonou-me dizendo que se encontrasse o Roberto Azul Marinho aplicar-lhe-ia uma bofetada e se tocou para o Quitandinha à sua procura. Encontrou-o sentado no bar, deu uma gingada no corpo para tomar impulso e vibrou violenta e retumbante bofetada. Depois recuou e puxou o revólver esperando reação. Dois amigos do quase preto o seguraram e desarmaram, enquanto aquele se limitava a dizer que não compreendia o porquê da agressão. E o Bejo se retirou desarmado e aliviado. No dia seguinte os Diários Assalariados e *Carioca* soltam uma série de difamações, aproveitando o fato e envolvendo toda a tribo. Por isso fiquei por conta. Agora já estou calma e o sangue voltou à temperatura normal sem que eu tivesse feito nada do que queria. Continuamos sem imprensa e ao sabor de todas as invencionices que estes cafajestes desejam fazer. O Bejo é um homem muito visado e por isso nem o próprio *Radical* veio em sua defesa. E eles contaram a história como melhor lhes pareceu. É essa também uma das razões por que acho conveniente que te demores um pouco. A UDN e a imprensa estão ainda em lua de mel com o governo. Se vieres agora eles se unirão contra ti, com ou sem razão, com ou sem pretexto. Mais dia, menos dia, o rompimento se dará, quando começarem a levar na cabeça. O clima aí ficará mais ameno. Eles estão fazendo o impossível para nos irritar e tirar da paciência. Os nervos ficam às vezes mais sensíveis do que dentina exposta, mas – conserve seu sorriso. Cada vez que qualquer fato deixa crer que estás por chegar, o povo se assanha e se prepara para te receber, e a imprensa despeja bílis para ver se arrefece o entusiasmo. Anteontem uma sibila me disse que te vê por trás cercado de ódios e punhais de traição, e pela frente largos caminhos abertos iluminados, grandes realizações e três vitórias.

O Dutra está procurando acertar, mas também não tem imprensa própria. E a oposicionista conserva-se em expectativa morna, sem ataques e sem elogios rasgados.

Assembleia continua tumultuária. No momento a que dá mais trabalho é a mineira. Com a nomeação do Beraldo para a interventoria e a reposição dos prefeitos pessedistas, começou o turumbamba. Benedito bem apoiado por sua bancada, que é boa, está levando vantagem, ainda mais auxiliado pela dissensão entre o PR e a UDN. Bernardes e Arturzinho afinal se elegeram e o Filinto perdeu a senatoria por cinco votos. Neves afirma que Carlos Luz não vai à nossa missa (não creio) e que Minas fará política contra São Paulo e Rio Grande unidos. Para isso ele já está sendo procurado pela bancada paulista e Vidigal se está aproxi-mando mais dele Neves. – Dois deputados fluminenses, Duvivier e Acúrcio, tentaram dar um golpe no Ernani, para impedir a nomeação do Lúcio Meira para a interventoria. Saiu-lhes o tiro pela culatra com a reação violenta do resto da bancada, que hipotecou publicamente integral solidariedade. Lúcio já está empossado e os dois humildes e arrependidos. Macedo esbrave-ja e lança infâmias sobre ele e sobre nós. – O caso mais complicado é o de São Paulo. O Piano de Cauda quer ficar de qualquer maneira, com ou sem prestígio, mais apoiado na bancada udenista que no PSD. Este já declarou que Macedo não é seu candidato mas não chegaram a um acordo quanto a outro nome. A solução encontrada por enquanto é manter o Macedo com o secretariado todo feito pelo partido, isto é, sem autoridade. A solução ainda não veio.

Para o Ceará foi nomeado o Sr. Pedro Firmeza, e o demitido Acrísio não sei de quê Rocha declarou no discurso de posse que havia sido esbulhado e preterido. Para o território do Iguaçu foi o Cel. Joaquim Rondon. No Pará parece Antônio Queiroz. Para o Sergipe irá ou o Gal. Firmo ou o Erônides. Por enquanto são estes os que estão em ordem do dia.

O Neves jantou conosco no sábado. Disse-me que te ia escrever. Confessou-me que há um grupo trabalhando fortemente para estabelecer uma ponte entre ti e o Góes e daí es-tendê-la a todo o Exército. Já havia percebido isto e estou deixando para ver. Os generais de 30, Cordeiros, Falconière, têm procurado se aproximar. Quando, porém, Neves me disse que o Álcio havia perguntado por ti com muito carinho, estrilei e disse: "Já sei que a ordem é perdoar e esquecer, mas para mim ainda é cedo". Respondeu-me: "A técnica é a de seu pai, ele próprio dá o exemplo". – Sobre as embaixadas informou: já começou a limpeza da de Buenos Aires, retirando o Décio (para a Tchecoslováquia) e Oswaldo Furst, por estarem incompatibilizados contigo. A volta do Luzardo dependerá da vitória do Perón, em caso contrário irá para o México. – Dutra declarou que não deseja a nomeação do Marques dos Reis em hipótese alguma, faz força pelo Mendonça Lima para se ver livre de D. Rosinha. O próprio Mendonça declarou que não deseja ser nomeado, é a vontade da mulher. O Martins será mantido pelo menos por enquanto, bem assim como vários outros cujo tempo está es-gotado ou por esgotar. Neves está interessado em amparar o Oswaldo, cuja situação não é muito boa. Relatou-me também as razões da nomeação, ou melhor, eleição do Mangabeira para vice-presidente da Assembleia, confirmando as informações do Maciel, que te mandei na outra carta. Berle sobrou e já vai tarde, virá para cá o Norweb, aquele de Portugal amigo do Neves. Ainda não entendi muito bem a atitude deste. Se está interessado em teu apoio para aguentar o Dutra, ou no apoio do Dutra para te ajudar. Veremos.

Alvim telefonou-me ontem que está fazendo o possível para te mandar o papelório esta semana. Está difícil porque os tribunais regionais ainda não remeteram os resultados fi-nais ao Tribunal Eleitoral. Está fazendo por intermédio das bancadas, o que é mais lento. Quanto aos orçamentos militares, está tentando recompor.

Mamãe já está instalada com o Luthero no apartamento. Ainda não está pronto mas já está habitável. Seu estado-maior compõe-se da Antônia, Silvina e um rapazinho para a limpeza. Lurdes e D. Mercedes a estão ajudando muito. Tua biblioteca não caberá toda no apartamento, mesmo porque há muita porcaria. Combinei com Mercedes trazer toda a le-

**1946**

**1946** gislação, dicionários, enciclopédias, direito, política, algumas biografias, administração, e um pouco de literatura e economia. Caso queiras dar alguma orientação nesse sentido, ficaria muito grata. Mamãe não tem escrito porque esta enterrada até os olhos na casa.

---

A divulgação daquele negócio que eu trouxe está sendo feita por intermédio de Oliveira, que ignora sua origem e ficou de remeter uma a Varela por tê-la achado ótima...

Estás enganado quanto ao prestígio do Macedo, continua parlapatão e desmoralizado, como sempre se aguentando pelas divergências dos outros e a ausência de um chefe com a morte do Fernando. Góes é o que te descrevi, na carta passada. Não se conforma em ser segunda figura do Dutra e faz uma bruta onda para lembrar que o dono da sujeira é ele. Junto vai uma carta do Bouças.

Eva pede para te dizer que ela e Celina estão com muitas saudades, desejosas de voltar. Mas que os pretendentes são fracos, se puderes para mandar outros dois. Celina logo os reconheceu e perguntou – "Nico qué casá com a mamãe, qué?"

Resolveu-se após 20 dias de greve o caso dos bancários com uma solução provisória. Abono de 300 cruzeiros *per capita*, indistintamente, enquanto se discute. Encontrei Ceglia, que nos disse: – "Isto representa para meu banco um aumento de 2.500.000,00 cruzeiros e completa insegurança do futuro. Pesa sobre os banqueiros ameaça de nova greve dentro de três meses. Não posso abrir filiais, nem projetar cousa alguma além desse prazo. Que saudades do Getulio. E como eu, suspiram todos os banqueiros."

14 de fevereiro • Grande escândalo em todos os jornais sobre as acusações americanas à Argentina de ligações com o Eixo e ramificações no Brasil. Fica para outra carta porque o Gregório segue amanhã. O Ernani está me apressando. Um beijo muito carinhoso de tua filha **Alzira**

---

**10 \ A ·** [Petrópolis], 17 de fevereiro

Meu Querido Gê

A Rapariguinha ficou ontem muito triste e carregada de remorsos ao receber tuas duas **1946** cartas reclamando notícias. Embora as razões de meu silêncio sejam as mais justas, fiquei aborrecida ao me lembrar que te havia faltado. Sei bem o que é ficar sem notícias em São Borja e passei o dia com cara de tacho mal areado. Para completar as minhas pequenas tragédias, Eva teve uma crise de apêndice de madrugada e foi operada de urgência, já supurado e com início de gangrena e peritonite. Isto de mistura com um resfriado da Celina e uma gripe minha. Felizmente está tudo entrando nos eixos. Eva no terceiro dia de operada está passando bem, ainda no hospital o indefectível Barata foi mais uma vez meu anjo salvador; minha gripe está cedendo, embora dê concertos noturnos e matinais de tosse, e consegui que a Amelinha, filha do Augusto, eletricista do Rio Negro, viesse me ajudar a tomar conta de Celina.

Agora vamos à enumeração das cartas para ficar em dia. Recebi tuas: 1ª) (8-1) trazida por Luzardo, pedindo os discursos do Costa que seguiram pelo Gregório, as notas do Alvim que ainda não ficaram prontas, e tratando do assunto do jornal trabalhista que não pôde ser encaminhado daquela maneira e do caso Ingeborg que está no mesmo impasse; 2ª) (14-1) pelo correio, tratando dos manifestos, assunto já respondido, e do ambiente espiritual para tua chegada, e acusando o recebimento de encomendas; 3ª) (s/ data e s/ assinatura) trazida pelo Costa, reclamando algumas notícias que seguiram imediatamente; 4ª̶]̶ 5ª) (24-1) pelo correio, chegada com grande atraso, sobre atitudes Macedo Soares e Góes e remetendo o retrato dos candidatos da Eva; 5ª̶]̶ 4ª) (22-1) trazida pelo Napoleão, reclamando notícias e o atraso do *Radical*; 6ª) (27-1) pelo correio, reclamando notícias do Alvim (já respondida) e assuntos eleição; 7ª) (1-2) trazida pelo Pinto, respondendo minha <u>dialética</u> e remetendo a carta do Nelson Fernandes; 8ª) (3-2) a lápis, que recebi ontem; e 9ª) (6-2) também a lápis e também recebida ontem. Total 9.

Remetidas: 1ª) a <u>encantada</u> pelo correio, que chegou atrasada; 2ª) pelo Costa; 3ª) pelo Otero; 4ª) pelo Napoleão; 5ª) pelo Pinto; 6ª) pelo Gilberto; 7ª) pela América; 8ª) nova experiência pelo correio através do Dinarte; 9ª) entregue ao Gregório; 10ª) esta. Confere?

Com o velho método fulismiano iniciemos pelo princípio: tuas cartas. A de 3-2: O novo governo está ainda em fase de formação e tateando o ambiente. Em geral há uma expectativa simpática do pessoal de boa vontade, de ganância e empurração dos eternos aproveitadores e de humildade e penitência dos opositores de ontem. As festividades, como te mandei dizer, foram muitas e brilhantes, mas apáticas. Os planos são todos muito pessoais. Falta ao Dutra o poder aglutinador e a capacidade de absorção de seus auxiliares, de modo que se nota uma grande independência de ideias. Cada ministro e cada interventor tem seu plano próprio e age com independência em seus respectivos setores. Do ponto de vista técnico-administrativo os prognósticos são bons. Edmundo na Viação, bem cercado, já deu início a seus planos de obras. Manteve o Saturnino Braga no DNER e já estão trabalhando. Recebeu ordem do Dutra de dar ao Lima Figueiredo um exílio honroso e nomeou-o diretor da Noroeste. Para a Central foi um engenheiro da própria, cujo nome é Renato Feio, amigo do Napoleão, para os Correios, Raul Albuquerque. Outros nomes não me ocorrem agora. O Otacílio está iniciando agora as nomeações para os cargos-chave. O lugar do Segadas foi

**1946** preenchido pelo ex-padre Astolfo Serra. Para os industriários o Napoleão, para o Resseguro (pode cair) o Mendonça Lima. Ainda não teve muito tempo de administrar a braços com os problemas de greves e aumentos de salários. Tecidos em São Paulo, padeiros, barbeiros, transportes etc. A dos bancários solucionou-se temporariamente. Sobre o Neves, segue junto uma carta dele. Sobre o Luz já te escrevi. O Vidigal está com a mosca azul de olho em São Paulo e jurando que o getulismo morreu. Estou de olho nele. Os outros ainda não deram o que falar de sis. As interventorias estão pingando. Retifico a do Pará, foi nomeado um Fulano de tal Meira, que não é parente do Lúcio Meira, homem do Barata. Para Bahia Marback. Algumas das missões de que me incumbes sobre Benedito (autonomia estadual) e Otacílio (intervenção PTB) estão temporariamente prejudicadas por minha impossibilidade de descer, já explicada (até mingau estou aprendendo a fazer – sinucas de político decaído).

A UDN continua insistindo na revogação da Constituição de 37 e foi derrotada pelo PSD, que está organizando o tal anteprojeto básico com a colaboração de elementos de todos os partidos. Em uma de tuas cartas dizias que os trabalhos do Queiroz Lima eram para esperar aqui. Desejas que te mande só o caso Mangabeira ou tudo? Sobre o prazo de teu comparecimento, Costa e Neves já falaram. O regimento ainda não foi, mas será aprovado em breve. Terás então 20 dias para a opção e 90 para a posse em vez de 60. – As travessuras do Linhares são tantas que é difícil lembrá-las todas. O Ribeiro da Costa foi nomeado à última hora, depois do Dória, autorizado pelo Linhares, já haver convidado um cidadão de São Paulo. Dória recusou-se a referendar o decreto, o que foi feito pelo Bromureto. Em uma de minhas cartas, creio que a levada pelo Gilberto, mandei contar o negócio da firma Herm Stolz. Quanto à manutenção ou revisão de seus atos não houve nenhuma deliberação em conjunto. Cada um de per si está fazendo o que pode para consertar a herança deixada. O caso Borghi está prosseguindo na moleza e já morto pela entrevista do Góes. Como, porém, houve decreto-lei, o Dutra achou mais limpo prosseguir no inquérito em vez de revogá-lo, já que o resultado será pró-Borghi. Ninguém mais fala no assunto. As rádios já estão funcionando, mas a lei ainda não foi revogada. O Junqueira está cobrando alto os serviços prestados. Quer apenas o lugar do Máximo Linhares. O Neves quer deixar por menos oferecendo um escritório comercial. Ernani acaba de me informar que a carta ao Nelson Fernandes deu resultado, foi lida por todos, e foi assim que se harmonizaram os elementos do PTB. Ele irá conversar com o Otacílio esta semana e depois dará impressões mais detalhadas.

6 de fevereiro • Sobre o caso Mangabeira já te falei em carta anterior. Quanto ao fato de não fazerem referência ao teu governo, está muito engraçado. Há um acordo tácito de te culparem de tudo o que houve e ainda está por haver, mas de uma maneira tão besta que a verdade aparece, apesar deles. Há dias, o *Correio da Manhã*, tentando acanalhar teu governo, fez um bruto elogio. Tratava em seções diversas de dois assuntos, o dos mercadinhos e da Cel.[1] Chamava-te pai dos pobres, rei da demagogia, astro da propaganda, para confessar

---

**1.** Cooperativa Estadual do Leite.

metendo os pés pelas mãos que no teu tempo havia leite e os mercadinhos funcionavam. **1946** O pessoal [do] Dutra tem medo de falar em ti elogiando, porque apanha dos jornais e pode perder o osso, e xingando, porque fica antipatizado pelo povo e perde as eleições. Portanto, em boca fechada não entra mosca!

---

Ernani pede para te dizer que tem sido assediado por duas pessoas que se queixam de te ter escrito e telegrafado repetidas vezes sem receber resposta, dizendo que talvez tenha havido alguma intriga, mas que eles são os mesmos homens com o mesmo ideal getulista: o Ruy Carneiro e o Costa Neto. Transmito apenas porque ainda não averiguei se o que se dizia deles é verdade ou não. Parece que o portador desta será o Epitacinho. Já o conheces bem e eu o recomendo especialmente ao Maneco, para o receber com flores... do campo. O Lourival, que tem estado conosco constantemente, pretende ir a São Borja em princípios de março. Martins disse-me que te vai escrever. Não o havia feito por supor que virias breve. Ele conta algumas passagens interessantes lá das Américas que vêm robustecer em parte a teoria minha e do Maneco sobre o golpe. Essa história do Livro Azul, que só agora eles se lembraram, nas vésperas da eleição do Perón, de publicar, também é digna de cuidadoso estudo. Junto vai a carta do Neves. Estivemos conversando hoje novamente por muito tempo sobre os assuntos descritos na carta dele e na minha. Estava com ele o Glicério.

Encontrei há dias o Costa Rego na rua. Abraçou-me muito alegre e perguntou por ti cheio de saudades, dizendo: "Ora vejam só, durante 15 anos ele me desprezou pelo Góes. E olhe que o adulei e bajulei bastante, sem resultado. E agora estamos os dois na mesma situação e por causa do Góes".

Bejo tem estado muito seguido agora conosco. Depois do bofetão que teve mais sucesso do que eu esperava, devido à antipatia do esbofeteado, está novamente calmo.

Desculpe a falta de notícias, estou um pouco sem contatos devido ao [ilegível] que bateu na tribo. Mamãe está em casa, muito bem disposta e em grande atividade. Celina fez grande amizade com o Neves porque este a convidou para ir visitar o "Vovô Otu". Nonô e Maria Luiza passaram aqui e pediram que te mandasse um abraço.

Beija-te com muito carinho tua filha **Alzira**

---

**11 \ A ·** [Petrópolis], 19 de fevereiro

Querido Gê

**1946**    Esta vai como adminículo para aproveitar ainda o Gregório, que supus já haver partido. Pouco tenho a acrescentar às duas cartas que te escrevi nestes últimos dias. — A Constituinte continua agitada e inútil. Os comunistas estão fazendo miséria para agitar e fazer demagogia. O Melo Viana, fraco como presidente, entrega a chefia da Mesa a três por dois ao Mangabeira, que está mantendo uma linha de reserva, talvez proveniente de seu acordo com Dutra. A bancada pessedista está quieta, limitando-se a reagir localmente (por estados) quando diretamente atacada. A UDN do Estado do Rio está buscando uma conciliação sob a condição, proposta por ela, de anularem definitivamente Zé Eduardo e seus sequazes, conciliação extensiva, exigida pelo Ernani, de respeitarem teu governo. Os ataques a ti estão diminuindo, limitando-se a alguns latidos esporádicos. Alguns atos do Linhares já estão sendo revistos, porém sem escândalo, porque não convém à imprensa. — O Henrique Dodsworth, já embaixador em Portugal, está à tua espera com uma vasta caixa de charutos. — O assunto do dia é o Livro Azul, como verás pela mensagem <u>anaélica</u> que te mandei. As consequências desta calinada diplomática do Braden são imprevisíveis. Desesperado com as perspectivas da eleição do Perón, resolveu atear fogo no bairro para pegar uma barata.

    Bueno, o Gregório já vai. Celina está aqui te mandando um beijo, que vai junto com o meu.

**da Alzira**

**Hotel QUITANDINHA**

19-2-46

Querido Zé:

Esta vai como aditamento para aproveitar ainda o Gregorio q. supus já haver partido. Pouco tenho a acrescentar ás 2 cartão q. te escrevi nestes ultimos dias. — A constituinte continua agitada e inutil. Os comunistas estão fasendo miseria para agitar e faser demagogia. O U.T. fraco como Presidente, entrega a chefia da mesa a 3 por 2 ao Mangabeira q. está mantendo uma linha de reserva, talvez proveniente de seu acordo com Dutra. A bancada pessedista está quieta, limitando-se a reagir localmente (p. estados) quando diretamente atacada. A U.M. do Estado do Rio está buscando uma conciliação sob a condição, proposta por ela, de anularem definitivamente Zé Eduardo e seus seguazes, conciliação extensiva, exigida pelo Ernani de respeitarem seu governo. Os ataques a ti estão diminuindo, limitando-se a alguns latidos esporadicos. Alguns atos do porque não convem a imprensa. — O Henrique já embaixador em Portugal está a tua espera com uma basta caixa de charutos. — O assunto do dia é o livro Azul como verás pela mensagem anallica q. te mandei. As consequencias desta calinada diplomatica do Braden são imprevisiveis. Desesperado com as perspetivas da eleição do Perou resolveu atear fogo ao bairro para pegás uma barata.

Bueno o Gregorio já vai. Elina está aqui te mandando um beijo, q. vai junto com o meu

do Alina

PETROPOLIS - BRASIL

**12 \ A ·** [Petrópolis, de 24 a 26 de fevereiro]

Meu querido Gê

**1946**   Há dias estava eu te escrevendo, uma das três cartas que seguiram pelo Gregório, quando Celina me apareceu perguntando: "Mamãe, quié ixo?" Respondi-lhe que te escrevia, e ela imediatamente: "Neném tainém qué quevê vovô Sábója". Dei-lhe um cartão e um lápis e o resultado aí vai de mistura com as saudades dela. Amanhã completará seu segundo ano de existência, longe de toda a tribo. Tenho estado sempre com Mamãe e Luthero, este mais esperançado de obter uma solução pronta de seu caso através de providências que o Martins prometeu tomar e mais calmo porque a filha já está novamente sua amiga. Mamãe está ótima, confeccionando ela mesma as cobertas de cama, roupas de empregada e tomando interesse pela casa. Jandyra também está em Petrópolis com as crianças na casa da Ruth. Vão bem.

---

Ontem, conforme a praxe estabelecida em todos os sábados, João Neves veio conversar conosco. Está esperando resposta à sua carta. Não te tem escrito mais seguido por estar assoberbado de serviço e dramas internacionais. Pediu-me com grande empenho que te escrevesse sobre o caso que se está criando no Rio Grande entre PTB e PSD. Tem sido procurado insistentemente pelos deputados pessedistas do Rio Grande, muito assustados com as traquinices do Dinarte e do Loureiro, e pede-te que te empenhes com toda a tua proverbial serenidade para evitar qualquer luta, cisão ou cheiro de divergências no Rio Grande, pois representa para todos nós um grande perigo. O Rio Grande é o bloco uno, a base sobre a qual se assenta a tranquilidade atual de todos os teus amigos (embora não o mereçam). Muitos dos ataques que ainda sofres não te são diretamente dirigidos, mas por tabela a todos aqueles que te apoiaram e que hoje aguentam o Dutra. Os Diários Associados têm explorado muito o assunto, buscando uma brecha para atingir o Rio Grande. Ao Dutra imediatamente não interessa isto, visto ter de se apoiar no teu prestígio, mas se conseguir se firmar, como está procurando, verá com muitos bons olhos um enfraquecimento do teu bloco, assentado na união gaúcha. Paim tem procurado muito o Dutra e este está desejando aproveitá-lo, servindo-se dos recalques contra ti que aquele nunca escondeu. Neves previne-te também das ambições do Zé Diogo e Bittencourt Azambuja, ambos de olho na posição do Walter. — Quanto à parte internacional, gira tudo em torno do resultado das eleições de hoje na Argentina.

---

Almoçamos hoje em casa do velho Othon Bezerra de Mello, e ouvi dele e de seu irmão Otto que o melhor ministro da Fazenda que o Brasil já teve foi o Souza Costa (!) (mostra ao Maneco). Deles ouvi também a origem da proibição por três meses, publicada hoje, de exportação de tecidos brasileiros, proposta pela CETEX. É incrível e criminoso, mas vou contar. O velho Guilherme da Silveira, temeroso de que o filho por ser brigadeirista perdesse a presidência da CETEX e desejoso de fazer média para continuar no Banco Brasil, foi ao Dutra, em audiência extradespacho, dizer-lhe que o Padre Olímpio estava a soldo do Matarazzo, que não desejava vender um único metro de tecido no Brasil para provocar uma crise social. Que ou o governo proibia a exportação ou havia crise. Relatado ao Otto Bezerra **1946** de Mello pelo próprio Guilherme da Silveira de quem é grande amigo. E a política de Bangu vem influir nos interesses econômicos do país. O Othon pediu que te mandasse um abraço.

---

Ontem defrontei-me pela primeira vez com D. Santinha em um chá na Maternidade da Divina Providência em Petrópolis. Tratou-me com muito carinho, fazendo festinhas e perguntando pela família. Portei-me com grande decência e não fiz malcriação. Disse-me que só subirão definitivamente em março porque o General está muito sobrecarregado agora. Estava cercada de ex-brigadeiristas que a serviam com grande humildade.

---

Política • Mangabeira está rondando a cerca para pular e o Dutra vai ajudar. Informação segura. Provas: seu ataque à Constituição de 37 foi muito hábil — lamentou-se muito, chorando as misérias que o fizeste sofrer e defendeu o ponto de vista da UDN mais no ~~ponto de vista~~ setor jurídico. Virgilinho não gostou e deitou entrevista, que te aconselho a ler com atenção. Cisão na UDN? Nereu na sessão seguinte fez uma brilhante defesa que deve ter sido publicada aí também. Bernardes, acuado pelo Ruy de Almeida, resolveu ir à tribuna justificar seu governo. Disse que já havia encontrado o estado de sítio como herança etc. e que não podia ser responsabilizado por todas as arbitrariedades cometidas em seu governo, sempre procurara desfazer as injustiças que chegavam a seu conhecimento etc. A essa altura Seu Ernani resolveu dar uma pegada, pois há muito estava com apetite, e aparteou: — "Meu pai foi preso durante seu governo injustamente. No entanto não o considero diretamente responsável por isso. Sei que muitas vezes os governantes ignoram as prepotências de seus subordinados. E este crédito que dou a V. Excia., V. Excia. também deve dar àqueles que o sucederam". O Rolinha tentou reagir dizendo: — "Mas os Srs. dispunham então da Justiça e do Parlamento em pleno funcionamento, o que não sucedeu no Estado Novo". Resposta: — "V. Excia. não ignora que os parlamentos de seu governo eram unânimes e não havia oposição porque as eleições eram fraudadas. Somente depois de 30 houve no Brasil eleições honestas e livres. Se fosse durante o governo de V. Excia. a UDN não estaria aqui representada, nem V. Excia. estaria falando". — Aí V. Excia. embatucou e mudou de conversa. Nem um único jornal comentou o assunto, nem transcreveu o aparte do Ernani. Somente a Rádio Mayrink fez um comentário dizendo ser a primeira defesa formal feita no Parlamento ao governo do Sr. Getulio Vargas.

26 de fevereiro • Estava te escrevendo às 6 horas da tarde, quando houve um grande incêndio nos transformadores do Rio da Cidade[1] e ficamos inteiramente às escuras. Imagina, papai, morando no quarto andar sem elevador e com Celina no colo porque a Eva ainda está

---

1. Subestação responsável por parte do abastecimento de energia elétrica de Petrópolis.

**1946** fraca. Todo mundo de velinha na mão neste bruto hotel onde tudo funciona por eletricidade. Está de amargar. Parece que vai durar ainda alguns dias e estou pensando em mandar Celina e Eva para Teresópolis com D. Alice. Lá pelo menos não há elevadores para subir. Nós iremos passar lá o Carnaval e voltaremos depois para cá, até vagar o apartamento. Ontem foi aniversário do Piolho e fizemos uma festinha para ela. Portou-se galhardamente e recebeu os convidados com grande pose. Apagou as velas e cortou o bolo como se fosse gente. Como mulher, já está negando a idade e diz que só fez um ano.

   Voltando à Constituinte, Agamenon deu um aparte oportuno que desconcertou um tanto a oposição que esperava uma vitória fácil. Em resumo o caso é o seguinte. Eles prepararam por intermédio do Dória uma ditadurazinha para eles e o Eduardo. E agora estão com medo pânico do uso que o Dutra poderá fazer desta arma que eles lhe deram. Supondo que o PSD tivesse o mesmo medo (o que é verdade), contavam com a Barbada. Daí a frase do Mangabeira: quem hoje tem coragem de defender a Constituição de 37[?]. A reação de alguns pessedistas, de vergonha, desnorteou um tanto. Disse-me Ernani que na última reunião de *leaders* ficou combinado não dar mais a confiança de apartear a UDN e apresentar uma proposta à Mesa encerrando a discussão sobre o assunto e iniciando os trabalhos da Constituição. Vai haver estrilos. Rolha da maioria etc., mas é o meio de acabar com esta demagogia barata. Os comunistas se aproveitam para fazer confusão e se estão infiltrando por todo

*Alzira e Ernani com o casal Robert e Elsie Lee (ao centro) – ele presidente da companhia de navegação Moore-McCormack – em evento social realizado no Hotel Quitandinha.* Petrópolis, RJ, 1946.

o interior do Brasil com uma atividade alarmante. Donos de fábricas do interior queixam-se de infiltrações cada vez mais audaciosas. Na Câmara eles têm dois elementos bons, o Prestes já um pouco gasto e o Hermes Lima (Esquerda Democrática), com grande cultura e precisão nos apartes. O resto é fraco por enquanto. Nos ataques à Constituição de 37 eles se juntaram à UDN, e o PTB ao PSD na defesa. Há agora uma briga meio complicada e um tanto obscura em torno do Instituto do Açúcar e do Álcool. O Barbosa Lima não quer largar já em hipótese alguma e o Ismar Góes Monteiro quer entrar já a qualquer preço. Ambos, eleitos para a Constituinte, não tomaram posse e estão se toureando em silêncio. O Ovídio voltou ao DNC, embora a oposição esteja pleiteando sua extinção. Soube pelo Andrade Queiroz que a devassa feita no escritório do Otávio em Buenos Aires foi por motivo de denúncias de D. Amasilinha e esposo a pretexto de que de lá teria saído campanha e financiamento à campanha queremista. Bejo esteve vigiado durante toda a permanência aqui do Gregório. Debulha-o sobre o assunto. — Egydio te dará pessoalmente informações interessantes, principalmente sobre a atuação do Martins e da turma do Rio Grande em New York. — Depois da enxurrada de cartas que recebi estou há mais de 10 dias sem notícias. Junto vai a primeira parte da missão Alvim, devido às dificuldades que tem encontrado, conforme explica. Sei que há uma carta do Maneco em mãos da Mamãe mas ainda não a recebi por falta de portador. Devo terminar aqui para poder entregar ao Egydio, que desce agora.

Como vão todos aí? Saudades de nós todos, inclusive da Celina. Maneco, como vai? Estou com um presente engatilhado para ele, mas não encontrei a blusa refrigerada que lhe prometi. Tio Protasio, tia Glasfira e Ondina? E a trindade vizinha? Celina fala sempre em todos.

Beija-te com muito carinho

tua filha **Alzira**

---

Esquecia-me de dizer que estive com Nero. Dei-lhe teu recado, mas declarou que só voltaria à Aeronáutica sob chefes que tivessem o mesmo idealismo dele.

**11 \ G ·** [Estância Santos Reis, de 24 a 28 de fevereiro]

Rapariguinha,

**1946**    Recebi afinal tua carta relatório, bem interessante, de 3/2/46. Ela responde e explica muita coisa. Vou, pois, tratar ordenadamente dos assuntos que interessa esclarecer.

1º) Viagem – Recebi um telegrama do Costa nos seguintes termos: "Projeto regimento entrará discussão amanhã, fixa o prazo de três meses de sua data para posse candidatos eleitos e de 20 dias, também de sua data, para exercer direito opção os eleitos por mais de um estado. Logo esteja aprovado informarei". Com esse aviso fiquei informado. Não há pressa em seguir. Só após a aprovação do regimento começará a correr o prazo da posse.

2º) Desejo também saber a atitude do ministro do Trabalho para comigo (a) porque contribuí para sua nomeação; (b) por facilitar minha ~~atuação~~ atuação no PTB; (c) porque, conforme suas disposições para comigo, poderei também concluir a respeito das do seu chefe, pois naturalmente agirá de acordo com este. Ignoro se o referido ministro teve conhecimento de minha carta ao Nelson Fernandes, da qual recebeste cópia. Essas *démarches* podem ser feitas discretamente pelo Ernani, em cuja habilidade diplomática confio. Seu contato mais constante com os elementos políticos facilitará o conhecimento dessas cousas.

3º) Encomenda Alvim – Desejo que me remeta somente os quadros eleitorais da minha votação. Até agora não sei ainda por onde fui eleito e com que votação.

4º) Artigos Maciel – Estão me fazendo falta. Não continuou a enviar-me.

5º) *Correio da Manhã* – Esse jornal foi o que, durante a campanha política, publicou contra mim notícias mais agressivas e injuriosas. Deixei de o ler. Mas, recentemente, li no *Correio do Povo* duas notícias daquele jornal transmitidas pelo correspondente telegráfico deste. Um dos tópicos noticia que eu havia desembarcado na baía de Guanabara, vindo em embarcação para a cidade e seguido para o apartamento meio escondido. O outro <u>suelto</u> era uma verdadeira canalhice em vários itens, o primeiro dos quais dizia que, quando eu chegasse, as pessoas honestas não me cumprimentariam. Será que essas pessoas são da mesma bitola do cornudo e bêbado P. B.?

6º) Caso Bejo-R. Marinho – Que houve? Só tive notícias pelas referências feitas pelo segundo, que devem ser um tanto suspeitas.

7º) Pela carta junto verás que tenho crédito de 600 pilas, por conta de minha imortalidade do ano passado. Receba e compre um presente para cada um dos netos que completaram aniversário após minha vinda para aqui. Se for necessário algum recibo, mande-o nos termos precisos, para eu assinar.

8º) *Fon-Fon* – Recebi o número de 2 de fevereiro, que não pude ler, por faltar-me o de 26 de janeiro. Carece remetê-lo logo.

9º) E o retrato com os dois pretendentes à mão da Eva, não me disseste se o tinha recebido e qual a resposta!

Isto foi escrito à guisa de nota, à sombra do cinamomo, no dia 24. E fico hoje por aqui. Estamos isolados de qualquer correspondência postal, pela greve dos ferroviários.

25 de fevereiro • Aniversário da Celina e do Ruy. Já telegrafei. Chegou o Gregório com a **1946**
correspondência. Três cartas, tudo explicado. Um alegrão. Não houve extravio de correspondência, confere. Voltemos ao assunto. Dos itens anteriormente escritos já foram explicados o 6º, o 8º e o 9º.

O Ernani está com o Lúcio Meira na interventoria. É um nome idôneo e pessoa de sua confiança. Fiquei também satisfeito com algumas recentes nomeações no Ministério do Trabalho, como do Nonô e do Napoleão, outras regulares e uma positivamente má. Não se tira o do lugar um técnico como o Vital, um homem da sua compostura moral, o organizador do instituto,[1] que lhe deu a vitalidade e o crédito de que desfruta, para substituí-lo por um general que já tem no posto ocupação bastante para desempenhar.

26 de fevereiro • O Protasio e Glasfira seguiram hoje para Iraí. Fiquei como sota-capataz, na direção do das fazendas. O Maneco está comigo e continua bem desempenhando as funções de secretário e colaborador. Recebi os retratinhos da Celina. Estão interessantes embora em nenhum deles esteja risonha. Num está com uma carinha aborrecida, parece que enfrentando o sol, noutro caminha de olhos baixos, ar preocupado de quem está meditando.

Aqui há varias famílias pobres e numerosas, com direito ao abono, mas sem recebê-lo. A repartição tem dinheiro mas não pode pagar, porque não tem ordem. Parece que falta o crédito. E assim como estas devem estar muitas outras espalhadas por esses vastos Brasis. Enquanto os poderosos recebem pontualmente, no fim do mês, os miseráveis sofrem necessidades e não são atendidos. Esse assunto corre pelos ministérios do Trabalho e Fazenda. Conviria fosse providenciado para a abertura do necessário crédito ou ordem de pagamento. Gostaria que o Costa me mandasse suas impressões sobre a política financeira do Vidigal, diretamente ou por teu intermédio, mas com brevidade.

E o Estelita, continua na Fazenda ou voltou para o Banco da Prefeitura? Qual a sua conduta política?

Fiquei satisfeito com a nomeação do Dodsworth para a embaixada em Lisboa.

Estamos a 27. A greve continua, não tenho informações sobre as providências que estão sendo tomadas para resolver o assunto.

28 de fevereiro • Consta que terminou a greve. Vou encerrar esta para enviar pelo primeiro trem. Acusa o recebimento da mesma, embora não a recebas logo respondas logo, para que eu saiba que não houve extravio.

Sobre o que o Costa Neto e Ruy Carneiro disseram ao Ernani, podes responder que nada há contra eles e mais que respondi a ambos.

Quem substituiu o Costa Neto? Ainda está o Castro Júnior ou foi substituído por outro? Quem dirige *A Noite*, qual a situação do Carrazzoni? Resolveram algo sobre o restabelecimento dos três cargos de conselheiros comerciais anulados pelo Linhares?

1. Instituto de Resseguros do Brasil.

**1946** Os dados reunidos pelo A. Queiroz Lima[2] devem aguardar-me. Basta remeter o caso Mangabeira. E o Epitacinho sempre vem? Ele é um saco de novidades e, descontando as criações próprias, poderia informar-me muita coisa.

Lembranças ao Amaral, um beijo na Celina e um afetuoso abraço do teu pai

**Getulio Vargas**

---

2. Não há como confirmar se Vargas se refere a Alberto de Andrade Queiroz ou José de Queiroz Lima.

## 12 \ **G** · [Estância Santos Reis], 4 de março

Rapariguinha

Estou a escrever-te esta numa manhã de domingo, fresca e suave como um começo de **1946** outono. Ontem, mexendo numa caixa de encomendas minhas enviadas por ti, encontrei o livro do Barros Vidal com uma dedicatória dele. Lembrei-me então que estou em grave falta com este escritor que publicou um trabalho tão interessante a meu respeito, quando eu, já decaído do governo, não podia distribuir recompensas, nem fazer mercês. No entanto eu não lhe havia respondido agradecendo. Parece-me, porém, que eu te havia incumbido disso. Se não fiz, peço agora que o faças. Fala com ele, manifesta-lhe o meu agradecimento e pergunta se posso servir-lhe em alguma cousa. Foi esse o motivo da carta, e aproveito a oportunidade para acrescentar mais alguns assuntos. O Vergara esta aí, quando sai o último volume da *Nova Política*?

Na tua última carta falavas nos nomes de Oliveira e Varela. Quem são eles?

Quanto às cousas políticas tenho a impressão que o governo está muito forte. Conta com todos os poderes e forças organizadas, inclusive as da oposição que só desejam aderir. Há uma expectativa geral de boa vontade. Como vês, estou otimista e vou continuar ressonando.

Estava com estas linhas prontas quando chegou o Borghi, portador de um convite do Dutra para ir colaborar, assumindo a presidência do PSD. Fiz minhas ponderações, com as quais ele voltará para aí. Desejo que tu e o Amaral sejam ouvidos a respeito e digam-me algo.

Recebi o *Fon-Fon* de 2 de março. Falta o de 23 de fevereiro, pois o último que tenho é de 16 desse mês.

Saudades e abraços a todos do teu pai **Getulio Vargas**

PS.: Essa proposta do Borghi, que recebi com muitas restrições, é assunto absolutamente reservado, para evitar a fatal exploração dos espíritos de porco.

### 13 \ G · [Estância Santos Reis, 4 de março]

Minha querida Filha

**1946**  Espero que tua vida já esteja um tanto reajustada dos desequilíbrios provenientes das doenças domésticas e outros contratempos.

Embora não esteja ainda marcado o dia do meu regresso, preciso ir tratando da ~~organisac~~ minha instalação aí.

Necessito, primeiramente, dum automóvel e dum motorista. Quanto ao primeiro, o Bejo ofereceu-me o dele. Ignoro se o acompanha o *chauffeur*.

A maioria das cartas que recebo são de pedidos de emprego ou de dinheiro. Calculo que isso aumentará muito com minha chegada aí.

Pensam que sou rico ou então que tenho alguma fonte especial de suprimento. São pedidos de dinheiro dado ou emprestado em grande número.

Para dar empregos não sou governo e para dar dinheiro não sou banco.

Se eu for receber em casa toda essa clientela e mais as outras visitas de natureza política, não terei repouso. [palavra riscada ilegível] Seria melhor recebê-los fora de casa e em horas marcadas. Precisarei de gente que me auxilie nessa tarefa.

Terei também de ir ao dentista e consultar três médicos especialistas para apurar os sentidos e retocar a carcaça. Assim é preciso ir pensando nisso tudo.

Quanto à opinião do Costa, **[incompleta e sem assinatura]**

*Presidente Dutra, em visita ao navio* Lloyd-América, *vendo-se à esquerda o vice-presidente Nereu Ramos e à direita Augusto do Amaral Peixoto (de gravata), diretor do Lloyd Brasileiro.* Rio de Janeiro, DF, 1946.

**13 \ A ·** [Petrópolis, de 14 a 22 de março]

Meu querido Gê

Depois de uma expectativa ansiosa e preocupada de mais de 15 dias, recebi ontem pelo Borghi a 10ª e a 11ª, de 28 de fevereiro e de 4 de março, teu aniversário de casório (não esqueci). Fiquei feliz. Embora soubesse da greve da Viação Férrea e de tua ida ao Itu, andava abafada, saudosa e seca por notícias. Se o Ernani e a Celina e a Eva me derem licença (os três andam se revezando no leito e não me dão tempo nem de ter dor de cabeça), irei te ver na próxima fugida do Borghi. Não aguento mais. As saudades e o desejo de conversar contigo conversas que não se encaixam nas cartas já são muito grandes. Agora vamos às cartas.

1º) O regimento foi finalmente aprovado anteontem depois de muito lero-lero, conversa afiada e troca de delicadezas entre os vários partidos. Sugiro, caso seja possível pegar aí, ouvir na Mayrink Veiga, mais ou menos entre 1200 e 1400 (em onda longa, peguei uma vez aí), das 8,30 às 8,45 (da noite) o *Diário da Constituinte*, todos os dias menos sábado e domingo. É bastante interessante e resume sempre muito bem o que se passa na Câmara. Ouço-a sempre para te poder contar o que há de interessante. Os comunistas ligaram-se aos udenistas para fazer agitação e atrapalhar os trabalhos com o objetivo de desmoralizar e provocar um incidente com o Dutra, envolvendo novamente o Exército, a pretexto de que as eleições são inválidas porque não foram honestas. O *dessous* da questão só pessoalmente. É a quarta tentativa da oposição de se apossar do poder. Não sei se o Góes está metido. Suponho que sim, visto estar amoitado e silencioso há bastante tempo, o que é sempre de estranhar. Consta que o Tinoco já anda conspirando novamente. Parece-me por isso perigoso que te juntes novamente ao Dutra como o deseja o Borghi. Ele chegou ontem de ~~Petrópolis~~ São Paulo e veio logo a Petrópolis conversar conosco. Às 8 da manhã de hoje irá ver o Dutra e relatará ao Ernani o resultado que te comunicarei por telegrama. Dei-lhe conhecimento do teu e prometeu agir de acordo. Como bom homem de negócios, vê claro e certo em política e age errado, porque fica cegado pelo interesse econômico. Vou te dar minha impressão antes do resultado da conversa para que não fique prejudicada. O Borghi sozinho não chega a ser um homem – é um rato com coragem e sagacidade. Com teu nome na boca é o super-homem. E ele já o sentiu. Quando tudo vai bem ele não vai a São Borja e nem se lembra daí. Quando se aperta, procura a fonte. Percebendo que com o PTB apenas ele nada poderá fazer, porque não teve a habilidade ou a chance de se impor aos demais, quer manobrar por teu intermédio com os dois partidos. Ele precisa do Dutra para recuperar os 16 mil contos que gastou com sua eleição (do Dutra), mas este deseja e ajudará o esfacelamento do Borghi, que representa para ele uma humilhação e um estorvo. Humilhação porque a ele deve mais de 70% de sua vitória, estorvo porque e com direito pretende cobrar a dívida de gratidão pelo menos. Nenhum dos dois tem habilidade suficiente para prender ou se descartar do outro. O Dutra sente que está em perigo e que somente tua autoridade o poderá salvar. Se ele pudesse se utilizaria de ambos (Góes e Borghi) e depois os mandaria passear, mas não pode ainda porque é e está fraco. Tua colaboração o ajudará por um lado, mas poderá provocar nova crise militar e tu mais uma vez pagarás o pato e serás acoimado de inimigo do Exército. Quem não tem simpatias no Exército é ele, mas ele é da classe e não fica bem ser acusado. E o golpe, mais uma vez te digo, foi mais contra ele do que contra ti. A presidência do PSD é tua e tu a poderás tomar quando quiseres, não cabe ao Dutra

**1946**

**1946** dar-ta ou tomar. O Benedito está seco para passar de vice a presidente, mas o Dutra não quer. Pretendia acabar com a vida dele por intermédio do Melo Viana. Mas este está imbecilizado e gagá, metendo os pés pelas mãos na presidência da Mesa. Daí sua ~~sinuca~~ de bico. Só lhe resta aplaudir tua vinda para a presidência do PSD, que é legalmente tua até que se realize nova convenção. Em resumo. O Borghi precisa de ti para assustar o Dutra e obter o que deseja dele. O Dutra precisa de ti para assustar a oposição, enfraquecer o comunismo e se firmar. E tu não precisas de nenhum dos dois. Resta o povo que também precisa de ti, livre e desimpedido. Receberes das mãos do Dutra a presidência do PSD parece-me desnecessário e pode ser perigoso, ainda uma vez por causa do Exército. Dá para entender?

2º) O Otacílio teve conhecimento da carta ao Nelson Fernandes e foi o que resolveu a situação e acomodou os ânimos. A atuação do Otacílio não tem agradado. Neves e Ernani dizem ter a impressão de que não anda regulando bem. Aéreo, não está a par dos assuntos de sua pasta e tem dado mancadas homéricas. O Ernani foi vê-lo há algum tempo. O Astolfo Serra já estava ~~nomeado~~ convidado para o lugar do Segadas e ele ainda não sabia. No dia da posse do Mendonça Lima, no discurso disse que "o dito havia sido nomeado para um cargo muito importante que presidia todos os Institutos e Caixas de Aposentadorias" (sic).[1] E o dito por sua vez declarou que havia sido nomeado para o Instituto de Redescontos. — Nem todas aquelas nomeações que te mandei dizer se confirmaram. O Napoleão, p. ex., recusou os Industriários e pretende passear na Europa. Os Comerciários ainda está vago. O PTB indicou vários nomes que ainda não foram aceitos. Estou mexendo os pauzinhos para fazer o Júlio Barata, que é candidato, portou-se muito bem contigo, está no desvio e é aceito pelo Dutra. Que tal? — Em relação a ti o Otacílio está como os demais, esperando, brincando de quatro cantos. Num canto está o Dutra e a ambição pessoal do *de cujus*, no outro está a imprensa, no terceiro está o povo que vota em quem é amigo do Getulio e no último está a gratidão e a lealdade a um homem que tem força mas não tem poder. Compreendes que é difícil a um infelizinho definir-se nestas circunstâncias.

3º) Encomenda Alvim já seguiu.

4º) Não tenho tido notícias do Maciel, vou procurar contato com ele.

5º) Os piores jornais contra ti são ainda o *Correio da Manhã* e o *Diário Carioca*, nos ataques pessoais, e o *Globo* e *Diário da Noite*, nas intriguinhas e intrigonas.

6º) Vou providenciar o recibo e os presentes. D. Celina desde já agradece.

7º) Vão junto os números do *Fon-Fon* que faltavam.

8º) A saída do Vital foi uma pena, mas o Gal. não teve outro jeito para se ver livre de D. Rosinha. Consta que Vital vai trabalhar para uma organização particular. Ainda não o vi.

9º) Estou muito triste por saber-te aí sozinho nos braços de um mau elemento como o Maneco, que não sabe cortar unhas nem pregar botão.

10º) Vou ver o que posso fazer em favor de teus protegidos com famílias numerosas. Não desejo solicitar nada deste governo mas vou tentar com a mão do gato.

---

1. Este (sic) é do original

11º) Amanhã vou ao Rio e darei teu recado ao Costa sobre o Vidigal, que, cá entre nós, não **1946** está em muito boas graças com o presidente. Costa falará na segunda-feira na Câmara, defendendo o governo no caso Borghi.

12º) O Estelita espirrou e voltou para o Banco da Prefeitura, onde o Hildebrando o está marcando enquanto não se pode ver livre dele. Portou-se como uma boa bisca em relação a ti que é o que me interessa. Se era Dutra ou Brigadeiro, não sei.

13º) O diretor da *Noite* é um tal Gil Pereira, dutrista, e o redator o Carvalho Neto. É candidato à direção o Mergulhão, que voltou a escrever.

14º) Sobre os conselheiros comerciais o Neves achou melhor não queimar chumbo com chimango. O Dutra declarou que se tu fechasses a questão ele refaria as nomeações, mas que não gostava especialmente da trinca. Neves achou melhor não gastar assim teu prestígio e desligou o Licurgo do *team* que ele julga o único aproveitável. Vai dar-lhe outro escritório, creio que em Buenos Aires.

15º) Não tive mais notícias do Epitacinho.

16º) Amanhã vou telefonar ao Barros Vidal, ao Vergara e ao Queiroz Lima sobre os respectivos assuntos.

17º) Quanto aos nomes que perguntas, o Maneco sabe quem são.

18º) Teles entregou-me tua ficha de declaração de imposto de renda e mais a notificação para pagar 22 pacotes de bônus de guerra. A ficha dei-lhe para preencher, como de costume, para te remeter. No entanto se preferires poderá ser feita também aí. Quanto ao bônus vou providenciar.

20 de março • Depois da melhora da família andei me aguentando pelas caronas. Não cheguei a ir para a cama, mas rondei bastante e fiquei um tanto abestalhada e sem ânimo, nem clareza para escrever. Retomo hoje, ainda meio "trembleque" porque há muito para dizer. O panorama político está mudando sensivelmente e as coisas estão marchando com muita rapidez. A nota de sensação é o brilhareco do Costa. Em que pesem minhas restrições passadas, o homem esteve admirável e defendeu com desassombro e limpeza a política do governo no financiamento do algodão. Ontem falou o Borghi, sem grande prática, e contando com a odiosidade de todos os seus pares gregos e troianos e com a má vontade de toda a imprensa saiu-se razoavelmente. O Amando Fontes, pela UDN, tentou responder ao Costa mas limitou-se à leitura dos documentos já publicados no tempo do Linhares. Houve um pega do Mangabeira com o Costa, em termos tão parlamentares que a Mesa teve de censurar a publicação. O diabo é que a imprensa é toda contra nós e torce ou ignora os fatos com toda a sem-cerimônia. O *Radical* continua firme mas é bem fraquinho, não só como repercussão como em vigor de redação. A ferocidade e pertinácia com que a oposição se agarra ao caso Borghi fazem crer que haja algo por detrás, além de fazer escândalo. — Borghi disse ao Ernani que a palestra com o Dutra havia sido muito cordial e que ele se mostrou entusiasmado pela tua vinda.

Maciel apareceu novamente. Junto sua carta. Parece-me aceitável, se não interessante, a sugestão dele. Pela carta trazida pelo Fróes vejo que já estás pensando em vir, o que já

**1946** é oportuno. No entanto, ficarás maluco se te sujeitares a dar audiências públicas em casa, no Partido ou em local especial. Será automaticamente transformado em agência de empregos e reclamações sem utilidade para ninguém e com prejuízo para tua saúde e teu prestígio. Não poderás satisfazer nem a 30% dos solicitantes que se virarão contra ti. Se puderes estar mais perto, mais em contato com o público e com os acontecimentos sem te deixares gastar pelos mesmos, será excelente. Vários donos de fazenda no Estado do Rio há menos de três horas do Distrito têm oferecido as respectivas casas, nas quais ficarias à vontade. Virias a uma ou outra sessão conforme o interesse e estarias isolado para o grosso público. Mandas me dizer que necessitas de três médicos mas não mandas dizer que médicos. Suponho que seja um otorrino, que pode ser o Humberto Ramos, que continua o mesmo amigo; um clínico geral para coração e miudezas, que podem ser o Sarmento Barata, que é gaúcho, o Lourenço Jorge, atualmente com grande clínica e nome e que já cuidou deste corpinho, ou o Vignole, genro do Annes Dias; o terceiro é para os ossos ou pra que é? Se for para os ossos o Dr. Luthero está aí, se não for, só sabendo que espécie de esculápio desejas. Jesuíno também pode ser, embora esteja destreinado. Dentista pode ser o teu mesmo. Automóvel e cinesíforo arranja-se. Resta a sala, que pode ser a do Partido, conforme o que ficar decidido.

O Ruy Carneiro foi nomeado para o lugar do Pedro Brando na Organização Lage por indicação deste ao Dutra. Para os Comerciários foi nomeado o Emílio Farah.

22 de março • Última forma. Convém esperar um pouco mais antes de resolver tua vinda. Após longo papo com amigos teus do PSD, Luzardo, Agamenon e outros, Ernani acha melhor aguardar alguns acontecimentos que virão inevitavelmente, após as declarações desastradas do Prestes. Passada essa crise poderás pensar em vir. Estou sem portador seguro, por isso não poderei dar maiores esclarecimentos. — Junto vai a ficha de Imposto de Renda com a contagem dos juros daqui feita pelo Teles. Ele te pede que assine e ponha a lápis as indicações de que não estejas seguro para que ele as confira. Quanto ao bônus de guerra combinei com ele pagamento à prestação, visto não haver tempo de chegar tua resposta e o respectivo numerário, e para evitar a multa. Tudo o mais em ordem.

Um abraço do Ernani para ti e Maneco. Beija-te com muito carinho tua filha **Alzira**

**14 \ G ·** [Estância Santos Reis, de 16 a 20 de março]

Rapariguinha

Escrevo-te esta um tanto mal-humorado.

**1946**

Hoje, dia 16, numa das minhas campereadas o cavalo [caiu] comigo pisando-me uma perna. Parece que não houve fratura, mas dói um bocado. Estou meio imobilizado, com a perna estendida sobre uma cadeira, e aproveito o tempo para escrever-te aguardando a viagem do Egydio, para remetê-la.

Recebi tua carta trazida pelo mesmo, um tanto atrasada. Estás a dever-me resposta a três cartas:

A primeira, que é a mais longa e importante, foi remetida por intermédio do Dinarte. Como este tem estado doente, ignoro se chegou ao destino.

Nela eu pedia que acusasse o recebimento.

Da segunda foi portador o Borghi e da terceira o professor Fróes. Esta é a quarta.

Sobre a missão Borghi, este deve ter os esclarecimentos necessários. Aguardo que me informes com mais minúcia.

Fiquei um tanto desconfiado sobre a extensão desse mandato e sua espontaneidade.

Passei-te depois um telegrama, receando que ele assumisse compromissos, sem me ouvir novamente. Tive a impressão de que ele estava agindo honestamente, mas a boa vontade para um resultado satisfatório poderia levá-lo a forçar a nota.

Assunto PSD e PTB do Rio Grande, explico em carta ao Neves que deve ser levada pelo mesmo portador.

Que houve na reunião da bancada gaúcha sobre modificação de umas declarações do PSD levadas pelo Brochado da Rocha?

Desejaria também saber se a UDN tem possibilidades de ganhar o recurso eleitoral e qual a atitude do Dutra. Continuo aguardando as informações do Maciel.

Desejo saber que fim teve um crédito de 12 milhões aberto para as despesas da Comissão de Planejamento. Consta que esse crédito, que estava quase intacto, sumiu no governo Linhares. Indaga discretamente. Dize à Celina que recebi seu cartão e que continue a escrever-me.

18 de março · Permaneci na cama para melhor repousar, tendo a Maria do João como enfermeira, aplicando mezinhas, e o Maneco como assistente e companheiro. Parece que estou melhorando.

Até agora não recebi comunicação do Costa, conforme prometera, sobre a aprovação do regimento interno da Constituinte, prazos de opção, posse etc. Por quê?

O Queiroz Lima estará fazendo um trabalho completo sobre o período da administração Linhares? Isso para mim é importante. Não me interessa coleção de jornais. Eu desejo um relatório sucinto de atos e fatos acompanhados, tanto quanto possível, dos necessários informes ou comprovantes

Isso deve estar pronto quando eu chegar, isto é, aguardando minha chegada. Basta enviar-me o caso M. G.

Precisas cultivar o nosso jornalista. Quando ele falar sobre as responsabilidades maiores do Manoel em relação às do Gonzaga, não deves contrariá-lo, mas mostrar-te

**1946**  interessada e crédula. Assim poderás melhor descobrir as intenções do Gonzaga, que é muito esperto. Podes mesmo atribuir-me expressões benévolas em relação a ele, como melhor compreendo sua atitude, se isso for conveniente.

Estou muito só e sem notícias.

Tenho dúvidas se és tu que demoras em mandá-las ou se é a minha pressa que alonga o tempo. Estou mais com a primeira hipótese.

19 de março • Continuo de cama, esperando poder caminhar e aguardando também o regresso do Egydio, de quem não tive mais notícias.

O deputado Bittencourt Azambuja, em entrevista dada em Porto Alegre, disse que a bancada do PSD no Rio me havia escrito para que eu me definisse por ele ou pelo PTB. Considero isso uma desatenção. Até agora não recebi a carta. Em todo caso está se passando aí alguma cousa que ainda ignoro.

20 de março • Chegou o Egydio, que será o portador desta. Quanto ao acidente, foi apenas um mau susto. Já estou bom. Não diga a ninguém.

Saudades e abraços ao Amaral, à Celina e a ti, do teu pai **Getulio Vargas**

15 \ **G.** [Estância Santos Reis], 22 de março

Alzira

Continuo sem notícias. Quando o Costa discutiu o caso Borghi surgiu a afirmação de que o Ruy era um dos diretores desse banco. Para mim foi novidade. Nunca tive conhecimento que o Ruy pertencesse ao banco do Borghi.

Quando ele entrou? Ainda pertence? Se saiu, quando e por quê. Enfim, que há sobre isso.

Quanto ao Ministério do Trabalho, todo mundo fez nomeações lá – a UDN, PSD e outros. Só não fazem os trabalhistas. Parece que esse ministro é mesmo um M...

Vejam se conseguem a nomeação do Paranaguá de Andrade para delegado regional no Rio Grande do Sul.

Que houve entre o Ernani e o Fernandes Távora?

Do teu pai **Getulio Vargas**

1946

Quanto ao meu acidente, após a chegada da Glasfira, com o tratamento mais enérgico e eficiente que iniciou, já estou quase bom. Não fale a ninguém, nem à sua mãe.

*Nas páginas 78, 79 e 80 encontro de Getulio Vargas com membros do PTB paulista. São Paulo, SP, entre 1946 e 1947.*

**16 \ G** · [Estância Santos Reis], 24 de março

Alzira

**1946** Há mais de mês não recebo notícias tuas. Já escrevi quatro cartas e passei um telegrama. Nada de resposta. Estou inquieto supondo algum caso de doença.

Li o discurso do Costa expondo o assunto do financiamento do algodão. Foi excelente. Fiquei, porém, profundamente surpreso e desolado com a notícia de que o Ruy fazia parte do banco do Borghi. E isso foi a pedra de escândalo para envolverem meu nome, como protetor do Borghi. Nunca tive conhecimento da participação do Ruy nesse banco. Preciso uma explicação disso. Eu, que tanto zelei pela probidade do meu governo na administração pública, ver meu nome pessoalmente envolvido e acusado de conivência por causa dum meu genro!

O Glicério disse a verdade. Só conheci o Borghi a 3 de outubro, quando surgiu numa manifestação operária trazida ao Guanabara e fez-me um discurso de solidariedade. Após a manifestação foi-me apresentado.

Não me recordo de o ter visto antes em qualquer outra ocasião. O financiamento do algodão foi sempre tratado pelo Costa diretamente com os interessados.

Quando estes vinham a mim, eu os enviava a ele, que estudava o assunto com os seus técnicos e trazia-me os decretos já prontos. Mais de uma vez recomendei-lhe que desejava amparar a lavoura e não os intermediários. Ele garantia-me que o amparo era à lavoura e eu assinava. Isso fazia pela confiança depositada no meu ministro da Fazenda.

Quanto ao Banco do Brasil nunca indaguei quem fazia operações de financiamento de algodão. O banco devia cumprir a lei e fiscalizar sua execução. Nunca intervim em tal assunto.

Estou a escrever-te esta, desalinhavadamente, na cama, ainda meio contundido do acidente que sofri e tarde da noite, após a leitura do discurso do Costa.

E este, por que não me telegrafou conforme prometera, sobre a aprovação do regimento?

Acabou-se o papel do bloco. Só encontro esse pedaço e vou terminar no estado de espírito dum homem contundido, caluniado e esquecido.

Abraços do teu pai **Getulio Vargas**

**14 \ A ·** [Petrópolis, de 28 de março a 5 de abril]

Meu querido Gê

Por minha carta anterior remetida via Dinarte, já deves saber dos motivos de minha demora em responder. Este corpinho estava muito mal habituado à boa vida daí e achou ruim. Mas já estou firme, guardando apenas como lembrança uma tossezinha de cachorro.

Não gostei nada das notícias de tuas travessuras por aí. Tenha a bondade de criar juízo e portar-se como um rapazinho de boas maneiras, não estou mais em idade de ter abalos fortes. Senão qualquer dia eu chego à conclusão de que a Celina tem mais juízo que tu e deixo-a aqui para ir te cuidar. Se encontrar portador para esta vou te mandar uma ampola de Stérogyl. É um remédio muito bom para fortificar os dentes e o esqueleto em geral. Deve ser tomado em jejum e alimentar-se somente uma hora depois. É para beber puro.

Chegaram duas cartas, uma de 16, trazida pelo Egydio (13ª), e outra de 22, trazida não sei por quem (14ª). Primeiro, porém, outros assuntos.

Borghi. Depois da primeira palestra descrita em carta anterior o homem sumiu e mandou-me apenas recados sucintos sobre sua palestra com Dutra, por isso nada pude noticiar. Anteontem finalmente procurou-me pilotado pelo Junqueira, que já foi nomeado para um escritório no México. Estavam ambos desanimados e alarmados. Mais uma vez reflexo dos negócios pessoais sobre as atitudes políticas. Disse-lhe então o que já te havia mandado dizer. — Você não pode ser ao mesmo tempo homem de negócios e político, um atrapalha o outro. Confessou-me que estava um tanto atrapalhado com o trapézio. Não há dúvida que o homem tem coragem e vitalidade, outro já estaria falido. — Disse-me que havia estado com Dutra duas vezes e que saíra muito desanimado. Não havia nem de longe demonstrado o mesmo interesse e entusiasmo anterior, mantendo-se quase indiferente sobre a data de tua vinda, embora desse grandes demonstrações de simpatia e apreço a teu patriotismo e espírito de colaboração. Borghi e Junqueira entraram logo a falar mal do PSD e dizer que consideravam fracassada a tentativa e que o PTB ficaria muito mal com esta solução, pois o Marcondes na presidência do mesmo atrairia sobre ele as iras do Dutra, que não o suporta, e que os elementos da direção do PTB não tinham critério, nem espírito de sacrifício etc. Respondi-lhes: — Vocês precisam se convencer de uma vez por todas de que nem o Dutra nem o PSD têm interesse na fortificação do PTB, que representa para ambos uma ameaça séria. Com elementos bons, maus ou péssimos, vocês precisam defender-se sozinhos e ser ao mesmo tempo simpáticos, para não os irritar, e altivos, para obter o que vocês necessitam para viver e não continuar nessa politicazinha de morde e sopra que não dá em coisa alguma. Quanto à vinda do Patrão, desta ou daquela maneira, acho prematura e perigosa. Sei que ele está pronto a se sacrificar e se deixar queimar se isto trouxer algum benefício ao país. Mas vocês acham que vale a pena sacrificar o único homem que tem atualmente experiência e prestígio popular numa briguinha de comadres hoje, quando amanhã ou depois ele poderá ser muito mais útil? Concordaram comigo mas disseram que temiam que teu prestígio se fosse gastando, visto que o povo não compreende por que continuavas em São Borja, enquanto ele apanhava sozinho sentindo que o reacionarismo estava vencendo em toda a linha. Respondi: — Não é preferível que ele perca um pouco de prestígio que pode ser reconquistado rapidamente depois do que sua vinda venha a acelerar esse movimento de reação que se esboça e sirva até de pretexto para isto? Perguntou Borghi: — Então,

**1946**

**1946**  que devemos fazer, não aguento mais essa situação <u>bamba</u>, sem ser governo e sem ser oposição. Estou louco para romper e fazer barulho. Respondi: – O que vocês devem fazer é esperar e ter juízo. Borghi: – Mas as eleições estaduais vêm aí e nós vamos perdê-las se o Dr. Getulio não vier para orientar. Em São Paulo já começaram os movimentos. Eu estou sendo namorado pelo Vidigal, pelo Macedo e pelo Cirilo. Este nos é mais simpático etc. Respondi: – Acalme-se. Antes das eleições estaduais as rinhas terão que se definir. O Dutra terá de escolher em definitivo com quem fica e aí vocês saberão o que fazer. Borghi: – Mas os comunistas estão trabalhando. Perderam no interior e estão organizando-se no interior com uma política muito hábil – O MUT convida a população para um convescote ou feijoada e aí pregam o comunismo. Já o fizeram em Marília, que é o nosso forte etc. Eu: – Mais uma razão para vocês esperarem porque o estouro virá antes. Reproduzo mais ou menos na íntegra para que me digas se estou certa ou errada dando estes conselhos. Saíram ainda desanimados mas mais calmos.

---

Ernani, que assistiu parte do papo, prometeu verificar se o homem havia falado a verdade. Esteve ontem com Dutra para tratar de assuntos do estado. Foi recebido com todo o carinho, passando à frente de várias audiências previamente marcadas e atendeu-o em todos os seus pedidos. Em palestra, Ernani: – Dr. Getulio tem repetidas vezes aconselhado seus amigos e correligionários a prestarem toda a colaboração e apoio necessários. Dutra: – Sim, eu sei que são estas as disposições do Dr. Getulio. Mais nada. Isto é, confere. Ernani depois comunicou que ia visitar alguns municípios do estado. Dutra disse-lhe que fazia muito bem mas pedia que não levantasse ainda a questão de candidaturas estaduais. Se no Estado do Rio não havia problemas, havia nos outros estados. São Paulo por exemplo estava em ebulição. O Vidigal era candidato mas Dutra considera sua candidatura ~~de político~~ prematura e perigosa etc. Falaram depois sobre comunismo e Ernani comunicou que em Cabo Frio haviam organizado uma feijoada, anunciando o comparecimento das autoridades do município para atrair a população, e fizeram pregação comunista. Concluiu da conversa que a reação já está em início. Ernani foi informado também que devido às loucuras do Linhares haverá nova emissão de mais de 1 milhão.

---

Cada vez me convenço mais que o velho Marx está com carradas de razão quando coloca o estômago da humanidade acima do coco, do patriotismo, do ideal e outras filigranas. Estarás por acaso recordado de uma proposta enviada em princípios de 45 pelo Pimentel Brandão sobre um acordo secreto comercial entre Espanha e Brasil, para a aquisição de respeitável quantidade de algodão através de uma firma em que estariam interessados o velho Larragoiti e Aunós? E de um livro rococó que este te teria mandado como introdução propiciatória? As conclusões deixo para tua imaginação. O resultado: quem vai vender algodão agora são os Estados Unidos, possivelmente por intermédio de Clayton, Anderson etc. Não achas que muita coisa se aclara com isto? Golpes, borghis, derrame de dinheiro inglês e americano na imprensa. Mais outro caso. Soube que o motivo do atraso na publicação do **1946** *Livro Azul* foi o resultado das eleições no Brasil. O capítulo Brasil envolvia vários tubarões importantes recentemente eleitos e teve de ser totalmente refeito aparecendo somente os lambaris. Existem no entanto alguns exemplares do primitivo que está sendo mostrado pela embaixada inglesa em Buenos Aires a alguns "amigos". Vai junto um recorte da *Noite* para ilustrar ambos os casos.

Teu amigo d'Alamo Lousada, compadre e íntimo do Álcio, está no gabinete do Dutra, por imposição daquele. A dupla Juracy-Mangabeira se digladia para ver qual dos dois primeiro pula a cerca. Mangabeira por enquanto está levando vantagem.

A votação do recurso da UDN contra o PTB está sendo sempre transferida, não se sabe por quê. Consta que Dutra está interessado na solução favorável ao PTB para evitar uma brecha futura em sua própria eleição. Carlos Luz está estudando a reforma da lei eleitoral. Andrade andou soprando coisas no ouvido dos interessados e tudo leva a crer que voltarão à lei primitiva do Agamenon, o que irá danar o pessoal udenista. — Barreto Pinto cada vez mais escandaloso, cafajeste, denominado agora o Palhaço da Constituinte, juntamente com Himalaia Virgulino, entrou com um recurso, pedindo a cassação do registro do PCB, fundado nas desastrosas declarações do Prestes, que não se consegue justificar. Barreto Pinto e Trifino tiveram um atrito na Assembleia por causa disto que resultou em um gesto português, não admitido nos meios parlamentares. Bertho Condé na presidência da Mesa atrapalhou-se com o inesperado gesto e tentou expulsar Trifino, o autor, do recinto. Houve explicações e tudo acabou sem derramamento de sangue nem de… O Gordo fez seu segundo discurso ainda mais notável que o primeiro tendo arrasado por completo a argumentação da oposição. A imprensa mal esconde seu desapontamento nas mentiras que continua a pregar. Consta que o próximo escândalo será o Quitandinha. Ernani já se está preparando causo venha.

Agora vou responder tuas cartas. (1º) Ainda não consegui me avistar com o Barros Vidal. Desceremos definitivamente dentro de uma semana e vou procurá-lo. (2º) Soube que o Carrazzoni está muito sentido por não ter recebido nenhuma palavra tua. A mim ele não procurou. (3º) O Vergara mudou-se para o sítio e está negociando boi. A *Nova Política* está já em fase de revisão. (4º) Quanto à fortaleza do governo mando-te junto um recorte do *Diário Carioca*. Desnecessário esclarecer a fonte informativa. Gonzaga e Siqueira que estavam quietos estão aparecendo novamente e… juntos. (5º) O Costa ainda não pôde te remeter as informações pedidas porque esteve atrapalhado com a confecção dos dois bestias mas já está trabalhando. Soube por ele que o Góes continua a se queixar agora de mim, que estou falando mal dele, o que é uma mentira. Eu só penso falar, não falo. (6º) Quanto à missão Borghi está me parecendo que a espontaneidade foi provocada, por motivos explicados em minha carta anterior. (7º) O Ernesto deu uma entrevista boa sobre o caso da bancada do PSD esclarecendo a exploração que estava sendo feita. Nada mais houve entre eles. Junto uma entrevista do Junqueira também sobre o mesmo assunto como ilustração. Desmentiu igualmente as declarações do Bittencourt Azambuja que constituem mais uma das muitas intrigas dos Diários Associados. A *Tribuna Popular* há quatro dias publicou que o Chatô

**1946**   havia sido preso a pedido da ONU por suas ligações franquistas, através de seu amigo Larragoiti. Vingança de motorneiro. (8°) Já seguiu carta do Maciel. (9°) Estou na pista dos 12 milhões. (10°) Queiroz Lima está trabalhando bem e me prometeu para breve o caso M., que remeterei em seguida. (11°) Conforme com as instruções em relação ao jornalista. Estou disposta até a engolir sapo. (12°) Mais uma vez não há nada com a bancada do PSD, que está muito bem. São intrigas dos jornais. Glicério, querendo aparecer e muito teu *fan*, dá de vez em quando uns apartes infelizes, com o que originou o atrito entre o Ernani e o Fernandes Távora. Discutia-se o caso Borghi sem referências a teu nome, que estava temporariamente esquecido, quando Glicério em aparte declarou que ouvira de ti em Santos Reis que só viera a conhecer o Borghi em outubro, por ocasião de um comício. Disse-o um tanto desastradamente e Ernani o socorreu confirmando que ele próprio o conhecera a 3 de outubro. O Távora replicou qualquer coisa parecida com "é mentira", Ernani se queimou e respondeu: "se o Sr. não provar que o Sr. Getulio Vargas conhecia o Sr. Borghi antes desta data, o Sr. é um mentiroso". Távora disse qualquer coisa confirmando sua afirmação e Ernani gritou: – "Afirmo-lhe que nunca vi o Sr. Borghi frequentando o Palácio do Catete, no entanto recordo-me bem de o ter visto lá repetidas vezes, sempre pleiteando empregos e vantagens para sua numerosa família". – Távora ficou estatelado e mudo e depois queixou-se que Ernani o havia maltratado... (13°) Ruy está muito abafado e nervoso com o caso Borghi. Coitado, é marinheiro de primeira água e nunca se viu envolvido nessas coisas, por isso não lhe pude perguntar dados exatos. Sei, porém, o seguinte. Ele entrou e saiu antes da campanha queremista, não gosta do Borghi e nunca recebeu um vintém do banco, porque nunca o pagaram. Aceitou depois de muito instado por Borghi e amigos seus no clássico "homem de negócios buscando gente do governo" e saiu porque não era relógio para trabalhar de graça. O *Correio da Manhã* em busca de escândalo publicou uma carta do Ruy dirigida ao Nelson Fernandes, então presidente do IAPC, pleiteando depósitos para o banco, juntamente com outro. Esta carta é a própria defesa do Ruy, sóbria, comercial e inócua. Tão inócua que o Nelson nem respondeu nem depositou, quando sabemos que muita gente, sem carta, obteve depósitos e gordas comissões. Na Câmara seu nome entrou em aparte do Juracy, insuflado pelo Carlos Lacerda, mas como não fez parte do chamado libelo da UDN, nos discursos do Amando Fontes e do Baleeiro, o Costa considerou a acusação como não endossada pela UDN e respondeu que se tratava de um assunto de natureza privada e sem importância. Ernani, também em aparte, disse que o Ruy jamais se metera em política e o assunto foi encerrado. (14°) Na carta anterior já te dei minha opinião sobre o Otacílio. Estou de acordo contigo, quanto à classificação. Borghi disse-me que ele tem prejudicado extraordinariamente o PTB e que eles pretendiam declarar ao Dutra que este não era mais seu representante e provocar-lhe a queda por todos os meios. Quanto ao fato de ele não atender aos pedidos do PTB, não sei bem se é ele que não quer fazer ou o Partido que não se sabe impor. Ernani já falou com Costa e Luzardo para apertarem a nomeação do Paranaguá. Nelson está em São Paulo e quase não aparece, e nunca procurou contato conosco, apesar dos repetidos recados que lhe tenho mandado. (15°) Não pude esconder da Mamãe teu acidente porque ela violou minha carta antes de eu chegar, mas recebeu com calma e serenidade, depois do primeiro choque e das explicações competentes, dadas depois pelo Egydio, que teve de quebrar o juramento para ela. Para minha tranquilidade pessoal, gostaria que fizesses uma radiografiazinha. Ta favô?

**1946**

---

O Licurgo foi nomeado para Buenos Aires e o Caio Julio Cesar para Londres. O Junqueira para o México. Bejo foi convidado e aceitou Paris, dependendo de tua aquiescência. Ele já está no Rio e não o tenho visto ultimamente. – Junto vai também uma mensagem daquelas. Esta já mais clara. – O decreto dos lucros extraordinários, segundo consta, sairá inteiramente inócuo e inocente e os tubarões já estão tranquilos. O Hildebrando está andando bem na prefeitura, já foi visitar Mamãe, mas está desgostando os políticos, porque está trabalhando para ele próprio e o irmão Floriano de Góes. Na Câmara estão na ordem do dia os problemas do açúcar e do divórcio e da autonomia do Distrito. Estás de folga como assunto.

2 de abril • Jantamos ontem com o João Neves no "Bife de Ouro". Na mesa ao lado espichando o ouvido estava o Lima Cavalcanti. Conversamos longamente sobre os mais variados assuntos, girando sempre em torno de tua pessoa. Mostrou-me as duas cartas que lhe escreveste e sobre elas conversamos sobre as perspectivas de tua vinda. Ele continua no mesmo ponto de vista, achando que tua primeira colaboração com este governo deva ser de projeção internacional, isto é, fora do Brasil, numa das conferências de paz. Havia acariciado o projeto de que chefiarias agora a de Paris em maio, porém nada falou a ninguém, porque julgou prematura a sugestão ao Dutra antes de se ter dado o primeiro encontro sobre Buenos Aires – o Santiago te falará. Relatou também o almoço da casa do João Alberto, ao qual chegou atrasado. Houve briga e quase pugilato entre Juracy e Pedroso. Este acusando aquele de colaboracionista, o que é exato. A cisão na UDN já é transparente. Continuam firmes com o Brigadeiro: Tinoco, Juarez, Carneiro de Mendonça e outros. Juracy, Mangabeira e seu bloco são colaboracionistas. Bernardes, Virgilio, Pila, Flores etc. são cada um isoladamente apenas oposição. Mangabeira e Cirilo Jr. foram os escolhidos por Dutra para integrar a delegação à conferência de Paris. Da bancada paulista é este o que está em melhores graças. No entanto o candidato oficial à governadoria de São Paulo é o Gabriel Monteiro, seu chefe de gabinete. Irá, parece, chefiando a delegação de posse do Perón, o José Carlos Macedo Soares. O Braden foi um tanto atrevido em suas conversas com o Martins a respeito do reconhecimento argentino, mas isso irá explicado por ele mesmo. Disse também que a atitude do Dutra em relação a ti é de gratidão e simpatia medrosa. Deseja tua colaboração mas a teme. Dor de consciência. O Góes é a mesma confusão de sempre, ora deseja conquistar o perdão da história, reconquistando tua amizade, ora declara enfaticamente que nada mais serás no Brasil porque o Exército não o permitirá. Soube que ultimamente se tem queixado muito de que eu e Ernani falamos mal dele, o que não é verdade. Como, porém, o Góes nada diz sem razão oculta, estou me acautelando para ver se é só intriga do Georgino com olho em Niterói ou se através do Ernani ele quer atingir a ti ou

**1946**  ao Dutra. Disse o Neves que Dutra não anda muito gostoso com o Carlos Luz no ministério e que favorecerá sua candidatura ao governo de Minas para o substituir. Vidigal também não anda em graças e tem feito muito *show*, sem resultado prático. Diz-se que ele conseguiu isentar no decreto de lucros extraordinários todas as suas empresas. Neves considera o governo atual pouco homogêneo e diz que o Otacílio não é dos piores. Apenas não é muito inteligente e meio doido. Dei-lhe o nome do Paranaguá para ver se sai, pois os trabalhistas continuam brigando e não se entendem. Em vez de procurar conquistar o ministro e obrigá-lo a cumprir as promessas feitas, com um bloco uno, procuram se guerrear.

_____

Soube agora pelo Santiago que não havias recebido nem meu telegrama nem a longa carta que te mandei via Dinarte. Recebi também o pito escrito e me penitencio. De fato as cartas têm sido menos frequentes. Mas é por falta de portador sério. Em compensação são bem maiores e em substância mais perigosas. Tenho receio de que não façam boa viagem e fico a escrever testamentos enquanto não aparece portador.

_____

Soube que o Filinto após sua derrota foi ao Dutra e lhe disse ter ido apresentar suas despedidas, visto considerar-se "esbulhado em seus direitos" com a aquiescência dele Dutra. E agora consta que no recurso apresentado pelo Yvens de Araujo, como advogado do Filinto, o Dutra exigiu que o Cirilo Jr. fosse o defensor do recurso junto ao Tribunal e que está agora empenhado na vitória do Filinto. Talvez para ajudar a reação aos comunistas.

_____

Neves está muito contra qualquer reação ou o fechamento do PCB e tem aconselhado o Dutra a não o fazer.

Quanto ao caso do Ruy já te expliquei antes. Podes ficar tranquilo que o Ruy está limpo de qualquer culpa ou sujeira. Depois da publicação da carta ele ficou tranquilo novamente, pois esta é a sua defesa. Disse-me ele se tivessem dito que havia um documento assinado por mim e não o tivessem publicado eu estaria sujo, assim não, está tudo claro. Eles foram até camaradas. "Sempre me orgulhei, disse-me ele, de ter entrado para uma família limpa e de nada ter feito para a sujar, e agora estes miseráveis tentam me envolver nesta embrulhada." Ele saiu do banco em julho de 44, antes de embarcar para o Canadá, portanto muito antes da campanha. E havia entrado pouco antes, isto é, esteve no banco do Borghi, uns dois ou três meses.

_____

Celina está ainda em Teresópolis, enquanto arranjo um pouso para nós. É o diabo, seu Getulio! Junto vai uma carta dela para ti e retratos dela, no dia do aniversário e fantasiada de chapeuzinho vermelho no Carnaval. Fez há dias um escândalo em uma loja de Teresópolis, quando viu teu retrato. Continua contando para todo mundo que a "porta da casa do Tasio fez dodói no neném" ou então "na fazenda do vovô Otu, a tia Dafira" etc. Não dobra mais a língua para ninguém, está salientíssima.

---

5 de abril • Estive com o Nelson Fernandes. Confirmou a luta para a governadoria de São Paulo, acrescentando mais dois candidatos, o Marcondes e o Borghi. Achei-o um pouco descrente e desanimado. Não sei se ele é assim mesmo porque vi-o pela primeira vez. – Junto vão também algumas cartas para ti, inclusive uma do Morinigo.

---

Os jornais e rádios do Chatô iniciaram uma guerra de nervos para cima de nós e do povo. Anunciam ora tua chegada para que o povo canse de ser enganado e acabe não acreditando quando for verdade, ora anunciam que estás doente ou coisa pior, para ver se nós nos assustamos ou se tu perdes a calma e vens agora, que é o que interessa a eles. Estamos nos fazendo de desentendidos e o máximo que ele conseguiu de nós até agora foi uma colite de raiva que durou três dias. Junto te mando os remédios pedidos e mais o Stérogyl, que é receita minha para os dentes. Não deixa também de tomar de vez em quando um pouco de água com suco de limão, de preferência pela manhã. É essencial para as gengivas e garganta e tu tomas aí muito pouca vitamina C. E agora até breve. Não me passa mais pito que eu fico muito triste. O Ernani está te escrevendo sobre matéria constitucional.

Beija-te com muito carinho tua filha **Alzira**

*Getulio, o filho Maneco e o irmão Protasio na Estância Santos Reis.* São Borja, RS, entre 1945 e 1946.

**17 \ G ·** [Estância Santos Reis], 31 de março

Rapariguinha

**1946**  Na última carta que te escrevi estava um tanto mal-humorado por motivos que devem ser justificadamente abatidos para desconto.

Primeiro, a situação criada pelo acidente que sofri, doloroso e obrigando-me à imobilidade.

Segundo, as alusões insidiosas ao meu nome como protetor do Borghi, por causa do Ruy, apresentado como seu sócio.

Terceiro, a falta de notícias sobre vários assuntos, só agora quebrada com o teu telegrama.

Os jornais dizem que o Flores promete atacar-me em discurso. Será conveniente, como medida preventiva, organizar-me um fichário das suas traficâncias principais. O Bejo é um dos conhecedores, porque estudou o assunto, pode fornecer bons elementos a respeito.

Li, até agora, dois grandes discursos pronunciados na Constituinte e publicados na íntegra pelo *O Radical*. Foram o do Nereu Ramos precisando o projeto que pretendia revogar a Constituição de 37 e o do Costa sobre o financiamento do algodão.

Peço ao Amaral que lhes transmita minhas felicitações e pergunte também ao Costa por que não me telegrafou, como prometera, quando foi aprovado o regimento.

Os discursos, diferentes no gênero, foram ambos notáveis.

E o Maciel ficou no primeiro folhetim. Julgará ele que não vale a pena tanto trabalho? Também o *Fon-Fon* não veio. E a Celina, ainda se lembra do vovô?

Por hoje é só. Muitos abraços a todos. Do teu pai **Getulio Vargas**

E o parecer da Comissão Militar sobre o caso Borghi? Tem demorado!

Falaste-me numa caixa de charutos do Dodsworth. Se ficou por aí, pode vir quando houver portador até aqui.

**18 \ G ·** [Estância Santos Reis], 3 de abril

Alzira

Acabo de receber tua carta de 14 do mês passado, um pouco atrasada, mas muito **1946** interessante. Seria uma grande alegria e um acontecimento de sensação se viesses até aqui, como dizes, mas não creio que possas fazê-lo. Se estimulasses o Epitacinho. Ele seria um bom correio, desde que viesse só.

Escrevo-te esta às pressas só para tratar do meu imposto de renda. Assino os papéis em confiança, para que sejam preenchidos aí. Combinarás com o Teles. Tudo o que possuo no Rio são um terreno na Lagoa que só dá despesas, a casa de residência e um depósito no Banco da Província. Se a declaração é referente ao ano de 45 terei mais os vencimentos do cargo até o mês de outubro. Se é de 46, só tenho o depósito no Província. Este e os vencimentos constituem-íam a única renda que declarava aí e pagava 20 e tantos contos de imposto.

O que tenho aqui já está declarado e pago normalmente.

O que necessita fazer é verificar aí minha última declaração e fazer a nova com as modificações ocorridas para menos, conforme o ano. Terei de pagar o imposto de renda e a nova contribuição dos bônus de guerra. Pede o dinheiro à tua mãe, que tem aí a minha caderneta no Província e a carteira de cheques. Liquida tudo isso. Tenho a receber os juros dos bônus de guerra e mais os cobres da Academia[1] até março. Tudo isso pode entrar em encontro de contas, excetuada a quantia para os presentes aos netos. Enfim, liquida aí minha situação financeira e recebe um afetuoso abraço do teu pai **Getulio Vargas**

---

**1.** Academia Brasileira de Letras.

**19 \ G ·** [Estância Santos Reis], 25 de abril

Alzira

**1946**    Após teu regresso caiu-me sob os olhos esse artigo que fala em nada menos de "seis decretos linharescos", "escandalosos decretos", sobre o pernóstico mulato. Eis aí uma pista admirável que não foi cogitada e parece tão simples. O restante deve constar no Ministério da Fazenda. É preciso reunir esse precioso material e mandar-me, se houver portador seguro. Caso contrário aguardar meu regresso. Não convém arriscá-lo numa remessa insegura.

Fala-se muito no propósito do governo de fechar os cassinos e acabar com o jogo. É uma medida moralizadora, de interesse público e que não deve sofrer oposição. Antes merece aplausos. Mas talvez não saia, não pelo interesse romântico do desemprego dos humildes, mas pela advocacia administrativa política e doméstica que prolifera no momento.

Como encontraste a Celina, e o Amaral, como se portou na função de dona de casa?

Afetuoso abraço de teu pai **Getulio Vargas**

**20 \ G ·** [Estância Santos Reis], 27 de abril

Alzira

Junto envio-te uma entrevista dada pelo Flores ao *Diário de Notícias* em que narra **1946** sua entrevista com o Dutra, onde foi agradecer uma deferência pessoal a membro de sua família. Provavelmente trata-se do emprego do filho no Ministério do Trabalho, preterindo outro que já ocupava o lugar e que votou nele Dutra para presidente.

Apesar do diretório do PTB reclamar contra essa nomeação, o ato foi mantido.

Aproveitei o entrevistado para me fazer desta boca das acusações e revelar os planos da UDN a meu respeito.

Não temo essas ameaças e estou disposto a enfrentá-las.

Em carta anterior já te havia falado sobre essas ameaças e a necessidade de organizar uma relação das falcatruas do Flores, privadas ou não, para que eu fique armado para responder-lhe, em caso de ataque. Nessa carta eu dizia que o Bejo seria uma boa fonte a consultar.

Tenho umas cousas sigilosas para enviar-te, mas receio fazê-lo sem um portador de confiança. E desejo fazê-lo com alguma brevidade, antes de minha partida. Se souberes de algum meio seguro avisa-me. Por hoje é só.

Lembranças ao Amaral, um beijo na Celina e um afetuoso abraço do teu pai **GVargas**

PS.: As mensagens que me envias estão envoltas em mistério. Aconselham que raciocine, medite, que Anael é a minha própria consciência, que vivemos na obra e exclusivamente para a obra. Acho tudo isso curioso e interessante. Eu porém não compreendo ou antes continuo ignorando, porque a minha consciência só acusa o que os sentidos percebem.

**15\A ·** [Rio de Janeiro, de 30 de abril a 3 de maio]

Meu querido Gê

**1946**  Somente hoje achei alguns minutos para te escrever, ou antes começar. Celina após um "baile" longo dormiu, deixando-me exausta. E enquanto ela dorme cá estou eu.

Fizemos até Porto Alegre uma viagem excelente. Lá procurei o Cilon mas este estava fora, é esperado esta semana no Rio. Tio Pataco perguntou-me se te havia dado seu recado, mas eu havia esquecido. Dou-o agora. Deseja que te hospedes com ele quando passares por Porto Alegre. Posso te garantir que a pensão é ótima.

De Porto Alegre ao Rio viemos em menos de quatro horas. Encontrei Ernani gripado e a casa como era de esperar, cuidada por barbados. Passei a semana em arrumações e conversas políticas pois havia expectativas em torno de minha viagem. E no sábado fui buscar Celina em Teresópolis. Está um perfeito parlamentar da UDN. Repete tudo o que ouve, sem ligar se é a propósito ou não. Com grande espanto meu indagou de todos nominalmente. Não esquece ninguém e muito menos o vovô Tulio.

Encontrei o Costa muito preocupado e pessimista. Procurou-me logo no primeiro dia, desejando saber o que houvera no comício de Porto Alegre e o que significava tua mensagem. Tranquilizei-o como pude mas não sossegou enquanto não lhe disse que sentarias na bancada do PSD na Câmara e não na do PTB. Disse-me que te manteria ao corrente da marcha dos trabalhos constitucionais.

Interrompo a carta. Estou ouvindo o discurso do Napoleão no almoço que te é oferecido hoje, 1º de Maio, por alguns amigos. É todo entrecortado de aplausos, cada vez que pronuncia teu nome. Está falando muito bem, com surpresa para mim, aliás. O PSD ficou com medo de ir, não confiando muito nos organizadores. Eu não quis ir, para não me envolver publicamente em política e ficar mais livre para continuar a te informar. Ernani foi em meu nome também, levando seu *team*. Foi pena eles (Junqueira e os queremistas) não terem agido com mais tempo e mais experiência, pois a homenagem poderia ser ainda melhor, inclusive levando gente mais representativa. O Junqueira está fazendo agora a moção de confiança ao Dutra, mas fala mais em ti do que nele. O Segadas e o Bertho Condé trazem a solidariedade do PTB à homenagem e falam sobre a obra trabalhista. Vários outros oradores falaram, e depois agradeceu em teu nome o tio do Maneco. Como sempre, bancou a base de tua carreira, fez seu farol, pregou suas ideias próprias e só no fim agradeceu em teu nome. Luthero compareceu também.

3 de maio · São inúmeras as queixas de amigos teus que ignorando a homenagem não puderam tomar parte. Foi pena. O 1º de Maio aqui assinalou-se pela volta ao velho sistema. O Guanabara e o Catete amanheceram cercados de *tanks* que para lá foram durante a noite, por obra e graça do Álcio, para evitar ataques dos comunistas, dizem. Nenhuma comemoração oficial, proibição de *meetings* públicos. Tudo o que houve foi em recintos fechados. A repercussão do decreto sobre o jogo nos meios populares foi má, pelo rigor e pela maneira abrupta por que foi feito. Permitiram que os cassinos reabrissem após um mês de fechamento, fizessem reformas, contratassem artistas, refizessem o guarda-roupa e, de repente, zás. Vários cassinos aproveitaram-se disso para não pagar a última mensalidade a seus empregados. Resultado imediato – telegrama de solidariedade do Prestes. Mediato – vários orçamentos estaduais (principalmente o Distrito) e o comércio de várias cidades

vão se ressentir. Nos meios políticos grande regozijo... de pirulito. Consta que o Jean Manzon apanhou uma surra, motivada pelas fotografias escandalosas que obteve e foram publicadas pelo *Globo* sobre o jogo (não foi ele, foi outro fotógrafo do *Globo*). – Outro assunto do dia: repressão ao comunismo. Diz-se que o governo irá até o fechamento do partido. O descontentamento popular é grande, anseiam por tua vinda como última esperança ~~antes~~ de evitar o quadro sombrio que se apresenta para eles: ditadura militar ou revolução comunista. A 1º de maio fizeram circular o boato de que serias chamado por um grupo político (não precisando qual) para evitar a derrocada.

Outras notícias. Ernani esteve com Otacílio para tratar do decreto de criação de uma "Fundação de Casas Populares" cuja leitura muito te edificará por sua "constitucionalidade, eficiência e conhecimento do assunto". Uma obra-prima de inocuidade. Aproveitou para tratar do caso Paranaguá. Explicou-lhe que o decreto já estava pronto para publicação, quando chegou o pedido de retificação transmitido por mim, e com a aquiescência do Dutra foi feita a alteração. Assinada esta, veio novo pedido pelo Paranaguá. Na dúvida se seria de fato este o teu candidato ou o outro ficou esperando ratificação. Nesse ínterim chegam vários pedidos das autoridades militares no Rio Grande, pelo atual, alegando ser-lhes um elemento precioso pelo espírito de colaboração e pelas informações que lhes prestava. Certo agora de que teu candidato é o Paranaguá, está esperando que diminua a pressão em favor do atual para levar ao Dutra sua nomeação.

Na Câmara iniciou-se a "quinzena mineira" de ataques cerrados ao Benedito, que falará hoje se defendendo.

Maciel prometeu novo relatório, mas ainda não mandou. Queiroz Lima embarcou para a Europa no *Constellation*, a última sensação aérea, consta que irá até a Rússia. Andrade Queiroz aqui esteve. Pedi-lhe os elementos solicitados e ele os prometeu achar. Alvim também foi posto na mesma pista. Eu ainda não comecei a trabalhar pessoalmente porque gastei as energias adquiridas aí na arrumação da casa. Luzardo foi nomeado embaixador com o protesto de todos os seus companheiros de PSD que consideram um erro a saída dele neste momento. Agamenon ficou danado. Em conversa com Ernani, este fez protestos de fidelidade a ti, alegando que nada poderá esperar do presidente atual e que sua carreira está para sempre ligada a ti e que agirá sempre de acordo com esta premissa. Não te escreve por precaução e porque comunica tudo o que sabe ao Ernani para que este me comunique. Lamentou no entanto não ter sabido em tempo de minha viagem, pois por mim teria escrito.

Teles esteve comigo no dia em que cheguei. Trabalhamos juntos vários dias para obter todos os dados e a declaração foi entregue dentro do prazo. A aquisição de bônus de guerra havia sido suspensa de modo que remeti já para o tio Protasio a quantia total dos juros do Boa Vista, conforme o recibo anexo. Os bônus de guerra com o decreto dos lucros extraordinários subiram a 850 cruzeiros. É possível que venham a subir ainda mais, mas não é certo. Gostaria que me desses uma orientação nesse sentido. Queres que venda ou aguarde [?]. Neste caso até quando devo aguardar. Caso queira vender, tudo ou uma parte? Em meu poder estão: 1 B[ônus] no valor de 5 contos; 48 no valor de 1 conto; 7 B. de 500 cr.;

**1946**    52 de 200 cr.; e 10 de 100 cr. Total Cr$ 67.900,00. Isto a um juro anual de 6% vai a mais ou menos 3.800 cr. Tenho agora em meu poder além de Cr$ 1.900,00 e farelos correspondentes ao primeiro semestre, mais 2.400,00 da Academia (já retirados os 600 cr. destinados aos netos). Que devo fazer desse dinheiro: depositar aqui, remeter para aí ou entregar à Dadá?

O assunto da carne e dos créditos do Banco do Brasil para a lavoura e criação já foi resolvido favoravelmente ao Rio Grande, conforme já deve ser de teu conhecimento.

Orlando embarcou para assumir seu posto e a família Dutra deu graças a Deus. – Encontrei-me com a filha do Agamenon que me pediu para te agradecer a fotografia enviada. Ficaram todas encantadas e perguntaram quando vinhas para agradecer pessoalmente.

Neves e Luzardo me procuraram também logo que cheguei. O Neves está ficando cada vez mais parecido com o Oswaldo, não sei se é fruto do cargo que exerce, ou se sempre foi assim. Tem se mostrado muito atencioso com toda a família e está ajudando com interesse no caso do Luthero. No entanto minhas antenas frequentemente gritam *sinal amarelo*. Mostra-se muito zeloso de teus interesses e desejoso de uma estreita colaboração tua com o Dutra. Conta-nos tudo o que se passa nas reuniões ministeriais e as conversas que tem. Não sei se por indiscrição pura e simples ou se por desejo de informar por nosso intermédio. Também é possível que eu esteja sendo severa nos julgamentos, mas já está dito. Luzardo pretende ir a São Borja, antes de assumir o cargo.

Tenho sido procurada pelos elementos jovens e queremistas do PTB em busca de orientação. Tenho-os aconselhado a se manterem calmos e vigilantes no próprio interesse. Que não se assustem das deserções do Partido nem do perigo comunista. Enquanto este perigo não for bastante, eles não obterão nem dinheiro para organizar o Partido, nem apoio do governo para obter posições. Sem estes elementos não haverá PTB. – Os comunistas por sua vez mostram-se já muito confiantes da vitória final. Há um ambiente de inquietação no ar, embora a aparência seja de segurança e tranquilidade. Sente-se que algo precisa acontecer, mas não se sabe o quê, nem de onde, nem se é bom ou ruim. Tua mensagem de 1º de maio, publicada em primeira mão pela *Folha Carioca*, causou muito boa impressão e deu novo ânimo ao pessoal.

Ernani chegou agora da Câmara. O Benedito não falou. Deixou para segunda-feira. Tem sido atacado violentamente por toda a UDN e só quem o defende são o Juscelino e o Olinto Fonseca. O resto do PSD guarda reserva. A questão das incompatibilidades já foi afastada definitivamente, segundo informou o Luz ao Ernani. Quanto às eleições, Nereu propôs e foi aceito por Ernani e Agamenon, deverão se realizar nas férias parlamentares, isto é, em janeiro. A Constituição só ficará pronta em fins de setembro.

Mamãe está muito bem, cuidando da casa e do Luthero. Recebi tua carta trazida pelo Ernesto. Já havia tomado as providências.

O Adão já está bom, esperando por ti. Aliás, muita gente está esperando. Soube hoje que os queremistas de São Paulo estão preparando um pergaminho que já conta com mais de 90.000 assinaturas para te oferecer.

Esta vai pela Yara. Um beijo muito carinhoso para repartir com o Maneco de tua filha **Alzira**

Vão três revistas. Uma delas presente da Wanda, com um abraço.

1946

O senador Getulio Vargas, sendo aclamado no momento em que passava no jeep. 1/6/946

**16 \ A ·** [Rio de Janeiro, de 5 a 6 de maio]

Meu querido pai

**1946**  Escrevi-te ontem pela Yara. Soube, porém, que o Nero vai para Uruguaiana esta semana e recomeço a escrever. A política do governo feita de avanços e recuos, de omissões graves e de ações sem repercussão, está desagradando a todas as classes. O ministério, aparentemente melhor que o teu, não tem homogeneidade nem com o presidente, que não confia neles e não lhes possui a confiança. O Luz está repetindo no Ministério da Justiça os mesmos erros do Marcondes. Legisla e age com o olho no governo de Minas e, parodiando uma célebre frase, Minas não é o Brasil. Há dias o comentarista da Rádio Mayrink, examinando o decreto sobre o jogo, com grande felicidade, disse: — o mal do governo do General Dutra é que seus ministros não têm vocação para ministros e sim para governadores de estado. De fato, pelo menos quatro estão nestas condições: Luz, Vidigal, Otacílio e Neto Campelo. O governo e a UDN estão hoje por conta com o PSD, devido a uma rasteira preparada pelo Chinês no caso das nomeações dos membros do Tribunal Eleitoral. Havia ficado estabelecido, entre o PSD e Luz, que a Comissão de Constituição proporia no anteprojeto que os juízes fossem de livre escolha do presidente da República. De modo que o decreto sobre as alterações da Lei Eleitoral estavam aguardando o pronunciamento da comissão para já sair constitucional e legal. Quando Nereu soube que Mangabeira havia prometido ao Dutra apoiar esta medida com toda a UDN, o PSD recuou e denunciou a combinação ao Kelly. Os membros não colaboracionistas da UDN gritaram, obrigando Mangabeira a deitar entrevista atacando a medida. E o PSD lavou as mãos, deixando ao Dutra a iniciativa, igual a ato de força e prepotência etc. na opinião da UDN. Foi adotada a fórmula de que o assunto será regulado em lei ordinária e não pela Constituição. A Lei Eleitoral do Luz terá que ser publicada logo, ficando ainda a Constituinte com a liberdade de modificar mais tarde.

Junto mando com alguma relutância e má vontade uma carta do Romero Estelita. Já vai tarde. Foi visitar a Mamãe, dar explicações e protestar amor eterno. Vá lá. Como é do gênero ioiô, vai e volta de acordo com o impulso que se lhe dá.

O governo, após ter veiculado notícias de medidas drásticas contra o comunismo, indo inclusive até o fechamento do partido, recuou mais uma vez e resolveu esperar os acontecimentos. Os comunistas bastante fortes e ativos alardeiam ainda mais força do que têm e afirmam que com ou sem fechamento do partido estão com "a partida ganha". O grupo de 30 anda feito esposa que traiu o marido sem proveito e arrependida, não sabe se poderá voltar ao lar e ser bem recebida. Começa a fazer elogios ao esposo e a mandar recadinhos amorosos para preparar o terreno.

A bancada do Rio Grande se está celebrizando por sua carolice e calinadas. A não ser o Costa, o resto é um bocado fraquinho. Há dias o Antero Leivas fez um discurso, digno da *Manha*. Aplaudindo o decreto da proibição do jogo, propôs a modificação do Código Penal para a punição dos infratores e a fiscalização das casas de família. Permissão da Polícia de invadir as casas de família, indagar dos empregados se as pessoas que aí se acham são frequentadores habituais do domicílio e parentes, e prender quem quer que se ache com um baralho na mão. Deste jeito não te admires se o Ernani e eu formos parar no xadrez por jogar *crapaud*.

6 de maio • Hoje foi o grande dia do PSD. Ernani chegou da Câmara contando a orgia. O Benê, **1946** industriado pelo Chinês, e a bancada pessedista baiana caíram em cima da UDN de tal jeito que esta se retirou do recinto "amuada" sob vaias do pessoal. A tecla era a seguinte: – "Se quiserem aderir ao governo não se acanhem, mas não tentem expulsar quem já está dentro". O Benedito defendeu-se da quinzena mineira, provando que as acusações feitas ao Beraldo eram infundadas. E os baianos caíram em cima do Juracy e do Mangabeira que, através de conchavos e cambalachos, procuraram se aproximar do governo. Diante da violência e união do PSD, a UDN achou ruim e não sei se o Dutra achará bom.

O Cap. Queiroz obteve o decreto que querias. Vai junto. Dei-lhe uma semana de folga, como prêmio.

Alvim está trabalhando.

Ernani fez uma retificação. O Benedito não chegou a bater na tecla anunciada porque a UDN abandonou o recinto antes de entrar na parte política.

Mamãe manda dizer que não escreve porque está sem cabeça, com o caso Luthero a ferver.

Neves telefonou-me agora pedindo notícias e te manda um abraço. Manda-te dizer que, violando uma lei tua, resolveu, a meu pedido, amparar o tio Periandro, nomeando-lhe um vice-cônsul para o auxiliar.

Alencastro embarca no fim do mês para a Holanda. Espera ainda te ver antes. Teles também te manda um abraço. Diz ao Maneco que já conversei com o Maciel. Breve dar-lhe-ei uma resposta qualquer.

Beija-te com muito carinho tua filha **Alzira**

**17 \ A ·** [Rio de Janeiro], 12 de maio

Meu querido Gê

**1946**   Esta é a 3ª que te escrevo desde que cheguei. Os portadores voluntários estão aparecendo de novo, de modo que facilita bastante o trabalho. As notícias são muitas, de modo que procuro vencer minha apatia anêmica para receber gente e sondar o ambiente.

Em primeiro lugar o assunto do dia é tua chegada. É a preocupação constante de teus amigos, de teus inimigos e do povo em geral. Em São Paulo o caso está sério. As filas de pão e de transportes excedem a tudo o que a fértil imaginação da ditadura já fabricou para tiranizar o povo. As donas de casa anoitecem na fila para obter pão às 6 da manhã. Enquanto isso o Zé Carlos dá entrevistas enfáticas, dizendo que vem ao Rio acabar com as filas daqui. Há dias os operários de uma fábrica foram ao diretor da mesma indagar se havia alguma possibilidade do "pai dos pobres" voltar ao poder, porque eles não aguentam mais. O Otacílio foi pessoalmente a Santos estudar as greves portuárias, foi recebido com vaia e de volta deu a entrevista mais inábil e cretina dos últimos tempos. Confessou sua derrota, ofendeu os operários e disse antes de as fazer quais as providências que iria tomar. Agora vamos às insônias provocadas por tua vinda.

I – Os inimigos. O Prestes teme tua chegada e vai procurar sabotá-la, porque és para ele o único adversário em relação ao povo e a única defesa do governo Dutra contra o comunismo. O governo teme tua chegada porque, com sua desconfiança nativa e primária e seus pecados passados, não acredita em tuas boas intenções e sabe que pelo menos um terço do PSD o abandonaria por ti. Daí sua política de aproximação com a UDN que, mediante certas concessões, lhe daria uma maioria ocasional. A UDN teme tua chegada porque podes atrapalhar seu namoro com o Dutra, daí as ameaças e campanha de descrédito que lançam sobre ti e todos os teus fiéis. O PSD dutrista teme porque sente sua segurança abalada por dois lados: pelo prestígio que darias ao PTB e pela cisão que poderias provocar no próprio PSD.

II – Os amigos. Divididos em dois grupos: os queremistas propriamente ditos, que se estão animando novamente, desta vez em torno do Junqueira que está meio frio com o Borghi, são aqueles mesmos jovens intransigentes e entusiastas dos comícios de setembro e outubro, e os políticos e ex-auxiliares, pessoal e definitivamente dedicados a ti, mas partidários de uma aproximação com o governo para evitar a guerra civil que se esboça e temerosos da exaltação do primeiro grupo, que poderá levar o Dutra a alguma reação violenta e inesperada, tal como o 29. – O primeiro grupo não discute a forma de tua chegada. Será anunciada com antecedência e será seguida da maior manifestação popular dos últimos tempos. O segundo grupo, mais velho e mais político, hesita, pelas consequências e perigos pessoais de atentados comunistas a ti ou sabotagem governamental. Como provável única detentora do segredo de tua chegada, estou com o controle dos dois grupos, procurando diminuir a ardência de uns e os temores naturais dos outros. Estabelecida a preliminar de que não podes nem deves chegar escondido, as coisas estão no seguinte pé. Pedi ao Junqueira, Epitacinho e outros marcados que não apareçam chefiando nada, para tirar o caráter queremista para não assustar os generais. Já sabemos a força de um general assustado. Em princípio ficou estabelecido também para evitar "ciumadas", porque todo mundo quer ser o dono do *show* em que os chefes da organizção seriam teus antigos auxiliares de governo somente: Agamenon, Salgado, Marcondes, Capanema, Apolônio, Firmo, Vergara etc. E o programa: chegada, comício na Esplanada com discursos etc. **1946** Mando-te contar isto para que saibas o que te espera e saber em linhas gerais se estás de acordo. O pessoal do Trabalhista estará representado no Marcondes. Não penses que os estou pondo de lado, pelo contrário, se estou agora trabalhando com eles que me procuram diariamente é para evitar a reação.

III – O povo. A ansiedade popular por tua vinda já chega a parecer mania. Têm a impressão de que tudo melhorará desde que ponhas os pés no Rio de Janeiro. Aonde quer que se vá, com quem quer que se fale a pergunta é sempre a mesma: quando é que <u>ele</u> chega.

---

Soube agora que meu portador, o Jório Pessoa, não vai mais, de modo que esta irá por intermédio do Luzardo. Celina passou agora aqui e perguntou: "Mamãe, tá quevendo vovô Gituio?"

---

O que te disse aí e Maciel em carta já se está verificando. O Partido da Erva com medo do comunismo pretende financiar o Trabalhista. O Grupo Simonsen (Marcondes) já sugeriu e com certeza o fará para derrubar o Vidigal. Alguns membros do governo já estão em franco namoro com o PTB e certos personagens que o olhavam com desprezo e desconfiança já o consideram "o partido do futuro". Alguns otimistas já dizem que poderás fazer sozinho em vários estados os governadores. O vento está começando a virar de novo. Há um movimento de imprensa e político para queimar o Agamenon, dando-o como chefe do queremismo na Constituinte. O Chinês que até agora esteve agindo com grande cautela e sabedoria está começando a se queimar com a oposição do Novais e Neto Campelo, apoiados pelo Dutra. Nereu e Costa estão fazendo o impossível para contê-lo e não romper com o governo. O *team* baiano rompeu já as baterias contra o interventor Marback e indiretamente contra o governo, que se está apoiando no Juracy e no Mangabeira. Se o *team* de Pernambuco se cindir também, muita coisa poderá acontecer. Na opinião do Costa, o Dutra prepara um golpe militar e o fechamento do Congresso, sob qualquer pretexto. *A Noite*, jornal do governo manipulado pelos Coronéis Porto Carrero e Leone Machado estãoá fazendo uma discreta campanha de descrédito da Assembleia com repercussão sensível na população. A única duvida é – terá ele força para dar o golpe? Parece que não. O grupo de generais está esfacelado, os oficiais médios são brigadeiristas ou getulistas e os sargentos são comunistas e absolutamente antidutristas. O Fiúza disse que te escreveu sobre o assunto, não sabe se recebeste sua carta. Os comunistas estão donos de todas as posições-chave no Exército, nos morros, nas cias. de eletricidade, gás etc. Contam com perto de 1.000 membros, recebendo do partido 2 contos por mês, somente para angariar simpatias e fazer propaganda. A situação está séria, mais pela inabilidade do governo em resolver e contornar as situações criadas do que propriamente pela favorabilidade ambiente.

O Maciel ia ter hoje uma conversa com o Góes, como o Luzardo embarca amanhã, ficará para outra carta.

**1946**   Alvim está trabalhando ativamente sobre os assuntos pedidos. Quanto ao caso do Flores, está positivamente entrando em senilidade mental e não oferece perigo algum. Não fosse a fracura da bancada do Rio Grande e ele já estaria arrasado. Conversei com o Bejo no entanto e ele me aconselhou a obter os Anais da Assembleia do Rio Grande de 36 e 37 onde está tudo documentado. Vou escrever ao Dinarte para tratar disso e te remeter. Ou preferes que venha para cá?

Vou terminar por falta de tempo e não de assunto. Celina manda um beijo e Ernani um abraço. Junto vão o último *Fon-Fon* e teu horóscopo. Um abraço para o Be Maneco.

Beija-te com carinho tua filha **Alzira**

*Getulio na Estância Santos Reis.*
*São Borja, RS, 1946.*

**18\A·** [Rio de Janeiro, de 13 a 17 de maio]

Meu querido Gê

Escrevo-te desta vez sobre assuntos um pouco paus, mas como costumas dizer: quem tem seu vintém bebe logo. Aí vai. É o caso do Luthero. As informações recebidas ultimamente sobre a jovem de coisas passadas e presentes que até agora nos haviam sido ocultadas por motivos óbvios são de estarrecer. Minha impressão é que o Fausto, desejando fazer tudo muito juridicamente correto, está sendo fraco. Nestes casos é necessário um pouco de falta de escrúpulo e uma certa dose de ousadia. Sabendo que nós sabemos de muita coisa, creio que ela já teria cedido, embora as provas jurídicas não tenham ainda chegado e haja muito poucas probabilidades de chegarem. Se ela está sendo utilizada pela espionagem americana, como tudo leva a crer, tendo como garantia de sua fidelidade os documentos que provam sua atuação na trama nazista, eles não a denunciarão, embora já tenhamos em nosso poder a cópia das provas e duas cartas confessando a existência dos tais papéis na Polícia Americana. Minha impressão de que ela concordaria em um amigável é justamente por isso. Provada sua culpabilidade, ela perderia não só a naturalização brasileira como ficaria desmoralizada aqui e talvez impossibilitada de voltar aos Estados Unidos. A esta altura ele já não quer o amigável, pois poderá com estas armas obter até a anulação e posse pacífica da filha, que é sua maior preocupação. E isto sem ser obrigado a mantê-la, pois a jovem tem grande apetite e não se satisfaz com pouco. A família que a ampara parece estar jogando com pau de dois bicos, pois afirmam-nos que a detestam mas ajudam sempre que podem. Como há aí um dos membros dessa família, peço-te grande discrição no assunto. Convém até destruir esta para evitar um de teus descuidos, meus conhecidos. A carta do Luthero te esclarecerá em alguns outros pontos que não desejo tocar. Digo-te, porém, que as esperanças dela estão atualmente concentradas em tua atuação, que espera lhe seja favorável, por motivos que ela mesma espalha. Enfim o assunto é mais sério do que eu suspeitava. A perda da filha não a abalou, nem sequer tem procurado saber notícias dela ou sua localização.

Maciel esteve com Góes. Em carta ele próprio te contará a conversa.

Ontem houve uma reunião em casa do Agamenon para tratarem do programa de tua chegada. Compareceram Apolônio, Capanema, Costa, Ernani, Vergara, Queiroz, Alvim, Geraldo e Matta. Concordaram sem comparecer por motivos diversos Firmo e Salgado. Não compareceu e não concordou Marcondes: 1º porque acha que deves chegar de surpresa, escondido; 2º porque a chegar com manifestação deves ser monopólio do Trabalhista. Esta última tese foi também defendida pelo Matta, parecendo ser unânime nos maiorais do PTB. E é isso justamente o que se deve evitar, não só porque não és propriedade do PTB, como porque não há conveniência em dar "motivos". Ficou assentado também na reunião que não haveria comício. Serias assim obrigado a falar, antes de tomar pé no meio ambiente, o que é inconveniente. Ficou também assentado que aguardariam uma palavra tua, por meu intermédio, sobre teus desejos.

Junqueira, que será possivelmente o portador desta, leva na cabeça um magnífico programa de rádio para tua chegada. Dentro de sua deformação profissional és uma magnífica estrela de rádio, tipo Carmen Miranda. Suas ideias são sempre radiofônicas e nunca políticas. Politicamente é um desastre igual ao Borghi. Pretende organizar um programa de

**1946**

**1946** rádio em cadeia com várias estações, irradiando sua viagem desde a saída de São Borja até aqui, com ocasionais mensagens tuas. Isto pode ser bom para a chegada do Tyrone Power ou do Clark Gable, mas não para ti. Junqueira não me disse o que vai fazer aí desta vez. Suponho que seja como das outras vezes, para te arrancar mais uma mensagem. Como teu observador *ad hoc* ouso aconselhar que nada mais digas ou escrevas antes de ver o que se passa aqui. O ambiente é muito incerto e as reações incontroláveis e as mais variadas e inesperadas.

Ernani soube por um amigo que as informações do Maciel sobre o Góes são demasiado otimistas, fruto ou da imaginação do mesmo ou tática do Góes para fazer o interlocutor descobrir o jogo.

Esquecia-me. O Junqueira deve estar danado com o Agamenon porque não quis que ele tomasse parte na reunião.

Depois de duras penas foi descoberto o tal número do *Correio da Manhã*. É de princípios de novembro e não fins como me havias dito. Alvim está preparando um *dossier*.

O ambiente é o mesmo. Cada vez maior o trabalho dos comunistas que renovam periodicamente, pela renúncia de seus representantes, a bancada do PCB e cada vez mais indecisão da parte do governo. Há uma grande encenação que não é seguida de atos. Alguns supõem que seja para despistar. A caça é uma e o alvo é outro (queremismo).

<u>17 de maio</u> • Recebi a carta do Maneco com instruções sobre a viagem e as duas cartas. A do Vital já entreguei, ficou muito emocionado e satisfeito e bateu um longo papo sobre Issbs e Drbs?[1] A do Marcondes estou propensa a não entregar. O homem chegou aqui inteiramente gaseificado, considera-se o super-homem de São Paulo, eleito espetacularmente por seus dotes individuais. Não penses que é má vontade minha ou do Ernani em relação a ele. É o fruto das sondagens que fiz, antes de decidir se convinha insuflar mais o homem. Os próprios trabalhistas do lado queremista estão indignados com ele. Segadas fez liga com ele e é também partidário da chegada às escondidas.

A última de sensação. O Borghi veio me procurar para comunicar que agora é dutrista 150%. Não comparecerá à tua recepção (felizmente) etc. Jurou-me que é uma atitude aparente porque necessita firmar-se em São Paulo etc. Ernani ficou logo uma bala, amarrou a cara e o homem ficou sem jeito. Quando fiquei só com ele enchi-o de gás, disse-lhe que fazia muito bem, que esse era o caminho certo, aconselhado por ti etc. Saiu feliz e de consciência (se a tem) tranquila. Aqui te contarei os detalhes.

A viagem propriamente dita. Teu prazo esgota-se no dia 9 porque 10 é domingo. De modo que fizemos todas as combinações em torno do dia 1º. Sairias daí a 31 de maio. Pernoite em Porto Alegre e chegada ao Rio sábado 1º de junho entre 2 e 4 horas da tarde, a escolher. Os entendimentos com a Cruzeiro já estão feitos e quem vai te buscar é o próprio Frank Rocha, ex-oficial da Marinha e amigo do peito, *fan* 200%.

---

1. Brincadeira de Alzira, calcada na maneira de falar de João Carlos Vital.

Irão daqui o Pinto e talvez o Luthero. Não posso ir porque preciso controlar o *team* daqui. Peço-te que me mandes telegrafar se estás de acordo para confirmar tudo. Foi escolhido para tua chegada aqui um sábado. 1º porque assim terás o domingo para organizar tua vida em casa e 2º e principalmente para evitar que operariado e comerciários percam seu dia de trabalho, porque estão dispostos a decretar um feriado por conta própria, caso o governo não lho conceda. O medão aqui é cada vez maior.

Estive há pouco com o Bejo que retificou em parte o juízo feito até agora sobre o Marcondes. Ele está ainda galvanizado pelo 29 de Outubro. Acovardado pela doença e pelos *tanks*, diz o Bejo que só tua presença o fará voltar ao normal e tornar-se o brilhante constituinte que todos vaticinam. Há ainda a circunstância de não tolerar o Agamenon de maneira alguma, nem com molho de pimenta. Acresce ainda estar namorando o Dutra por causa de São Paulo.

Pelo Junqueira manda-me tuas instruções com relação a médicos, permanência, pessoal, etc livros etc.

A minha cabeça está um angu, de modo que aguardarei aqui para te contar os detalhes.

Beija-te com muito carinho tua filha **Alzira**

1946

---

*Getulio com as irmãs Paes, na Estância Santos Reis.*
*São Borja, RS, 1946.*

*Getulio Vargas, ao lado de Fernando de Melo Viana, toma posse como senador constituinte no Palácio Tiradentes.*
*Rio de Janeiro, DF, 4 de junho de 1946.*

**21 \ G ·** [Estância Santos Reis], 16 de maio

Minha querida Alzira

Hoje regressei do Espinilho, onde estive tropeando.

**1946**

Lá recebi a visita do Luzardo que me levou três cartas tuas além de alguma outra correspondência. Duas dessas cartas já me esperavam em Santos Reis e o Maneco aproveitou o portador para remetê-las.

Passo a responder-te rapidamente, sobre a mesinha de cabeceira do meu quarto de dormir, para aproveitar portador que amanhã segue para Porto Alegre.

Tratarei rapidamente de alguns assuntos mais urgentes.

Viagem. Parece que ficaria bem partir a 1º de junho. Estarei aí no dia 2. Antes não é possível desembaraçar-me.

O Luzardo trouxe-me vários recados de próceres, no sentido de portar-me bem, não fazer declarações que ponham em risco a ordem e a tranquilidade pública. Que achas?

Dinheiros recebidos. Todo o arame que tenho aí está acha-se no Banco da Província, à disposição de tua mãe, que está de posse da caderneta e do livro de cheques. Assim poderás depositar no referido banco ou entregar-lhe, conforme ela preferir. Quanto ao bônus de guerra, deve continuar contigo. Quando eu regressar, resolverei. Assunto M., recebi o decreto. Falta o exemplar do *Correio da Manhã* de fins de novembro, de que já te falei. Além disso no *Diário Oficial* é possível que existam outros elementos. Precisas colecioná-los e guardar para entregar-me.

Falcatruas e artes do F...

Não adianta me remeter calhamaços que não tenho tempo de ler. Desejo apenas uma relação sumária dos feitos, para avivar a memória no momento oportuno, isto é, se for provocado.

Anael não tem se manifestado mais?

Agora um pitinho. O Tásio reclama os óculos que te encomendou e até hoje nada lhe disseste.

E a Celina, como vai? Não te perguntei, quando aqui estiveste, se ela ainda pede o Adão pito baia!

Aguardo tua resposta a esta carta, pois suponho não haverá tempo para escrever-te outra.

Saudades ao Amaral e um abraço afetuoso do teu pai **Getulio Vargas**

PS.: Recebi as revistas. Pode entregar as cartas para o Marcondes e Vital.

**22 \ G ·** [Estância Santos Reis], 20 de maio

Rapariguinha

**1946**  Aqui estou já pensando na viagem e aguardando teu aviso para saber se parto mesmo no dia 1º.

Não sei como vou ser recebido, nem se há algum programa. Não desejo e não aceito mesmo festas protocolares, de cerimônia, oficiais ou oficiosas, como banquetes, almoços, recepções etc.

No dia da chegada a recepção popular, franca, livre, parece que é suficiente, se permitirem.

O horóscopo que me mandaste é uma charlatanice confusa e pernóstica. Não tem valor algum. Antes o Anael que ao menos é impelido por um ideal.

Esgotou-se o estoque de selos no correio de São Borja. Ignoro como esta poderá chegar a seu destino. A Ingeborg escreveu-me dizendo que havia constituído advogado, porque não lhe restituíram a filha. Remeti a carta a tua mãe. Eu previa isso.

Até breve e muitos abraços do teu pai **Getulio Vargas**

*De regresso ao Rio, ao saber da multidão reunida na rua, Getulio discursa de um apartamento no 1º andar do prédio em que residia, na avenida Rui Barbosa, nº 430. Alzira aparece segurando uma flor. Rio de Janeiro, DF, 1º de junho de 1946.*

1946

Rapariguinha.

Aqui estou já pensando na viagem e aguardando teu aviso para saber se parto mesmo no dia primeiro.

Não sei como vou ser recebido, nem se há algum programa. Não desejo e não aceito mesmo festas protocolares, de cerimônia, oficiais ou oficiosas, como banquetes, almoços, recepções, etc.

No dia da chegada a recepção popular, franca, livre, parece que é suficiente, se permitirem.

O horoscopo que me mandaste é uma charlatanice confessa e pernostica. Não tem valor algum. Antes o Maul que ao menos é impelido por um ideal.

Esgotou-se o estoque de selos no correio de S. Borja. Ignoro como esta poderá chegar a seu destino. A Iny escreveu-me dizendo que havia constituído advogado, porque não lhe restituiram a filha. Remeti a carta a tua mae. Eu previa isso.

Até breve e muitos abraços.
do teu pae

Getulio Vargas

E 20-5-1946.

107

**19 \ A ·** [Rio de Janeiro], 20 de maio

Querido Gê

**1946**   Escrevo-te às pressas apenas um bilhete para aproveitar o portador. Estou esperando a resposta às minhas anteriores para confirmar o dia de tua vinda. As coisas aqui continuam na mesma. Os jornais anunciam todos os dias tua chegada e o povo se toca para as ruas para te esperar, e nossos telefones não param pedindo confirmação. Diante disto, e por outras circunstâncias que aqui te contarei com detalhes, aconselhei o *team* a não organizar comissão de recepção e nada que cheirasse a oficialismo, deixando ao povo somente a iniciativa de te receber. Não haverá charanga nem discursos, mas prepara-te para ser amassado.

Resolvi em definitivo não entregar a carta ao Marcondes. Esteve muito tempo com o Dutra e saiu de lá falando de ti. Com este nunca me enganei. Pena que se mostrou tarde.

As greves rebentam por toda a parte e as soluções são as mais absurdas e esdrúxulas possíveis, satisfazendo os operários sem os contentar. O trabalho comunista é intenso e benfeito.

Estive hoje com Cilon que está apavorado com as calinadas do presidente do Banco do Brasil. O Marcondes e os Silveirinhas, através do Segadas, estão trabalhando contra o Agamenon para impedir sua ida para o banco. Lourival foi chamado a depor na Câmara sobre as "depredações" do DIP. Saiu-se muito bem.

Por hoje chega. O Sarmanho chegou hoje e ficará até sexta-feira. Está alarmado com a indiferença governamental ante a grave crise que nos ameaça.

Beija-te com muito carinho tua filha **Alzira**

**23 \ G ·** [Estância Santos Reis], 22 de maio

A Rapariguinha

Chegaram hoje o Junqueira e o Viana, já à noite. Dormiram aqui partindo amanhã. **1946** Junqueira trouxe bastante correspondência. Confirma tudo o que dizes sobre Borghi e Marcondes, sem saber das tuas informações.

Sobre tua conversa com o Borghi, agiste muito bem, hábil e politicamente.

Quanto ao Marcondes, fiquei penalizado com sua atitude. Além de outros fatores negativos influiu provavelmente para isso o julgar-se esquecido por mim. Talvez a entrega da carta, feita em tempo, produzisse benefício. Agora já me parece tarde e poderia ser até uma arma de intriga ou exploração.

Assim aprovo tua resolução. Junto, vai uma notícia que recortei dos jornais trazidos pelo Junqueira. Confirmam tudo. Pode ser que a ação do Bejo junto a ele produza efeito, dizendo-lhe que eu continuava seu amigo, que lhe havia escrito e telegrafado, havendo extravio dessa correspondência. Quanto à sua conversão política, aprová-la, dizer que está certo, como fizeste com o outro. Eles são candidatos ao mesmo posto. Ambos estão com a mosca azul. É deixá-la evoluir.

Tive boa impressão do Junqueira. Parece-me sincero. Não veio pedir mensagem, apenas combinar sobre a viagem.

Estou de inteiro acordo com o que propões em tuas cartas. Parece melhor assim, apenas recepção popular, sem comissões e sem discursos.

Contou-me o Junqueira que o Manoel interpelara o Teixeira se ele estava metido nessa recepção que pretendiam fazer-me. Contestou que não, informando que era o Junqueira quem estava promovendo e que deve estar no índex do Catete.

Não vejo justificativa para toda essa prevenção e má vontade do alto contra mim. Devo informar-te que, ignorando o estado de espírito do meu antigo ministro do Trabalho, e na melhor boa-fé, telegrafei-lhe há dois dias, perguntando por que não fora nomeado o candidato do Partido Trabalhista para delegado regional no Rio Grande do Sul. É capaz de aproveitar para uma resposta atravessada, a fim de agradar o novo patrão.

Recebi a carta do Luthero, completando tuas informações. Ele explica satisfatoriamente por que retirou a filha, apesar de minha opinião contrária. Compreendo e justifico perfeitamente o estado de espírito em que ele se acha e qualquer que seja a situação só posso estar ao lado do meu filho.

Sobre outros assuntos de médicos, livros etc. há tempo para tratar. Já tens muita cousa a atender. Desejo que mobilizes o Adão e o Barbosa. Os hóspedes já se acomodaram. Terei de levantar às 5 da manhã para entregar esta carta.

Abraços do teu pai **Getulio Vargas**

PS.: Acordei tarde. O portador já tinha seguido. Vai pelo correio. A Varig, informa o Junqueira, quer levar-me até o Rio. A Cruzeiro, com o amigo de que falas na carta, quer levar-me de Porto Alegre. Combina isso aí como te parecer melhor.

**20 \ A ·** [Rio de Janeiro], 29 maio
[Para ser lida na viagem]

Meu querido Gê

**1946** Aqui estamos à tua espera, na ponta dos pés. O portador desta é o Sebastião Leão, cunhado do Othelo Rosa e representante oficioso da Praia Grande. Voltará contigo a meu pedido. Seguem também o Pinto e o Luthero.

O ambiente em relação à tua chegada melhorou bastante, depois das orgias do Largo da Carioca, que constituíram um desabafo da Polícia em cima do povo reclamante e desarmado. Teve uma repercussão terrível na população apesar de toda a preparação anticomunista feita antes e depois. Por outro lado a atitude do PSD por ocasião da votação na Câmara da moção de solidariedade teve a virtude de mostrar ao governo que os namoros dele com a UDN só lhe trazem prejuízo e que, se ele não se portar direitinho, um dia amanhece sem maioria. O PSD num *test* de força e disciplina venceu sozinho contra todos os outros partidos coligados. Soube pelo Neves que o Dutra sentiu a realidade e recuou nos acordos estaduais, manifestando-se muito desgostoso com a UDN e o PTB.

A ansiedade popular pela tua chegada é enorme e nossos telefones não param. Em compensação a sabotagem da imprensa, procurando estabelecer a confusão, é bastante sensível.

---

Saí um momento para fazer umas compras e sentir o ambiente. O mulherio está num assanhamento incrível. Por toda a parte querem saber se é verdade que tu chegas e se podem ir te esperar. Cortando uma das numerosas e longuíssimas filas de pão recebi até festinhas no rosto.

---

João Neves esteve ontem em visita a Mamãe, para saber a hora de tua chegada, porque deseja te esperar. Disse-nos que Dutra se fará representar em teu desembarque, Nereu levará a bancada do PSD e Marcondes a trabalhista. Marcondes esteve no Rio como gato por brasa. Tomou posse, avistou-se com o Dutra e sumiu para São Paulo. Ainda não lhe pude entregar tua carta, apesar dos recados reiterados que tenho enviado por elementos dele.

Ontem houve na Assembleia um fecha entre o Barreto Pinto e a família Góes. Aquele declarou na tribuna que o Góes era um indecente, duplamente traidor e aproveitador, que não tinha medo e falaria enquanto os "soldadinhos do Offenbach permitissem". Os irmãos Ismar e Péricles queimaram-se e o agrediram fisicamente. Barreto pôs a boca no mundo e exigiu inquérito, corpo de delito etc. Consta que está sendo açulado pelo Chinês não se sabe ainda com que objetivo. À noite, houve reunião dos *leaders* do PSD em que ficou resolvido cerrar fileiras e impedir qualquer intervenção federal nos estados fora da política partidária. Fortes com a vitória de há três dias, estão roncando no papo.

Neves informou que o Luz está já fazendo jogo claro. Ele em Minas e Melo Viana na vice-presidência. Tá difícil como quê. O mesmo contou uma conversa que tivera com Góes, na qual este dissera que era mais teu amigo que ninguém. Apertado sobre sua atitude em relação à tua chegada, desconversou. Neves acha que tu e ele devem ter um entendimento em terreno neutro e ofereceu sua casa. Veremos.

**1946**

Carlos Lacerda, o mais venenoso dos jornalistas contra ti e contra o Dutra, manisfestou ao Bejo o desejo de te entrevistar, dizendo ser pessoalmente teu *fan*, embora adversário político. São os ventos.

O assunto mais gozado do momento é a briga Falcão-Linhares no Tribunal Eleitoral. Aquele após ter cortejado este é agora familiar do Dutra. Cavou uma viagem aos Estados Unidos a pretexto de estudar a Lei Eleitoral americana, que tem com a nossa a mesma semelhança da máquina de escrever com a de costura. À voz dessa mamata o Linhares, que não perde uma e que havia declarado que não reassumiria o posto de presidente do Tribunal Eleitoral, gritou: "Epa, o presidente sou eu e quem vai sou eu". O Waldemar, que quer levar toda a tribo para se tratar na América (mulher e dois filhos), esperneou: "O convite foi pessoal a mim". O Linhares achou ruim e assumiu a presidência em menos de meia hora e criou logo um caso, desfazendo atos do Waldemar para ver se este larga o osso. Tá gozado. Em briga de cearense o difícil é desempatar. Foi benfeito, porque a família Falcão andava toda enfalconada gritando que não devia nada a ninguém e muito menos a ti. Qualquer dia eu perco a bicicleta e publico a carta dele, pedindo um osso.

Bejo esteve com o Flores, que perguntou quando chegavas. "Para que você quer saber, pretende atacá-lo?" – "Não, isso não, somente se ele mexer comigo." Conversa vai, conversa vem, disse-lhe o Bejo: – "Você sabe que o Getulio só ataca quando atacado e se você se meter a besta, não esqueça dos Anais da Assembleia". Ficou murcho e mudou logo de assunto.

Junto vai a última mensagem de Anael. Vê se entendes.

A procura de cartões para ir assistir tua posse é enorme.

As ameaças de greves continuam. Nos Estados Unidos e aqui, de modo que a situação do abastecimento ainda vai piorar. Não há carvão, não há transporte, não há boia. Filas e mais filas, sendo a de pão a maior. A pior de todas, se se efetivar, é a da Light para aumento de salário. Não teremos então luz, gás e *bond*, telefone. Que beleza. De modo que o povo te espera como a um salvador que vai solucionar todos os problemas e amenizar seus sofrimentos. Por ocasião do tiroteio do Largo da Carioca só se ouvia dizer: no tempo do Getulio nunca houve disso. E o próprio Mangabeira confessou: – Nem nos tempos da ditadura tivemos destas selvagerias. Esta carta é para que sintas mais ou menos o ambiente que vais encontrar aqui. Para o povo és o salvador, para os políticos uma incógnita perigosa, para o governo o puxador de toalhas, para o comunismo o único adversário, para o Exército o espantalho com que se assusta criança.

Outro sinal dos tempos. Vão sair dois jornais integralistas. *A Vanguarda* foi adquirida por um grupo, do qual fazem parte: Milton de Carvalho, João Borges, Alvaro Penafiel e outros. E *O Paiz* cuja direção ainda não é conhecida.

O Hildebrando na prefeitura está fazendo política pessoal, auxiliado por D. Santinha.

No momento é só. Celina está à tua espera.

Beija-te com muito carinho tua filha **Alzira**

---

Vai também um projeto da Constituição que o Ernani te manda

**24 \ G ·** [Estância Santos Reis], 8 de setembro

Alzira

**1946**  Aqui cheguei dia 4, onde estou desfrutando um começo de primavera, fresca e saudável, em companhia do Maneco e Junqueira.

Permaneci dia e meio em Porto Alegre. Pouco adiantei sobre a missão pacificadora, embora a iniciasse. Convidado a uma sessão da diretoria do PTB, supunha que fosse uma reunião comum de diretoria. Quando cheguei estava cheio de gente. Tratava-se duma sessão especial dedicada a mim. Falaram vários oradores e o presidente deu-me a palavra, sem que eu a pedisse. Fui forçado a fazer um discurso de momento, supondo que estava somente com os trabalhistas. Infelizmente estavam na retaguarda ~~dos~~ dois taquígrafos que apanharam o discurso e este foi publicado. Ignoro se teve aí alguma repercussão.

Na viagem de Porto Alegre apanhei um temporal que me levou a Uruguaiana. De lá vim a Santos Reis, sem maior novidade.

Estou curioso por saber notícias daí, principalmente:

1º) sobre festividades de 7 de Setembro;

2º) promulgação da Constituição e suas consequências eleitorais;

3º) questão da vice-presidência;

4º) aspecto geral e clima;

5º) notícias da família.

O Protasio ficou em Porto Alegre, limpando os dentes. Deve chegar a 11.

Eu estava aí como prisioneiro. Precisava um pouco de liberdade.

E o Amaral com o Estado do Rio?

Dize a tua mãe que suas encomendas foram entregues. Envio-lhe todo o meu carinho, como a ti e demais pessoas da família.

Ansioso, aguardo tua carta com notícias das cousas visíveis e invisíveis.

Muitos abraços a todos os amigos e um beijo do teu pai  **Getulio Vargas**

**21 \ A ·** [Rio de Janeiro], 9 de setembro

Meu querido Gê

Três dias depois de teu embarque desabou sobre meu coco a maior e mais insolúvel das crises, de todas as crises agora tão em moda; maior que a crise do pão, do leite, do café, da carne e outros adminículos; maior que a da vice-presidência e a militar; maior ainda que a crise de habitação de que sou vítima – a Eva me abandonou repentinamente. Teve um toró com o meu ministério, arrumou a bagagem e foi embora.

**1946**

Requisitei, às pressas, a Wandinha, o desaperto que me está ajudando a tomar conta do "Piolho", que não é nada sopa. Estou, porém, até arranjar uma pessoa de confiança, em prisão preventiva.

Portanto, apesar do ambiente de efervescência que vai lá por fora, vivo em torno das complicações do mingau e seus derivados, banhos à hora certa e madrugadas. Não posso negar que Celina tem ajudado muito, comportada, sente falta da babá mas não chora, nem me atormenta. Todo avião que passa por aqui é o vovô que vem chegando.

---

O que pude averiguar aí vai:

1º) O encontro Gonzaga x Andrade ainda não se deu, devido à enfermidade do primeiro que não pode sair e à recusa do segundo de ir ao outro.

2º) As comemorações da independência decorreram "chochíssimas"; nada além da parada militar, e esta mesma do ponto de vista popular fracativa. O homem passou pela avenida enfaixado, para que não houvesse dúvidas e para que *no se olvide de su puesto*, sem um aceno, quanto mais uma palma. Foi muito comentado o fato de não se haver dirigido às massas.

3º) O conflito Góes x Dutra acentua-se todos os dias. Pela manhã dois jornais udenistas, o *Correio e o Jornal*, publicaram uma nota sem origem, dizendo que Dutra havia considerado teu discurso como o primeiro passo para a oposição. À tarde Góes dá uma entrevista elogiando sutilmente tua pessoa e o discurso. Ontem e hoje os jornais do Chatô com grande escândalo publicam observações tuas sobre a semelhança dos governos Washington – Dutra, explorando-as o mais que podem. Nos jornais da tarde Góes interpreta com bonomia e discrição as mesmas. Eu acabo gostando de carne-seca.

4º) Prossegue a luta pela vice-presidência. Melo Viana tem dado as entrevistas as mais idiotas e positivamente senis mantendo sua candidatura. Os udenistas, danados da vida, proclamam aos quatro ventos que a candidatura Nereu é de origem "queremista". Chegaram a fabricar um telegrama teu ao Barreto Pinto aconselhando a votar no Nereu. O Dutra, com medo do eterno *tertius* Monteiro, concordou com a candidatura do Nereu, correndo. Góes afirma que a origem é o caso mineiro. E... em última análise, é mesmo.

5º) O Vidigal e o Luz continuam a cortejar o Ernani.

6º) As votações na Câmara, em sua última fase, estão em estado de completa confusão. Ninguém mais sabe como nem com quem votar. A autonomia foi derrotada,[1] alguns ter-

---

1. Refere-se à autonomia do Distrito Federal.

**1946** ritórios extintos, contra o parecer do ministro da Guerra interino, a inelegibilidade de 18 meses deverá passar esta noite. As várias correntes pró e contra se estão digladiando em conversinhas de bastidores e corredores. Há uma tentativa de tornar inelegíveis os atuais ministros. Mais uma vez golpe mineiro.

7º) O Mangabeira esteve ontem com o Dutra, pleiteando para a UDN dois ministérios, sendo um o da Justiça.

8º) Consta que o ministro da Justiça será paulista, o Costa Neto ou Honório Monteiro, em troca da vitória do Nereu.

9º) Borghi procurou-me há dois dias e conversou longamente. Relatou seu trabalho para a organização e fortalecimento do Partido. Está gastando mais de mil contos por mês. Sua fortuna total vai a 50 mil e está disposto a torrá-la toda em benefício do PTB por puro idealismo. Continua Getulio 100% e não admite que duvidem de sua lealdade. Não dispõe de tempo para te procurar diariamente e desfazer as intrigas que dele fazem certos elementos e pede que confiem nele para que possa completar a obra etc. Contou a conversa que Marcondes tivera com ele a respeito da governança de São Paulo. Disse-me que já desejara ser o governador, mas desistira. Acima de seu nome colocava os interesses do partido. De maneira alguma, porém, serviria de escada para o Marcondes. Estava certo de que este não era trabalhista e que uma vez no poder abandonaria o partido à sua própria sorte, aliando-se à Federação das Indústrias, de quem era serviçal. Que Marcondes lhe havia acenado com a senatoria por São Paulo e talvez daí a pasta da Fazenda, alegando que Borghi era vinho novo ainda muito verde, que só o tempo mostraria suas qualidades e que tinha uma grande carreira política pela frente. Era justo que o vinho novo (Borghi) ajudasse agora o vinho velho (Marcondes) e depois o vinho velho ajudaria o novo. Borghi alega ter respondido que era cedo para cogitar do assunto, que o nome para a governança de São Paulo era o xeque-mate do PTB e que não devia ser ainda anunciado etc.

Lamentou-se de não receber de ti nem uma palavra de estímulo ou encorajamento por seu esforço em prol do partido. Consolei-o, dei-lhe alguns conselhos, aprovei em teu nome alguns atos seus e reprovei outros. Disse-lhe que não costumavas, por feitio, fazer festinhas nem passar pitos. O resultado final daria a cada um a satisfação ou o desgosto do caminho escolhido. Partiu feliz.

Soube hoje que ele se teria aberto com o Maciel Filho, desejoso de ser governador de São Paulo.

10º) Dutra soube, não sei como, do desejo de Góes se avistar com Ernani e pediu ao Benedito que tentasse impedir.

E é só.

---

Teles comunicou-me que já depositou no Província 55 contos e farelos, da venda dos bônus de guerra.

O Bento Ribeiro Dantas telefonou-me duas horas após teu embarque encabulado por haver dormido demais e não ter podido comparecer ao aeroporto. Transmiti-lhe os agradecimentos e mandei as flores para a Sra. dele. Já comprei as gravatas para o Teles mas ainda **1946** não mandei, devido à minha crise interna.

Está na hora do bicharoco acordar. Até a próxima.

Um milhão de lembranças para distribuir por aí.

Com Maneco, recebe um beijo carinhoso de tua filha **Alzira**

---

Não reli; deve ter um bocado de barbaridades.

**25 \ G ·** [Estância Santos Reis], 10 de setembro

Alzira

Aí vai uma nova carta para tratar de alguns assuntos que esqueci na primeira.

1º) Saber do Maciel como vão os casos da eleição da diretoria do sindicato, presidência da Federação das Indústrias etc.;

2º) Queiroz Lima e Vergara informações sobre os trabalhos de que ficaram encarregados;

3º) Teles venda dos bônus e pagamento segunda prestação imposto renda;

4º) Epitacinho aluguel escritório;

5º) Remeter-me números *Fon-Fon* posteriores a 31 de agosto, último que li.

Recebi aviso que pretendiam controlar-me, novamente, para que eu não me afastasse daqui. Não dei crédito.

Tenho a impressão que a confusão na política dos estados deve-se muito à condescendência do PSD, que não tem amparado com firmeza seus correligionários ameaçados pelo intervencionismo da coalizão. Se cada caso isolado num estado fosse tornado um caso coletivo do PSD, esse intervencionismo cessaria. Não tenho esperança que essa resistência se realize. Sapos de maior tamanho têm sido engolidos por esse partido na votação da Constituição, que está saindo bem ruinzinha, como fórmula democrática.

Aguardo tuas providências sobre os cinco itens que constituem o principal motivo desta carta.

Abraços do teu pai **Getulio Vargas**

1946

13- 9- 46

Meu querido Fê:

Aproveito a ida para aí do Afonso Viana para te escrever ás pressas e remeter os 2 últimos numeros do Fou-fou, já lidos pela Celina e respeitosamente conservados intatos por serem do vovô Getulio.

Meu destino é andar com a vida complicada. Quando o negocio acalma já acho estarrecido. Continuo em prisão preventiva, agora mais rigorosa por estar o piolho ligeirramente febril de um resfriado; e o seu Baumann resolveu entregar amanhã o apartamento. Vou consultar o Ypses sobre sua teoria da ubiquidade para vêr se resolvo meu problema. O parto da Montanha está

**1946**

por pouco, arrastando as disposições transitorias qualquer
emenda orçamentaria.

A situação está cada vez mais
engraçada e complicada. O pobre
do Dutra deve se estar sentindo
como um osso prestes a ser
entregue a uma cachorrada
esfomeada.

O Queiroz esteve aqui hoje
e pediu q. te dissesse q. continua as ordens.

Por hoje é só. Não tenho tido
tempo nem para ler jornais.
Beija-te com muito carinho
        tua filha

        Alzira

P.S. Manda noticias ou diz
ao Valandro do Maneco que
telegrama é pouco.

117

**22 \ A ·** [Rio de Janeiro], 13 de setembro

Meu querido Gê

**1946** Aproveito a ida para aí do Afonso Viana para te escrever às pressas e remeter os dois últimos números do *Fon-Fon*, já lidos pela Celina e respeitosamente conservados intatos por serem do vovô Getulio.

Meu destino é andar com a vida complicada. Quando o negócio acalma já acho estranho. Continuo em prisão preventiva, agora mais rigorosa por estar o Piolho ligeiramente febril de um resfriado, e o Seu Baumann resolveu entregar amanhã o apartamento.

Vou consultar o Moses sobre sua teoria da ubiquidade para ver se resolvo meu problema.

O parto da montanha está por pouco, arrastando as disposições transitórias qual uma cauda orçamentária.

A situação está cada vez mais engraçada e complicada. O pobre do Dutra deve se estar sentindo como um osso prestes a ser entregue a uma cachorrada esfomeada.

O Andrade Queiroz esteve aqui hoje e pediu que te dissesse que continua às ordens.

Por hoje é só. Não tenho tido tempo nem para ler jornais.

Beija-te com muito carinho tua filha **Alzira**

PS.: Manda notícias ou diz ao malandro do Maneco que telegrama é pouco.

*Nas duas páginas, aspectos da passagem de Getulio por Porto Alegre, no seu retorno ao Rio Grande do Sul. 9 de agosto de 1946.*

## 26 \ G · [Estância Santos Reis], 15 de setembro

Rapariguinha

Esta é a terceira carta que te escrevo, ainda sem resposta e sem saber se as recebeste. As cousas por aqui vão marchando regularmente. O assunto político bem encaminhado, sob absoluta reserva.

**1946**

Estou preparando meu discurso e preciso alguns dados. O mais urgente é minha entrevista aos jornalistas em Petrópolis e o trabalho de que encarreguei Vergara e Queiroz Lima. Está um tanto demorado.

Desejo saber quando o Souza Costa fará seu discurso respondendo ao Agostinho Monteiro. Isso me adiantará o serviço na parte financeira, porque o meu discurso deverá ser sincronizado com o dele. Esse discurso (o meu) deverá ser pronunciado logo após meu regresso.

Quanto ao dele deve ser antes.

E as entrevistas do Góes contra o PSD, por que ficou ele tão zangado? Será pela candidatura a vice? Mas ele parece satisfeito com o Grão de Bico, que também não queria sua candidatura!

Enfim, eles são brancos...

Outros dados que preciso, no trabalho Vergara-Queiroz, é o número de quilômetros de estradas de ferro e de rodagem construídos no meu governo e uma descrição do que foi realizado no Nordeste, obras contra as secas. Abrevia a remessa dessas cousas.

Muitos abraços do teu pai **Getulio**

**23 \ A ·** [Rio de Janeiro], 18 de setembro

Meu querido Gê

**1946**   Escrevo-te na data histórica em que é dada à luz a 4ª Constituição do Brasil após um laborioso parto da montanha. Enquanto espero Ernani com o relato das últimas, aqui vai meu drama.

Já te escrevi duas cartas nos intervalos de minhas trapalhadas. Celina esteve doente novamente com angina, febre alta e bronquite. Três noites malcochiladas, penicilina e a sentença final: operação imediata. Diante da terceira repetição do mesmo quadro, creio que serei obrigada a entregar os pontos e permitir que o açougueiro Humberto entre em cena. Do contrário começarei a prejudicar o desenvolvimento normal do "Piolho". Para completar a tragédia com a preocupação, as noites maldormidas e os trabalhos de babá, minha espinha deu um bruto estrilo e me forçou a uma outra capitulação. Pedi à Eva que voltasse pelo menos até que eu e Celina voltássemos aos eixos. Entreguei-a hoje à Mamãe e ela lá está hospedada em teu quarto, até minha mudança, que se dará no correr deste mês. E agora chega.

Mamãe não te escreve porque está atrapalhada ajudando minha mudança, manda-te saudades.

Wandinha, meu braço direito, que me ajudou a safar a onça, te manda um beijo.

---

O professor Carne-seca está temporariamente fora de circulação. Desde teu embarque não me procura. O prazo que me deu esgota-se amanhã e, embora alguma coisa esteja de acordo com suas palavras, muitas não se realizaram. Aguardemos.

Esta vai pelo Afonso Viana, que embarca amanhã de manhã.

1º) Soube que os indiciados pela Polícia como autores do quebra-quebra, submetidos a inquérito, eram verdes e não vermelhos. De modo que o negócio morreu e não conseguiram fazer escândalo. Ontem houve nova tentativa de quebra-quebra. Os jornais publicam uniformemente que a origem foi um bêbado em Copacabana. O comércio todo fechou por precaução. No entanto houve quem visse oficiais do Exército instigando e consta que foi mais uma tentativa de criar ambiente para um golpe do governo, tentando envolver ao mesmo tempo comunistas e queremistas. Cartazes muito bonitinhos dizendo "O Exército expulsou Getulio, o povo o fará voltar" aparecem de vez em quando, para ver se os queremistas mordem a isca.

2º) O Góes dá uma entrevista por dia. Na última que vai junto pleiteia tua "absolvição" dos crimes da ditadura. Declarou que não voltará ao ministério mas está pronto a colaborar em outros setores.

3º) Os Diários Associados publicam de vez em quando, deturpando, as declarações tuas aí em São Borja. Sei que são tuas porque algumas eu reconheço. Se não são feitas propositadamente, deves ter algum quinta-coluna coluna por aí, que transmite tudo.

4º) O caso do Estado do Rio está em ponto morto quanto à interventoria. O Meira continua se aguentando. Com a passagem das incompatibilidades totais, o velho Neves viu naufragarem suas esperanças. Ernani está coordenando a governadoria em torno do nome do Senador José Carlos P. Pinto, usineiro de Campos, e para vice escolheu o Luiz Pinto, médico de Valença. Ainda não comunicou ao Dutra; fá-lo-á amanhã. Quando o negócio vier a furo o **1946** Macedo é capaz de lascar um artigo: O Comandante Peixoto pensa que o Estado do Rio é galinheiro.

5º) A questão da vice-presidência está praticamente no papo. Houve várias tentativas de fazer fracassar o Nereu, mas o medo ado Góes foi mais forte. O Melo Viana desistiu, abandonado pela UDN, e anda destilando bílis contra a ditadura. O Mangabeira negociou com o Dutra, em troca de duas pastas lançariam um candidato próprio, abandonando o Melo Viana. Não podiam votar no Nereu mas assim asseguravam sua vitória. E mais uma vez espanaram o Arruda e jogaram na arena. Este deitou entrevistas, disse besteira e cortejou todo mundo, até os trabalhistas. Os irmãos do Góes tentaram um golpe para protelar a eleição do vice-presidente e outro para que esta fosse direta. Seria gozado!

6º) Em relação às consequências da promulgação da Constituição eu e Ernani estamos em divergência. Ele acha que a expectativa atual continuará até as eleições para governador e as posições só se definirão após estas, num fecha espetacular. Eu tenho a impressão de que muita gente e muita coisa vão estourar agora. Todos aqueles que não tiverem esperanças de entrar no baile vão estrilar. O Dutra estava desgostoso com a UDN por esta ter votado a favor da autonomia. A UDN, porém, partidária do "quando um não quer dois não brigam", está se agarrando ao governo com unhas e dentes.

Ernani acaba de chegar e diz que o acordo Mangabeira-Dutra é o seguinte: este declarou-se disposto a convidar dois udenistas para o ministério desde que os mesmos fossem escolhidos por ele, como elementos de sua confiança pessoal e não por indicação partidária. Seriam o Agostinho Monteiro para a Agricultura e para o Exterior o Raul Fernandes ou o Mangabeira, visto o Neves ter declarado que não desejava continuar. Convidado, por enquanto, só o Benedito Costa Netto

6º)[1] A ~~promulgação~~ assinatura da Constituição foi *show* udenista, preparado pelo Melo Viana. Fez uma molecada, discurso atacando a ditadura. O recinto estava cheio de udenistas e as ruas de comunistas. Por ocasião da chamada, foram vaiados todos os líderes queremistas pelas noivas do Eduardo:[2] Agamenon gostou, Pinto Aleixo chamou-as de sem-vergonha, Benedito ficou safado, Souza Costa nem te ligo, Barata firme e Ernani foi poupado. Para não dar oportunidade da UDN se espalhar, o velho Neves sugeriu que não fosse chamado teu nome já que estavas manifestamente ausente, Georgino atendeu e não foste chamado. Na saída o Luz recebeu dos comunistas estrondosa vaia, o que o abateu muito. Compensações.

7º) Foram depois ao Catete. Dutra fez um discursinho inexpressivo e mal pronunciado, queixando-se da herança financeira do governo passado e repetindo que era o presidente de todos os brasileiros, apoiado nas forças do 29 de Outubro. D. Santinha teve uma recaída de coração e andou meio ruim.

---

**1.** Numeração repetida por Alzira.
**2.** Alusão ao grande sucesso de Eduardo Gomes junto ao eleitorado feminino.

**1946**  8º) Aspecto geral e clima indeciso. Embora assegurada a vitória do Nereu, as perspectivas do PSD ainda não estão definidas. A UDN está empurrando. Caso o Mangabeira não vá para o ministério, desejam fazê-lo presidente da Câmara. Souza Costa, candidato do PSD, tem perspectivas de vencer, no entanto o Benedito tem suas esperanças, o que poderá atrapalhar.

9º) O caso do Estado do Rio está prestes a ser tratado. Uma versão dá como candidato do Dutra o Cel. Rosa, apolítico, ex-comandante do 3º RI, para substituir o Meira durante as eleições.

O Acúrcio continua com o voto de D. Santinha mas perdeu definitivamente o do Dutra.

───────────

O ambiente popular está cada vez mais teu e já está atingindo a camada média, que começa a se confessar também getulista.

E agora chega que meu dedo está doendo.

Com Maneco recebe um abraço do Ernani e um beijo carinhoso de tua filha **Alzira**

───────────

*Em 18 de setembro, o deputado Ernani do Amaral Peixoto
assina a nova Constituição.*
Rio de Janeiro, DF, 18 de setembro de 1946.

**27 \ G ·** [Estância Santos Reis], 18 de setembro

Rapariguinha

Desde que cheguei só tive notícias daí pelo que ouço no rádio e pelos jornais de Porto **1946** Alegre.

Do Rio nada, nem cartas, nem jornais. Esta é a quarta missiva que te remeto. Faço-o especialmente para pedir-te que me envies cópia dum telegrama de Roosevelt passado a mim, salientando os serviços por mim prestados à causa dos Aliados e a sua felicidade por essa colaboração. O sentido é, mais ou menos, esse. Não me recordo a época em que foi passado, nem o motivo que o determinou. Recebi vários telegramas dele. Ignoro se estão no teu arquivo.

Além dos assuntos tratados nas cartas anteriores, desejo também saber como está por aí meu câmbio, se ainda se recordam de mim e se não será preferível que me demore mais tempo por aqui.

Já estás no teu apartamento? Organizaste melhor tua vida? Como vai a saúde da tribo?

Abraços afetuosos a todos.

Do teu pai **Getulio Vargas**

**28 \ G ·** [Estância Santos Reis], 19 de setembro

Alzira

**1946**   Um adendo. Pergunta ao Maciel e informa-me quanto foi emitido depois de 29 de outubro até agora.

Esteve aqui de visita o João Alberto. Seria interessante que sugerisses ao Maciel, como cousa tua, saber o objetivo da visita, se era só visita ou se tinha outro objetivo e qual a impressão que levou. Mas tudo isso como sugestão tua ao Maciel pela curiosidade de saber, dado o imprevisto da viagem.

Abraços do teu pai **Getulio**

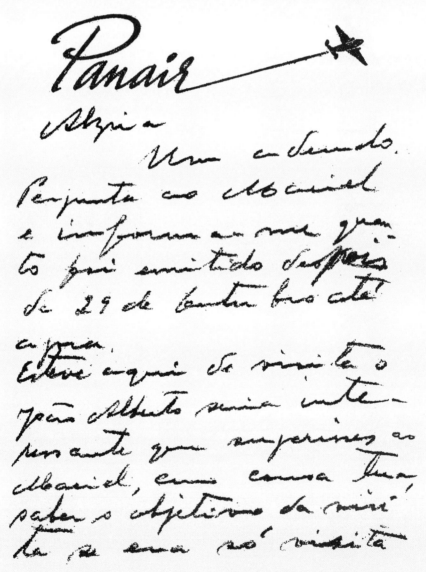

1946

Panair

ou se tinha outro obje-
tivo e qual a impres-
são que levaria. Mas,
tudo isso com super-
tão bem ao Machado
pela curiosidade de
saber, dado o importan-
te da viagem
E 18-9-946.
Abraços do teu
pai [assinatura]

AS AEROVIAS DA PANAIR SÃO ARTÉRIAS COMERCIAIS DO BRASIL.

**24 \ A ·** [Rio de Janeiro], 23 de setembro

Querido pai

**1946**     Num intervalo de 48 horas recebi três cartas tuas de 10, 15 e 18 deste, um bilhete de 19 e uma carta do Maneco. Verifico que ainda não havias recebido nenhuma de minhas três anteriores. A primeira foi pelo correio por intermédio do tio Pataco e as duas outras pelo Viana. Peço, para minha tranquilidade, acusar o recebimento delas, senão estou frita.

Cá por casa as coisas já estão melhorando: Celina está quase boa, Eva voltou e o apartamento será ocupado antes do fim do mês.

a) O Andrade Queiroz procurou-me há três dias para conversar. Disse-me entre outras coisas: 1º) que o meio circulante irá encerrar este mês por volta de 19 bilhões!; que o Banco do Brasil está seco e que telefona às vezes às 7 da noite para o Tesouro porque não tem depósito algum para o dia seguinte; que já não há papel-moeda em *stock*, foi feita encomenda urgente e o Vidigal está cogitando de pôr ouro em circulação para evitar sua fuga para o estrangeiro (que reabilitação para o desacreditado Estado Novo, que deixou ouro para circular); 2º) que o General Pedro Cavalcanti está danado com o Dutra por ter acabado com a comissão de requisições e disse ao Andrade Queiroz que tem por ti a maior das admirações e só lamenta que o atual presidente o tivesse impedido muitas vezes de se avistar contigo; sempre teve de ti demonstrações de atenção e consideração e que Dutra perde todos os dias um pouco de seu prestígio no Exército que sempre foi minguado; 3º) que continua às tuas ordens para qualquer coisa. Entrou depois no motivo da visita. Pediu-me que te consultasse, como coisa dele, pois o <u>interessado</u> nada lhe havia pedido ainda, sobre a possibilidade do PTB vir a apoiar a candidatura do Vidigal em São Paulo. Este só se apresentará com esta possibilidade pela frente, pois não conta com o apoio do Dutra, que é em favor do Gabriel Monteiro. Argumentou que os dois candidatos viáveis do PTB (Marcondes e Borghi) não estavam em condições de exercer e talvez viessem a te trair mais tarde, que não te poderás alhear do pleito paulista, visto que a solução depende de ti; que o Vidigal tem por ti uma grande admiração, apesar da sabotagem do Costa, e seria homem teu no governo de São Paulo, pedra de toque para tua política e que não deve ser jogada numa aventura do PTB, a não ser que tivesses outro candidato que não os dois apontados. – Elogiei muito a atitude do Vidigal em relação a ti, preveni-o contra possíveis aproximações com a UDN que invalidariam tudo e pus-lhe algumas pedrinhas no sapato, quanto às negociatas do Vidigal que andam na boca do povo. Finalmente prometi que te consultaria e daria uma resposta depois. Que devo fazer? Desiludi-lo, animá-lo ou apenas entreter-lhe as esperanças.

b) Borghi procurou-me no mesmo dia para relatar o seguinte: fora chamado pelo Góes e lá estivera demoradamente. Para provocar-lhe as expansões queixou-se do Dutra, homem dúbio, que ora prometia uma coisa, ora outra, abandonava os amigos para lançar-se na oposição etc. Góes, depois de várias dissertações, divagações e protestos a teu respeito, dissera duas coisas positivas: 1º) que eras um homem pouco compreendido e muito acusado injustamente e que ele iria dar algumas entrevistas esclarecendo tua atuação e os erros que havias cometido por culpa de outros; 2º) que ele Borghi fosse para São Paulo e aguardasse uma semana. No fim dessa ele lhe diria se devia romper com Dutra ou não. Borghi está positiva e definitivamente encarnado como candidato a São Paulo.

c) Epitacinho esteve com Góes há algum tempo e este lhe perguntou se estaria disposto a ir a São Borja conversar contigo em nome dele. Epitacinho respondeu que sim desde que fosse levar coisas concretas, para uma sondagem achava desnecessário, visto já teres repetidas vezes esclarecido tua posição. Daí supor que esta tenha sido a missão João Alberto – sondar.

d) Deu-se finalmente o encontro Góes-Ernani em casa do Raul, regado com bom *whisky*. Durou quase três horas. Começou por fazer o histórico do 28 de outubro.[1] "Quando Oswaldo pediu demissão do ministério ele em Montevidéu declarou: – o Getulio está no chão. Pedira então demissão, não por solidariedade com o Oswaldo, mas por considerar que havia sido rompido por ti o pacto de sangue pelo qual ~~você~~ ele sempre considerara vocês três unidos. Os acontecimentos se sucederam, vieram as candidaturas militares e ele fora para o ministério. Nesse posto ele se fizera a garantia da manutenção da ordem pelo Exército perante o governo e perante o povo. Na quinta-feira 24 de outubro estivera contigo longamente e havia dito que estava senhor da situação mas necessitava de todo o apoio moral e portanto julgava devia ser feita a tal declaração dos três ministros militares. Aí atacou violentamente o Guilhem e elogiou o Salgado. Na sexta-feira foi procurado por um general, cujo nome não declinou, (Denys?) que lhe disse haver sabido nos círculos palacianos (Bejo) que estava tudo preparado para o golpe teu, visando tirá-lo do ministério porque ele não te merecia confiança. Respondeu não acreditar pois estava no ministério, posto de sacrifício, para te servir e que sairia sem golpe com o maior prazer, que havia estado contigo na véspera e nada lhe havias dito. Passou o sábado sem novidade e no domingo à noite João Alberto prometeu passar segunda pela manhã para tratar de assunto importante. Comunicou-lhe então a nomeação do Bejo para a Polícia e a dele próprio para a Prefeitura. Que isto estava assentado há dois dias mas que tivera ordem tua de só dizer ao Góes nessa ocasião." Ernani interrompeu para perguntar se João Alberto lhe havia dito que o nome do Bejo fora sugestão dele. Respondeu que não, nada sabia. "Respondeu ao João Alberto que neste caso já não era ministro e que iria reunir os generais para retirar sua responsabilidade, e o fez. Leu-lhes a carta que havia escrito pedindo demissão. Nessa ocasião Oswaldo Cordeiro ponderou que ainda havia uma solução. Pediu que lhe entregasse a carta e lhe desse 48 horas para tentar uma aproximação. Acedera. Minutos depois, porém, entrara o Bejo declarando que já havia tomado posse. Respondeu que nesse caso já não era ministro e iria para casa. Bejo sugeriu-lhe que te falasse antes. ~~Acedera.~~ Recusara. Nessa ocasião, porém, os demais generais disseram que embora já não fosse ministro continuava por aclamação o chefe das Forças Armadas e que tudo estaria pronto para o desagravar. Revelaram-se então os generais de mau caráter, aqueles que haviam sido promovidos por ti a pedido do Dutra e contra a opinião dele: Álcio Souto, José Pessoa, Mendes de Moraes

1. Véspera da deposição de Vargas em 1945.

**1946**  e  ?[2] Defendeu Canrobert e os Cordeiros, que haviam se mantido serenos e apelaram para ele para que chefiasse os acontecimentos para evitar mal maior, visto ser ele amigo de todos os interessados. Dissera então que aquele era o momento mais dramático de sua vida pois sabia que sua atitude jamais seria compreendida por muita gente. Daí sua preocupação em saber qual a opinião que fazíamos dele. Aceitara a missão para que teu sofrimento fosse menor e as consequências menos graves." Ernani aproveitou então para dizer que havia sabido que ele se queixara de nós etc. Que isto não era verdade por dois motivos: 1º por não vermos vantagem em comentar este fato, 2º porque não dispúnhamos ainda de dados suficientes para julgar os homens de 28, ignorávamos esta versão dos fatos, como ignoramos ainda a verdadeira atuação do João Alberto, portanto simplesmente abstínhamos de comentários. "Continuou fazendo o histórico através [do] governo Linhares e [do] governo Dutra. Considera inteiramente fracassada a coalizão, que iniciou numa tentativa de pacificar os ânimos e melhor orientar Dutra e nunca para te combater (aqui reverencio a inteligência do homem). Sua entrevista considerando morto o 'queremismo' tinha sido coerente com as tuas próprias declarações. Se o homem por quem havia surgido o queremismo dissera que seu nome estava fora das lutas, não havia motivo para considerar o queremismo uma força política e portanto não devia ser convidado a entrar na coalizão (que crânio, hein?)." Ernani afora estas pequenas interrupções limitou-se a ouvir.

---

e) Ontem pelo Raul soube que Otelo e Góes estavam radiantes com o encontro. Era o primeiro passo. Perguntei-lhe notícias do João Alberto e se sabia o que fora fazer em São Borja. Estava numa curiosidade louca por saber e queria que lhe desse um vomitório. Prometeu, mas sem querer levantou a ponta do véu. Disse-me que o grupo do Góes considerava João Alberto 100% Getulio e fazia disso grande alarde. Segundo passo, preparação do ambiente para o mensageiro. Qual será o terceiro? Ernani lembrou também que a visita do João Alberto pode ter sido iniciativa pessoal, mais um de seus já famosos *bluffs* para se valorizar junto ao Dutra ou quem sabe de olho na terceira senatoria do Distrito.

José Maria Belo abriu-se também com o Raul, dizendo que estava arrependido, que havia errado em te combater. Que estavas com a razão etc.

---

Amanhã serão as eleições para a mesa da Câmara. O candidato do Dutra é o Mangabeira. O PSD não arriscará o nome do Costa a uma derrota e parece que lançará o nome do Honório Monteiro de São Paulo. Com a separação das casas o PSD vai ficar fraquinho na Câmara e o páreo vai ser duro.

Agora respondo tuas perguntas.

1º) Maciel – as eleições dos sindicatos estão em estado paralítico, aguardando a volta do Lodi. O congresso sindical do Negrão deu com os burros n'água, devido à infiltração comunista.

---

2. O espaço em branco e a interrogação são de Alzira.

2º) Queiroz Lima e Vergara só segunda-feira poderei tratar disso.

**1946**

3º) Teles já vendeu os bônus e o pagamento do imposto já está providenciado.

4º) Epitacinho ainda não conseguiu obter as chaves do escritório, que ficou a cargo do Bejo

5º) *Fon-Fon* já remeti dois, vou providenciar o de hoje.

6º) Tua impressão sobre o PSD é certa e deve-se principalmente à sua desarticulação. Os vários membros da direção querem tudo menos se ver uns aos outros. Em todo caso, atossicado pelo instinto de preservação, Benedito tem conseguido dar alguns golpes certos.

Faltam-lhe firmeza e autoridade para certos atos.

7º) Falei agora com Queiroz Lima. Disse-me que ficara combinado preparar os assuntos e aguardar-te aqui. Que os trabalhos vão em boa marcha e estarão prontos à tua chegada. Mantenho a orientação ou desejas que remeta tudo, ou somente as coisas que destacaste? Irá tudo se o quiseres pelo próximo portador. Desta vez não há tempo material.

8º) Junto o discurso do Melo Viana que devia ir na carta do Epitacinho.

9º) Estou aguardando notícias do Professor para te dizer se deves vir ou demorar mais. Nossa impressão (Maciel, Ernani, eu) é que meados de outubro está bom.

10º) Foi enfim substituído o Meira pelo Cel. Hugo Silva, que hoje toma posse. É verde, anticomunista, ex-comandante do BC de Petrópolis, serviu no Rio Grande muito tempo, e 100% Dutra e apolítico. Candidato do Juca B... Cintra.

---

Acabo de saber que o Otero vai amanhã, [e,] como esta vai carregada de coisas brabas, vou aproveitar o portador.

O Professor procurou-me hoje. Manda dizer que deves aguardar aí até 15 de outubro pelo menos. Abre com cuidado, em um papelzinho anexo vão outras informações que convém rasgar, depois de ler.

Saudades a todos, um abraço especial para o Maneco do Professor e outro meu.

Beija-te com muito carinho tua filha **Alzira**

---

PS.: Os rabiscos da 2ª página são um recado da Celina que não quis traduzir.

---

Parece que Nonô é o candidato mais forte para substituir Hildebrando. A situação da prefeitura é séria e a política do Distrito um saco de gatos. Nonô só deverá aceitar se puder contar com teu apoio por intermédio do PTB para elegerem chapa única de vereadores. Do contrário terá forte oposição comunista e talvez maioria.

**29 \ G ·** [Fazenda do Espinilho], 26 de setembro

Alzira

**1946**  Recebi tuas cartas de 13 e 18 do corrente. As primeiras que me vieram às mãos, trazidas ambas pelo Afonso Viana. Esta é a sexta que escrevo e não acusas o recebimento de nenhuma delas. Preciso contestação para saber se chegaram a destino. A não ser a remetida pelo companheiro de viagem do João Alberto, todas as outras foram por intermédio do D.[1] que informou tê-las recebido e remetido.

Desconfiava que teu silêncio fosse causado por alguma complicação doméstica. E tua carta confirma, doença da Celina, da mãe desta, mudança de casa etc. Compreendo, acho os motivos muito razoáveis, mas agora desejo saber como estão de saúde, isto é, se a Celina já foi operada, se tu te trataste convenientemente e se já efetuaram a mudança.

Quanto a encargos, não desejo como a UDN que os tomes sobre a tua frágil espinha. Desejo que te trates, para que fiques forte e alegre.

Há pessoas aí a quem poderias encarregar de providenciar sobre as cousas que te recomendei, elementos para a preparação do meu discurso, Vergara e Queiroz Lima etc. Remeter-me dois quadros com as despesas ~~de guerra~~ militares de 42 a 45 que ficaram dentro de minha pasta que está em cima da mesa da biblioteca. O Queiroz Lima possui cópias. Há uma lista de perguntas numa das cartas que te escrevi.

Quanto às publicações dos Diários Associados são todas forjadas aí. Não fiz aqui qualquer declaração, nem conversei cousa parecida. São invencionices de gente sem probidade moral e destituída de qualquer escrúpulo.

Como amostra vai junto o recorte dum desses assalariados daqui, enviado pela sua matriz, que a forjou como as outras.

Tuas cartas foram-me levadas pelo Junqueira no Itu. De lá vim hoje para o Espinilho e daqui estou a escrever-te para remeter pelo Maneco.

Dizes "pedi a Eva que voltasse". Ela deixou de ser a babá da Celina, por quê? Suponho que te fará muita falta.

Soube da nomeação dum coronel[2] para interventor no Estado do Rio, da eleição dum Sr. Honório Monteiro para presidente da Câmara e outras cousas contra o que estava previsto.

Quanto ao Professor seria interessante falar-lhe, pelo menos para saber por que falharam suas previsões.

Pretendo estar aí na segunda quinzena de outubro para fazer meu discurso de defesa e aguardar o dia 29, porque talvez fale novamente, se me provocarem. Isto, por enquanto, é um pensamento secreto. Qual a tua opinião? Noto, com pesar, que estou a sobrecarregar-te com novos encargos, mas para deixar de fazê-lo torna-se necessário que me indiques daí outra pessoa, com quem ~~conversarás~~ combinarás previamente.

E por hoje é só.

Muitos abraços do teu pai **Getulio Vargas**

---

**1.** Referência provável a Dinarte Dornelles.
**2.** Coronel Hugo Silva

**30 \ G ·** [Fazenda do Espinilho], 30 de setembro

Rapariguinha

Vou tranquilizar-te quanto às tuas missivas. Recebi as de 9, 13, 18 e 23 do corrente, bem como os papéis e mais documentos que acompanharam a última, inclusive as profecias do Professor.

O mais urgente no momento, para mim, são os dados; informações e esboços, pedidos por teu intermédio ou diretamente ao Queiroz Lima e Vergara. Remeter tudo, exceto livros, relatórios ou outras cousas massudas que eu não tenho tempo de ler.

Por exemplo, eu preciso saber: 1º) quanto foi emitido depois de 29 de outubro; 2º) qual o aumento da despesa pública depois dessa data; 3º) quantos quilômetros de estradas de ferro e de rodagem foram feitos no meu governo. Basta dar as cifras em globo, dispensadas outras descrições. Agora um resumo sucinto das obras contra a seca. Isto é um trabalho monumental pouco conhecido. Quando eu estava na Constituinte, um deputado pela Bahia, Henrique Novais, capanga do Juracy, falou sobre estradas naquele estado, ocultando ou deturpando capciosamente o que foi feito em meu governo. Enfim, apressa com isso. Em carta escrita anteriormente, e que já deves ter recebido, explicava o motivo de minha urgência.

Agora dize-me se já te mudaste, se Celina já foi operada, se está bem, o estado de tua espinha etc.

Quanto a consultas sobre compromissos políticos e candidaturas é difícil dar qualquer opinião longe do centro dos acontecimentos, sem balançar os elementos com que conto e até que ponto posso contar. Por outro lado a atitude de hostilidade do Grão de Bico e sua _entourage_ a meu respeito é um fator constante de perturbação a qualquer boa vontade que eu tenha para com seus auxiliares.

E o regresso do Brigadeiro, que repercussão teve, como foi ele recebido pelo governo e pelos correligionários?

As conversas do G... estão interessantes. O Maneco está na cidade e não tem em mãos tua cifra com ele.

Saudades a todos e um abraço do teu pai **Getulio Vargas**

1946

*Ernani do Amaral Peixoto, Carlos Pinto e Silvio Bastos,
por ocasião da Assembleia Nacional Constituinte.
Rio de Janeiro, DF, 1946.*

**25 \ A ·** [Rio de Janeiro], 2 de outubro

Querido pai

Escrevo-te às pressas este bilhete para aproveitar o portador, chefe de uma turma de alucinados que estou controlando com grande esforço e algum perigo. Manda me dizer quais as instruções que lhes deres para que os possa manobrar. Mais tarde te contarei o que têm tentado fazer. Está tudo muito verde ainda e eles são um bocado inexperientes em seu idealismo louco. Estas coisas acontecem, quando soa a hora, não antes e nem depois. Não se pode marcar prazo para o destino.

Perdoa-me se me descuidei um pouco de teus assuntos nesta semana. Tentarei mandar-te algo pelo velho Azeredo que embarca por estes dias. Mudo-me depois de amanhã e estou até os olhos de móveis, contas e roupas. O Ernani com a reviravolta do Estado do Rio não me tem podido ajudar. Celina está se fortificando para a operação e minha espinha entrou no esquecimento até segunda ordem.

Ernani considera a nomeação do Cel. Silva como uma consequência de sua entrevista com o Góes.

Junto uma informação do Andrade Queiroz.

A chegada do Brigadeiro foi gozada. Anunciaram e anunciaram para que o povo comparecesse. As donzelas nervosas atenderam e lotaram o aeroporto... e o homem sumiu e foi se esconder na casa do Prado Kelly. Perseguido pelos jornais, declarou que não queria mais saber de brinquedos.

O Frank Rocha, que viajou com ele dos Estados Unidos, disse-me que o homem vem com disposições puramente militares. Pela conversa dele tem-se a impressão de que o convenceram de que ele é alguma coisa de especial que ele próprio não sabe o que é.

Teu imposto já foi pago e o Teles agradece as gravatas enviadas. Sobre o terreno que queres vender Isnard obteve uma oferta de mil contos, mas Bejo acha que se pode conseguir mais, mediante uma pequena despesa de uns 40 ou 50 contos na construção de uma caixa d'água e loteamento. Calcula que poderá chegar a 1.500 contos. Manda instruções.

Tudo o mais vai indo.

Beija-te com carinho tua filha **Alzira**

———

## 31 \ **G** · [Estância Santos Reis], 2 de outubro

Rapariguinha

**1946** Na pressa de escrever-te para aproveitar o portador, esqueci-me de abordar outros assuntos.

Reputo muito interessantes as sucessivas palestras do Gonzaga com as três pessoas referidas. Acho-me em estado de receptividade para ouvir seu emissário, não apenas para sondagens, mas já com um propósito de decisão em determinado sentido.

O João Alberto fez-me uma visita muito cordial. Pareceu-me que era mais uma sondagem por conta do Grão de Bico.

Sobre os acréscimos de despesas ocorridos após o 29 de outubro, nos dois governos, incluindo as despesas do Congresso, basta que me remetam uma nota das verbas em globo. Não há necessidade de discriminações detalhadas.

É conveniente saber do Costa se vai ou não fazer o discurso que havia prometido.

Achei muito estranha a atitude do Glicério na entrevista dada em Porto Alegre. Manifestou-se contrário ao acordo entre PSD e PTB locais, porque podem supor que é queremismo, atitude individualista para prestigiar meu nome, que sofre grande oposição no país e desagrada o presidente, a quem eles dão todo o apoio. O Grão de Bico pode chamar os adversários do PSD e com eles fazer coalizão, em detrimento dos que o elegeram, mas o PTB e PSD do Rio Grande do Sul não podem unir-se para apoiar a candidatura Jobim, porque iria ofender a suscetibilidade de S. Excia.

São belezas da época que atravessamos, confundindo lealdade com sórdida bajulação. Qualquer que seja o resultado minha responsabilidade está ressalvada na luta que poderá travar-se dividindo o Rio Grande.

Talvez demore por aqui mais do que pensava. Se passar mais de dois meses, precisarei solicitar licença do Senado, para não perder o mandato. As leis aplicáveis a mim devem ter uma interpretação mais rigorosa.

O João Alberto fez-me uma visita muito cordial. Parece que ele pretendia mais era fazer uma sondagem por conta do Grão de Bico.

Os tais bônus devem estar bastante desvalorizados pois o prejuízo que tive na liquidação foi de cerca de 12 mil cruzeiros em 67 mil.

Sobre a nomeação do Nonô para a prefeitura eu terei muito pesar se não puder apoiá--lo nas próximas eleições. Mas, ante a atitude de hostilidade do governo para comigo, acho difícil. O candidato ideal para mim seria o Mozart Lago.

O Maneco e todos aqui vão bem.

Abraços do teu pai **Getulio Vargas**

**26 \ A ·** [Rio de Janeiro, 3 de outubro]

Meu querido pai

Ontem escrevi-te pelo Junqueira, meio abafada por uma série de circunstâncias. Hoje um **1946** pouco mais calma volto a me abrir contigo com mais segurança. Estou seriamente alarmada com a atuação desse jovem junto a ti. Tem criado uma série de situações difíceis que me vejo abarbada para controlar. Não duvido de sua dedicação, interessada ou não, nem de seu desejo de te ajudar a voltar, pois significa muito para ele, mas é positivamente um leviano, indiscreto e não trepida em avançar o sinal por conta própria, insinuando que está autorizado. Conheço-te bem para saber o que vem de ti e o que é forçado. E lembro-me bem de quão opressivo é o silêncio forçado de São Borja e da influência que tem um raio de informações. O tal Duarte, que com o auxílio do Junqueira te arrancou (senti-o nas frases buriladas do Junqueira) a tal mensagem, é um desclassificado da pior espécie. Gilberto e Epitácio bem interrogados dar-te-ão seu belo *pedigree*. O outro que aí está ninguém sabe de que vive sem trabalhar, nem encontra explicação para este súbito devotamento a ti que o faz abandonar mulher e filhos no Rio de Janeiro por espaços cada vez maiores. A malícia é uma qualidade feminina e apesar de me chamarem de "grande homem" não perdi esta, que me tem posto de sobreaviso com muita gente. Peço-te que não me descubras ainda, nem modifiques tua atitude em relação a ele, mas que te cuides dele. Tenho razões de sobra para temer sua falta de critério. Chamei hoje o Baeta e conversarei com ele sobre este e outros assuntos. Se houver tempo contar-te-ei. Não sou a favor do Borghi, que é outro aventureiro, o difícil é encontrar no PTB um que não o seja. Com raríssimas exceções os maiorais giram em torno de ti como se fosses a galinha dos ovos de ouro, pronta a fazer a fortuna do mais esperto. Se antes era difícil confiar em quem quer que seja agora ainda muito mais. O "pai de santo" mandou me dizer que o único amigo leal e verdadeiro que tens sou eu, por isso arrisco a dizer-te estas coisas.

Recebi duas cartas tuas já antigas sobre o caso do Estado do Rio. O Coronel[1] continua a fazer misérias com o nosso pessoal e o Dutra a prometer que o vai remover. Edmundo como todos os ministros que deixam as pastas está indignado com a falta de sensibilidade moral do Dutra. Despede-os como a empregados diaristas sem uma promessa, sem uma palavra de conforto, sem um reconhecimento. A primeira carta com que agradecia os serviços do Vidigal, confeccionada pelo Lura [?], era em tais termos que aquele foi a Palácio e secamente devolveu a S. Excia. a dita. Às pressas confeccionaram uma mais decente e a fizeram publicar. A solução Edmundo com todos os inconvenientes de candidatura única foi uma vitória pessoal do Ernani e mais uma demonstração da falta de caráter dutrista, que havia feito ao Acúrcio promessas mirabolantes. Os amaralistas do estado estão um pouco decepcionados, porque preferiam a luta em qualquer circunstância. Mas é cedo ainda para lutar. Não que não haja ambiente para um bela oposição, mas as forças sensatas e idealistas de 30 ainda não estão suficientemente coordenadas e conscientes para se antepor e dominar um golpe de desespero dado pelo governo. Tudo, as nomeações feitas, as impressões no C.C.G. e a formação do homem fazem esperar que ele tente qualquer coisa. Dar-lhe o pretexto seria uma burrada incrível porque não encontraria eco suficiente para dominar o ambiente. É preciso que o pretexto seja forjado por ele próprio e a reação nossa. Senão po-

---

**1.** Coronel Hugo Silva, interventor federal no Estado do Rio.

**1946** derá ser a desgraça definitiva do país. Estou ansiosa por saber de tuas impressões sobre minhas três últimas cartas e se estou no caminho certo.

O PTB do Estado do Rio está fazendo bobagens conscientes, mas inconscientemente prestando um serviço. Não desejam ser caudatários do Edmundo e pretendem lançar candidato próprio. Seria ideal se se mantivessem esfingéticos, acenando à UDN com um possível apoio para fo animá-los a lançar candidato próprio e largá-los de calças na mão no momento oportuno. Mas isso é exigir demais da inteligência do Matta.

Ernani voltou ao Dutra hoje com o velho Neves e deram um *ultimatum* – ou tira o Cel. ou fracassa a candidatura do Edmundo, como candidato de coalizão. Prometeu outra vez. Contou a eles que em Minas já estava encaminhada também a coalizão em torno de um destes troféus: Bernardes, Melo Viana ou Wenceslau.

Como Bernardes e Melo Viana são inaceitáveis pelo grupo Benedito, vencerá o infantil Wenceslau, com a diminuta idade de 80 janeiros. Pode ser também que sobre para o Carvalho de Brito.

Estive longamente com o Baeta e resolvi ser a babá do PTB por intermédio dele. Não há outra solução. Abri o jogo. Soube que o Seu Junqueira andou falando demais sobre a tal bagunça que ele inventou e meteu levianamente gente que nunca devia sonhar com isto. Resultado, já deu cana para três, Frota, Duarte e Zé Barbosa. Disse mais ou menos ao Baeta que o Junqueira era avoado e que não devia ser levado a sério, que em função de seu ódio ao Borghi havia arrancado com a gazua do Duarte aquela mensagem para dar um tiro no Borghi. Disse-lhe que mosquitos se mata com *flit* e não a tiro e mais outras indiretas.

Consegui convencê-lo a não publicar coisa alguma e a se manter em contato permanente comigo. Expulsar o Borghi do Partido com tua mão seria transformá-lo em vítima da ingratidão do Dr. Getulio Vargas. Pediu-me que te dissesse que Borghi está tentando fazer o Bertho Condé ministro do Trabalho sem ouvir o partido, que havia dado entrevistas em São Paulo dizendo que o PTB paulista era independente da comissão central e que não havia publicado a mensagem dos Estados que havias deixado aqui antes de embarcar. Manda-te um abraço e pede que abrevies tua volta pois o Partido está precisando muito de tua ação de presença. (Discordo). Maciel propôs-lhe um belo golpe que ele te contará aí. Caso o negócio se complique dentro do Partido pela ambição de certos colegas, disse-lhe que podia invocar meu testemunho que eu o ajudaria a safar a onça. O Baeta é bom sujeito mas bate asas em política na mesma proporção do Luthero.

Vais ficar em sinuca aí, o Epitacinho vai como mensageiro do Vidigal e o Maciel do Gabriel Monteiro.

D. Santinha está passando mal.

———————

O Astral está virando a favor. Ingeborg embarcou às escondidas para os Estados Unidos, sem procurar ao menos saber notícias da filha e após vender todas as coisas que havia em casa, inclusive objetos pertencentes à Mamãe. Celina está passando melhor aqui, levei-a ao médico hoje e ele acha que posso ter esperanças outra vez de evitar a operação.

Por hoje é só. Diz ao Maneco que enfim recebi um bilhete dele. Não respondo por desaforo. Beija-te com muito carinho Tua filha **Alzira**

**32 \ G · [Estância Santos Reis], 3 de outubro**

Alzira

Aqui estou, no silêncio e no isolamento, comemorando um melancólico 3 de Outu-  **1946**
bro, iniciado há 16 anos num período ruidoso de lutas e de esperanças. Admito que
tenha praticado erros. Mas suponho que entre esses não está incluído o propósito de
fazer, pacificamente, uma revolução social. Procurei amparar os humildes, os pobres,
os desprotegidos. Por isso reuniram-se contra mim os poderosos, os interesses criados,
a necessidade de voltar a um regime de privilégios, de negociatas e de monopólios par-
ticularistas, sob o pretexto de restabelecer a democracia. A democracia era isso mesmo.
Eu saí do governo e estou ainda numa encruzilhada, onde se apresentam três rumos
diferentes.

Um é o de abandonar qualquer espécie de atividade pública, recolher-me ao silêncio,
não ser motivo de alarmes, receios e perturbações.

Este seria para mim o mais cômodo, o que me permitiria viver em paz, ficando longe
dos ruídos do mundo.

Outro seria adaptar-me ao ambiente, conciliar-me com os interesses criados, não criticar, não fazer reparos, achar tudo bem. Para quê? Para esperar melhores dias? Valeria
a pena o sacrifício, ante um futuro incerto?

Outro finalmente seria enfrentar a luta, com disposição, com energia, contra todos os
interesses criados – a felonia, o poder, a violência, o dinheiro!

Será uma luta dura. Para quê? Pela satisfação do dever cumprido? Terei mesmo esse
dever? Serei bem compreendido? Não atribuirão tal atitude a motivos menos nobres?

Eis, minha filha, o que fui pensando e transmitindo ao papel nesta melancólica tarde
de 3 de outubro. Que pensas?

Li no *Radical* um excelente artigo comentando o discurso de posse do novo interventor no Estado do Rio.[1] Se tudo isso é exato o homem está mal-intencionado e deve ter
sermão encomendado. Não é provável que fizesse por si mesmo.

O Amaral precisa tirar isso a limpo e agir com muita decisão e habilidade. Tudo chei-
ra a felonia e traição. Tardou a vir mas veio.

Abraços do teu pai **Getulio Vargas**

---

1. Trata-se do coronel Hugo Silva.

## 33 \ G · [Estância Santos Reis], 6 de outubro

Alzira

**1946** Já me habituei a conversar contigo e transmitir-te meus pensamentos íntimos, em vez de conversar com outras pessoas.

Estou preocupado com o caso do Estado do Rio, por falta de informações tuas após a posse do novo interventor. Tenho a impressão de que se prepara uma cilada contra o Amaral e que este terá de enfrentar um combate duro, contando com a má vontade dos dominadores. Se puder ajudá-los devem saber que contam comigo.

Quanto a informações que pedi em cartas anteriores desejo acrescentar outras de caráter orçamentário.

Preciso saber qual a receita e a despesa do último ano de meu governo, isto é, de 1945. Igualmente as de 1946 e 47 e qual o aumento de despesa ocorrido. E o Costa, que notícia me dás?

Abraços do teu pai **GVargas**

*No dia de sua posse na Assembleia Nacional Constituinte, Getulio se deixa fotografar com a família do ex-jogador de futebol, Zinder Nascimento Lins, em foto tirada pelo próprio Zinder. Rio de Janeiro, DF, 6 de junho de 1946.*

**27 \ A ·** [Rio de Janeiro], 8 de outubro

Meu querido Gê

Estou estreando hoje contigo meu primeiro *bureau*, meu mesmo. Chegou esta manhã; conforme te mandei dizer já estou acampada no 13 em vias de instalação. Celina está encantada com o "paparrtamento di mim", aguardando uma folga para se operar, embora o Professor afirme que não é necessário. **1946**

Esteve novamente comigo acompanhado pelo homem e me afirmou o seguinte: entre 20 e 30 deste, haverá em São Paulo um baile, que será logo aplaudido e imitado pelo Rio Grande com repercussão imediata no Distrito Federal. Apavorados reunir-se-ão os associados, sob a presidência do Gonzaga. Este lhes dirá: só há uma solução – Varela. Os demais concordarão e o incumbirão de levar a notícia a Manoel. Este relutará mas acabará reconhecendo a realidade e o baile será imitado em todo o Brasil.

Daí a necessidade de ficares de fora.

Mando-te junto uma carta do Norat. Não mandei antes por precaução, entre outras coisas o Professor não concorda com a maneira de agir deste grupo. Peço-te mais uma vez para te acautelares com determinada pessoa aí. Tenho motivos sérios para temer sua atuação junto a ti. É apaixonado, versátil e gosta de ser recompensado.

Tua mensagem trazida pelo Duarte e por ele mostrada a mim (para todos os efeitos não a conheço) ainda não foi publicada e é de toda a conveniência que não o seja, agora. Perdoa a impertinência mas mais tarde te explicarei os porquês. Borghi, embora interesseiramente, está agindo com tino e os que o combatem não são mais desinteressados que ele.

Os casos estaduais estão fervendo. O Coronel do Ernani está em franca oposição ao PSD, disposto a liquidar o queremismo de qualquer maneira. Já derrubou sete prefeitos, o Feio sobrou e seu secretariado é quase todo udenista ou acurcista. Ernani tem manobrado com bastante habilidade e embora aparentemente derrotado está levando a melhor. Hoje esteve com Nereu e Dutra. O primeiro relatou-lhe a palestra que tivera com Dutra sobre o Estado do Rio. N. – "Presidente, não se iluda, o Amaral é muito forte no estado, talvez o político de melhor situação local, e vencerá as eleições de qualquer maneira. Com um governo de franca oposição ele não terá com o sr. o menor compromisso e terá as mãos livres em relação ao governo federal. Com o Estado do Rio contra o sr. não poderá governar, será obrigado a fazer a intervenção e será a derrocada de seu governo." D. – reafirmou não ter candidatos aos estados, desejar apenas a conciliação dos partidos e perguntou se Ernani não receberia bem o nome de Edmundo Macedo Soares como candidato de conciliação. Além de amigo pessoal do Ernani é amigo do Dr. Getulio e lhe havia mostrado o discurso que pretende pronunciar por ocasião da inauguração de Volta Redonda, focalizando a atuação de Getulio com as mais elogiosas referências. Dutra teria achado muito bem pois Volta Redonda é obra sua.

Palestra Dutra-Ernani. Reafirmou tudo o que dissera ao Nereu com exceção da parte de Volta Redonda. Ernani concordou sob as seguintes condições: apresentação do Edmundo como candidato do Partido, mudança imediata do interventor ou mudança de orientação deste, indicação do secretariado pelo PSD, reposição dos prefeitos demitidos ou nomeação de novos indicados por ele, pleiteou a concessão ao Estado do Rio de um lugar no ministério. O homem topou tudo... não sei até quando.

**1946** Conversa Edmundo-Ernani. Após o clássico não pleiteio, mas não posso recusar, disse: "Ninguém mais do que você tem o direito de governar o Estado do Rio; já que você não pode por motivos constitucionais cabe-lhe por virtude de sua obra a orientação política do Estado e esta ninguém lhe pode tirar." E. – "Nada desejo para mim, mas não posso abandonar estes homens que através de duas crises sérias mantiveram-se firmes e leais, por isso quero o seu compromisso formal de que governará partidariamente." Ed. – "Você pode confiar em mim."

Tudo isso hoje.

Minas – Dutra está louco para largar o Carlos Luz, mas este não quer desistir. O partido C. C. G. (Copa e Cozinha do Guanabara) é uma grande força.

São Paulo – Gabriel não foi indicado pelo PSD e Dutra está danado com o Vidigal. Parece que irá para a Fazenda o Gudin ou Correa e Castro.

Distrito Federal – ameaçado de ganhar um coronel, o Raul Albuquerque.

Rio Grande é tabu. Trocar com quem? Ministério provável, Marinha e Justiça já nomeados, Aeronáutica – Ajalmar Mascarenhas, Agricultura – Daniel de Carvalho, Guerra – Canrobert, Trabalho – Gabriel, se perder as esperanças em São Paulo, Exterior – Raul Fernandes, se a UDN resolver colaborar, Viação – Hildebrando, Educação ainda em leilão.

Agora os teus assuntos:

1º) Entrevista de Petrópolis segue junto.

2º) Souza Costa atrapalhado com a presidência da Comissão de Finanças ainda não sabe quando falará. Para atrapalhar mais está de cama com uma forte gripe.

3º) O telegrama do Roosevelt ainda não consegui achar. Lembro-me bem dele. Foi pouco antes ou pouco depois da terminação da guerra. Ainda não foi possível reunir-me ao arquivo.

4º) Quadros das despesas militares seguem junto.

5º) Estradas de ferro e rodagem e obras no Nordeste, fornecidos pelo Queiroz Lima.

6º) Podes aguardar sem susto o tempo que quiseres, o Dutra tomou a peito aumentar cada vez mais teu prestígio.

7º) Visita João Alberto. Após sondar várias fontes cheguei à conclusão final. Foi fazer onda. Insinuou por intermédio do Gilberto ao Dutra que poderia te sondar sobre uma possível colaboração com o governo e conseguiu o beneplácito deste, sugeriu ao Góes que poderia refazer seu cartaz contigo e este o ajudou. Partiu com todas as garantias, sondou-te e falou bem do Góes. Chegou e bancou a ré misteriosa, não falou. Ei-lo herói, cabeçalho dos jornais. Visitou o Dutra e fez média, por sugestão do Góes, não o procurou na volta e não estragou a média. Resultado: acendeu uma velinha em vários santuários como sempre, e está novamente na pista para correr pelo *stud* que ganhar.

8º) Emissão vai junto. Aumento de despesa ainda não consegui. Se faltar algo mais reclama, pois minha cabeça, embora em melhor estado, ainda não me merece confiança.

9º) Ainda é cedo para te dar opinião sobre um discurso teu no dia 29. Terá sem dúvida grande repercussão popular, mas as consequências políticas são imprevisíveis.

10º) Não passarei meus encargos a pessoa alguma, em hipótese alguma, enquanto tiver forças para os executar. Contei-te as minhas "misérias" para valorizar o trabalho e justificar a demora. Não foi choro, foi batata.

Estou encantada em ser dona de casa. É uma experiência que ainda não tinha tido.

**1946**

Diz ao Junqueira que a tribo dele vai muito bem. Lourdes esteve aqui comigo e está ansiosa por mais notícias e aflita pela demora.

Maneco, como vai? Está cada vez mais malandro, cantando com a toadinha da Celina "Escrever eu não, eu não".

O Loureiro ainda está falando demais. Que há de novo por aí?

Esquecia. Celina anda, parece, com saudades tuas. Atraca de beijos todos os retratos teus que encontra e atira foguetes para os que estão pendurados.

Com Maneco recebe um carinhoso beijo da **Alzira**

*João Alberto (a esq., no fundo)*
*em passeio. S/l, entre 1946 e 1947.*

**34 \ G · [Estância Santos Reis], 9 de outubro**

Alzira

**1946**   Estás em débito comigo de várias cartas não respondidas. Algumas delas talvez ainda estejam em viagem. Sobre elas, porém, o Junqueira, que leva instruções verbais, dar-te-á notícias.

Só não falei a respeito do Professor. Suas previsões, se já não falharam, estão, pelo menos, em atraso.

Permaneço em dúvida sobre a data de meu regresso. É esse outro dos assuntos que me dirás em carta.

Já escrevi à Darcy, ignorando se ela recebeu.

As cousas políticas estão, por aqui, a pique de acontecimentos decisivos. Meus esforços dum apaziguamento para o Rio Grande não estão sendo bem compreendidos. Estou um tanto pessimista. O Dinarte, que deve chegar hoje, é de esperar que traga informações esclarecedoras. A má vontade provém dum grupo paimsista[1] do PSP.

Informa-me sobre o caso do Estado do Rio. Estou mal impressionado quanto às intenções do Grão de Bico, em vista do discurso do seu representante, e pronto a auxiliar o Amaral, no que de mim depender.

Por enquanto é só. Lembranças a todos e um abraço do teu pai **Getulio Vargas**

PS.: Estava com esta pronta quando recebi tua cartinha de 2 do corrente trazida pela turma referida. Dei-lhes conselhos de prudência que o Junqueira informará. Poderás controlá-los, mas não desejo aumentar teus encargos com mais este, que é oneroso e perigoso.

Quanto ao terreno é melhor aproveitar a proposta dos mil. Não desejo fazer mais despesas que, embora não sejam grandes, iriam retardar muito essa liquidação. Quanto à nota do Andrade Queiroz o que desejo saber é quanto foi emitido depois que deixei o governo e não a o total da massa de papel circulante, no momento.

Manda-me pelo portador dois vidrinhos de Nembutal e um de óleo de Pichurim.

---

1. Partidário de Firmino Paim Filho (PSD/RS).

## 35 \ G · [Estância Santos Reis], 11 de outubro

Alzira

Não me recordo se já te disse que até o fim do mês termina o prazo de tolerância que tenho para estar ausente do Senado. Como não sei ainda quando regressarei, desejo saber se preciso pedir licença, a quem devo me dirigir e como, requerimento selado ou basta um telegrama.

Ouvi ontem pelo rádio a escolha do Edmundo Macedo Soares para futuro governador do Estado do Rio.

Como solução administrativa – excelente, como solução política, depende.

Se ele é um candidato de conciliação imposto pelo Dutra, só com este ele terá compromissos. Além disso estará aberto um precedente perigoso para soluções idênticas noutros estados, onde o governo não se sinta com forças para enfrentar eleições.

Eu que pretendia ir ajudar ao Amaral, em caso de luta, vejo que não é mais necessário. Para quem já está velho é mais cômodo.

Manda-me notícias da família e recebe um afetuoso abraço do teu pai **Getulio Vargas**

1946

*João Alberto em passeio.*
*S/l, entre 1946 e 1947.*

**28 \ A ·** [Rio de Janeiro], 14 de outubro

Querido pai

**1946** Pelo Luzardo mandei-te minha 6ª carta com grande parte das incumbências cumpridas. As tuas me têm chegado com grande irregularidade: a de 3 deste recebi cinco dias antes da do dia 2. Muitas vezes respondo a perguntas mais modernas, deixando as antigas no esquecimento por causa disto.

Também tenho como tu meditado muito sobre os porquês de certas coisas. Em vão busco uma resposta terrena e vou sempre cair no Astral. É um absurdo tão grande pensar que um homem no auge de sua popularidade e quando os primeiros frutos de uma obra gigantesca se começavam a fazer sentir através da elevação moral do material humano, da instalação das indústrias básicas e da melhoria do padrão administrativo, tenha sido retirado do poder por uma quartelada evitável, somente porque meia dúzia de "popós" desocupados precisavam sentar. Os erros quer administrativos, quer políticos são tão desprezíveis em face do que foi realizado que não chegam para justificar ou sequer explicar o golpe. E por isso me vejo novamente lançada no Karma, como diz enfaticamente o Professor. Minha atitude em relação às revelações continua a mesma expectativa; não duvido mas também não posso dizer que creio. Ainda mais que A.[1] como a história do português está ajudando a reza com pedras, isto é, virou conspirador através do Homem. Junqueira quando voltar te contará algumas. Ernani e eu estamos pela primeira vez sentindo os efeitos do golpe, daí estas minhas meditações mais aprofundadas; sentindo não em nós mesmos, mas em nossos amigos. O Cel.,[2] apoiado no C.C.G. e aconselhado pelo Álcio e Juca Burro, está começando a fazer o "rapa". Declarou que acabará com o "queremismo" e o "amaralismo" de qualquer maneira, mandou retirar de todos os lugares e repartições públicas os retratos teus, do Ernani e meus, está demitindo todas as pessoas que se mantiveram fiéis a nós. O que mais me doeu foi a demissão de D. Carlota da Fundação Anchieta e sua substituição por uma caçadora de empregos. Esta obra que me custou o melhor de meus esforços, que levei cinco anos para tornar realidade e eficiente, vai se esfacelar em dois meses, por obra e graça do decreto de um sargentão sem cultura. Sinto agora em mim mesma o que deves estar sentindo há um ano. Não é ambição de mando, nem o desejo de vingança, é o remorso de ter feito amigos fiéis que sofrem pelo crime de serem amigos, é a angústia de não poder dizer-lhes "sejam ingratos mas não deixem destruir o que está feito", é a impotência enfim de evitar a derrocada, é assistir com lágrimas no coração um punhado de sádicos desmancharem com os pés aquilo que levamos 15 anos de insônias, de lutas, de preocupações e de desgaste pessoal para construir. Saber que o povo humilde reconhece o que se fez, agradece e ainda espera de nós não chega a ser um consolo e ainda aumenta a angústia. Não lhes podemos gritar nossa impotência para que busquem outra solução, nem lhes podemos dizer abandonem-nos também para que possamos ter as mãos livres para mandar tudo ao diabo e viver egoística e serenamente nossas vidas particulares. É este o dilema: cruzar os braços e assistir covardemente à derrubada ou começar tudo outra vez, abandonar a boa vida e lutar, lutar até vencer ou perder tudo? Cabe-te a escolha do caminho, é mais

---

**1.** Refere-se possivelmente a Anael, entidade mística.
**2.** Hugo Silva, então interventor federal no Estado do Rio.

uma dúvida a vencer. Há milhões dispostos a te seguir e centenas dispostos a resistir; os **1946**
milhões são fracos, as centenas estão ainda fortes, mas não são invencíveis.

Tenho poucas notícias políticas a acrescentar à minha última. Pelo Junqueira terei novidades para mandar.

Nereu disse ter obtido do Dutra promessa de um ministério para o Rio Grande. Maciel disse ter esta semana uma entrevista com Dutra, depois disso irá a São Borja conversar contigo. A. informa que quando tudo parecer definitivamente perdido é que a vitória estará próxima.

Góes continua descansando em Petrópolis. Suas relações com o Grão de Bico estão tensas.

O Gregório acaba de chegar para levar a carta.

Recebe com o patife do Maneco um beijo afetuoso de tua filha **Alzira**

*Alzira, por volta de 1946.*

**36 \ G ·** [Estância Santos Reis], 15 de outubro

Rapariguinha

**1946** Pelo Luzardo recebi hoje tua carta sem data, acompanhada de vários documentos.

Prefiro a orientação sugerida pelo Professor à desse grupo alucinado, perigoso e sem bases seguras. É preciso contê-los.

Quanto à outra pessoa a que te referes, ~~mto.~~ já observei que está querendo muito que prevaleçam seus pontos de vista e prevenções. E isso não me agrada. Essas prevenções são principalmente contra o Borghi.

Quanto a essas mensagens que me foram solicitadas, não tenho interesse que sejam publicadas, ou antes, sua publicação é, para mim, indiferente. O caso de São Paulo está muito complicado para eu intervir nele através de informações divergentes e quase todas interessadas.

Já havia escrito sobre o caso do Estado do Rio. Só agora tenho tuas informações. O Edmundo é um excelente candidato e só tenho motivos para aplaudir sua candidatura.

Todas as tuas informações coincidem com as do Luzardo, exceto a do futuro ministro da Viação.

Quanto aos documentos tenho algumas observações a fazer.

1º) Emissões. Vem uma discriminação do meio circulante desde [1930?] até 45. O que eu desejo saber é a importância global do que foi emitido depois de 29 de outubro de 45 até o presente. Nada mais do que isso.

2º) Aumento de despesas, também depois de 29 de outubro de 45 até o presente.

3º) Obras contra as secas. Diz a nota açudes públicos construídos – 123 construídos; nos últimos 15 anos, 32. E os restantes 91, isto é, a diferença entre esses dois algarismos, por quem foram construídos? Em que governo?

Desejaria obter o discurso do Edmundo Macedo Soares na inauguração de Volta Redonda, se foi publicado.

Quanto a aumento de despesas talvez consigas com o Alvim, que deve ter os orçamentos.

O Queiroz Lima e Vergara não fizeram nenhum esboço das notas que lhes dei?

Parece que não estarei aí senão depois de 29.

O acordo PSD–PTB está sendo examinado com boa vontade. Refiro-me ao Rio Grande.

Então estás encantada de ser dona de casa? E a Celina também? O Maneco esteve uma temporada na cidade. Regressou hoje sem avarias. Está montando uma olaria em sociedade com o Jango.

É o Luthero com a casa de saúde, como vai?

Diz ao Maciel que ele está muito silencioso. Até agora não recebi nenhuma carta sua. E gosto de recebê-las.

Abraços a todos os nossos do teu pai **Getulio Vargas**

**29\A·** [Rio de Janeiro], 17 de outubro

Meu querido Gê

Estou te escrevendo do pseudogabinete de uma casa que, se ainda não é de loucos, falta **1946** pouco para ser: a nossa. Na sala de jantar um marceneiro e um lustrador se digladiam para ver quem faz mais barulho e mais poeira. Na sala um homem esburaca a parede para pregar um espelho. No quarto um outro conserta as fechaduras e o bombeiro desentope os aquecedores. Tudo isso misturado com os berros do telefone, a crise do Estado do Rio e as complicações do Trabalhista.

Ernani anda me gozando: você não podia ter escolhido melhor época para se mudar. O principal é que estou no que é meu. Custa mas vai.

Estou cada dia mais contente por estares aí, longe do bafafá. O cerco em torno de nós para obter uma meia dúzia de "ele disse" está forte. Imagina se estivesses aqui. O Vidigal está em grande atividade cercativa e os argumentos são os mais convincentes. Epitacinho te contará a palestra que teve com ele. Declarou Epitacinho que não podias ser caudatário, que Vidigal se elegeria com o apoio do PSD, do PR, da UDN e talvez do PC e que o Trabalhista ou aderia em péssimas condições ou seria derrotado. Respondi que tuas ordens eram: o PTB deve ser o último a se definir e se isto se verificasse era preferível o PTB ser partido derrotado a contribuir para que se elegesse em teu nome um outro Dutra, que daria um pontapé nos trabalhadores, assim que se pegasse eleito. Vidigal disse-lhe haver recebido uma proposta concreta de Borghi: apoio à sua candidatura em troca de uma senatoria para o PTB, secretarias proporcionais ao número de votos obtidos, prefeituras e compromisso de eleger o Borghi no próximo quadriênio. Respondi: previna ao Vidigal que qualquer entendimento direto dele com Borghi corre o perigo de ser desautorado a qualquer momento. Andrade Queiroz, que está com a média baixa com o Dutra, devido às artimanhas do inefável Paulo Lira, veio novamente pleitear teu apoio ao Vidigal sob o argumento de que é dos dois grupos financeiros mais fortes em São Paulo o que mais amigo teu se tem mostrado: Klabin, Lafer etc. contra os beneficiados e ursíssimos do Grupo Simonsen. Respondi-lhe que só te poderias definir depois de tomar pé.

Ernani esteve esta manhã com Dutra para exigir a retirada imediata do Hugo Silva. Prometeu. Perguntou pelo Maciel e se este já havia ido a São Borja conversar contigo. Não tenho estado com o Maciel, por isso não sei qual a causa da pergunta.

---

Retomo minha carta em estado de completa e integral confusão mental. Não sei o que vai sair daqui em diante.

Para começar Epitácio e Junqueira relataram-me o mesmo fato sem saber que eu conhecia o relato do outro de maneira inteiramente diferente. Não sei em qual confiar ou se devo, como estou inclinada a, desconfiar dos dois. Ontem Epitácio disse-me que estivera com Junqueira em casa do Mascarenhas de Moraes e que este convidara o Marechal[1] em nome do PTB do ~~São Paulo~~ Rio Grande do Sul para candidato ao governo nas próximas eleições.

---

1. Mascarenhas de Morais.

**1946**  Que ele Epitácio ainda salvara a situação dizendo que Junqueira não estava autorizado por ti ainda, mas que o Marechal recusara dizendo que militar não se mete em política. Hoje Junqueira, interrogado por mim, com toda a inocência disse que fora ao Marechal só e relatou o fato de maneira diversa tal como te contará provavelmente. Que o sondara apenas quanto à sua candidatura por Pernambuco! Etc.

Sábado vai mais um portador do PTB, o Gilberto, este pelo menos é um rapaz decente e honesto. Podes confiar nele, embora esteja atualmente mais ligado à corrente borghista. De sua missão julgarás melhor que eu. Já vai de olhos abertos por mim em relação ao Borghi.

Este esteve longamente comigo anteontem. Mentiu pelas tripas do Judas e eu me deixei embrulhar para manter o peixe na isca. Não é nem melhor nem pior que os outros, infelizmente. A meu ver está de fato amarrado ao PR, mas como é um sujeito frio, calculista e esperto não me dá cuidado. Preocupam-me mais os outros que, honestos e desinteressados, se deixam embrulhar de vez em quando. O tal Duarte está agora negociando a mensagem, e dizendo frases tuas que não sei se são verdadeiras, se são do Junqueira ou se são dele próprio. Quando aparecer por aí um camafeu desses manda-me dizer em linhas gerais o que houve para que eu possa estabelecer um certo controle, senão fico no mato sem totó e vendida no meio desses anjinhos que me procuram como moscas e jogam com teu nome como se fosse ficha.

Para completar a confusão seu Anael meteu-me agora numa encrenca de mil demônios. Macacos me mordam, mas se este troço for pilhéria, vai reservando uma vaga para mim na melhor pensão de Santo Tomé. Veio ele mais o Homem, um major da Polícia Militar e um rapaz da Light. O major pediu que te enviasse a carta anexa e que pleiteasse junto a ti no futuro governo a independência da Polícia Militar. Contou-me ele o estado de miserabilidade em que vivem os soldados da polícia e sua posição de inferioridade devido ao fato de estarem sempre debaixo do tacão do Exército. Todos os oficiais pleiteiam uma comissão na Polícia Militar e nada fazem por ela. Desejam que tenha a mesma organização dos Fuzileiros, com oficialidade própria saída de seus quadros e não com paraquedistas do Exército. Prometi-lhe todo meu apoio em teu nome, diante da hora solene em que me vi envolvida.

Depois o Julio Soares da Light entregou-me um catatau comprometedor para guardar e uma exposição da situação da Light que vai em anexo. Contou-me várias misérias que o Marcondes e o Segadas haviam feito com eles operários, elogiou muito o Salgado. Diz ele que o conheces bem e que ele é teu amigo fiel. Finalmente o Professor entregou-me a mensagem anexa com vários desenhos que não sei ainda o que são.

O Ernani nem sonha com estas minhas atividades, por isso quando me escreveres não fala nesta turma a não ser em charada, pois às vezes dou-lhe tuas cartas para ler, quando as recebo em sua presença.

Isto sem contar com os coronéis e os dramas trabalhistas que me aparecem, e mais a trapalhada dos móveis que chegam às horas as mais impróprias do mundo.

Não estou me lamentando mas q carqué dia eu vou parar em Jacarepaguá.

O Andrade Queiroz entregou-me hoje o Balanço Geral da República e mais um extrato das despesas militares, de onde poderás extrair mais algumas informações. Peço-te que me digas o que falta ainda para que te possa remeter.

Agora para rir. – Contado por outro é de não acreditar mas foi o próprio Edmundo quem disse. – Inauguração de Volta Redonda. Chega um trem com alguns convidados e de avião o Dutra. Recebidos pelo Raulino seguem em marcha acelerada para um ponto da Laminação, uma fitinha verde-amarela é cortada rapidamente, a turma sobe nos automóveis e ruma para o hotel. O Raulino faz um discurso metendo D. João 4 meia dúzia no meio, e o Edmundo responde em nome do Dutra. Tomam os automóveis e cada um para sua casa. No dia seguinte telefona um engenheiro para o Edmundo informando que o operariado todo havia sabido da inauguração pelos jornais e que a piada do dia era "Houve ou não houve?" "O homem veio ou não veio?" E mais, que os operários em represália haviam resolvido oferecer-te um grande banquete e convidariam para orador Edmundo. Este respondeu que aceitaria e que então contaria a verdade sobre Volta Redonda.

Hoje o coco não dá mais nada. Está pior que porongo. Perdoa algumas impertinências e toma cuidado com teus companheiros de exílio voluntário. Um puxão de orelhas no Maneco. Beija-te com muito carinho tua filha **Alzira**

**1946**

**30 \ A ·** [Rio de Janeiro], 22 de outubro

Meu querido Gê

**1946** Desta vez é quase um bilhete escrito às carreiras. As atrapalhações ainda da arrumação misturadas às complicações políticas de toda hora trazem-me de língua de fora.

O lançamento da candidatura do Edmundo está dependendo da Convenção do PSD que está sendo protelada todas as semanas para ver se seu nome será "coalizado" ou de oposição. Dutra todos os dias promete uma solução para a interventoria e todos os dias o Cel. faz novas misérias, jurando imparcialidade. Edmundo está firme e ajudando a cutucar.

D. Santinha continua muito doente. Embora se mantenha grande mistério em torno de sua doença, diz-se por aí que está com trombovarize, a doença do Guilhem, complicada por uma séria avaria no coração.

Epitácio e Maciel vieram carregados de projetos e notícias. Já concertamos todos os planos.

Epitácio foi logo procurado pelo Georgino que o levou ao Góes, ansioso por notícias. Quis logo saber de tuas intenções e ao saber que eram boas e pacíficas entusiasmou-se e se derramou em elogios. Contou que Mangabeira te fizera vastos encômios (com o olho no PTB da Bahia) e que só fora contra o "fiquismo" da última fase. Simões Filho passou uma esponja nas "prisões injustas" e já te considera um grande homem. Góes prometeu trabalhar no projeto e Georgino também.

Maciel em São Paulo reuniu o *team*, que ficou logo entusiasmado com a ideia e disposto a abrir a bolsa. Já está fazendo misérias no C.C.G. Gabriel já se diz teu amigo do peito, Álcio está manso e o resto está sendo trabalhado. Ainda não esteve com o General, que está ansioso e temeroso ao mesmo tempo. O encontro Maciel-Góes foi patético. A certa altura Maciel perguntou-lhe se confiava em Dutra. Góes respondeu que não, a não ser quando estava montado por ele. Maciel disse: – Pois o Dr. Getulio deseja que seja o fiador do acordo entre ele e Dutra. Góes: – Mas o Dr. Getulio tem confiança em mim? Maciel: – Nunca deixou de ter e a prova disso é que está em São Borja...

Os detalhes só pessoalmente o próprio Maciel te poderá contar. Mando-te as linhas gerais e o tom da conversa. Ernani teve ontem uma ideia que não me havia ainda ocorrido, sobre as candidaturas de coalizão. Creio que ele não enxergou mal através do tche-tchê. É para evitar que quem quer que seja te deva diretamente sua eleição, e fique pessoalmente ligado a ti.

A publicação da mensagem, mandada fazer pelo Junqueira (apesar de minhas razões) e efetuada pelo Duarte por motivos financeiros, felizmente não teve muita repercussão, nem as reações que eu temia. Borghi recuou um pouco e está esperando a volta de seus mensageiros. Baeta continua fazendo força para o expulsar. Estou tentando contê-lo. Não há a menor conveniência nisso. É preferível forçá-lo a deixar o partido. Baeta é, porém, 90% manobrado pelo Segadas, que é um bocado escorregadio. Amanhã vamos nos reunir os três, Maciel, Baeta e eu, para constituir o comitê permanente de controle e juízo para o PTB. Parece que vai dar certo.

Estive hoje com o Homem. Disse-me que há apenas cinco conspirações em andamento: a comunista (greves e perturbação), a integralista (remessa de armamentos para o interior), a do operariado (descontentamento, saudade e corpo mole no trabalho), a militar (que não se sabe para quem é, chefiada, parece, pelo Estillac) e a dele.

O Professor pediu para se avistar comigo amanhã. Avisou-me que o baile está marcado **1946** para o dia 29, sem falta.

Mando-te as últimas revistas. Não te mando mais material porque não foi possível comunicar-me com o pessoal

Estiveram também comigo os "maluquinhos". Estão danados com o Junqueira, que falou demais para quem não devia e causou cana para aqueles três. Já foram soltos, houve apenas interrogatório, de que se saíram bem.

Até certo ponto, foi bom, pois fez renascerem várias esperanças.

Em resumo neste fim de mês se devem resolver os destinos de um país. Várias miudezas vão determinar um grande fato histórico ou muita porcaria.

A tribo vai bem, sem novidades maiores.

Celina, quando vê passar avião, diz: – "Lembança pá o vovô Getulio". Hoje Maciel convidou-a para ir te visitar. Respondeu: "de avião não, só de tomóvio". Abraços para todos aí. Com Maneco recebe um beijo carinhoso da **Alzira**

## 37 \ **G** · [Estância Santos Reis], 22 de outubro

Alzira

**1946**   Pelo Junqueira e Maciel tuas duas últimas cartas, uma de 17 do corrente e outra sem data.

Prevines-me contra as maquinações de Vasconcelos, Duarte, e depois telegrafaste sobre os emissários do Teixeira. Estes ainda não vieram. Vamos relatar sumariamente os fatos.

Primeiramente veio o Duarte contando-me várias cousas sobre o PR, inclusive de sabotagem ao próprio Borghi. Dei-lhe o manifesto que conheces para que o submetesse ao Borghi e só o publicassem de acordo com ele. Este não concordou com a publicação e enviou-me dois emissários, o Frota Moreira e o Zé Barbosa. Traziam uma dupla missão, de ponderar-me a inconveniência, no momento, de publicar a mensagem e a conveniência de iniciarem a campanha pró-candidatura Borghi.

Concordei que não se publicasse a mensagem, e quanto ao lançamento da candidatura ~~achei~~ julguei que era uma precipitação que poderia dar mau resultado. Mas que se insistissem em fazê-lo não envolvessem meu nome.

Nenhum deles veio tratar de bagunça e quanto a isso estou de inteiro acordo com o que dizes. Não é o momento, nem ambiente para isso. Não é assunto que esteja preocupando meu espírito.

Junto envio-te uma carta do Duarte, relatando o que ocorreu com ele, e outra da Ingeborg, informando sobre sua viagem para os Estados Unidos.

Por enquanto é só. As outras tuas cartas já foram respondidas. Pedido sobre a Polícia Militar, podes prometer.

Pelo Maciel aguardo novas notícias. O Maneco não escreveu mais longamente porque está colhendo trigo, para resolver a crise do pão.

Muitas saudades a todos e um carinhoso abraço do teu pai **GVargas**

**38 \ G ·** [Estância Santos Reis], 23 de outubro

Alzira

Infelizmente os dados que pedi, para ilustrar com números algumas ~~dad~~ partes do **1946** meu discurso, vieram inteiramente deficientes. Pouco há que se aproveite, para o que preciso.

Em primeiro lugar tenho horror a esses massudos relatórios onde é preciso catar dados pouco precisos, pelas complicações que apresentam.

Assim recebi: 1º) despesa pública, proposta para 1947, simples tabelas publicadas no *Diário do Congresso* sem uma exposição do total, sem saber a receita, nem se há déficit ou saldo. Nada que se aproveite, mesmo porque é uma simples proposta, sujeita a alterações; 2º) contadoria geral – grosso volume, contendo o balanço de 1945. Esse é aproveitável; 2º)[1] proposta de orçamento para 1947. ~~Ignoro~~ Parece que é a proposta feita pelo DASP apresentando um <u>déficit</u> e corrigida na Fazenda para apresentar um saldo fictício, pelo aumento forçado da receita.

Do ano de 1946 nada recebi. Ignoro o orçamento, qual a receita e a despesa.

Vamos a recapitular o que eu pedi e o que veio.

1º) Quantos quilômetros de estradas de ferro foram construídos no período do meu governo. Bastava dizer – tantos quilômetros. Não precisava mais nada. Recebi um fragmento de estudo do engenheiro A. Castilho, intitulado: Um pouco de história ferroviária. Aí vêm citadas as estradas construídas desde a monarquia até o ano de 44. Incompleta quanto ao meu governo. Várias estradas construídas e outras em construção, que me recordo de memória, aí não constam. Ignoro pois a quilometragem construída.

2º) Estradas de rodagem. Nada recebi. No entanto o Luiz Vieira poderia fornecer, aproximadamente, a quilometragem das estradas construídas pelo Serviço de Obras contra a Seca e o Fiúza a parte das construídas pelo departamento.[2]

Os outros dados são: 3º) quanto foi emitido depois de 29 de outubro de 1945 e qual o aumento de despesa ocorrido depois da mesma data.

Tenho mais a acrescentar que os emissários do Borghi não vieram. Ignoro se não interessa mais a ele ou se a tua conversa com o Gilberto fê-lo recuar.

Quando houver oportunidade, manda-me uns dois vidrinhos de sacarina.

Saudades a todos e um afetuoso abraço do teu pai **GVargas**

---

**1.** Numeração repetida por Vargas.
**2.** Departamento Nacional de Estradas de Rodagem.

**39 \ G** • [Estância Santos Reis], 24 de outubro

Alzira

**1946**    O Gilberto trouxe-me a carta do Matta sobre a política do Estado do Rio. É claro que eu não poderia aconselhar oposição à candidatura do Macedo, pela pessoa dele, como pelo apoio que o Amaral lhe dá, em virtude dos compromissos assumidos.

Queixa-se o Matta do PSD pelo descaso com que são tratados os trabalhistas e pela falta de cumprimento dos compromissos assumidos.

Desejo que o Amaral faça a aproximação do Matta com o Edmundo a fim de que este faça qualquer aceno de simpatia no sentido de atrair os trabalhistas.

Quanto a uma esperteza da UDN, seria o caso de cultivá-la em igual esperteza e discrição.

Enviei-te duas cartas que devem estar em caminho. Talvez o próprio Gilberto possa apanhá-las em Porto Alegre.

E por hoje é só.

Abraços afetuosos do teu pai **GVargas**

**31 \ A ·** [Rio de Janeiro], 28 de outubro

Meu querido Gê

Depois daquela série de cartas malucas, às quais ainda não respondeste, vou tentar raciocinar um pouco contigo.

**1946**

Estou no meio de uma fogueira com um tigre guarnecendo a única saída. Ninguém, a não ser a saca-rolha da mamãe, sabe um terço de minhas <u>tenebrosas</u> atividades. Faço uma ginástica brutal para que os vários grupos estanques não se encontrem e não saibam de meu verdadeiro papel junto a cada um deles. Para uns sou papel higiênico, para outros papel sujo (jornal) e para outros papel de embrulho. Antes de mais nada, peço-te que me digas se esqueci alguma das coisas pedidas por ti, pois os meus dias são um nunca acabar de conferências secretas. Agora vamos às aventuras fulismínicas.

1º) O grupo dos malucos conseguiu obter a chefia do oficial que te escreveu por intermédio deles. Têm estado em contato permanente comigo. Não creem que seja possível ou mesmo provável qualquer coisa agora. Há um grande descontentamento em todos os setores e um desejo quase unânime de se libertar da carga, porém sem articulação e ainda muito tímido. A estes tenho animado a trabalhar e desanimado de tentar aventuras. São sinceros e honestos em suas intenções mas muito verdes ainda para a missão.

2º) O grupo do Astral é ousado e não me pede conselhos, dá-os. Limito-me a ouvir, anotar e duvidar. Afirmam eles que o baile começa amanhã, por um "imprevisto" em São Paulo, e que a 15 do próximo será a grande comemoração da vitória. Tenho procurado sondar e escarafunchar em busca de um só sinal que confirme estas previsões e te confesso que nada vejo, nem sinto. A resposta é uma só: ainda não há ambiente, ainda não é oportuno. Sei que o homem está trabalhando muito e já me tem trazido frutos de seu esforço que apresento ao homem de farda, que dele desconfia. Mas no mais nada transpira. Esbarro diante da incógnita astraliana com todas as minhas tentativas de esclarecimento. Esta dúvida me espicaça e atormenta. Se é verdade, estou agindo bem, se é pilhéria, estou bancando a maluca. Pedem eles que não saias ainda de São Borja. Ir-te-ão buscar em charola para a "consagração nacional".

3º) O grupo pacificador chefiado pelo portador está fazendo um jogo perigoso para nós. Muito mais perigoso por não sabermos exatamente o que querem de nós. Sei e sinto que em ti veem a única salvação para seus negócios, sua estabilidade econômica e suas vidas. Que estejam agindo agora com a honestidade esclarecedora que dá o medo, não tenho a menor dúvida. Mas e depois? O que estamos fazendo é um conchavo, com todas as letras, para ganhar tempo. Mas ganhar tempo para quê? Para que eles possam reagir amanhã em cima dos trabalhadores? Para te repor no governo e continuar a política de socialização pacífica e paulatina? Para permitir que o Dutra termine seu governo sem conflitos sociais, jogando o país na ruína? Estarão sendo patriotas ou simplesmente interessados? São amigos ou estão desesperados? Como sabes, não acredito nem em amor desinteressado e sempre que alguém me procura não descanso enquanto não sei o porquê. Daí esta dúvida.

4º) O grupo trabalhista está desorientado, cavando sua própria ruína, e cada um deles desejando que digas aquilo que ele quer. Em vão procuro dar-lhes a mamadeira à hora certa e trazê-los de fralda seca. São inconsequentes, indisciplinados e desconfiados. Nenhum deles confia ao menos em si próprio, de modo que para saber o que quer um trabalhista,

155

**1946**  primeiro precisa-se ouvir o *pedigree* de todos os colegas, feito em causa própria. O mais "queremista" é sempre aquele que está falando, em detrimento de todos os outros. Diante desse espetáculo e considerando que de todos o melhorzinho ainda é o Baeta, vamos procurar guarnecer sua retaguarda e reforçar sua autoridade, orientando-o, quando necessário.

Como vês são metais que se fundem mas não se misturam nem se ligam. E eu estou aqui bancando o catalisador, sem corrente elétrica. Valerá a pena fazer faísca?

Agora a política. Estive em reunião secreta em casa do Maciel com o Lodi, o Roberto Simonsen e o Baeta para tratar dos casos Ministério do Trabalho e governo de São Paulo. Foi engraçadíssimo, porque são justamente os dois únicos homens da indústria que têm comigo um toró pessoal. O Simonsen por causa da Academia e o Lodi por causa da Legião.[1] Ambos, depois, ganharam as respectivas paradas, mas foram derrotados por mim. Foram amabilíssimos ambos. Lodi, sempre espírito de porco e gostando de falar e aparecer, fez uma declaração de amor a ti, lamentou os erros cometidos nas costas deles, desancou o Agamenon e pediu que te escrevesse contando de sua devoção e remetendo-te o seu abraço. Aí vai. Depois tomou a palavra o Simonsen, declarou que ele também sempre fora teu amigo, que teu único erro fora dar a mão ao Vidigal, que é um sujo, desancou o Lafer e declarou que estava pronto a te receber e te prestar todas as homenagens a que tinhas direito pelo patriotismo, elevação moral e dignidade com que sempre te havias conduzido. Comprometeram-se em nome do Morvan, por cuja nomeação te serão eternamente gratos, a fazer política trabalhista, a ingressar no partido, a rasgar a carta de paz social do João Daudt, a guarnecer todos os postos de destaque do ministério com elementos indicados pelo Baeta, e se declaram diretamente responsáveis por qualquer deslize porventura feito pelo Morvan, prometeram por si e por todos os seus amigos, dependentes e associados a respeitar teu nome e te prestar todo o acatamento e consideração.

Por outro lado ao partido seria conservada toda a independência política, não procurariam intervir na orientação político-partidária para que não fosse descoberto o acordo, que deveria no interesse de todos permanecer o mais secreto. Só desejavam a solução do caso de São Paulo de modo a não os prejudicar, temiam acima de tudo o Borghi, que já estava a soldo de Vidigal-Matarazzo. Baeta manteve-se reservado e desconfiado, defendeu a situação do Agamenon em Pernambuco, por ser de interesse partidário, contra a opinião do Lodi, que foi vencido em *knock out* pelo Maciel. Este esteve brilhante, tem absoluto domínio sobre os outros dois e fá-los calar-se ou falar, conforme deseja. É um artista. Eu limitei-me a ouvir e testemunhar conforme se exigia de mim. Fiz algumas observações para mostrar apenas que eu sabia o que se estava processando e que não esqueceria. Prometi-lhes relatar-te o sucedido. Saímos depois separadamente, como conspiradores experimentados. Maciel te fará um relato mais pormenorizado.

Ontem, domingo, veio de avião especialmente para me consultar o Frota Moreira. Chegou assustado, trazendo-me três problemas.

---

**1.** Legião Brasileira de Assistência.

1º) Explicar como tinha vindo a furo a notícia da conspiração e consequente prisão do **1946** Duarte, dele e do Zé Barbosa e sua inocência no assunto. Respondi que já o sabia, bem como qual o responsável por tudo, que era loucura de uma meia dúzia e que nada havia de concreto.

2º) Explicar sua atitude em relação ao partido e ao Borghi e seu temor de que o PTB viesse a se esfacelar, devido à inconsequência e deslealdade do Borghi e à falta de coordenação dos getulistas do partido. Temia acima de tudo que Borghi fosse expulso do partido pelos segadistas, porque traria como consequência a cisão do partido já tentada por vários elementos provocadores do governo. Respondi-lhe que conhecia melhor que ninguém a capacidade inventiva do Borghi, mas que não desejava transformá-lo em vítima da ingratidão getuliana e que Baeta estava ciente e de acordo comigo. Que ficasse tranquilo e tentasse reagrupar os elementos limpos do partido, eliminando paulatinamente a escória de que se estavam utilizando atualmente. Relatou-me os termos do acordo Borghi-Vidigal e a história secreta do acordo Borghi-PR. Ficou feliz ao saber que tudo isto já era de meu conhecimento e pôs as cartas na mesa. Estava indignado com o Borghi, porque lhe havia pregado várias mentiras, inclusive duas para te transmitir, uma sobre a candidatura do Gal. Nilton e outra sobre o apoio comunista ao Borghi.

3º) Estava muito alarmado com a nomeação do Morvan, de quem é amigo pessoal. Disse-me que o operariado, principalmente o comunista, estava muito irritado, ameaçando ir à greve porque o Morvan foi integralista e não lhes daria quartel. Perguntou-me qual era a razão de sua escolha e qual a atitude que deveria tomar em relação ao Partido e, em relação ao ministro, que já o havia mandado chamar, oferecendo-lhe uma posição qualquer que escolhesse: gabinete, orientação sindical ou Secretaria do Trabalho em São Paulo. Respondi-lhe que em primeiro lugar ignorava a razão de sua escolha. Supunha que tendo o Dutra recusado todos os nomes indicados por ti, Baeta se vira na contingência de romper ou ganhar tempo. Não era o momento de romper, isto era óbvio. Daí ele ter procurado saber qual o candidato aceitável pelo presidente, e conseguira saber que ele toparia o Morvan. Havia então te consultado e havias respondido que nada tinhas a opor se fosse dentro da orientação do Partido. Morvan se tendo comprometido a entrar para o Partido, a prestigiá-lo e a entregar-lhe as posições-chave, Baeta o havia indicado. Em segundo lugar, embora ele representasse a classe patronal, isto deveria significar união de classes e não luta, conforme promessa formal do mesmo (feita através de seus chefes). Portanto o Partido deveria recebê-lo com expectativa simpática. Em terceiro lugar perguntei-lhe em qual das posições ele estaria em melhor condições de auxiliar o Partido. Respondeu que no gabinete, pois as outras eram posições eminentemente políticas e portanto muito visadas. Devido à sua atuação anterior junto e contra o Borghi em São Paulo, qualquer outro posto o colocaria imediatamente em oposição a este, que não trepidaria em acusá-lo de traidor do operário. No gabinete poderia fazer muito mais sem aparecer. Disse-lhe então que aceitasse o gabinete mas pedisse uns dias para pensar. Nesse intervalo ele poderia estudar a reação do partido e a repercussão que teria sua nomeação. Perguntou se não seria melhor recusar, alegando qualquer desculpa. Disse-lhe que posto não se recusa, pleiteia-se. Baeta

**1946**  está um pouco prevenido contra ele pois o classifica de borghista, embora ele seja muito mais Marcondes. Pode deixar este por minha conta.

Esquecia-me. Outro ponto assentado na conversa secreta: o PTB é livre também para atacar os patrões. Baeta dar-me-á notícias hoje de seu encontro com Simonsen.

Outras notícias: os integralistas estão agindo outra vez. Ontem fizeram no Municipal a comemoração dos "Tambores silenciosos" tendo discursado o Plínio. Houve depois um arranca-toco entre eles e os comunistas na cidade. Sábado houve novo quebra-quebra.

Soube que Dutra tentou demitir o Canrobert do Ministério da Guerra e foi obstado pelo Exército.

A sensação de insegurança é geral.

8 horas da noite · Acabam de sair daqui o Maciel, o Frota e o Baeta. Está tudo legal e harmonizado. Frota irá para São Paulo na secretaria, na expressão do Baeta, "juntar os gravetos" para refazer a fogueira. Estão todos entusiasmados e dispostos a recuperar o tempo perdido. Baeta incensado e escorado é uma navalha, o homem se transforma e produz.

É tanta coisa que os detalhes me escapam. Morvan chegou hoje, já se avistou com Dutra. Maciel te contará o que houve, bem como os detalhes de seu discurso.

Há uma passagem interessante sobre o Daudt que deves fazê-lo contar também.

Teles esteve aqui para receber a segunda prestação do imposto de renda. Epitacinho deu-me o dinheiro, e o troco entregarei a D. Dadá.

E fico por aqui. Não há mais tutano.

Saudades a todos, um puxão de orelhas no Maneco.

Beija-te com carinho tua filha **Alzira**

Vai junto o último discurso do Dutra

*À direita, Getulio Vargas. S/l, s/d.*

**40 \ G ·** [Estância Santos Reis], 28 de outubro

Alzira

**1946**   Que notícias me dás do Maciel? Espero que ele venha, conforme prometeu. Se esta chegar a tempo, manda-me por ele uma caixa dos meus charutos. Dessas menores, encerradas num envoltório de zinco.

Envia-me também os dados que já pedi, quilometragem das estradas de ferro e de rodagem construídas durante o meu governo.

Não me mandes relatório, cartapácios ou coisas massudas. Basta uma nota, dizendo: 1º) estradas de ferro, tantos quilômetros; 2º) estradas de rodagem, tantos; 3º) dinheiro emitido depois de 29 de Outubro [1945], tanto; aumento de despesas, tanto.

Amanhã 29 de outubro. Provavelmente aproveitarão para demonstração de regozijo oficial, decretação de feriado e lançamento de objurgatórias contra mim etc. Os costumeiros insultos e agressões.

Estou sem esperanças de obter um acordo político entre PSD e PTB, por oposição do primeiro.

Essa oposição baseia-se principalmente em medo do Dutra, que dizem contrário ao acordo.

Impelem-me para a luta que desejava evitar. Será talvez a última. O canto do cisne. Mas não posso abandonar sem fraqueza os que ficaram comigo e, por esse motivo, são repelidos.

Quando esta chegar às tuas mãos o rompimento já deve estar oficialmente declarado.

Abraça-te afetuosamente o teu pai **GVargas**

**32 \ A ·** [Rio de Janeiro, outubro]

Gê

Recebi o bilhete. Já que definitivamente resolveste "ser de briga" estão decididos os des-   **1946**
tinos e trabalharei nesse sentido. Vou tentar convencer ou desnortear o Soares para que
seja feito o que desejas. Eta! túnel escuro danado!
Um beijo da **Alzira**

**41 \ G ·** [Estância Santos Reis, entre outubro e novembro]

Alzira

**1946**     Vejo que bem me compreendeste. Estou cansado de levar coices dessa mula que está no governo.

Assentadas as bases do entendimento entre Baeta e Borghi, devem ser exigidas deste medidas de precaução e segurança. Exemplo, uma declaração escrita de subordinação à orientação política da direção do PTB ou a mim, com o compromisso de oposição ao Grão de Bico, para ser-me entregue. Idem da renúncia prévia. Uma cópia fotostática da carta do Grão de Bico ao Martinelli etc. Incluir na chapa de deputados o Orlando Leite Ribeiro em substituição a um destes que não conheço e pode passar para a chapa estadual.

Um número certo de deputados para o Borghi, por exemplo 50, e 25 para o Baeta, sem que um possa impugnar os nomes pelo outro indicados. Para tudo isso é necessária a cooperação efetiva do Maciel. E esta é mais uma prova de amizade que ele me pode dar. Pouco importa que o Borghi perca. O principal é tirar a chispa no setor mais apropriado.

Do **Getulio**

**42 \ G ·** [Estância Santos Reis, entre outubro e novembro]

Alzira

Vai esta para completar o que esqueci de dizer-te.

**1946**

Fala ao nosso amigo Maciel. Ele é realmente um amigo e eu muito aprecio sua amizade. Estamos de acordo no ponto de vista geral, mas no caso paulista nossas opiniões não coincidem. Neste preciso ficar livre, para agir no momento oportuno.

Querem que eu assuma a responsabilidade de resolver um assunto, quando eu pretendo pronunciar-me só depois de desencadeados os acontecimentos.

É conveniente que se faça o registro da chapa combinada entre Baeta e Borghi.

Quanto à viagem, se ele ainda pretende fazê-la, nenhum compromisso deve ser assumido em meu nome. Talvez o que ele julga pior seja o melhor para o meu ponto de vista. Parece que o Borghi, de qualquer forma, irá ao pleito.

Os que lhe são contrários, e me refiro especialmente ao ministro que com ele tratou do assunto, não usou da necessária franqueza ou não dispunha de elementos para fazê--lo recuar.

Eu não posso divorciar-me do sentimento da massa. Oportunamente terei de manifestar-me de acordo com esta. Não sei ainda como o farei. Por isso preciso ficar de mãos livres, isto é, sem compromissos. Os acontecimentos ditarão minha conduta. E só depois de 4 do corrente eles ~~tomarão sua~~ estarão definidos.

Do **Getulio**

**43 \ G ·** [Estância Santos Reis, entre outubro e novembro]

Rapariguinha

**1946** O caso paulista está entregue ao Baeta e ao Borghi. Não quero intervir, nem desejo que intervenhas. Refugiei-me aqui para não ser incomodado. Não deves portanto trazer pessoas que venham tratar do assunto e protelar talvez a solução. Nada de emissários e cupinchas.

Teria prazer em receber tua visita, do Amaral e Celina.

Ficaria satisfeito se pudesses trazer o Maciel, para pousar hoje aqui. Seria de utilidade para auxiliar-me num trabalho, além do prazer da conversa.

Estou inteiramente só, como se fosse dono da casa, e muito bem tratado.

Abraços do **Getulio**

## 44 \ **G** · [Estância Santos Reis], 1 de novembro

Minha filha (Rapariguinha)

Tenho pena sempre que sou forçado a sobrecarregar-te com novas incumbências, **1946** além das muitas que já tens e não devem ser abandonadas.

É difícil, porém, encontrar uma pessoa em quem eu possa confiar tão amplamente como em ti.

Essa cabecinha terá pois de funcionar com maior carga e um acelerador automático. Isso torna-se necessário no interesse comum da defesa de todos os ameaçados por esse aventureirismo político que pretende avassalar o país e traz contínuas suspresas, quase sempre desagradáveis. Só o interesse ou receio podem agir como ~~forças~~ agentes neutralizadores desses malefícios. É preciso tornar-se uma força necessária, quase indispensável, no interesse comum.

Conversei longamente com o Maciel. Parece-me que ele está certo. Convém apoiá-lo. Assim instituo um triunvirato composto por ti, o Maciel e o Baeta, para agirem de comum acordo, ouvindo-me sempre que for necessário, para evitar mal-entendidos.

Quero colocar em tuas mãos um instrumento de ação e de defesa, para que possas usá-lo influenciando, mesmo de longe, o dromedário que ocupa o Catete e agindo sobre ele através de seus sentimentos elementares e instintivos que são o receio e o interesse.

Como todos os animais que agem por instinto, quando predominam o receio e a desconfiança, sua reação é violenta. Mas quando fareja o interesse de sua conservação ou outro qualquer, cabresteia com docilidade. Não suponhas porém que esse caráter instintivo seja destituído de astúcia. Todos os animais a possuem, e alguns em grau bem desenvolvido.

O Maciel está fazendo uma manobra de envolvimento em grande estilo, favorecendo os interesses do animal. ~~Po~~

Pode ser que tudo isso esteja também no plano dos seus interesses. Mas a palavra interesse, aplicada ao Maciel, deve ser interpretada em melhor sentido. É, por certo, o interesse do grupo ou da família intelectual a que ele está filiado.

Mas ele é nosso amigo e dirige e controla esse grupo, que, por isso mesmo, é melhor do que o outro [palavra riscada ilegível] outros seus competidores e merece ~~por isso~~ mais confiança. Assim, vamos prestigiá-lo e tocar o barco para frente, mesmo que mais tarde tenhamos de brecar a marcha e mudar de rumo, se as circunstâncias assim o aconselharem.

Tudo o que estou a dizer-te é para que apreendas o sentido do meu pensamento. Quanto à forma de dizer é só para teu conhecimento.

Já que estamos em boa harmonia com o Ministério do Trabalho, lego-te meu pequeno grupo de rapazes queremistas – Waldy, Coelho Leal, Maciel, Píffero, Carrazzoni, o Professor etc. Tu os conheces. Desejo que sejam amparados em funções onde possam prestar serviços úteis.

Nas eleições de 2 de dezembro, carreguei às costas muita gente, sem ser ouvido na organização da chapa. Desejo que isso não se reproduza. Pretendo ser ouvido. Precisamos adotar uma forma de escolha de candidatos em que prevaleça mais a indicação dos trabalhadores e não dos aproveitadores. Previna o Baeta.

**1946** Converse também com ele sobre o preenchimento das vagas do diretório central, se tem alguma observação a fazer, a respeito do telegrama que lhe enviei.

Recebi tuas cartas anteriores à vinda do Maciel. Já as respondi, expliquei, aprovei o que fizeste e reclamei sobre o que não estava de acordo com os meus pedidos.

Vou agora esclarecer, resumidamente, o que ocorreu comigo em relação aos agentes do Borghi que aqui estiveram e que têm sido objeto de continuadas referências em tuas cartas.

O José Duarte apresentou-se aqui como defensor do elemento queremista de São Paulo e do próprio Borghi. Disse que o primeiro estava sendo afastado do segundo e posto à margem pelas maquinações do PR. Este era a alma danada de tudo e estava sabotando o próprio Borghi, já informado de tudo e desejando desfazer-se desses aliados. A mensagem foi dada para ser submetida ao Borghi e só ser publicada se este estivesse de acordo.

Logo que o Duarte regressou chegaram o Frota Moreira e o José Barbosa. Vinham como emissários do Borghi pleitear duas cousas. Primeiro que fosse suspensa a publicação da mensagem levada pelo Duarte, segundo concordar com o lançamento da campanha "Queremos Borghi" em São Paulo, a título de experiência.

Concordei imediatamente com a primeira e discordei da segunda, achando-a perigosa e precipitada.

De tudo isso o Junqueira é testemunha, e se, quando aí esteve, agiu contra minhas instruções, andou mal. Ele é muito contra o Borghi e tem suas razões.

~~Consequenci~~ Conclusão: nem o José Duarte veio fazer trabalho contra o Borghi e sim contra o PR, nem o Frota e Barbosa trataram de perturbação de ordem. A missão deles era puramente política e borghista. Todos porém dizendo-se fiéis a mim.

Mais tarde vieram o Gilberto e Waldy que levaram cartas minhas. A missão destes é do teu conhecimento e preveniste-me com antecedência. A missão era do Gilberto. Waldy veio para orientar-se.

Encerrando este parêntese, volto ao assunto principal cujo resumo é o seguinte: quem governa o dromedário é o C.C.G. Torna-se necessário penetrar no seio dele para dividi-lo.

É o que terás de fazer. Penso que no corrente mês regressarei aí. É muito cômodo regressar nas condições da primeira viagem. Não quero, porém, abusar da Companhia que tão gentil tem sido para comigo. Sobre as negociações PSD e PTB no Rio Grande o Maciel, que tomou parte no assunto, poderá informar-te o pé em que se acham.

O Luthero aqui esteve muito carinhoso e feliz com a filha, também muito apegada a ele. Fiquei satisfeito ao ~~vol~~ tornar a vê-los.

Saudades a todos os nossos e um afetuoso abraço do teu pai **GVargas**

---

E o assunto do terreno, como ficou?

**45 \ G ·** [São Borja?], 8 de novembro

Alzira

Quando fui em junho ao Rio, levava um discurso escrito que devia pronunciar aí, mas **1946** não o fiz. Esse discurso ficou com o Maciel na fazenda dele. Mas eu tinha uma cópia, e essa, por esquecimento, entreguei ao mesmo Maciel, quando aqui esteve, numa pasta com outros papéis. Fiquei sem nenhum exemplar e não desejo perdê-lo. Havia nele algumas ideias fundamentais e citações extraídas de fontes que se extraviaram. Nessas condições, recomenda ao Maciel que não o perca, pois ainda preciso dele.

E a publicação do último volume da *Nova Política*. A revisão estava a cargo do Vergara. Não tive notícia alguma ~~cousa~~ do mesmo. Indaga e informa-me.

Sigo hoje para Porto Alegre, onde vou tentar um acordo entre PSD e PTB. A resistência maior fora do primeiro. Agora é do segundo.

E por hoje é só.

Abraços do teu pai **Getulio Vargas**

**33 \ A ·** [Rio de Janeiro], 8 de novembro

Meu querido Pai

**1946**   Pretendia escrever-te um longo relatório sobre todas as atividades desenvolvidas, desde a volta do Maciel, e deixei para a última hora. Passei, porém, toda a tarde às voltas com o PTB e estou com a cabeça tinindo. Recebi o Baeta, o Frota Moreira de São Paulo, o Gilberto do Estado do Rio, o Ene e um embaixador petebista de Rio Branco e o Bonifácio do "fecha", fora alguns adminículos.

A mexida do Maciel está apenas atômica. Deixo-lhe o prazer de relatar com as minúcias e a verve que lhe são peculiares. Não sei onde ele aprendeu a técnica do rabo de arraia e a mágica da rasteira sem queda, se foi contigo, parabéns pelo aluno.

São 10 $^1/_2$ da noite e minha cabeça virou "paugaio". Fui chamada com urgência ao 10°, que havia uma mensagem do Professor que vai junto com grandes recomendações. Quando voltei S. Excia. D. Celina estava dando um daqueles bailes sensacionais que durou apenas 2 $^1/_2$ horas. Não consigo coordenar duas linhas, por isso fio-me no relatório oral que te farão os três mensageiros: Maciel, Ernani e Baeta. Cada um deles conhece uma parte do drama e há uma outra secreta que só eu conheço. Sobre ela é que pretendia te fazer relatório.

12 $^1/_2$ Para completar o quadro o Neves e o Costa acabam de sair daqui após um papo de 2 horas. Devo acordar o Ernani às 5 $^1/_2$. Como vês, não é possível continuar.

Mando-te duas caixas de charutos, duas latinhas de sacarina, duas cartas do Epitacinho que já vão tarde.

Ernani te contará o que a carta não pode dizer. Dize ao Maneco que recebi a carta e estou pensando sobre ela.

Beija-te com muito carinho

Tua filha **Alzira.**

**34\A ·** [Rio de Janeiro], 9 de novembro

Meu querido Gê

Vou tentar novamente o relatório, que irá por intermédio do Bonifácio.

**1946**

O ambiente aqui é de completo desassossego e desconfiança. Ninguém sabe para onde vai, nem de onde virá o ataque, mas todo mundo o sente no ar que respira, nas pessoas que encontra, na comida que digere. Há uma quantidade de coisas indefinidas e imprecisas, que nos levam a acreditar em todos os impossíveis. Ontem pelo Ernani mandei-te a mensagem do Astral, porque me foi entregue com <u>ordens</u> de seguir imediatamente e por pessoa de confiança. No entanto, confesso-te, estou em desacordo com Anael, desta vez. Preferiria, apesar das saudades, do trabalho que tua ausência me dá e da inquietação em que vivo, que não viesses antes de estourar a encrenca.

Minhas antenas estão anunciando barulho para breve, sem bases sólidas ainda, o barulho provocado pelo governo. A manutenção em postos de importância de agentes provocadores ou de pessoas de passado conhecido, as perturbações provocadas, a complacência das autoridades diante de determinados fatos são indícios muito veementes para se fechar os olhos. Existem em embrião várias conspirações. Não creio que o espírito policial do Dutra as desconheça, se não as reprime é porque não pode, ou porque não lhe convenha. Por outro lado o integralismo fortemente apoiado por membros do governo (Álcio Souto, Imbassahy, Hugo Silva, Hildebrando, Juca B. Cintra e outros) está novamente tomando corpo e começando a topar paradas com os comunistas.

Será somente para acabar com o comunismo ou haverá algo mais por debaixo da capa? O grupo do Eduardo está se mexendo, chefiado por Tinoco e Falconière. O Estillac diz que só trabalha para ti e está se mexendo.

———————

Não estou dormindo. Já juntei os dois grupos, o paisano e o militar, os maluquinhos estão sob controle, só está faltando a <u>grana</u>, que está sendo providenciada.

No dia em que o Ernani descobrir isto tudo, creio que haverá tempestade no lar. Conto contigo, para juntar os cacos. Não sei ainda se ele ficará mais zangado por eu me haver metido ou por não lhe ter contado.

———————

Quanto à parte política pedi ao Ernani que te relatasse. O PTB, por inexperiência, acha a luta agora mais fácil, esquecendo-se de que pode perder tudo amanhã ou talvez não acreditando. A não ser o Baeta, mineiro sabido, e o Pedroso, macaco velho, os outros não querem transigir agora para ganhar tudo amanhã. E é difícil explicar-lhes que não se faz política com o coração, mas com a cabeça.

O movimento promovido pelo Maciel parece ótimo, bom demais para se acreditar. Não me parece <u>suficiente</u> para virar o Dutra para nós o temor ao comunismo. Creio que ele tem em mira algo maior que não pudemos ainda definir. Será para distrair a atenção do público, enquanto ele prepara um golpe? Será para te envolver em uma cilada política, incompatibilizando-te com São Paulo? Será para ganhar tempo? Será para se libertar de elementos que o estão incomodando já? A resposta só o tempo dará ou alguém com mais visão do que eu.

**1946**  O Zé Eduardo hoje já ataca francamente o governo, ressalvando ainda a posição do Dutra. Começa por agredir o Estado Novelli. Macacos me mordam se não houve "espírito santo de orelha" nesse artigo. Dá um vomitório no Maciel.

Não te mando as informações pedidas porque Maciel jurou que as levaria. Se faltar alguma avisa-me. O Vergara e o Queiroz Lima estão muito vadios. Recorri ao Alvim, que é mais ativo e tem mais boa vontade.

Informa quando e como pretendes vir para que tome as providências necessárias. Houve uma tentativa aqui de anular inteiramente o Gregório, acusando-o de espião comunista junto a ti. Preveni-o para que estivesse atento e calmo em relação aos agentes provocadores que andam por aí, aos montes. E é só.

Um carinhoso beijo da **Alzira**

*Carlos Castilho Cabral (à esq.) e Paulo Lauro (centro) no comitê eleitoral de Adhemar de Barros.* São Paulo, SP, 1946.

## 46 \ G · [Estância Santos Reis], 16 de novembro

Rapariguinha

Pelo Junqueira enviei-te uma carta de Porto Alegre, a respeito de minha viagem ao **1946** Rio.

Regressei aguardando tuas informações. A luta que se vai travar aqui será dura, embora de ambos os lados estejam dispostos a mantê-la em nível elevado, evitando retaliações pessoais. Disso dependerá também manter-me ou não na atitude discreta que tomei após o discurso pronunciado na convenção.

E a propósito, desejaria saber que repercussão teve esse discurso, se é que teve alguma.

Quando falares ao Napoleão, manifesta-lhe meus agradecimentos pela atitude corajosa que ele assumiu, com relação a esse polichinelo[1] do Estado do Rio.

Ao Epitacinho dirás que recebi suas cartas muito interessantes.

Quanto à Paraíba mantenho-me no mesmo ponto de vista que já lhe manifestei.

E o Maciel, como vai com as suas manobras, o que está prevalecendo, o C.C.G., o Estado-Novelli ou que outra coisa? E o João Neves, e o Costa?

No Rio Grande trabalhei pelo acordo. Por fim o acordo só em torno do nome do Jobim. Tudo fracassou. Isso demonstra a resistência das massas trabalhadoras a entendimentos com os partidos burgueses ou com o que eles consideram vulgarmente – políticos. Eu sou talvez o único burguês em que eles confiam. E, mesmo assim, arrastaram-me para o desacordo. O Daniel poderá dizer-te como livrou-se de ser devorado na cova dos leões.

E essa atitude de desconfiança agravou-se singularmente com a política do Dutra, procurando dividir os trabalhadores, faltando aos compromissos assumidos com eles e ainda me hostilizando.

Quanto à viagem será bom acertar entre a Cruzeiro e a Varig, para levantar-me aqui e despejar no Rio. Acerta tudo – tempo, preço, condições etc. e avisa-me com alguma antecedência.

O Maneco lançou-se na campanha pelo PTB, com uma eficiência e impetuosidade que pode melindrar o Protasio, o que desejo evitar, pois este ficou com o PSD e está trabalhando. Este é um dos motivos por que não desejo permanecer muito tempo por aqui.

E por hoje é só.

Um afetuoso abraço do teu pai **Getulio Vargas**

---

1. O coronel Hugo Silva, interventor federal no estado.

**35\A·** [Rio de Janeiro, de 18 a 19 de novembro]

Meu querido pai

**1946**  Os acontecimentos aqui se estão sucedendo de uma maneira rápida, confusa e inesperada. O que hoje é novidade, amanhã já é secular, o que é certo agora, dentro de $1/2$ hora é falso, o que é impossível torna-se provável.

Além disso o triunvirato anda meio desasado: Baeta com a sra. operada de pouco, Maciel com a filha, a Hilda, atacada por forte pneumonia, e eu com o Piolho pendurado entre uma operação de garganta, marcada e transferida, e uma perspectiva de sarampo não confirmada ainda. Por isso, nossa ação está um pouco prejudicada.

Viagem: O Professor, o Baeta e o PTB em geral estão ansiosos por tua chegada. Maciel, e eu já e o outro setor preferíamos que demorasses um pouco mais. No entanto, os problemas estão se avolumando de tal jeito, alguns só solucionáveis por ti, que já nos sentimos meio incapazes de resolver sós. Portanto preciso saber: 1º) quando podes vir, 2º) quantas pessoas virão contigo e quais, 3º) se vens direto ou se pretendes passar algum dia em Porto Alegre, 4º) se vens em segredo ou não etc.

São Paulo: Estamos trabalhando muito. Quinta-feira 21 vai haver em São Paulo a reunião bomba atômica preparada pelo *team* "anti-Borghi". Vamos aguardar os resultados. Do lado Gabriel o negócio está em ponto morto. O PSD (Cirilo) deu um susto no General e ele recuou e nós também. A dupla Macedo Soares está em cruel indecisão. César Costa, Lafer e outros pessedistas disseram ao Dutra que o Gabriel estava fazendo jogo sujo e eles o declarariam da Câmara. Haviam resolvido por sugestão do Lafer primeiro comunicar o fato ao General.

Bahia: O presidente do PTB da Bahia esteve aqui. Acham que o PTB ganha as eleições para governador com o pé nas costas se o sr. apoiar. Indaguei sobre nomes viáveis. Disseram que o melhor era o do Medeiros Netto, que estava desejoso de ser e seria aceito pelos trabalhadores. O triunvirato reunido considerou que qualquer nome que derrubasse Mangaba e Juracy era bom. Ficou estabelecido isto em princípio, aguardando a realização da convenção do PSD para lançar o nome do moleque Medeiros.

Pernambuco: O pessoal do Novais está fazendo circular em folhetos trechos de um livro do Barbosa Lima escrito em 34 no qual ele criticava teu governo. Os petebistas, que não acreditam na "evolução" dos homens, não o querem apoiar por isto. O Agamenon não quer mudar de cavalo. A UDN com os dutristas vão lançar o Neto Campelo. Os comunistas não terão candidato. Diante disto o presidente do PTB de Pernambuco veio nos consultar sobre a possibilidade de lançar o nome do prefeito de Recife no tempo do Zé Domingues. O nome é Apolidoro de tal. Credenciais: sabe teus discursos de cor, é muito querido na capital e topa a parada. Mais uma circunstância: consta que o Agamenon fez acordo com os comunistas.

Distrito Federal: O PSD por intermédio do Nonô está tentando um acordo eleitoral com o PTB para vencerem a chapa comunista. O Baeta não está muito interessado, confiado no "ele disse". Estou tentando ajeitá-los.

Estado do Rio: Hoje (19) se realiza a convenção do PSD para o lançamento da candidatura Edmundo, com o comparecimento do mesmo. O PTB tem feito todas as asneiras possíveis, tentou lançar meu nome como candidata à deputação estadual. Fiz ver ao Matta que além de não ter vocação para carlotices, não iria concorrer contra o Ernani. Nem assim ele entendeu. Tentaram também fazer um acordo com os comunistas. Ainda não sei se cheguei a tempo de impedir.

_Astral_ vai junto à última mensagem para que a interpretes.

**1946**

_O governo federal_ está se agitando contra os comunistas. Tribunal de Segurança e expulsão de oficiais extremistas do Exército são o objeto da última mensagem do Dutra ao Congresso. Se este der está mal de vida, se não der, vai ter.

_Minas Gerais_: A UDN recebeu o Noraldino a pedradas e tiros. Houve mortos e feridos e a agitação é grande.

Termino esta aqui para ver se segue ainda hoje.

Beija-te com muito carinho tua filha **Alzira**

———

**47 \ G ·** [Estância Santos Reis], 19 de novembro

Alzira

**1946**   Bateram-me aqui, inesperadamente, o Bertho Condé e o Waldy, alarmados por uma palestra que tiveram com o deputado Pedroso. Trata-se da convenção do PTB de São Paulo, designada para o dia 30 deste, e do reconhecimento do diretório local, além de outros assuntos.

O Baeta, a quem escrevi na mesma ocasião, tem poderes para resolver esses assuntos.

Sempre afirmei aos trabalhistas de São Paulo que o partido disputando as eleições com candidato próprio só deveria fazê-lo depois que os outros partidos tivessem escolhido seus candidatos. Talvez, por isso, fosse conveniente não fazer a convenção dia 30.

Não te posso falar claro sobre outras cousas, nesta carta pouco segura.

Parece que várias promessas feitas por intermédio do Sr. Soares ainda não foram cumpridas. Isso complica o problema. Hoje enviei-te uma que provavelmente irá demorar por via normal. Estou pronto para seguir, aguardando aviso com uns sete a oito dias de antecedência. O caso do Rio Grande está encaminhado. Faltam os outros que não poderei opinar sem estar próximo.

E o Professor, não falou sobre o não comparecimento? Se o que pretendia dizer-me for como várias outras cousas prometidas e não realizadas, não se perdeu muito.

Esta foi alinhavada à noite, com alguma pressa, porque os portadores regressam amanhã cedo.

Abraços do teu pai **GVargas**

**36 \ A ·** [Rio de Janeiro], 21 de novembro

Meu querido Gê

Vai para aí amanhã de pombo-correio o Epitacinho, com a missão de te esclarecer sobre determinados pontos e te explicar das conveniências e inconveniências de tua vinda. Hoje as conveniências são muito maiores, não sei se amanhã ainda o serão. O negócio por aqui está ficando preto e nossos três crânios reunidos não conseguem resolver várias das questões pendentes. Somente tu, que sabes pa como queres ir para onde fores, nos poderás orientar.

**1946**

Há duas noites que janto às 10 horas, correndo e com a cabeça em ebulição. Anteontem foi a reunião do Distrito Federal. Compareceram: o triunvirato, Nonô, Eurico (sobrinho do Napoleão), Segadas e Seu Silva, presidente do diretório local. Este habilmente industriado pelo Segadas fez o espírito de porco, e Segadas já esquecido das sujeiras de 2 de dezembro resolveu se considerar dono e proprietário único de teu nome e de teu prestígio. O objetivo da reunião foi obter uma aliança eleitoral entre PSD e PTB para concorrerem unidos às eleições debaixo da legenda "chapa Getulio Vargas" e derrotar o PCB e a LEC que ainda estão muito fortes aqui. Maciel defendeu a ideia, sob a alegação de que a vitória da chapa comunista significaria intervenção e golpe. Segadas combateu o quanto pôde dizendo que com teu nome e fazendo comícios com o "santo" obteriam vitória fácil, atacou o PSD etc. Eurico revidou dizendo que ele e Nonô eram teus amigos fiéis e dedicados há mais tempo e com muito mais serviços prestados do que qualquer um do PTB. Que esta política possessiva do PTB estava jogando todos os teus amigos, que haviam entrado para o PSD por ordem tua, numa situação vexatória de ou se retirarem da arena ou se jogarem nos braços do governo. Segadas revidou dizendo que era isso o que eles desejavam pois ficaria o campo popular livre para eles. — Pedi então a palavra e lhes disse que já era tempo do PTB se lembrar de te prestar um serviço e não de te explorar. Que depois das eleições necessariamente haveria uma reestruturação de partidos e novo balanço das forças políticas nacionais. Que somente depois das eleições e não antes tu poderias de fato assumir a chefia do PTB. Que estavas farto de ser colocado pelo PTB diante de situações de fato, sem ter sido consultado previamente. Que nestas condições farias como no Rio Grande, cruzando os braços e entregando-os à própria sorte. Que já havias repetidamente mandado dizer que desta vez desejavas ser ouvido antes da organização de chapas. Respondeu Seu Silva que haviam reservado para ti 15 vagas. Repliquei: ele não quer vagas, nem tem nomes no bolso para indicar, quer ser ouvido sobre a forma da indicação para que <u>desta vez</u> significassem alguma coisa para os trabalhadores. Nestas condições eles dariam a maior prova de dedicação a ti e de compreensão política se aceitassem em princípio a proposta do PSD, em vez de fazer como em outros lugares conchavos com partidos absolutamente inimigos teus. Seria não só uma grande demonstração de força, como o preparo, a porta aberta para uma futura absorção dos elementos dignos do PSD que de outra maneira jamais levariam a sério o PTB. Segadas estremeceu nos alicerces mas continuou firme, dizendo que somente tu e pessoalmente, pois carta não serviria, poderia levá-los a fazer tal acordo. Maciel interveio e levantou-se a sessão, tendo-se eles se comprometido a aguardar tua chegada para qualquer deliberação definitiva.

<u>Ontem</u> grande sessão dramática com clímax e tudo. Maciel, Baeta e eu estávamos esperando. Chegou Borghi com um estado-maior completo, composto do Bertho Condé, Waldy,

**1946**  Gilberto, Gulizia e Ícaro. Baeta estava nervoso, aproveitei um segundo para ler a carta vinda pelo Waldy e compreendi a sinuca em que te haviam metido. Maciel tomou a palavra e fez uma longa exposição distribuindo carapuças e mais uma vez ameaçando com o perigo comunista e as possibilidades de um golpe caso Borghi continuasse em seus propósitos de ser candidato.

Borghi fez o desprendido que estava pronto a renunciar, a lançar um candidato qualquer, mas disse que não eram estas as afirmações que tinha de ti reiteradamente. Ainda agora bastava que lhe dissesse qual o nome e ele o faria. Não podia admitir, porém, ser desmoralizado pelo Junqueira e por Frota, que estavam fazendo campanha pessoal e desorganizando o partido. Neste caso renunciaria. Bertho e Gulizia declararam que o acompanhariam. Houve troca de nomes feios enfeitados com *confetti*. Waldy e Gilberto se esquentaram e disseram algumas barbaridades diplomáticas contra o Baeta. Aproveitei uma folga para mostrar tua carta ao Maciel que ficou ainda mais agitado, caminhando e fumando. O negócio estava esquentando, quando pedi a palavra. Dirigi-me ao Borghi e disse: na última vez em que você esteve aqui, repeti mais uma vez que vocês no PTB estavam se habituando a jogar com o nome do Patrão para os interesses próprios colocando-o muitas vezes nas situações as mais difíceis. Disse-lhe que o Patrão ou era chefe ou não era. Se não era, não havia necessidade de falar no nome dele. Se era, o Partido devia esperar que ele se pronunciasse. No entanto nesse mesmo dia o jornal dele havia publicado que os candidatos do PTB sairiam das fileiras do PTB. Isto era uma deturpação, pois o Patrão havia dito que o PTB iria às urnas com candidatos próprios que tanto poderiam ser de dentro, como de fora. Que eles estavam avançando o sinal, como aliás todo o PTB sem a menor exceção, sem consultar as conveniências partidárias nem os interesses do chefe. Que isso não podia continuar. Tentou reagir da maneira de sempre, jogando as culpas para os outros. Que o Waldy é quem o havia feito e não ele. Começou então a grande cena: Bertho tomou a palavra, fez um grande introito, meteu o pau na Federação das Indústrias, no Frota, no Junqueira, enalteceu o Borghi e sua obra e disse que nesse espírito havia ido a São Borja em busca de uma palavra de ordem. E entregou espetacularmente o bilhete ao Baeta. Este leu em silêncio e me passou, li-o e passei ao Maciel. Borghi e cia. meteram então a faca. Que diz você? Baeta driblou: disse de início que obedeço às ordens do Patrão e o faço. Então reconheça agora, intimaram. Baeta tentou ganhar tempo: Isto não é assim, preciso consultar o resto do diretório. Maciel desorientou-se um pouco e tentou acomodar pedindo um prazo até tua chegada. Disseram que não podiam esperar nem confiar em ninguém. Se a palavra do Patrão não era respeitada, então alguém estava agindo de má-fé. Confesso-te que ficamos os três numa grande sinuca. Eu não podia encorajar o Baeta, sob pena de te descobrir. O Baeta estava firme mas não encontrava saída. E o Maciel estava procurando se orientar. Borghi fez então sua grande *entrée*. Sentindo que esta rodada estava perdida declarou que renunciaria, iria viajar, faria uma doação ao Partido e naquele momento considerava o Ícaro presidente do Partido. Gulizia e Bertho declararam que o acompanhariam. Waldy vendo sumir sua cadeira de deputado exaltou-se contra a ditadura do Baeta. Gilberto gritou. Borghi assumiu seu papel predileto de vítima, aconselhou os amigos a ficarem etc.

Achei o recuo do Borghi muito fácil e, quando ele se retirou, fiquei imaginando qual seria o próximo golpe.   **1946**

Esta manhã fui acordada por Maciel e Epitacinho. O estado-maior borghiano havia partido para São Borja. Dutra estava danado. Fez uma reunião com Maciel, Honório Monteiro e Costa Netto. Isto ele próprio te relatará melhor que eu.

Os outros casos estaduais mais ou menos vão sendo resolvidos por mim e Baeta. A convenção do Estado do Rio foi um sucesso. Todos estavam com medo de falar no nome do Dutra. O velho Neves[1] incumbido de fazer a saudação a ele ficou meio mal. O Bernardo Belo em compensação levou as honras da noite quando falou em tua pessoa sem sequer citar o nome.

Fico por aqui aguardando ordens.

Beija-te com carinho tua filha **Alzira**

---

1. Refere-se a Alfredo da Silva Neves.

*Getulio e Baeta Neves. S./l., entre 1946 e 1947.*

## 48 \ G · [Estância Santos Reis], 22 de novembro

Alzira

**1946**  Esteve aqui uma turma de São Paulo – Ícaro, Gulizia, Waldy, Gilberto e mais dois.

Vieram tratar ainda do assunto do reconhecimento do diretório de São Paulo, das conversas havidas aí e sobretudo da ação do Junqueira apresentar-se como meu representante, cumprindo instruções minhas para obter declarações com o objetivo de destituir o Borghi do diretório. Ora, não autorizei ninguém a falar em meu nome e [ilegível] em meu nome tomar tais providências.

Em cartas anteriores falei-te sobre meu regresso, mais como uma consulta para que me dissesses quando deveria regressar. Nada respondeste. Depois disse ao Maneco que te telegrafasse, marcando o dia 29 deste para minha partida daqui. De tudo aguardo teu aviso.

O que se pretende fazer em São Paulo não me parece certo. É o enfraquecimento e dispersão do Partido Trabalhista, quase como uma imposição e usando do meu nome.

O caso do Rio Grande não pode deixar de influir no resto do país, principalmente para mim, como norma de conduta. Estou sendo intensamente assediado e perturbado. Do outro lado nada vejo correspondendo ao prometido ao PTB. Querem fazer de mim escada para suas ambições e caudatário de nomes reacionários.

A luta aqui está apaixonada e vai ser interessante. O Periandro acompanha o Protasio, PSD 100%.

Estou a escrever-te no dia do teu aniversário. Já telegrafei, envio-te por esta um abraço epistolar e breve pretendo dá-lo pessoalmente.

Do teu pai **GVargas**

---

[PS.:] Veio uma segunda comissão de 17 membros, com cartas do Junqueira e uma declaração de membros do diretório de São Paulo. Vinham na aparência contra o Borghi, mas quase todos desgostosos declarando-me que assinaram coagidos pelo Junqueira usando do meu nome, declarando que era ordem minha e fazendo ameaças. Não é modo de ser amigo, comprometer meu nome, colocando-me numa situação desagradável. Esses signatários vinham declarar-me que suas assinaturas importavam também em retirada do partido, que iria desagregar-se, e que o Junqueira estava sendo financiado pela Federação das Indústrias.

Em resumo, o Baeta pode resolver isso sem escândalo de expulsão do Borghi e derrocada do partido. Ele deve conversar diretamente com o Borghi e acertar com este sua substituição no diretório pela volta do antigo presidente. O próprio auxílio prometido ao Baeta parece que não foi cumprido. Enfim estou com uma impressão confusa desses acontecimentos. O portador com cartas tuas e do Maciel ainda não chegou.

## 49 \ G · [Estância Santos Reis], 23 de novembro

Alzira

Afinal, hoje, 23, regressaram as duas turmas paulistas, uma de oito, outra de 17 pessoas. Junto com as cartas e a declaração enviadas pelo Junqueira vieram 20 e tantas pessoas qualificadas do Partido Trabalhista, a maior parte delas reclamando contra suas assinaturas na tal declaração, dizendo que lhes foram arrancadas pelo Junqueira, invocando meu nome, dizendo-se meu representante e incumbido dessa tarefa. Retiraram suas assinaturas no próprio documento. Queriam tomá-lo do Frota Moreira para rasgar.

**1946**

Em resumo o Frota entregará a declaração ao Baeta. Este deve chamar o Borghi e liquidar o caso com ele, da forma que indiquei em carta anterior levada pelo Bonifácio, em duas etapas ou já por forma mais completa, na sua qualidade de presidente do diretório e com a carta que lhe enviei, dando poderes a ele e não ao Junqueira. Este foi para ajudar o Maciel que o chamou e ao Baeta na sua função de chefia. Não era meu emissário, nem estava autorizado a agir em meu nome.

E essa união dos partidos conservadores em torno do imaculado Mário Tavares é uma mudança da posição anterior ou é uma manobra? De qualquer forma alterou o ambiente político.

Em resumo: tu, o Maciel e o Baeta, que eu instituí em triunvirato, nada me dizem, e, repentinamente, desabam aqui 20 e tantos trabalhistas nervosos, confusos e exaltados, dizendo que o Junqueira apresenta-se em São Paulo como meu emissário, em meu nome exigindo assinaturas num documento de que eu não tinha conhecimento.

Quanto ao viagem meu regresso, deixei ao teu critério, sobre a época em que eu deveria estar aí, avisando-me com sete a oito dias de antecedência. Parece que não me expliquei bem e perguntas quando pretendo seguir. Sugeri dia 29. Agora espero resposta.

Afetuoso abraço do teu pai **GVargas**

*Getulio e Medeiros Netto, ao centro, durante campanha deste para o governo da Bahia.*
BA, entre dezembro de 1946 e janeiro de 1947.

## 50 \ **G** · [Estância Santos Reis], 23 de novembro

Rapariguinha

**1946**   Estava com essa outra carta pronta, para enviar pelo correio, quando chegou o Epita-cinho. Trouxe-me duas cartas tuas, uma de 18 do corrente que estava em Porto Alegre e outra de 21 que lhe entregaste no Rio.

Recebi também as cartas do Maciel e Baeta que não tenho tempo de responder. Não há mesmo necessidade porque direi por teu intermédio o que eles precisam saber.

Espero partir daqui a 29, ficar esse dia em Porto Alegre e seguir no outro para o Rio. Tome aí as providências. Se julgar que devo demorar mais alguns dias avise-me.

O caso Borghi tem duas etapas, primeiro sair da presidência do diretório, segundo a convenção do PTB e a escolha de candidatos.

O primeiro é fácil e ele está pronto a renunciar segundo mandou me dizer e eu acon-selhei que fizesse. Do segundo não tratei porque é assunto da convenção.

Se isso estiver resolvido pelo Baeta antes de minha chegada será melhor. Pelo menos a primeira parte. O Baeta deve falar pessoalmente ao Borghi. Quanto ao Maciel, dize--lhe que recebi sua carta e li com muito prazer. Ele continua sendo a grande estrela do trapézio. Ele deve completar os dados que lhe pedi sobre o discurso, devendo estar pronto quando eu chegar.

E por hoje é só.

Abraça-te afetuosamente o teu pai **GVargas**

Junto vai uma carta do Junqueira desaconselhando conciliação, que deve ser entregue ao Baeta. O assunto é com ele. Ela demonstra um espírito de intransigência que depen-de mais da atitude do Borghi do que da opinião dele.

**37 \ A ·** [Rio de Janeiro, entre 23 e 30 de novembro]

Meu querido Gê

Escrevo-te esta última desta segunda fase para enviar pelo Epitacinho.

**1946**

Adeus, carta. Pretendia, como sei que dificilmente poderei conversar contigo logo em paz, mandar-te os últimos acontecimentos para chegares bem informado, mas não foi possível. Houve o diabo aqui em casa hoje, de modo que só vai bilhete.

Miranda, teu guarda-costa, e o infatigável Bonifácio estão na folha de pagamentos do Borghi. Boca de siri com ambos.

O Hamilton Leal da LEC procurou-me em nome dos cardeais D. Senado e D. Carmelo, para uma aproximação com o PTB.

O caso de São Paulo continua a dar água pela barba, porque Seu Borghi compra todo mundo e às vezes, de surpresa, remete uma fornada para São Borja que volta dizendo o que lhes convém, deixando-nos às vezes em sinucas horrorosas.

Já estão fazendo campanha contra mim. Já respondi a um. No dia em que vocês apresentarem *pedigree* getulista melhor que o meu, que já nasci assim, eu entrego os pontos. Acalmaram-se.

*Bueno*, chega.

Um beijo carinhoso da **Alzira**

*Getulio Vargas e Paulo Baeta Neves*
*por ocasião da posse de Vargas no Senado.*
*Rio de Janeiro, DF, 13 de dezembro de 1946.*

**1946**

*Comício pela candidatura de Hugo Borghi, pelo PTB, para o governo de São Paulo.* São Paulo, SP, dezembro de 1946.

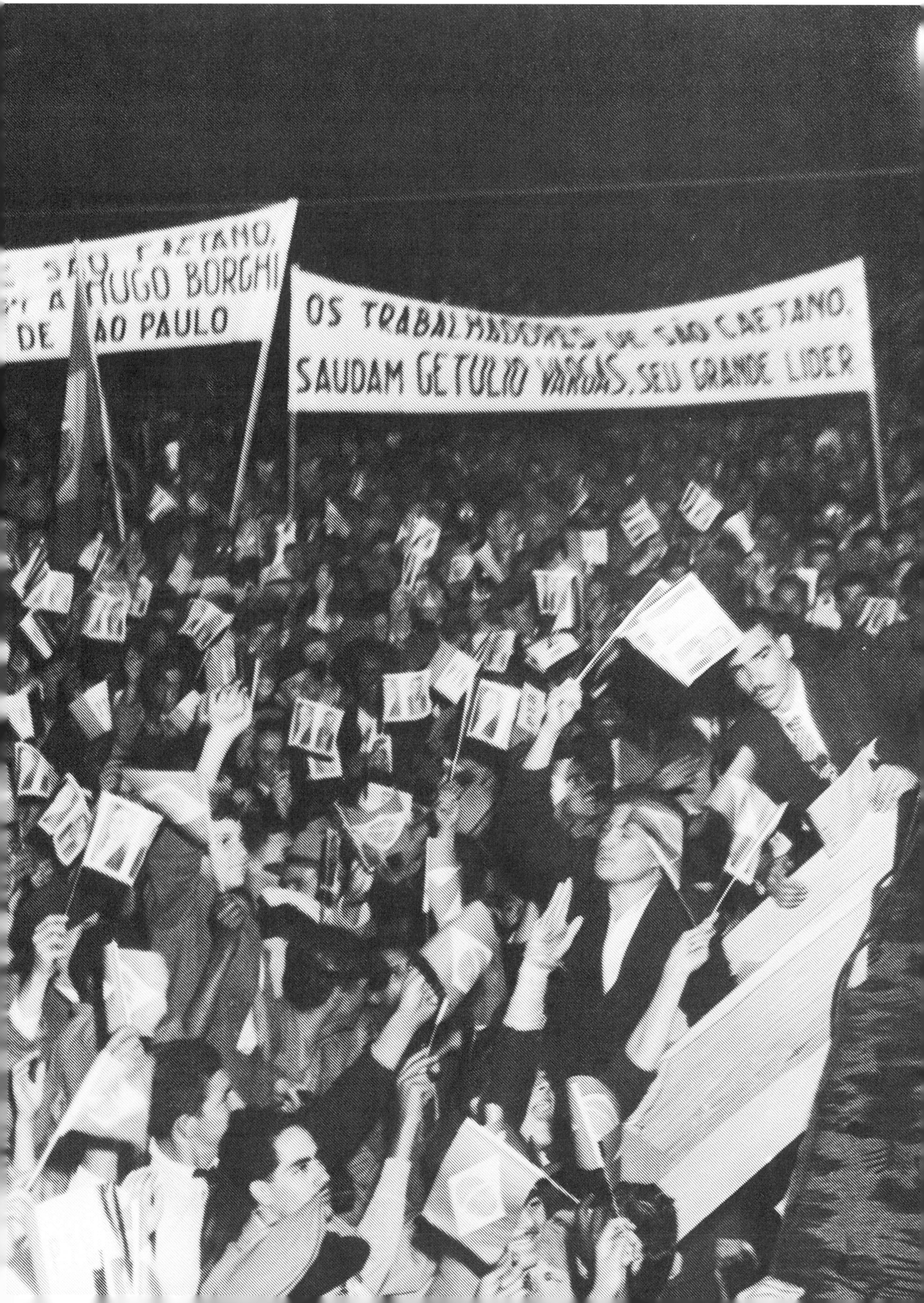

# 1947

1947

*Getulio em campanha
para as eleições suplementares
ao Congresso Nacional.*
*S/l, janeiro de 1947.*

**38 \ A ·** [Rio de Janeiro], 6 de julho

Meu querido pai

Escrevi-te anteontem pelo correio. Hoje apareceu um portador, um rapaz de Niterói cujo **1947** nome não sei e que pretende ir até aí. Vou ver se ele pode levar o casaco de D. Felícia, o último *Fon-Fon* e um catatau que o Joel Presídio deixou aqui. Não mando os charutos agora porque fica muito peso. Mandarei pelo próximo.

———————

Estive ontem no teatro com o Salgado. Disse-me que havia dissuadido o Zé Barbosa de ir até aí. Acha ele mais conveniente que o negócio seja feito sem te envolver, isto é, só depois de assegurado o êxito da manobra serás consultado. Concordei e ele ficou de vir amanhã para acertarmos os relógios.

———————

Ernani manda-te as seguintes informações: Adhemar está fazendo o jogo da mosca azul a todos os possíveis candidatos. Oferece o apoio em troca de um voto pela não intervenção. Consta que a bancada pessedista do Rio Grande será contra a intervenção.

Ainda não se sabe (Nereu não conseguiu apurar, devido à ausência do Luzardo que é considerado o único político da bancada) se esta atitude é determinada pelo receio do Rio Grande de que esta medida depois se estenda ao estado, se é ponto de vista doutrinário, ou se o Jobim entrou também na dança azul. A única coisa certa é a falta de habilidade do Fausto Freitas e Castro que, procurado pela bancada de São Paulo para apoiar a inter-venção, respondeu mais ou menos não convir ao Rio Grande que São Paulo ficasse forte. A outra incógnita é Minas. A bancada está muito fechada e ignora-se o ponto de vista do Milton Campos. Sabe-se, porém, que tem havido muito emissário para Belo Horizonte e que se teria dito que em uma união de Minas com São Paulo não se deveria deixar o Rio Grande de fora.

O caso de São Paulo resume-se no seguinte: o Dutra quer intervir mas tem medo que isto lhe custe a presidência.

O prefeito pediu demissão. Durante alguns dias correu que seria aceita. Agora parece que o homem não sairá mais. —Tenho recebido muitas queixas de gente que te telegrafou e não recebeu agradecimento, inclusive senadores e deputados. Se estiveres em dificuldade de pessoal manda-me a lista que aqui se ajeita.

———————

Deves ter sabido pelos jornais do caso da Escola Naval. Tem causado muita celeuma, deixando o ministro da Marinha em maus lençóis. Houve uma indisciplina por parte dos alunos, muito semelhante àquela tua de Rio Pardo. Tratado com muito pouca habilidade pelo diretor Pinto Lima, o caso veio a furo e os jornais (viva a censura) o transformaram em crise nacional. A escola está praticamente fechada funcionando apenas para 32 alunos do curso prévio. O ministro vai processar o Carlos Lacerda por injúrias. E este, transformado em herói pela surra, pela campanha em favor das favelas, agora será consagrado por um processo em defesa da juventude. É gozado.

**1947**   Quais são teus projetos nestes dois meses? Vais ficar em Santos Reis, vais para o Itu, vens ao Rio? Estou cansada já de responder a estas perguntas. O coro das "saudades do Getulio" está engrossando cada vez mais. Até a turma da grana está começando a ceder.
Por hoje chega.
Beija-te com muito carinho tua filha **Alzira**

Diz ao Calafanges que já encaminhei ao Salgado seu pedido.

*Campanha para as eleições suplementares ao Congresso Nacional. S/l, janeiro de 1947.*

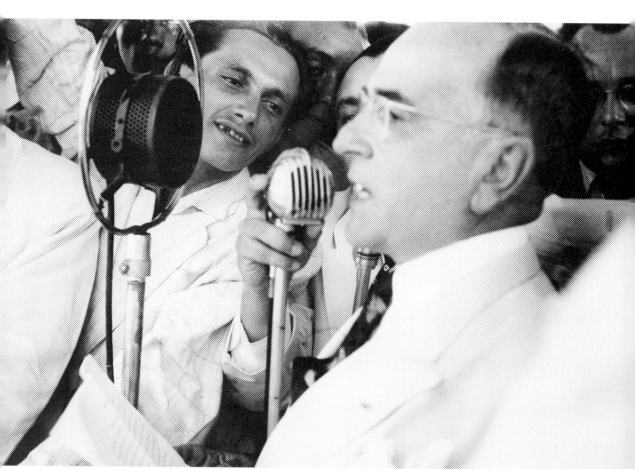

51 \ **G** · [No avião, de volta a São Borja], 7 de julho

Alzira

Na viagem do avião e um tanto sacudido por este, vou escrevendo. Me ativou a carta **1947** a notícia junto do *Diário da Noite* sobre o discurso do Vitorino. Esse cafajeste, enriquecido pelas facilidades da atual administração, quer ferir-me naquilo que mais prezei durante o meu governo – o escrúpulo na gestão dos negócios públicos. Lembro-me que no ano de 44 o orçamento das despesas de palácio encerrou-se com um saldo de Cr\$150.000,00 que fiz recolher ao Tesouro não aceitando a proposta do Vergara, que pretendia aproveitar esse saldo para despesas de automóveis. A nossa vida era bem modesta e não podíamos gastar 190 mil cruzeiros por mês só em almoços. A guarda pessoal era paga pela polícia e não por verbas de palácio. Quanto a esses almoços, só se querem passar ao débito do meu governo os meses do Linhares. Ou tudo isso que está no jornal é um amontoado de infâmias, ou eu estava sendo iludido e muita cousa se passava sem meu conhecimento.

É preciso conversar com os elementos que trabalhavam comigo e podem prestar informações, examinar e comparar orçamentos e preparar a defesa para desmascarar esse Barão de Münchausen do atual governo.

Conversar, colher informações, preparar a resposta e desfechar a acusação. Falar ao Benjamim, Vergara, Alvim, Queiroz, Baeta, Maciel etc. Principalmente o último talvez esteja melhor informado que qualquer dos outros. Ninguém pode exibir contra mim uma carta como aquela do Martinelli. Enfim esse é um trabalho que, logo na partida, já te recomenda o teu pai. **GVargas**

PS.: Estes rapazes do avião foram muito amáveis. Desejo dar-lhes uma recordação da viagem, uma lembrança simbólica. No armário da direita, próximo à janela do meu quarto, há uns presentes. Entre esses poderás escolher três carteiras que peço distribuir a cada um deles. São o comandante Carvalho, portador desta, o copiloto Peixoto e o aerotelegrafista Clay. O presente é simbólico, porque não recebendo dinheiro, recebem uma carteira... vazia.

## 52 \ **G** · [Estância Santos Reis], 9 de julho

Minha querida filha,

**1947**  Estou aqui desde segunda-feira, 6, num ambiente relativamente calmo e que só é perturbado por notícias vindas de fora.

Ainda hoje os jornais chegados de Porto Alegre trouxeram essas duas notícias que te envio nos recortes junto.

Uma trata de cafajestadas atribuídas ao Vitorino, a mando de seu patrão. Se isso fosse verdadeiro, ou seria um conivente, o que rejeito em absoluto, ou seria o mais traído e iludido dos governantes. A outra refere-se à entrevista do Góes sobre os acontecimentos de 29 de outubro. A única dúvida que tenho é se este está mentindo conscientemente ou está mentindo porque foi mal informado.

Quanto à conversa com Dutra, não lhe fiz proposta alguma. Ele é que me disse que se a nomeação do Bejo não fosse publicada ainda seria possível uma solução conciliatória. Eu o contestei firmemente, encarando-o de frente. "Se eu não tenho autoridade para nomear um chefe de polícia, não tenho também para continuar como presidente da República. Os srs. me deponham." Ele nada mais me disse e retirou-se.

O Salgado, a quem referi agora esse incidente, lembrou-me que também a ele eu dera uma resposta semelhante, excluída a última frase, porque ele não estava no complô. Contaram-me depois que, ao passar na sala de espera do gabinete onde conversamos, o Dutra dissera que a solução era difícil, porque eu estava intransigente. Se assim era, como teria eu feito propostas?

Quanto à missão posterior do Cordeiro, este me expôs a situação de desobediência ou revolta das Forças Armadas, representadas por seus oficiais-generais. Vinha ele em nome do Gal. Góes, que assumiria o comando das mesmas, fazer [palavra riscada] um apelo ao meu patriotismo para que eu renunciasse, a fim de evitar o derramamento de sangue. E acrescentou que não pretendiam atacar-me e eu sairia com todas as garantias. A isso contestei: "Antes me atacassem porque eu reagiria mesmo sozinho, e meu sacrifício ficaria como um pretexto". Mas eles tinham feito uma revolução branca. Ele poderia dizer ao Gal. Góes que eu renunciava.

Após essa resposta tratou-se das condições da minha retirada. O Cordeiro, cortesmente, disse que eu ficaria o tempo que necessitasse para retirar-me. Contestei-lhe que bastariam 48 horas. Esta é a verdade, em essência, quanto ao que se passou comigo. Ignoro o que se passou no quartel-general.

Há pessoas que poderão informar algo, como o Gal. Firmo, o Agamenon e outros, além do pessoal da secretaria. Só a conversa com o Dutra não teve testemunhas.

Há outro fato que preciso recordar. Meu estado de espírito. Eu estava fatigado e enojado por essa longa campanha de ataques pessoais, de calúnias, de intrigas e de traições. Premido de um lado por essas circunstâncias, como pela minha palavra solenemente empenhada de que não seria candidato. Sentia de outro lado a campanha queremista, o movimento popular pela minha permanência no governo. Achava-me numa situação dramática. E pensei, nesse mesmo mês de outubro, numa saída espetacular pela renúncia. Eu falaria ao povo, numa manifestação pública, explicaria minha situação, terminando por declarar que, naquele momento, renunciava ao governo.

Expus ao Agamenon esse meu propósito. Ele manifestou-se contra. Insisti, dizendo-lhe que conversasse a respeito com João Alberto. No dia seguinte ele voltou e disse-me que também o João Alberto se manifestara contra, porque seria uma deserção, um abandono dos amigos. E eu permaneci no governo, sempre disposto a realizar as eleições a 2 de dezembro. A nomeação do Benjamim para chefe de polícia não poderia alterar a situação criada.

Arrependo-me hoje de não ter levado a efeito esse gesto de renúncia. Era uma saída digna, sem imposições, e não estaria sujeito às humilhações de certos Tartufos.

Mostra essa ao Amaral e ao Maciel. Podes conversar com outras pessoas, se julgares conveniente, e resolvam da melhor forma.

Desejo sair bem dessa trama em que pretendem envolver-me exatamente quando procuro retrair-me da atividade política para repousar.

Muitos abraços do teu pai. **Getulio Vargas**

---

**53 \ G ·** [Estância Santos Reis], 15 de julho

---

Alzira

Envio-te daqui uma benzedura e invoco a bênção do Astral para que fiques logo restabelecida.

As duas cartas anteriores foram escritas um tanto sob a pressão dos acontecimentos.

Aí, pensando melhor e conversando com o Maciel e outros amigos, examinarás as providências mais aconselháveis. O que desejo é estar informado do que se for passando e não permitir que um qualquer cafajeste como o Vitorino ~~que~~ tente enxovalhar meu nome, com mentiras e calúnias.

Dize à tua mãe que as cousas por ela enviadas foram entregues. O Maneco também [palavra riscada] andou gripado, mas já está bom. Recomendei-o aos cuidados da Alda pelo Periandro, que hoje aqui esteve.

Dize ainda à tua mãe que no caixão que deve ser trazido pelo Umbelino junte duas latas de charutos.

Telegrafei ao Ernani pelo aniversário de ontem. Reitero as felicitações por carta, uma vez que não confio muito no telégrafo.

Recebe com ele e Celina um afetuoso abraço do **GVargas**

---

## 54 \ **G** · [Estância Santos Reis], 16 de julho

Minha querida Alzira

**1947**   O Protasio e a Glasfira foram hoje para a cidade. O Maneco também lá está. Fiquei só, com os empregados da fazenda. E do silêncio e do recolhimento da noite escrevo-te esta.

Sei que andas enferma, ocupada com os cuidados da filha, do marido, os trabalhos de dona de casa e os deveres sociais.

E eu, malvado, a sobrecarregar-te com outras preocupações e afazeres. Acostumei-me a isso. Confio em ti. No entanto eu sinto que é preciso passar esses encargos a outra pessoa, como o Maciel, de preferência, ou o Baeta, o Junqueira etc. Conversa com um deles, acerta isso e me comunica para que eu possa aliviar-te desses trabalhos. Essa correspondência pode continuar pela forma já combinada.

Enviei daqui uma cartinha ao Ernesto, de quem não pude despedir-me. Ele tem sido muito correto comigo. Pergunta-lhe se recebeu. Esteve hoje aqui o Píffero. Disseram-lhe que o Baeta ia chamá-lo. Ele, porém, não recebeu o chamado e estará pronto a seguir, desde que tenha algo garantido, pois aí não dispõe mais de recurso para manter-se.

Soube que o rádio hoje trombeteou as injúrias, aleivosias e mentiras do Vitorino contra mim. Exatamente o que estava anunciado.

Espero que alguém do Partido Trabalhista responda, com firmeza e segurança, a tudo isso. Sei que a polícia não gastou só com o Gregório para o serviço de segurança, mas também com o Vitorino para as eleições do Maranhão e com o próprio Dutra para as suas eleições. Só o João Alberto poderá confirmá-lo, pois foi quem mandou fornecer.

O Vitorino deve ter muitas outras patifarias na sua conta, como a liquidação duma firma do Eixo em São Paulo de que foi exonerado e o empréstimo para a compra duma usina etc. Há também vários outros assuntos de que o Maciel estava tratando e sobre os quais desejo ter informações, bem como uma impressão geral sobre a situação. Cousas que não vêm nos jornais.

Estou curioso por notícias, embora esteja ausente daí menos de duas semanas.

Dize à tua mãe que me mande, pelo Umbelino, uns vidrinhos de sacarina.

Saudade a todos e um abraço de teu pai  **GVargas**

**39\A** · [Rio de Janeiro, de 17 a 18 de julho]

Meu querido pai

Bateu uma miudinha cá por casa que me deixou esgotada. Esgotada por várias noites passadas cuidando do Ernani, peguei uma gripe fortíssima logo após teu embarque. No dia em que a febre me deixou pegou a Celina com as mesmas características. Passei depois vários dias num estado de apatia muito grande do qual só ontem consegui sair. Daí o atraso de notícias.

Já mandei preparar as carteiras para enviar aos pilotos e resolvi mandar uma lembrança também para D. Guiomar, a secretária do Frank Rocha, que é quem remete minhas cartas. Ficou encantada e perguntou se podia te escrever agradecendo. Conversei hoje com o Andrade Queiroz sobre o assunto das verbas do palácio. Disse-me que não tem documentação mas deu-me a pista para esclarecer. Estou tomando as providências. Ontem estive com Maciel, que vai te escrever, e hoje conversarei novamente com ele.

Antes de mais nada uma boa notícia: meu casaco apareceu. Tinha sido levado por engano por uma sra. da sociedade que me devolveu quando soube que era meu.

Mando-te junto, caso queiras te enfezar, a última béstia do Vitorino (se não, dá para o Maneco se divertir), uma entrevista do Góes ao *Globo* e uma do Zé para acompanhares as marchas e contramarchas. Também vão duas revistas, a *Fon-Fon* e outra surgida agora cujos proprietários desconheço.

O ambiente aqui está de não se saber como será o dia de amanhã.

O Álcio saiu de seus cuidados e fez em nome e na presença do Dutra um discurso nas Blindadas que é positivamente uma provocação. Saúda as bravas forças que "atacaram" o ditador a 29 de outubro e fala abertamente em conspirações queremistas e comunistas. O Flores deu uma entrevista dizendo que tinha certeza que Getulio e Prestes estavam unidos para derrubar o governo. O Ruy de Almeida respondeu a ambos na Câmara e te mando junto seu discurso, que esclarecerá melhor. Houve um charivari, durante o qual o Flores mais uma vez demonstrou seus enciclopédicos conhecimentos de palavrões. Os entendimentos entre a UDN e o PSD em torno da cassação dos mandatos fracassaram, parece que graças a uma habilíssima manobra do Veiga. Contou-me o Ernani que foram muito curiosas as entrevistas do Zé e do Kelly com o Dutra. O primeiro fez uma grande exposição sobre as causas da crise nacional, o pauperismo, planos de salvação, assistência etc. Quando terminou, S. Excia., com aquele seu todo afável e sorridente, retrucou: "É, mas é preciso primeiro tratar da cassação dos mandatos". O segundo espalhou-se dentro do plano jurídico da UDN, os pontos de vista do Mangabeira, a legalidade acima de tudo, nada fora da lei, tudo dentro dos quadros legais. S. Excia. interrompeu, mimoseou-o com seu sorriso cativante e soltou sem preâmbulo: "É, mas primeiro precisamos cogitar da cassação dos mandatos". É este o *leit-motiv*. Enquanto isso, sucedem-se reuniões de generais e declarações despistativas dos mesmos pelos jornais, a Câmara faz cera em torno da cassação, aguardando o pronunciamento do Tribunal. Já ninguém mais considera absurda a possibilidade de fechamento do Congresso, os jornais cobram a peso de ouro seu apoio ao governo e este paga sem medida nem seleção qualquer baboseira, contanto que seja contra ti. Parece à primeira vista que eles pretendem se limpar sujando teu nome e de teus auxiliares. No entanto, examinando bem, verifica-se que estamos novamente no mesmo ponto de onde saímos pouco antes das eleições: na crista de uma crise. Tudo obedece a um plano preparado. Da outra

**1947** vez recuaram, desta não sei. Maciel acha que recuarão novamente, porque não há ambiente, porque o Góes é contra e porque o Brigadeiro está atento e de prontidão. De qualquer maneira tenho uma grande sensação de desafogo todos os dias quando me lembro que estás longe disto tudo.

<u>18 de julho</u> • Maciel almoçou aqui. Esteve com o Góes e o João Alberto. Ele e o Ernani, a quem consultei conforme mandas, acharam que qualquer esclarecimento sobre o 29 de outubro deveria ser feito após consultas prévias com ambos para evitar contestações e choques de versões. Em vez de uma retificação ficaria uma palavra pela outra. Disse-lhes que se nada resultasse desses passos eu própria daria uma entrevista contando os fatos. Quase me bateram e perguntaram se eu não os julgava a ambos capazes de agir ou de assumir a responsabilidade dos fatos. Era o que eu queria ouvir e me calei. — Góes declarou ao Maciel que estava disposto e até desejoso de fazer qualquer retificação histórica que esclarecesse a atitude digna, honrada e patriótica que havias assumido, naturalmente contando que ele Góes também não ficasse mal. Isso Maciel arrancou-lhe como uma concessão tua a ele e não dele a ti. Declarou ao Maciel que as tais propostas foram apresentadas pelo Dutra em teu nome (que safado!) numa tentativa de se salvar naquela hora. Ele Góes tinha isso como certo. No final, considerando que este fato sem testemunhas era difícil de apresentar sem chamar o presidente da República (bem ou mal) de mentiroso, acordaram que seria feita uma nota à guisa de retificação dos fatos que seria mostrada a ti e ao Góes e publicada. Achei bom. Ao João Alberto, Maciel mostrou tua carta a mim, como quem abusa de minha confiança. João Alberto ficou emocionado, confirmou tudo e esclareceu outros pontos para mim ainda um pouco obscuros, e achou a solução da publicação excelente. Possui a documentação toda da guarda pessoal e a cederá se for necessário. Disse que, em sua opinião, Dutra não obterá a cassação dos mandatos nem pela Câmara, nem pelo Tribunal. Ernani acha que nesse caso ele marchará para o fechamento. Maciel pediu-me tua carta para ele, considera um documento de alto valor. Protestei declarando que me pertence. Então pediu-ma emprestada, dizendo que o melhor meio de divulgar nossa versão seria a mostrar <u>confidencialmente</u> a várias pessoas discretas. Em princípio concordei, dependendo de tua autorização. João Alberto disse que a frase "Se não posso nomear o chefe de polícia não sou mais presidente" ele também a havia ouvido de ti.

Firmo, que se encontrou com Andrade Queiroz e foi citado nominalmente pelo Góes, diz que sua parte também está deturpada e que ele a retificará, se necessário.
Nelson de Mello mandou dizer ao Ernani que as referências sobre o negócio da manteiga feitas pelo Vitorino eram inexatas e que a primeira peça do processo era a carta do Ernani pedindo a abertura do inquérito. Considerava tudo isso uma molecagem e só tinha uma satisfação, a de nunca se haver iludido com o Dutra. De modo que, em linhas gerais, o tiro está saindo pela culatra.

Quanto aos outros assuntos, gastos no palácio, guarda pessoal, automóveis, estamos coligindo documentos para publicar e fabricar um discurso para o Salgado e outro para o Segadas. Confere?

Maciel escreveu uma carta ao Vitorino sobre o negócio da turfa, que é uma delícia. **1947**
Os depoimentos dos industriais de tecido no Senado não deixam dúvidas quanto à gravidade da crise. Ernani esteve com Veiga hoje e este está pessimista quanto aos novos entendimentos do Dutra com a UDN e apreensivo quanto à marcha dos acontecimentos.

Oswaldo, encarnado de candidato, está em cima do Brigadeiro para que este não permita a saída da legalidade.

Zé, no mesmo estado de espírito, pretende continuar a série de teus discursos. Incrível!

Os jornais noticiam um possível rompimento do Juracy com Mangabeira, em torno dos casos municipais. Nereu teme que diante de todos esses impasses as dissidências do PSD passem em massa para o partido do Vitorino, o que seria um desastre. Dutra ficaria assim com uma massa de manobra de perto de 60 deputados.

Hoje as irmãs do Jango vêm jantar aqui.

Junqueira esteve aqui e deu notícias do *team* do Professor, que continua agindo e anunciando sua festa para fins de julho, princípios de agosto. Acho tudo muito pouco provável. Aguardemos.

Que há de novo por aí? Mamãe está curiosa por saber como vais te dando com o clima daí. Maneco está bem? Já confraternizou?

Mande as ordens que o *team* está a postos.

Ernani ficou todo prosa com teu telegrama, pensou que não te lembrarias.

Beija-te com muito carinho tua filha **Alzira**

———

Acabo de receber a carta do Maciel. Ernani, que lhe forneceu as notícias políticas, discorda do item 4. A seu ver o Vitorino só atrapalha o PSD. A UDN poderá entrar livremente para seu partido e absorvê-lo.

**55 \ G ·** [Estância Santos Reis], 19 de julho

Rapariguinha

**1947**  Como vais. Já estás boa da tua gripe?

Procurei hoje aquelas fotografias extraídas aí e não as encontrei. No entanto estava convencido de que as trouxera. Verifica se ficaram no caixão que deve ser trazido pelo Umbelino. Se não estiverem aí, avisa-me para que eu promova uma nova busca. O assunto não tem urgência. É só para esclarecer.

O Dinarte enviou-me uma coleção d'*A Democracia* publicada após meu regresso. Gostei muito dos artigos do Junqueira, zurzindo algumas das azêmolas que me escoucearam. Quase me senti desagravado com esses artigos. Talvez nem precise de outra resposta.

Estou num estado de espírito mais sossegado ou indiferente. Consequências talvez da distância, do isolamento e do trato com os animais. As cousas da política vão esmaecendo. Foi ontem firmado pelos diretórios locais o acordo sobre as eleições municipais de São Borja. Excetuados os fuxicos dalguns espíritos de porco, trouxe geral satisfação.

O Maneco está bem. Ontem veio visitar-me.

Já tiveste tempo de distribuir os volumes da ~~política de 1945~~ *Nova Política* de 1945? E como vai a edição do volume de 1946 até julho de 47, a cargo do Queiroz Lima?

Interesso-me ainda por isso, porque estou [ilegível] documento histórico.

Saudades a todos os nossos e um abraço do teu pai **GVargas**

*Getulio na Estância Santos Reis.* São Borja, RS, 1947.

**40 \ A ·** [Rio de Janeiro], 22 de julho

Meu querido pai

**1947** Escrevi-te há cinco dias mandando jornais, revistas e notícias. Hoje vão apenas complementos para aproveitar o portador.

Já remeti os presentes e estou acondicionando os livros para mandar entregar.

Ontem o João Luiz de Carvalho pronunciou na Câmara Municipal um belo discurso em resposta ao Vitorino. Ainda não saiu publicado, por isso não te mando. A belíssima bancada trabalhista na Câmara Federal ainda não piou. No Senado o Salgado aparteou vivamente o Ivo de Aquino, cujo discurso inexplicavelmente não foi publicado pelo Dip maquis. Saiu no *Correio da Manhã* um pequeno resumo, enquanto que o do Vitorino foi irradiado por 36 emissoras em todo o país e publicado em todos os jornais. Estou esperando o Maciel, que chegou ontem da fazenda, para continuarmos o trabalho das respostas.

Esteve aqui o Ruy de Almeida, que de tanto ouvir a orientação do Baeta já me considera um grande prócer político, para pedir orientações, já que tu não estás, sobre umas declarações atribuídas ao Adhemar de que nada tinha a ver com os queremistas e jamais tivera ou teria contatos com elementos do Sr. G.V. Respondi que o Adhemar estava com uma espada pendurada sobre o coco e perguntei: há conveniência em deixá-la cair? Disse-me que não, embora o Adhemar não merecesse confiança. Então devemos ajudá-lo a tirar o coco de baixo da espada, e não apertar-lhe o crânio. Ele ia hoje avistar-se com o Adhemar e pedir explicações e eu fiquei de conversar com o Baeta para dar instruções à bancada em São Paulo.

Informou-me ainda o Ruy que o Álcio havia ficado muito malvisto por causa daquele discurso contra os queremistas e que o Dutra estava querendo ver-se livre dele, da mesma maneira como havia despachado o Gilberto Marinho. Iria nomeá-lo para a Região de São Paulo na certeza de que o Álcio morreria de medo antes de ir. Não sei o que há de verdade mas corre com insistência a saída do Paquet de lá.

As donas de casa chefiadas por D. Alice Tibiriçá organizaram uma "passeata da fome" para pedir providências ao governo contra a alta de preços. A passeata foi proibida pela polícia sob a alegação de infiltração de elementos subversivos, a tecla usual. Realizaram então ontem uma passeata de protesto contra a proibição. Foram à Câmara Municipal, arrebanharam quatro vereadores e foram para a Federal. Recebidas pelo Samuel, que não sabia o que fazer com elas sem ferir o governo, foram "carinhosamente" tratadas pelo Ruy Almeida, que se prontificou a endereçar um requerimento ao chefe de polícia, para saber a causa da proibição. Com isto arrancou das mãos da UDN as glórias da luta.

O Barreto Pinto é atualmente o líder da Câmara. Devia ser discutido na sessão de ontem o caso dos mandatos. O "fermento" levantou-se e propôs o adiamento da discussão por quatro sessões. Foi imediatamente secundado pelos líderes da minoria e da maioria e o projeto passou por unanimidade. A brasa voltou, portanto, para as mãos do Tribunal, que deverá se pronunciar assim antes da Câmara. O Zé Eduardo não gostou do negócio e hoje vem malhando o Cirilo, o Prado Kelly e o Tribunal. Ernani acaba de chegar da Câmara e pede para te dizer o seguinte: há dias, Nereu, em conversa, disse-lhe que Dutra tão interessado estava na cassação dos mandatos comunistas que lhe o havia autorizado a falar com Etelvino e Barbosa Lima para obter o voto deles em troca de facilidades em Pernambuco. Nereu transmitira o recado, dizendo que a melhor maneira seria eles pedirem uma audiência. Hoje

Ernani viu ambos chegarem à Câmara, chamarem Agamenon e retirarem-se os três juntos. **1947**
É provável que hoje tenha sido o encontro. Os jornais da tarde já estão menos acres em relação ao Barbosa Lima. Corre por aqui que haverá remodelação ministerial em breve e que Dutra pretenderia mandar te oferecer novamente o Ministério do Trabalho e estaria procurando novamente uma aproximação com o PTB. Se há algum fundo de verdade nisto é possível que seja também por causa dos mandatos. Tens recebido aí *A Democracia*? A única coisa que presta ainda são os artigos do Junqueira.

Fui apresentada há dias ao famigerado Carlos Lacerda em casa do Márcio Alves. O pobre tremia tanto que fiquei com pena.

Vou terminar porque o assunto esgotou. Wandinha está aqui e te manda um abraço. Celina pediu papel para escrever ao vovô pedindo pastilha, mas depois desistiu. Ernani te manda um abraço.

Um beijo carinhoso de tua filha **Alzira**

**41\A·** [Rio de Janeiro, de 1 a 5 de agosto]

Meu querido pai

**1947**   Está aqui a meu lado escrevendo também S. Excia., o Piolho. Perguntou-me onde está o vovô, disse-lhe que em São Borja. "Então quero ir para Saborja." Indaguei por quê. "Estou com saudades dele, uai!" Sugeri que te escrevesse e ela o está fazendo com todo o cuidado. Acham-se reunidos aqui os quatro netos e têm feito "misérias", como bem podes imaginar. Mamãe está na lona.

---

Depois de minha última, enviada pelo Pombo, os acontecimentos sucederam-se com tanta rapidez e tão intempestivamente que resolvi esperar um pouco para ver onde iam parar as coisas.

1º) A Lei de Segurança, cujo texto já deves conhecer, fez todo mundo pensar que o Dutra tinha de repente virado queremista. A onda a teu favor foi imensa. Como amostra, mando-te a *Notícia*. Democratas ardorosos exclamavam no Jockey: "Que saudades da ditadura do Getulio". Muita celeuma e discussões na Câmara e na imprensa, e a coisa continua no mesmo pé. Todos afirmam que a criança nasceu morta. Há no entanto quem justifique a burrada da seguinte maneira. Dutra deseja acima de tudo a cassação dos mandatos. Jogou a Lei de Segurança para obter depois uma troca de favores; a lei pela votação dos mandatos. Parece plausível. No entanto...

2º) O Tribunal declarou-se incompetente para julgar os mandatos e devolveu a bola à Assembleia, que não sabe o que fazer dela. Consta que quem deu o golpe foi o Lafayette. Como bom Andrada, não desejava se definir e a votação estava empate. Três votos contra a cassação já eram bastante conhecidos e não podiam voltar atrás, dois a favor, o Machado Guimarães e o Rocha Lagoa, também não podiam se desdizer. O terceiro favorável, um juiz do Estado do Rio cujo nome não me ocorre no momento, havia sido nomeado para o Tribunal exatamente por ser favorável à cassação e estabelecer o empate (lembrei-me: Cunha Melo, irmão do Leopoldo) e foi cantado pelo Lafayette em prosa e verso. E assim se resolveu o caso. Nessa notinha, escrita a lápis pelo Maciel, verás em que pé estão as coisas. Ernani é de opinião que pela Câmara o governo nada obterá. Maciel afirma que no Tribunal não passa. Vamos ver a sequência nesta semana.

3º) Com tantas coisas graves achamos melhor enterrar temporariamente as respostas ao Vitorino, mesmo porque depois do discurso do João Luiz pararam as agressões pessoais e o Vitorino foi chamado à ordem pelo Góes, que lhe disse algumas "roviradas".[1] Em todo caso a simples movimentação dos documentos deu algum resultado. As verbas gastas no palácio durante teu governo são ridículas comparadas às atuais e já estão em meu poder os comprovantes. Quanto à parte da guarda pessoal, deu-se uma coisa fabulosa. Descobrimos que pertenciam à guarda, entre outros cantantes: o Zé Eduardo e a família Silveira. Macedo foi cuidadosamente cientificado de que se pretendia publicar cópia fotostática de

---

1. Palavra espanhola derivada do nome de D. Francisco Rovira, sacerdote e militar responsável pelo ataque surpresa desfechada em 1811 contra o castelo de Figueiras, na Catalunha, então em poder dos franceses.

sua carteira de membro da guarda pessoal do ditador. Soube que está assustadíssimo, **1947** querendo enviar mensageiros e embaixadores ao Bejo para evitar.

4º) O Chatô fez com o Oswaldo um vastíssimo *show* de propaganda, contando que ele seria um dos delegados à Conferência Pan-Americana. O Raul Fernandes resistiu galharda- mente à pressão que lhe foi feita por todos os lados, inclusive Góes, e deixou-o à margem. Foi um Deus nos acuda. Parecia para os jornais que a conferência não se poderia realizar sem a presença do Oswaldo. Este confessou sua dor de cotovelo em entrevista e recusou uma homenagem que lhe ia ser prestada. O diabo. Junto um recorte do *Diário de Notícias* com um artigo inspirado pelo Otávio Mangabeira sobre o assunto.

5º) Já remeti a maior parte dos ~~livros dos~~ volumes da *Nova Política*. Perdi novamente a lista, de modo que andei meio atrapalhada para refazer. Mandei um volume para o Góes, um pouco por política, um pouco por maldade, por ser justamente o período de 45. Quanto ao 12º volume, Queiroz Lima disse-me que sofreu um ligeiro atraso por causa do último discurso, mas está andando.

6º) Martins chegou aqui com o Snyder e duas caixas de charutos. Ficou muito triste quan- do soube que estavas em São Borja. É a segunda vez que se desencontra de ti. Houve em casa da Victoria Bocayuva uma recepção em homenagem a ambos à qual comparecemos. Logo na entrada me vi em sinuca. Dei de cara com o Góes, que me cumprimentou sorri- dente e amável. Retribuí meio desajeitada enquanto o João Neves ao lado gozava a cena. Precipitei-me para o *buffet* em busca de um *whisky* e lá escondido num cantinho estava o Dutra em colóquio com dois dromedários. Consegui sair em *off-side*, sem cumprimen- tos. Animada pelo *John Haig* saí como camundongo à procura do gato da casa. Mimoseei o Góes com o sorriso nº 21 dos dias de gala e fui despedir-me dele com toda a cordialidade. Perguntei-lhe se havia recebido o livro e ele agradeceu todo assanhado. Foi duro, mas as portas ficaram abertas.

7º) As coisas em São Paulo andam pretas. A pretexto do aumento das passagens de ôni- bus houve lá um charivari. Depredaram e destruíram perto de 100 veículos entre bondes e ônibus. A crise está cada vez pior, e os preços subindo sempre.

8º) Ando em maré de conhecimentos e reconhecimentos cabulosos. Fui a um grande al- moço em casa do Márcio Alves e lá fui apresentada a um rapaz chamado Paulo de Almeida Lima, secretário do Cel. Mário Gomes da CCP, ex-udenista e que já muito pisou na ditadura. Depois de um papo e vasto interrogatório ao qual respondi com as devidas precauções, resolveu tomar-se de simpatias e declarou, sem rodeios, que estava cansado de lidar com gente burra e que, se tu fosses tão simpático e inteligente quanto o rebento, iria virar que- remista. Como não sei se é elemento provocador, estou em guarda, mas já recebi vários recados dele nesse sentido. Conheci no mesmo dia o famigerado Carlos Lacerda, que tre- mia como uma gelatina ao me ser apresentada, e mais um amigo do Chico Campos, um tal Fonseca, que também entrou na conversa queremista. Como vês, estou começando a invadir o território inimigo, com as devidas precauções.

**1947**  8º)[2] Vai junto também uma entrevista do Mangabeira para veres como andam as coisas. A UDN já está francamente cindida em vários grupos, sendo os dois principais o do Mangabeira-Juracy, em plena adesão, e o dos brigadeiristas ferrenhos atossicados pelo Oswaldo e dirigidos pelo Kelly. Juracy fez um discurso na Câmara de apoio à Lei de Segurança, com apenas o número suficiente de restrições para não ser apedrejado.

9º) Ernani disse agora que está convencido de que o governo forçará a Câmara a se decidir pela cassação dos mandatos. Se não conseguir os 2/3 constitucionais será pela maioria ou pelo que for, mas a ideia fixa do bruto é essa.

4 de agosto • Ontem realizou-se o *sweepstake* com a concorrência costumeira. Nas vésperas, inesperadamente o Dutra resolveu ir fazer uma visita a Mato Grosso. É voz corrente que ele não quis se sujeitar a um cotejo com o Helíaco, vencedor do páreo.

Após alguns dias de grande efervescência política, começou um marasmo de expectativa, que não se sabe em que dará.

Maciel ainda muito assustado com São Paulo. Diz com aquele ar confidencial de jornalista que a coisa é muito séria.

O Souza Costa esteve seriamente doente com uma basite, durante mais de 15 dias. Hoje saiu pela primeira vez. Dodsworth telefonou agradecendo o livro (11º vol.) e dizendo que te ia escrever. Marques dos Reis idem.

Baeta tem estado aqui de vez em quando. Pretendia escrever-te um relatório mais disse-me agora que não teve tempo. Continua com aquelas mesmas desconfianças e "amabilidades", mas sempre leal a ti. As queixas contra ele continuam e nada se pode fazer porque na maioria são procedentes. Pediu para te dizer que o Salgado não acha conveniente o Partido desligar-se inteiramente do governo, contra a opinião dele Baeta, que os assuntos do Professor e os paralelos vão indo muito bem. Que depois de amanhã vão a São Paulo, entender-se com o Adhemar e verificar a procedência das informações da infiltração ademarista na bancada. Que os demais estados vão indo bem. No entanto até agora não se mexeram para as eleições municipais, a desorganização no Partido continua a mesma e à última hora vão fazer aquele corre-corre e os apelos desesperados para exibir o andor e eleger mais uma meia dúzia de malandros.

O Mergulhão e a Sagramor foram solenemente recebidos no PTB. Sagramor telefonou para a Wanda para que te escrevesse dizendo que ela estava enfim onde sempre desejou estar.

O Ruy de Almeida esteve em São Paulo no dia do fecha dos ônibus e ontem à noite contou-me que a indiferença e quase conivência da polícia foi qualquer coisa de notável. O Adhemar às 3 horas da tarde seguiu para Bauru sem tomar conhecimento do drama. Enquanto isto os carros oficiais eram assaltados, a prefeitura depredada e as viaturas destruídas com organização e método, indicando que se obedecia a um plano. As acusações mútuas agora estão muito divertidas. Os ademaristas acusam o PSD, os dutristas o PCB, o Adhemar acusa o Borghi e o PSD acusa o Adhemar.

2. A numeração do item foi repetida por Alzira.

Ontem à noite houve reunião do PSD. Ernani não compareceu para não tomar parte na **1947** discussão dos mandatos. Soube hoje, no entanto, que Nereu apresentou à comissão o novo plano do governo para sua obtenção. O Senado apresentará um projeto, considerando como inexistentes os mandatos dos representantes de partidos não reconhecidos pelo Tribunal. O projeto vai à Câmara para obter emendas e volta para o Senado para a aprovação final e conversão em lei. É o único meio de obterem a aprovação sem os 2/3 ~~da Camara~~ constitucionais da Câmara. Ernani acha que mesmo assim será inconstitucional e que qualquer Estado poderá recorrer ao Tribunal para o não cumprimento desta lei. E isto se dará em todos os lugares em que os comunistas tiverem maioria. Prestes continua desaparecido e seus partidários estão aparentemente quietos.

Está quase na hora do portador vir buscar esta, por isto paro aqui. Pelo Salgado que pretende ir breve ao Sul escreverei mais.

Se o Gregório aparecer por aí, diz a ele que recebi o telegrama dele e o Ernani ouviu o Cardoso, mas que o negócio é difícil, porque foi a própria bancada do Estado do Rio que apresentou o projeto.

Que tal está o Itu? O Maneco trabalhou direitinho? Ou fez casa pelo gosto dele!

Ernani te manda um abraço e Celina "saudades do vovô".

Beija-te com todo carinho tua filha **Alzira**

**56 \ G ·** [Estância Santos Reis], 3 de agosto

Minha querida filha

**1947**   Recebi tuas cartas de 17 e 22 do mês findo, bem como revistas e jornais que as acompanharam.

Peço agradecer ao João Luiz seu excelente discurso feito na Câmara dos Vereadores. Manda-me os outros números de *Fon-Fon*.

Pelo Protasio, que seguiu para Porto Alegre, escrevi à tua mãe para que de lá a remetesse. Cheguei hoje do Itu, onde estive durante quase uma semana, com o Maneco. A casa está pronta, faltando apenas o mobiliário.

Maneco almoçou aqui, em Santos Reis, e seguiu para a cidade, onde está residindo.

Tudo vai bem e em calma por aqui.

Estou de acordo com o que propões em tuas cartas.

Dize ao Maciel que muito apreciei suas informações e que breve lhe escreverei.

Pede que me remetam *A Democracia*. Desde 1946 que não é pago o abono às famílias numerosas e pobres. Alguns milhares de pessoas viviam desse abono. Ele não atinge a 10% do que o Banco do Brasil gasta com os discursos do Vitorino e outros ataques contra mim. Seria conveniente que *A Democracia* desse uma nota a respeito. O telegrama junto demonstra como o Banco do Brasil está agindo com os agricultores.

Quanto a revoluções contra o governo ou golpes deste contra o parlamento, não creio.

Talvez a distância, nesse Brasil tão grande, e a serenidade do ambiente provinciano façam-me encarar as cousas com menos gravidade.

Continua a escrever-me sempre que puderes.

Saudades ao Ernani, um beijo na Celina e outro de teu pai **GVargas**

Dize à tua mãe que a Silvina não arranjou outro noivo e já está falando em voltar.

Como vai o Bejo? Ainda não apareceu possibilidade de venda do terreno?

Estava com este rascunho pronto quando por aqui apareceu o Sr. José Conrado Veiga, portador desta.

## 57 \ **G** · [Estância Santos Reis], 5 de agosto

Rapariguinha

Aí vai esta carta para entregares ao Maciel e lhe dizeres que continue a me mandar **1947** notícias.
Escrita hoje, não sei quando haverá portador para levá-la.
Abraços do teu pai.

**42 \ A ·** [Rio de Janeiro], 7 de agosto

Meu querido Gê

**1947**    Acabo de saber que o Salgado parte amanhã cedo, em vez de sábado, como me havia dito. De modo que mal tenho tempo de alinhavar umas linhas para não perder o portador.

Foi dada publicidade hoje à notícia que te mandei há dias sobre a decisão do PSD em relação aos mandatos. A UDN parece estar de acordo com a nova orientação. Prestes surgiu espetacularmente anteontem, fez um longo discurso no Senado, justificando a atitude do partido, seu desejo de paz nacional, e varreu a testada. Diz o Maciel que isto significa que estão dispostos a lutar. Vamos ver. Barreto Pinto ontem foi à tribuna e pediu "explicações" ao chefe de polícia sobre o porquê das vaias ao chefe do governo nos cinemas e sua falta de repressão. Perguntou também se se justificavam os boatos de que o presidente fora a Mato Grosso no domingo para não ser vaiado no Jockey. Um verdadeiro Malasartes.

O grande *potin* do dia é a nova Pompadour da República. Consta que S. Excia. está de rédeas no chão. Quando saíste daqui já se murmurava a respeito da morena e vulcânica Z., porém só agora chegaram a um acordo. *Si non é vero*, pelo menos corre como tal.

Li tua carta à Mamãe e fiquei ao mesmo tempo triste e alegre. Triste por ter sido causa de uma preocupação para ti, eu que sempre procuro evitar que as tenhas mais do que a dose devida, e alegre por ter indiretamente, com meus casos fluminenses, apressado tua saída daqui no momento psicológico. O angu está fervendo subterraneamente.

Gostaria de te poder mandar boas notícias do PTB mas não é possível.

Em São Paulo Milliet e Nelson já brigaram. Este, aproveitador como sempre, está ademarista 90% (100% ele nunca é de ninguém) e aquele pretende conservar o partido em torno de teu nome ou provocar seu esfacelamento total. No Estado do Rio, Matta continua fazendo o jogo de sua própria ambição a serviço de uma burrice sem igual. No Norte só há silêncios. Aqui a Comissão Executiva continua o seu fuxico de comadre destruidora de reputações, sem o mais leve senso político ou desejo de construir alguma coisa. Do Rio Grande as notícias não são mais confortadoras. Se há algum consolo é o de que os outros partidos também estão em franca desavença.

---

O Ruy Almeida disse-me há dias ter ouvido do Adhemar que a única preocupação séria do Dutra é tua prisão e deportação. Pode ser saque de qualquer um dos três, mas também pode ser que não seja. De vez em quando os jornais publicam notícias capciosas, dando a entender que estás conspirando ou confabulando. E o povo cada vez se revolta mais.

---

Celina está aqui perto feito um papagaio e mal me deixa escrever, quanto mais raciocinar. Diz que está com muitas saudades tuas e te manda um beijo e um abraço.

---

Dei um dos volumes da *Nova Política* ao Carlos Martins, que ficou muito contente.

Ernani ficou de me trazer notícias da Câmara hoje à noite mas infelizmente a carta não pode esperar.

Otero pretende seguir no dia 10 e então escreverei mais.  **1947**

Esqueci-me da última piada carioca. Há dias exibia-se um filme da visita do Dutra a Foz do Iguaçu. Dutra contempla da margem, tendo ao lado um secretário. De repente grita uma voz da plateia: "Empurra, empurra". E por hoje é só. Maneco, como vai? Um abraço nele.

Beija-te com muito carinho tua filha **Alzira**

*Presidente Dutra em 1947. S/l*

## 58 \ **G** · [Estância Santos Reis], 11 de agosto

Minha querida Filha

**1947**   Recebi tua carta de 1º a 5 do corrente, com informações muito interessantes e um breve relato de tuas atividades diplomáticas. Amanhã espero aqui o Salgado. Trará talvez novos informes de ordem política. Por isso, e para adiantar matéria, vou tratando de alguns assuntos particulares. Lamentei não encontrar-me com o Martins, que tem sido sempre tão amigo. Já regressou? Para ele talvez fosse melhor não me encontrar, porque os servidores do governo ficam suspeitados quando se aproximam de mim. Ele trouxe charutos e meu estoque aqui está se acabando. Esperava recebê-los pelo Bilino, mas não sei notícias dele. Dize-me se virá e quando. Do Bejo também não tenho notícias. Como vai de processo?

Dizes que tua mãe está na lona. Fiquei surpreso porque quando vim deixei-lhe uma caderneta no banco com 30 e tantos mil cruzeiros, com saque franco. Após minha vinda ela deve ter recebido mais 8 mil e tantos cruzeiros do meu subsídio de julho. Perfaz 40 e tantos mil cruzeiros. Estando as despesas reduzidas com a minha ausência, acreditava que isso desse para uns três meses. Já lhe escrevi duas cartas amorosas. Ela que me mande dizer quanto precisa. A vida em toda parte está difícil.

Silvina pretende voltar. A convite da Glasfira está passando uma temporada aqui. Pensa ir com ela a Porto Alegre e, de lá, seguir para o Rio.

Já remeti, por teu intermédio, uma carta ao Maciel, respondendo à sua primeira. Pretendo responder também à segunda.

Então a cassação de mandatos e a Lei de Segurança são os dois pontos capitais do programa atual do governo! O Senado foi escolhido para deglutir essas dejeções. E ele vai deglutir. Tem melhor estômago. Depois enviará os <u>resíduos</u> à Câmara. E viva a democracia!

Não há duvida que é melhor estar ausente.

Tua narrativa sobre o que fizeram ao Oswaldo é uma demonstração a mais da falta de unidade da UDN e das dissensões internas que a enfraquecem. Tenho por ele, por suas qualidades, um apreço que não procuro disfarçar. Mas a indiscrição é um dos seus grandes defeitos. Compareci a um almoço em sua casa, por ele convidado, já se vê. Nada disse a respeito. No entanto ele fez duas declarações à imprensa, sem necessidade. E o Flores na Câmara disse ainda umas inverdades sobre esse encontro. Ele não desmentiu.

Perguntaste ao Ernesto se recebeu meu cartão?

E o Bouças, que sabes dele?

Vou fazer-te uma encomenda. Manda-me alguns sambas do último carnaval, isto é, as letras das modinhas, pelo menos uma que termina num estribilho – pode ser que seja e pode ser que não seja. Quero melhorar o repertório do Nico e outros cantantes, que só sabem umas cantigas melosas e muito xaropes.

Estava neste ponto quando chegou o Salgado. Trouxe também carta do Ernesto, respondendo à minha. Não recebeu, porém, a que lhe enviei por teu intermédio.

Muitos abraços do teu pai **Getulio**

**43 \ A ·** [Rio de Janeiro], 18 de agosto[1]

Meu querido pai:

Escrevo-te às pressas para mandar esta pela América, que segue amanhã cedo. Não tenho tido muito tempo nem muito assunto para contar. Com a abertura da conferência os assuntos políticos esfriaram. Foram congeladas as grandes propostas, esquecidas as brigas, e esconderam às pressas toda a sujeira da casa embaixo do tapete para as visitas não verem. Teremos muita sorte se não começar a cheirar enquanto estiverem aqui. A conferência está fraca e tudo faz prever fracasso total. A eterna intransigência argentina vai se chocar fatalmente com os propósitos decididos de Marshall e Góes, que pela primeira vez estão de acordo em algum ponto, em contrariar seus pontos de vista. A aprovação do Plano Marshall deverá ser o ponto de partida.

**1947**

O "Embaixador" Alencastro chegou há uma semana magro e seco por um bom bife. Diz ele que a vida na Europa está intolerável pela carestia de gêneros e desorganização total dos meios de transporte e de produção. A reconstrução está se fazendo com grande rapidez devido ao auxílio financeiro americano, mas ainda demora. A desmoralização da população civil e o temor de uma nova guerra ou da ocupação russa estão obrigando as populações a buscarem terras mais pacíficas, a América em geral, ou tolhem qualquer anelo de progresso. Se o Plano Marshall não for mantido, e por tempo indeterminado, e se as tropas inglesas e americanas forem retiradas, a ocupação russa é imediata e sem resistência. O esgotamento e o desânimo são totais.

Isto em relação à Europa.

Da América chegou o Dr. Adelmo de Mendonça, diretor de Saúde Pública do Ernani. Disse-me ele que foi assistir à agonia da democracia americana e ao nascimento de um neofascismo, igual a todos os outros. As greves e crises frequentes nas zonas vitais determinaram uma reação violenta do governo, um recuo na legislação trabalhista, um passo para a direita, e teremos a América se utilizando dos meios que combateu para poder sobreviver. Vida curiosa.

O Brasil, considerado por todos esses náufragos um paraíso, assiste de braços cruzados à própria decomposição. Mergulhou numa pasmaceira, digna de seu dirigente. Nada se faz para não ser acoimado de queremista, nada se diz para não ser acusado de antidemocrático, ninguém protesta para não ficar marcado. Tudo se processa por debaixo da mesa, com golpes de mágica inesperados, conversas de bastidores e de *boudoirs*. A "casca de banana" tornou-se uma teoria de Estado. Ninguém entra em uma sala sem primeiro examinar no chão a localização das cascas, e ninguém sai sem primeiro espalhar algumas que farão cair aqueles a quem se destinam ou um outro incauto qualquer. É a técnica geral, não particularizo. O amigo que hoje sobe por nossa mão é amanhã o inimigo que deve escorregar, e depois de caído novamente lhe damos a mão e o ajudamos a limpar os fundilhos para obrigá-lo a cair outra vez mais adiante. Chega de filosofia barata. Salgado chegou de Porto

---

1. Datada *a posteriori* por Alzira de julho de 1947, esta carta, no entanto, é certamente de 17 de agosto. Tal data é atestada pelo fato de a Conferência Interamericana de Manutenção da Paz e Segurança ter sido realizada entre 15 de agosto e 2 de setembro de 1947, e ainda pelo fato de Evita Perón ter chegado ao Brasil em 15 de agosto, ou, como diz Alzira, "anteontem".

**1947** Alegre animado e muito otimista. Conseguiu uma fórmula de pacificação que contentou a todos, por enquanto. Pede que te diga que aquele que lhe diziam ser o mais difícil, o Vecchio, foi de todos o mais conciliador. Pasqualini estava meio ressentido com os companheiros mas acalmou-se e ficou organizado o Conselho Superior político com um representante de cada corrente: Vecchio, Pasqualini, Dinarte, Loureiro, Zé Diogo e o *leader*, cujo nome não me ocorre.

———————————

Maciel esteve em Belo Horizonte e lá fez misérias exibindo a tua carta a mim, sobre o golpe, e a dele a ti sobre as aventuras presidenciais. O ambiente lá é de revolta contra o governo federal, e antigolpista. Entreguei tuas cartas a ele (ele está em Petrópolis), e Maria disse-me que está com medo que ele ponha a primeira em um quadro na sala de visitas.

———————————

Mando-te as duas revistas e mais *O Radical* contendo um artigo que te vai distrair um pouco. Chama-se "Catão" e está causando um grande sucesso. Não sei quem é o autor, embora a fonte de inspiração seja conhecida.

Vai também o *Diário do Congresso* contendo o discurso do Euzébio, burilado pelo Maciel, que causou grande sensação em São Paulo. Pela primeira vez na história tens teu retrato publicado no *Diário Oficial*. Quem diria?

———————————

Consta que o Dutra está interessado em obter a dissolução da comissão de inquéritos da ditadura e seus "crimes" e que Cirilo teria conversado com o Ruy de Almeida sobre o assunto. O que é certo é que Ruy arguiu a comissão de inconstitucional com fundamentos e que o assunto está sendo discutido. Baeta consultou-me sobre a votação do PTB, caso chegue a plenário. Ele está com vontade de votar pela constitucionalidade da comissão, caso tenha certeza de que a maioria é pela inconstitucionalidade. Disse-lhe que achava boa a atitude, principalmente porque recusar o inquérito poderia parecer medo, mas conviria acertar tudo com o Ruy antes, para não deixá-lo mal e não apresentar cisão no partido.

———————————

Evita Perón chegou anteontem, precedida de grande publicidade e anedotário ainda maior. Tem sido boicotada pela grã-finagem como o é em Buenos Aires. Porta-se e deseja ser recebida como chefe de Estado e isto é muito irritante. Ciro Freitas Vale, que foi chamado para recebê-la, disse-me que toda a onda é feita por ela mesma e não por Perón. Que ela lhe disse: "Enquanto o general for presidente é meu dever, como povo que sou, usar do cargo em benefício do povo. No dia em que ele deixar o cargo, ninguém mais ouvirá pronunciar meu nome". Trouxe distintivos com seu retrato, cartazes que foram arrancados pela Prefeitura, porque amanheceram cobertos de obscenidades, e até um hino, *La dama de la Esperanza*, para ser cantado aqui. Hoje foi assistir à sessão da Câmara e amanhã irá a Petrópolis ver a conferência. O Chanceler Bramuglia, argentino, em entrevista, sugeriu a **1947** possibilidade dela fazer parte da conferência. Não pegou e a recepção tem sido fria.

Para te distrair aí vão algumas das anedotas correntes sobre a jovem.

Dentro de um elevador ia um certo número de grã-finas. Quando passou pelo 10º andar, entrou Evita. Imediatamente as grã-finas protestaram: É o cúmulo, viajamos no mesmo elevador, com esta... Ela nada disse. Ao chegar ao térreo onde a esperava um general queixou-se: Imagine o que me aconteceu. Estas sras. que se dizem bem-educadas destrataram-me, desfeitearam-me e finalmente chamaram-me p... Respondeu galantemente o general: Ora, minha senhora, não se preocupe. Eu já estou reformado há 10 anos e ainda me chamam de general. Pano rápido.

———————————

Lição de catecismo – Papa: Minha filha, soube que é católica. Diga-me se sabe bem seu catecismo. Evita: Evidentemente, pode perguntar-me o que quiser. Papa: Quem foi a primeira mulher? Evita: Eva. Papa: E o primeiro homem? Evita: Isto não sei, Perón nunca me perguntou.

———————————

Repórter: Sra. Perón, qual foi o dia mais feliz de sua vida? Eva: O dia em que o general me pediu em casamento.[2] Fiquei tão contente que caí da cama.

———————————

Chega?

Como vai o Maneco? Diz a ele que a próxima carta será para ele.

Cândida operou-se da garganta e está passando muito bem. É grande já sua melhora em todos os sentidos.

Só entreguei tua carta ao Salgado agora porque chegou com um atraso de 20 dias.

Ernani, Wandinha e Celina te mandam abraços.

Um beijo muito carinhoso de tua filha **Alzira**

———

———————————

**2.** Eva Perón refere-se a seu marido, o general Juan Domingo Perón.

**44 \ A ·** [Rio de Janeiro, de 20 e 21 de agosto]

Meu querido pai:

**1947**   Aproveitando a ida do Pandiá, mando-te mais algumas notícias do angu. A visita da Senhora Evita resultou em fracasso social e político total. A jovem parece que traz o demônio da ambição dentro do corpo. O que a salva é a boniteza, que faz com que todos os outros defeitos se esmaeçam. Luzardo quis que a fôssemos visitar, pois perguntou muito por ti e manifestou o desejo de te conhecer, mas não o quis para evitar complicações futuras. O Soares, por indiscrição do Ribeiro, está na pista do golpe do José. Convém que eu e principalmente tu ignoremos estas manobras porque ainda pode vir a cheirar mal.

O mensageiro ainda não voltou e creio que ainda nada obteve.

José pediu-me que te pusesse a par de tudo, mas achei [melhor] não te aborrecer com estas cousas. Junqueira não tem aparecido, não sei o que faz.

Maciel conversou há dias comigo sobre duas manobras possíveis. Uma na Paraíba: obter a cisão do PSD em torno da vice-presidência. Zé quer fazer o Veloso Borges mais apoiado no PSD que na UDN. O Pereira Lyra não tolera o Zé e é possível que o "não intervencionismo" do Dutra nos estados se manifeste mais uma vez a favor do C.C.G. A outra é em São Paulo. Conseguir eleger o Vergueiro de Lorena para vice-governador contra o Novelli. O Adhemar gostou da ideia. Só faltava manobrar o PSD. Ontem, porém, me disse o Ernani que já era tarde. O Mário Tavares veio ao Rio obter do Dutra a desistência do Novelli. Aquele, a pretexto de "não-intervenção", excusou-se e mandou-os conversar com o indigitado. Resolveu então o PSD em votação secretíssima eleger o seu candidato à vice-governadoria em oposição clara ao Adhemar para provocar o caso. Foi escolhido o Cirilo, que ainda não se resolveu a aceitar. O Grupo Civilista procurou o Ernani para que te sondasse a respeito. Ernani respondeu que estava pronto a transmitir um pedido expresso do PSD a ti e que o Cirilo estava perfeitamente à vontade para o fazer, em vista de ligações anteriores. Deu-lhes assim a entender que o pedido devia ser feito a ti diretamente e não a sondagem dele.

Anunciam os jornais que a cassação dos mandatos entra em discussão no Senado hoje. O Euclides Vieira, defendido por Oswaldo e Nehemias Gueiros, recuperou ontem seu mandato de senador. Ainda não sabemos se foi pressão do governo ou dinheiro porque o bruto é rico e a reviravolta indecorosa.

Barreto Pinto continua fazendo das suas. Anteontem obteve a inscrição nos Anais da Assembleia do discurso do Dutra pronunciado a 10 de novembro de 37, no qual ele faz o elogio do Estado Novo e de seu chefe.

Maciel, em conversa com Oswaldo, exprobou-lhe a indiscrição de relatar deturpados trechos de sua conversa contigo. Encabulou fortemente e declarou com todo o cinismo que quem tinha contado ao Flores tinha sido o Bejo.

Maciel está aqui ao lado, escrevendo também.

Celina me apareceu há pouco com um papelzinho todo rabiscado, embrulhado como cartucho, dizendo que era uma carta para o vovô. Não te mando, porque é igual às outras, mas fica a lembrança, que foi absolutamente espontânea.

Ernani te manda um abraço.

Beija-te com muito carinho tua filha **Alzira**

**59 \ G ·** [Estância Santos Reis], 1 de setembro

Rapariguinha

Recebi tuas cartas, uma trazida pela América até Porto Alegre, e outra pelo Pandiá. **1947**
Este deu-me uma surpresa. A brevidade de sua estadia não me permitiu escrever.

Vou anotando os assuntos à medida que os recordo, pois nem sempre tenho portador certo. Haja vista o atraso de 20 dias com que recebeste uma delas. Das tuas cartas sempre dou conhecimento ao Maneco, bem como das do Maciel e da tua mãe, que aliás só me escreveu uma vez.

O discurso do Euzébio está muito bom. E a publicação no *Diário Oficial* do meu retrato estampado pela Bangu foi uma excelente pilhéria.

No mesmo *Diário* encontrei um discurso do Barreto Pinto sobre Dutra, Novelli e São Paulo. Nessa ocasião um Sr. deputado cujo nome não me recordo, em aparte, disse que com o Dutra os genros eram eleitos pelo povo, ao passo que eu nomeava os genros interventores. E assim ficou. Não houve, no momento, quem explicasse que meu genro, quando foi nomeado interventor, não era ainda meu genro e quem pleiteou sua nomeação foi o Sr. José Carlos de Macedo Soares, então ministro da Justiça, a pedido do mano José Eduardo.

Também sobre os atropelos do último *meeting*, já o segundo em que o povo é massacrado pelo atual governo, conviria lembrar que no tempo da ditadura isso não havia. Agora, com a democracia, são frequentes. E os *meetings*, no meu governo, no tempo da propaganda eleitoral, faziam-se em todo o país. No Rio, à frente do Teatro Municipal. Frequentemente meu nome era alvo predileto dos ataques. Nunca a polícia interveio para dissolvê-los. E eu era ditador! Agora basta criticar a figura imaculada do Grão de Bico, o povo é espancado e fuzilado. E viva a democracia!

O Bilino já chegou, mas ainda não me apareceu. Remeteu-me a correspondência que trouxe do pai, o lápis tinteiro que já esgotou a tinta e um bom casaco de inverno que ainda não sei quem mandou.

E o Epitacinho, já regressou?

O Nelson Fernandes mandou-me um longo relatório sobre a situação de São Paulo e apelando para que eu vá ajudá-lo nas eleições. Estou com o propósito de não ir. Não desejo tomar parte em lutas políticas locais. Que pensas?

O Oswaldo aceitou, finalmente, a presidência da delegação brasileira na ONU? Como ocorreu isso?

Soube por aqui que a América foi ao Rio com a Cândida, comprou um apartamento auxiliada pelo Bejo. Este, como vai? E o seu processo? Nada me informaste ainda.

Dize ao Maciel que por aqui já chegou a notícia da baixa de preço dos tecidos, de acordo com o Plano Guilhermino. A Glasfira manda lembrar-lhe as fazendas que ele ofereceu para a maternidade local.

Abraços a todos e diga à Celina que não recebi a cartinha dela. Como vai o Luthero de trabalhos?

Um abraço saudoso do teu pai **Getulio Vargas**

---

O frio acabou-se. Entrou a primavera, e as nuvens de gafanhotos descem sobre as lavouras e os campos.

**45 \ A ·** [Rio de Janeiro], 1 de setembro

Meu querido Gê:

**1947**  Escrevo-te às carreiras e com a cabeça de pernas para o ar. De modo que não sei em que ordem vão estas linhas.

Cheguei louca de fome às 3 horas da tarde de Barra do Piraí, onde fiz um vasto *show* para contrabalançar o Arlindo, que chegou de São Borja anunciando "ele disse" atômico em cima do Paulo Fernandes. Encontrei a Celina com febre e a Wandinha em vésperas de operação. Não diz nada à tia Alda, que não deve ser avisada. Estou correndo desde que cheguei.

Luthero veio de São Paulo também hoje e vai te escrever relatando suas aventuras.

Em resumo, o PTB está novamente, ou antes, como sempre, uma droga. Em torno da vice-governadoria as piranhas arrancam nacos de teu nome que não sei como ainda resiste.

Pela carta do Nelson verás em que pé estão as coisas. Além dos candidatos citados há ainda o Marcondes, que conseguiu dominar o Milliet, o Nelson, Junqueira, D. Conceição e outros. As negociatas dos *leaders* "petebistas" em São Paulo estão começando a se tornar incômodas.

Minha impressão à distância é que o ideal seria o PTB se alhear do problema da vice-governadoria e disputar apenas as eleições municipais. A vice é trampolim para a presidência, por isso mesmo muito cobiçada, mas não nos interessa. É rabo de foguete do bom. Mais uma vez estão interessados em te jogar no fogo em uma nova "borghiada" em proveito de alguns. Mesmo ganhando a eleição, só teríamos a perder no caso. O PSD está dividido. Temerosos da falta de sequência do Dutra, preferiram não queimar o Cirilo, que é político, e jogaram o Vidigal, que se contentará em fazer bons negócios. O Novelli não está contente com o rival e está tentando se lançar, com a benevolência do Adhemar, que assim se afirmaria. O Novelli também se contentará em fazer bons negócios.

Matta lançou-se candidato à vice-governadoria do Estado do Rio. Mais uma besteira, desta vez sem sujeira.

E por hoje não dou mais nada.

Estou sem carta daí há mais de 15 dias. Que é que há?

Um beijo afetuoso da **Alzira**

**60 \ G ·** [Estância Santos Reis], 2 de setembro

Alzira,

Esteve aqui o deputado Arlindo Rodrigues de Barra do Piraí.

**1947**

Disse-me que havia nesse município três candidatos a prefeito: um da UDN, outro do PSD e outro do PTB. Ele receava a vitória da UDN. Vinha pedir-me uma mensagem para o candidato petebista. Respondi-lhe que não desejava intervir em casos locais.

Além disso, em Barra do Piraí fora feito um acordo com o Paulo Fernandes, do PSD. O PTB rompera o acordo. Eu mandei chamá-lo ainda aí no Rio. Ele não compareceu. Ele explicou-se, e nisso ficamos. Regressou levando apenas minha ligeira resposta à carta do Matta, trazida por ele.

O Matta falava-me da situação do partido no Estado do Rio e dalguns casos municipais para as próximas eleições. Tratava principalmente da eleição de vice-governador, afirmando que tinha compromisso de apoiar a candidatura Luiz Pinto do PSD, mas que o governador pleiteava a candidatura J. Guimarães da UDN e que o PSD estava vacilando a respeito. Minha resposta foi apenas acusando o recebimento das cartas, louvando seu trabalho e prometendo-lhe responder depois. A escassez de tempo não permitiu fazê-lo pelo mesmo portador.

Em resumo, foram essas as cousas referentes à política do Estado do Rio.

Como vai a publicação do último volume da *Nova Política*? Manda-me um número do último agora distribuído (11º?) que preciso para consulta.

Manda-me também um vidro de Nembutal e dois de Bromural.[1]

Dize à tua mãe que forneça o cobre para as despesas.

Lembranças a todos e um carinhoso abraço do teu pai **GVargas**

---

1. O trecho foi todo ele assinalado na margem esquerda, muito provavelmente por Alzira, para marcar os pedidos de Getulio.

**46 \ A ·** [Rio de Janeiro], 3 de setembro

Meu querido Gê

**1947** Soube agora em cima da hora do embarque da Zilah para aí. Tenho muito o que te contar mas pouco tempo, por isso mando-te o *Fon-Fon* de hoje e a notícia mais fresca.

Realizou-se hoje de manhã uma reunião da grande assembleia do PSD, com *show* previamente combinado pelos maiorais. A reunião foi provocada pelo Luzardo, que pediu ao Cirilo que expusesse suas razões. Este anunciou que desejava abandonar a *leader*ança porque se sentia sem forças para continuar, recebia reclamações das sessões estaduais e não podia atendê-las porque não tinha forças para tanto. A seguir falou Agamenon que distribuiu "flores e sorrisos" ao General. Em seguida Ernani acompanhou-o no mesmo diapasão, declarando que o PSD fluminense se considerava inteiramente desobrigado em relação ao governo pois deste só havia recebido demonstrações de hostilidade. Se o caso da cassação dos mandatos não era questão partidária e sim um caso pessoal de S. Excia., que eles não estavam obrigados a seguir. Em resumo, estão começando a descobrir as baterias, e o General vai ter que sair dessa. O namoro com a UDN deu em porcaria.

Em Minas o PSD já rompeu e o vice-governador assumiu.

Todos aqui vão bem e te mandam saudades. Estou sem notícias tuas desde a vinda do Salgado. Tens recebido minhas cartas?

Um beijo muito carinhoso de tua filha **Alzira**

**47 \ A ·** [Rio de Janeiro], 4 de setembro

Meu querido pai

Na última carta que te escrevi contei às carreiras a última reunião do PSD, um tanto ou quanto tumultuária. Inexplicavelmente do meio de tanta gente "discreta" nada transpirou para a imprensa, nem mesmo o *Diário Carioca*, que de tudo sabe através de suas várias fontes de informação, publicou qualquer alusão. Manoel ficou indignado e desabafou-se com vários familiares que o procuraram acalmar. Veiga, de caso pensado, deixou passar a tormenta e só o procurou após alguns dias. Manoel declarou de cara que com essa atitude era impossível continuar a dirigir o negócio e ameaçou com a instabilidade. Veiga fê-lo sentir que estava em erro, que não encontraria eco, que sua segurança estava na continuidade. Fê-lo sentir que estava na presença do herdeiro. Exprobou-lhe a atitude em relação aos vários membros da Companhia, especialmente Medeiros e Andrade. O homem acomodou-se e nada transpirou. Deste papo só são conhecedores, além dos indigitados, Medeiros, Andrade, o representante da Companhia e Coelho. Nenhum deles crê que ele efetive a ameaça porque as possibilidades são mínimas, mas temem uma burrada desesperada se o homem for cutucado e Andrade pede que te relate para conheceres o estado de espírito do Manoel. Como vês, o negócio não está fora das cogitações, como supões.

**1947**

Nos bastidores está se passando muita coisa curiosa, difícil de relatar em uma carta, principalmente com o coco na situação em que está o meu, pior que o guarda-roupa do Maneco.

Oswaldo está integralmente mascarado de candidato. Aceitou o lugar na ONU para não se queimar e deixará o Góes articulando as forças para ele.

Mendes de Moraes desligou-se do C.C.G., está a ferro e fogo com o Álcio e começou a nos elogiar.

O PSD fez tentativas desesperadas para alijar do governo o Benedito e o Morvan, sem resultado. Falam em vários nomes para ambas as pastas, Cirilo, Bias, Souza Leão, Borghi, Pereira Lyra, Juracy, Zé Carlos e outros. Soube há dias, pelo Xico Figueira de Melo, em cuja casa jantamos, que Morvan está de fato bastante doente.

---

Minas · Foi por água abaixo o acordo mineiro. O vice-governador assumiu inesperadamente, deixando o grupo Lodi desnorteado e furioso com o Benê, pois a UDN de Minas é o dique às ambições mangabeirianas. Virgílio se considera furtado e ameaça desligar-se do partido se o acordo se efetuar. Enquanto isto o velho Bernardes futrica na sombra.

Pernambuco · O Barbosa Lima está novamente levando vantagem sobre o adversário. O Chinês anda eufórico, enquanto Neto Campelo e seus partidários continuam afirmando que ganharão a parada no final.

São Paulo · Cirilo é o candidato do PSD, na esperança de teu apoio. No entanto o PTB afirma que teu candidato é o Pedroso Horta. O PTB em São Paulo está todo brigado e reina o maior desânimo. Borghi está trabalhando muito, enquanto os nossos continuam de braços cruzados esperando a "cabra Marechal Floriano", como diz o Ruy de Almeida. Baeta infelizmente cada vez mais odiado e hostilizdo, vive sonhando e bolando coisas perigosíssimas, cujas consequências sua inteligência não atinge. Tenho medo às vezes que eles venham a te compro-

**1947**  meter seriamente. Adhemar está desejoso de fazer acordo com o PSD em torno do nome de Cirilo, em troca de garantias. O PSD quer ver a caveira do Adhemar e está sabotando o Novelli.

Rio Grande • Salgado, que está fazendo de vez em quando uns bons discursinhos, afirma que por lá está tudo bem, apenas falta-lhes dinheiro. Pediu-me ontem que conversasse com as fontes porque ele está moralmente impedido.

Estado do Rio • Edmundo já começou a "dutriar" com o Ernani. O candidato do PSD à vice-governadoria era o Dr. Luiz Pinto, médico muito estimado em Valença. Após uma conversa com o governador, ele se julgou moralmente obrigado a renunciar à candidatura. O grupo "queremista" do PSD não quis aceitar a renúncia e o grupo governista desejava o acordo com o governo em torno do nome de João Guimarães, levantado pela UDN. Ernani ficou num "diadema cruel", 1º) porque o velho João Guimarães declarou, ao ser convidado pelo Edmundo, que estava fora da política e não desejava voltar à atividade. Não recusaria, porém, o apelo feito a ele mediante uma condição: ser ouvido a respeito o Comandante Amaral Peixoto de quem ele se considerava amigo; 2º) o candidato Luiz Pinto declarou que não podia ser vice-governador sem contar com a confiança do governador e manteve sua recusa. Recaiu a escolha, em caso de vencer a facção que queria a luta, no Salo Brand, que não chegou a ser lançado; 3º) Ernani acha que o cargo de vice-governador, honorífico e insignificante politicamente, não valia o risco das eleições municipais, com o governo do estado em oposição encoberta; 4º) havia o perigo de cindir o Partido, ficando o Edmundo mais forte e com razão. Diante disso resolveu jogar a responsabilidade sobre a convenção, anunciou que não votaria nem emitiria opinião e para lhes dar ainda mais liberdade comunicava que logo após as eleições municipais pretendia renunciar à presidência do Partido. Houve o clássico *show* de protestos e juramentos de amor eterno e o resultado foi a vitória da facção do acordo por uma escassa maioria. Foi então lançado o nome do João Guimarães e proposto um apelo ao PTB para acompanhar na decisão. Hoje a UDN lançou também o nome do João Guimarães. O PTB ainda não se pronunciou. — Há dias passei um telegrama ao Maneco para que se prevenisse das intenções do Arlindo, que para aí seguiu disposto a trazer mais um "ele disse" contra o Paulo Fernandes.

Não pretendia incomodar-te mais com os casos fluminenses, mas o Paulo anda tão desesperado e o Maciel contou-me tantas sujeiras feitas pelos petebistas de Barra, que não me pude recusar a interferir. Maciel e eu já combinamos fazer uma porção de imundas e golpes baixos, caso continuem a explorar teu nome em benefício de salafrários.

A cassação de mandatos deve entrar novamente em foco assim que Mr. Truman se for. Parece que houve uma reviravolta e em vez de cassação pura e simples haverá antes reforma da Constituição.

E agora a chegada do Truman, de acordo com uma descrição da Celina: Xi, mamãe, tinha tanto soldado que eu até fiquei com medo. Soldado à beça. Sabe o que eu vi mais: o meu avô em pé num tomóvio (consta que o Truman se parece fisicamente contigo) junto com o ~~Dr~~ pocaria do Duta. Xi, mamãe, tava sentado com uma cara tão feia, tiste, tiste.

Maria e Martins vieram junto. Disse-me ela que Truman perguntou muito como poderia se avistar contigo e se deveria te chamar presidente ou senador. Ficou penalizado ao saber que não estarias aqui.

O portador acaba de chegar e não tenho tempo de escrever mais.

**1947**

Truman tem sido muito bem recebido e aplaudidíssimo. O povo faz sentir a seu acompanhante que as palmas e o regozijo não são para ele. Junto vai uma carta da Maria para ti, cujos termos desconheço pois entregou-ma fechada. Mando-te o *Fon-Fon* e alguns discos para renovar o repertório do Nico. Mandar só a letra não adianta porque não podem pegar a música. Manda tocar numa vitrola que eles aprendem logo.

Já dei ao Junqueira os dados que me mandaste para saírem na *Democracia* e emprestei ao Salgado aquele telegrama sobre o Banco do Brasil. Pretende encaixá-lo no primeiro discurso que fizer.

Ernani observou na Comissão de Finanças que as verbas de obras do Orçamento estão intactas. Isto quer dizer que nada mais se fez no Brasil, nem sequer as obras começadas foram continuadas. Pobre país.

Diz ao Maneco que ainda não é desta vez que sai a carta dele. Ando num corre-corre danado. Entre festas e doenças não sei qual me ocupa mais.

Recebe com ele um beijo muito carinhoso de tua filha **Alzira**

**48 \ A ·** [Rio de Janeiro], 11 de setembro

Gê

**1947** Bom dia. Chegamos às 12,30 após uma viagem meio atrapalhada, e às 14 horas mais de 20 piranhas estavam penduradas ao meu telefone.

Paranhos: comunicou: 1º) que o Major Nélson de Aquino, do Estado-Maior da 2ª Região São Paulo, havia informado haver muita conspiração na zona, principalmente brigadeirista e uma pró-Getulio; 2º) que estava em preparo um triunvirato composto por um elemento de cada uma das três armas para dar um golpe antes das eleições e promover o exílio de Getulio e Dutra e a cassação dos direitos políticos de todos os elementos que haviam servido ao governo Getulio, com exceção dos próprios conspiradores que se haviam dado mutuamente cartas de perdão, tais como Etchegoyen, Nelson de Mello, Cordeiro de Farias, Tinoco etc. Quanto à atitude deste grupo em relação ao Eduardo ainda não estaria definida; 3º) um oficial superior, cujo nome não foi revelado, escreveu ao ministro da Guerra dizendo-lhe que não se iludissem os generais pensando que poderiam dar um golpe de força em favor do governo. O resto do Exército não os acompanharia. O oficial não foi punido, nem seu nome revelado, porém a carta foi lida em reunião de generais; 4º) o Professor marcou a reunião para sábado às 9 horas com a presença apenas dos maiorais. Que dizes?; 5º) queixou-se muito do Baeta e Segadas que continuam não ajudando e falando demais, propôs passar sua tarefa ostensiva para quem merecesse mais confiança deles e continuar apoiando na sombra; 6º) acha que L. está mole.

Rego Monteiro: fez um longo lero-lero sobre as boas intenções da LEC, desejosa de um apoio intenso e integral ao PTB e repelida pela intransigência e falta de tato do Baeta. Quis saber se seria ele o candidato preferencial à suplência do PTB à senatoria do Distrito. Revelou em segredo que o Mário Ramos ficaria pouco tempo no Senado, pois teria comissão do governo, tornando a suplência muito interessante. Baeta e Segadas nunca o indicarão.

Carlos Maciel: séria desavença na polícia entre Imbassahy e General e consequente pedido de demissão daqueles. Antes de sair, porém, para agradar ao homem, iria descobrir-lhe muita coisa. Daí um cerco maior em nossas residências e telefones, além de outras informações mais precisas. Disse-lhe eu que ativasse o negócio para evitar surpresas. O resto só pessoalmente.

Outras visitas miúdas com casos estaduais que descarreguei para o Baeta.

Telefonemas: Zé Barbosa e Pedroso, de São Paulo, muito afobados. A candidatura Borghi lançada a 31 pelo PTN. Passagem de elementos do PTB, borghistas, para o PTN. Chapa do mesmo com nomes especialmente escolhidos, apenas de 12 nomes, esperando para preencher com o que sobrar da do PTB. Pedroso, especialmente irritado, ameaça romper e faz um apelo a mim.

Baeta: enfermo, está em conferência neste momento com Nelson Fernandes para ultimar as negociações da chapa. Dei-lhe pelo telefone apenas parte das instruções, quanto às outras só pessoalmente e depois da chegada do Maciel.

Milliet: em São Paulo ambiente de expectativa ansiosa. Elementos do Borghi apregoam teu apoio. Perguntou quais as ordens. Respondi: preparar para apanhar.

Frota Moreira idem.

Encontro Ernani-Prestes na Câmara. Disse que esperará até amanhã pela palavra do PTB **1947** em São Paulo e acompanhará o candidato deste, qualquer que seja. Se não se pronunciar, formará destino independente.

Tche-Tche está muito nervoso e preocupado, não sabendo que partido tomar. Bias confiante. Demais notícias o portador vai cheio delas.

Um beijo da **Alzira**

**49\A·** [Rio de Janeiro, de 12 a 13 de setembro]

Meu querido pai

**1947**   Ontem escrevi-te, por intermédio do Newton Santos, uma carta meio sem pé nem cabeça sobre o caso de São Paulo. Hoje recebi duas cartas tuas, uma de 1º, outra de 2 deste, sobre os casos de Barra e de São Paulo. Não sei se por causa delas ou por ter posto minha vida em ordem, posso te escrever com mais calma. Descansei da viagem, terminei a série de aplicações de ondas curtas que vinha fazendo com o Barata, meus clientes estão todos em fase de recuperação (Lourdes Praia Grande operada da garganta, Otavio Sousa Dantas há mais de 30 dias sofrendo de doença ignorada, penicilinado em parte por mim, Celina livre de um resfriado) e estou só em casa. Ernani está na Comissão de Finanças (meia-noite) trabalhando no orçamento.

Ruy de Almeida, que segue domingo com Epitacinho para aí, esteve discutindo comigo várias horas a situação do PTB. Concordamos que é péssima, não pode estar pior entregue nem mais desmoralizado. Discordamos inteiramente quanto ao rumo a tomar. Ele, como todos os do Partido, aliás, acha que te deves embrenhar na luta municipal e garantir os núcleos eleitorais para que o Partido faça o presidente da República em 50. Todos frisam principalmente o caso de São Paulo, como pedra de toque para a sucessão. Para obter isso mais uma vez é imprescindível alijar o Baeta de qualquer maneira, substituí-lo por um nome nacional, e sair em romaria dando conselhos ao povo para votar em elementos cuja origem e intenção mal conheces.

Minha opinião é exatamente o contrário. É tarde demais para tirar o Baeta e sua corte. Já criaram muita raiz e rabo demais para ser posto à mostra sem prejudicar o Partido. É tarde demais para o PTB tomar posições municipais. Não tem organização, nem dinheiro, nem gente para colocar nos cargos. Quando digo gente, quero dizer gente em condições e decente. Não se prepararam em tempo e não serás tu quem vai distribuir cento e quinhentas mensagens para decidir nos mil e tantos munícipios do Brasil se o Seu Fagundes da esquina vai ser prefeito em lugar do seu Manoel da venda. Na eleição municipal o votante sabe em quem vota, conhece o Seu Fagundes, sua família, seus interesses e suas inclinações desde que nasceu, sabe se ele é capaz de calçar a rua em que mora ou de fechar os olhos para uma trapalhada nos impostos do compadre. É de fato a eleição mais importante para eles munícipes e também para um partido organizado e ambicioso. Finalmente acho que é cedo demais e tarde demais para pensar em obter a reunião dos getulistas de todos os partidos debaixo de uma só bandeira. O momento oportuno foi por ocasião das eleições estaduais. Não se fez por isto ou por aquilo e os *leaders* de todos os partidos assumiram compromissos municipais e locais a que não poderiam fugir. Agora só será possível depois das eleições municipais, quando haverá um hiato político, aproveitável para um trabalho efetivo de organização partidária e de absorção dos elementos derrotados ou prejudicados nas mesmas.

É possível, conforme disse ao Ruy, que esta minha opinião se ressinta de meu interesse em não te ver responsabilizado pelas besteiras que se fazem por aqui em teu nome e te dar um pouco de sossego. Em todo caso é uma opinião, que se aplica também ao caso de São Paulo, conforme já disse em minha última carta.

Ernani acaba de chegar com as seguintes notícias: a UDN está começando a sentir que **1947** vai ser chutada pelo governo e está começando a hostilizar o Dutra. Nas comissões da Câmara elementos udenistas começam a insultar o "presidente" e as votações assumem características nitidamente partidárias, PSD-PTB contra UDN e PCB. O PR vota escoteiro. É provável que a UDN perca os ministérios e é quase certo que o Mariani sobre. O termômetro do governo, o *Diário Carioca*, está atacando a UDN. O Dutra está contra o Milton Campos agora em Minas devido à atitude dos udenistas mineiros na cassação dos mandatos. Em São Paulo a situação também é a pior possível. O Adhemar está fazendo malarioterapia. Podes daí concluir o resto.

Na Comissão de Finanças os baianos se digladiam em torno de picuinhas. O Costa conseguiu a carne assada de ir com o Oswaldo para a ONU, deixando o abacaxi do Orçamento nas mãos inexperientes do Lafer. Na Comissão de Justiça o PSD derrotou a UDN no caso da extinção da P. E., que foi mantida. Está nas mãos do Deputado Plínio Cavalcanti a proposta Ruy de Almeida para a dissolução da Comissão de Inquérito. Seu parecer é pela dissolução. Como vês, o ambiente está ótimo para ressonar e deixar que os cachorrinhos se peguem.

A respeito das atrocidades da polícia nos comícios, o *Globo* saiu-se com um artigo de fundo excelente relembrando os comícios do Mangabeira no tempo da ditadura garantidos pela Polícia.

13 de setembro • Mando-te desta vez o *Fon-Fon*, o 11º volume e um vidro de Nembutal. O resto e as respostas às tuas outras perguntas mandarei pelo Gregório. Hoje é a operação da Wanda e eu vou daqui a pouco para o hospital.

O Epitácio e o Ruy, duas crônicas vivas, te porão a par de todas as miserinhas correntes.

Ernani te manda um abraço e Celina sodades.

Beija-te com muito carinho tua filha **Alzira**

**61 \ G ·** [Estância Santos Reis], 13 de setembro

Minha querida filha

**1947**  Recebi tua carta trazida pela Zilah. Não assim a revista *Fon-Fon*. É necessário que repitas esse número, como envies os outros que lhe seguem.

Tua carta não tinha data. A notícia sobre a resistência de alguns elementos do PSD na reunião da bancada é interessante. Creio que serão esses poucos, Ernani, Agamenon e poucos mais. Como diria o velho Horácio,[1] rari nantes in gurgite vasto, parece que é assim...

Os outros do PSD, como grande parte da UDN, acompanharão a marcha, batendo os cascos. Não passam de ovelhas de rebanho. Notei suas atitudes no Senado a meu respeito, esquivos, assustados, não querendo comprometer-se. Quanto aos da UDN, irritados, porque eu estava dizendo o que eles deviam dizer, e não o faziam porque também eram ovelhas de rebanho e desejavam conservar sua lã, enquanto o PSD era tosquiado.

Eles, de um e outro lado, têm medo que o cajado do pastor lhes caia no lombo, ferindo os interesses do rebanho. E isso ainda mesmo sabendo que o pastor é imbecil e que os imolaria da mesma forma, embora sua conduta fosse outra.

Pelo Gregório, que foi para aí a negócios pessoais, espero que me escrevam com bastante notícias. Deves ter muita cousa a dizer sobre a conferência, Truman, comemorações de 7 de Setembro etc.

Espero que o Maciel também me escreva, sobre a situação econômico-financeira e o mais que julgar interessante. Vocês descansam à espera dum portador e mandam depois uma notícia apressada. Eu escrevo, quando tenho algo a dizer, para saber notícias, para matar saudades e aguardo depois o portador. Os métodos são diferentes, mas facilmente explicáveis, vocês escrevem para mandar notícias e eu para sabê-las.

No ano de 1945, não me recordo o mês, recebi um telegrama do Vitorino, muito satisfeito com seus trabalhos eleitorais no Maranhão e dizendo que, para esse fim, havia recebido auxílio do João Alberto. Ah! Se eu ~~tivesse~~ possuísse esse telegrama para esfregá-lo no focinho do cafajeste! Eu tinha tanta participação nesse auxílio como em outros fatos de que ele me acusou.

O Senador pechisbeque e o meu ex-chefe de polícia continuam muito amigos, e o primeiro é um grande defensor do segundo nas dependências do Catete.

E o Hildebrando, já teve sua compensação ou ainda está no desvio?

Quem é o vice-governador de Minas?

Teu telegrama ao Maneco sobre o mensageiro da Barra do Piraí só ontem chegou. Ele veio de surpresa, mas não desejo que se faça comentário sobre o fracasso da sua missão.

Lembranças a todos os nossos e um beijo do teu pai  **GVargas**

---

1. O autor da frase é Virgílio, e não Horácio.

## 62 \ G · [Estância Santos Reis], 16 de setembro

Minha querida filha

Aí vão uns óculos para entregar à tua mãe, a fim de que ela mande fazer uns reparos e me devolva. São os salvados dum incêndio. Estão chovendo os emissários políticos. Epitacinho-Ruy, pró-Cirilo, Magalhães Castro, pró-Macedo Soares, contra candidatura Matta, e finalmente Newton Santos pró-Pedroso Horta, com cartas do Luthero e do Nelson Fernandes. Este não tem compromissos pessoais, nem mostra preferência por nomes. Está sondando. Quando falo em nomes, quero me referir ao cargo de vice-governador que está despertando muitos apetites.

A todos tenho dito que não estou no jogo, não tenho compromissos com nomes, nem irei fazer propaganda política.

E por hoje é só.

Muitos abraços **Getulio Vargas**

**1947**

**50 \ A ·** [Rio de Janeiro, de 19 a 21 de setembro]

Meu querido pai

**1947**     Tua carta a respeito de meu sistema afobado de te escrever me fez parar e pensar um pouco. Em parte tens razão ao dizer que escrevo em cima da hora quando sei de um portador. Mas existem outros motivos. Estou me sentindo hoje como um navegador que acaba de varar uma tempestade e que ainda treme do susto que teve. Estas duas últimas semanas foram de tal agitação política, social e familiar que olhando para trás não acredito que tenha sido eu quem andou por tudo isto. Wandinha operou-se no sábado, sob minha integral responsabilidade. Durou três horas. Luthero fez um magnífico trabalho de arte e técnica operatória, que o fará respeitado. Ela, após sofrer duramente durante três dias, está passando muito bem, dentro da relatividade. Deitada de bruços, imobilizada por uma cuia de gesso, espera que cicatrize o talho das costas para poder virar de costas até que o osso por sua vez se consolide. Tem suportado tudo com grande coragem.

Já é a quarta carta que te escrevo e sempre me esqueço disto. Jório Pessoa casa-se amanhã com uma filha do Viana do Castelo. Há 15 dias atrás veio com D. Maria Luiza convidar-te para padrinho e pedir ao Ernani que te representasse. Prometi escrever-te e me esqueci. Ernani anda em excursão política de modo que quem te representará será o Luthero. Com Mamãe procurei um presente para mandar-lhe em teu nome, para compensar a falta de teu telegrama.

Antes de entrar em assunto novo faço uma revisão de tuas cartas para responder coisas atrasadas.

1º) Vitorinices. Estão em meu poder quase todos os documentos necessários à tua defesa em qualquer ocasião. Como, porém, o Vitorino "morreu", Maciel aconselha a não mexer já no assunto.

2º) Encontrei as fotografias aqui em uma de tuas gavetas. Se Mamãe não as colocou no caixão do Umbelino irão agora pelo Gregório.

3º) Ainda não terminei a distribuição da *Nova Política*, mas está quase no fim. O 12º volume está caminhando.

4º) Tenho remetido o *Fon-Fon* regularmente, inclusive pela Zilah. Se houve extravio de algum manda-me dizer de que data para poder repor.

5º) Mandei-te os nomes dos heróis da reunião do PSD, de acordo com a cifra do Maneco, para não comprometê-los porque o terreno ainda está incerto. Por isso dizia que a mostrasses ao Maneco.

6º) Tua carta sobre o mensageiro de Barra muito me tranquilizou, pois havia afirmado ao Paulo e Isa que podiam ficar sossegados pois tu sabias de sua lealdade, mas, confesso, lá dentro havia um medinho de que não te lembrasses do nome do tal Arlindo.

7º) Vão agora os vidros de Bromural e de Sacarina.

8º) Mostrei ao Euzébio o trecho de tua carta referente ao discurso dele e ficou radiante. É bom fazer-lhe umas festinhas, de vez em quando.

9º) Sobre os atropelos do *meeting* o Dutra apanhou tanto que nem tem graça. *A Notícia* estampou com letras de dois metros "O outro era melhor". *O Globo* soltou um artigo de fundo exatamente nos termos de tua carta.

10º) Estranho que o lápis-tinta esteja seco, pois foi mudado o tinteiro antes de te remeter.

Talvez a viagem o tenha endurecido um pouco.

**1947**

11º) O bom casaco de lã quem o remeteu foi a Patroa.

12º) O Bejo vai indo muito bem. Não te dei notícias dele porque me disse que te ia escrever pela América. Seu caso não foi julgado ainda e os jornais estão silenciosos.

13º) Lembrei ao Maciel as fazendas de sua hospedeira.

14º) A nomeação do Oswaldo para a ONU foi uma espécie de ficha de consolação que lhe deu o Raul Fernandes por sua não participação na Conferência da Paz e premido pelos jornais que fizeram uma grande onda em seu favor. Acrescente-se que ele e D. Vindinha frequentaram o beija-mão de D. Santinha, que já não o tem na conta de "ladrão vulgar" e traidor dos interesses do Brasil. Ele só aceitou o posto após lhe ter sido garantida pelo Marshall, através dos esforços do Góes, a presidência da ONU. Ocorreu no entanto uma coisa muito curiosa. Oswaldo foi eleito em segundo escrutínio pelo bloco soviético contra o bloco americano, que votou todo no candidato australiano da Inglaterra. O fato foi muito explorado pelos jornais, inclusive *Tribuna Popular*. Hoje deram-me uma explicação que se não é verdadeira é pelo menos sensata. Houve empate no primeiro escrutínio: Oswaldo 23, Australiano 22. Os americanos verificaram que o bloco soviético estava disposto a votar sempre em desacordo com eles, embora preferissem o brasileiro como menos pior para seus interesses. Decidiram então votar no candidato inglês garantindo a vitória do Oswaldo por 29 votos. Maria Martins, que embarca amanhã em companhia do Pawley (Martins seguiu com o Costa), fez sobre isto um verdadeiro romance. Contou-nos que a família Grão de Bico deblaterava em altas vozes contra o Oswaldo e os americanos, que pensavam nos transformar em colônia. Afirma também que D. Santinha não anda boa do coco.

15º) Mandei teu abraço ao João Luiz pelo Napoleão. Este pede que te comunique que é avô novamente e de outra menina. Está bobíssimo e exigiu visitas e um telegrama teu de cumprimentos.

16º) Mostrei ao Salgado tua carta sobre o abono e entreguei-lhe o telegrama sobre os empréstimos agrícolas do Banco do Brasil. Disse-me que pretende usá-lo em discurso que fará em breve.

17º) Em relação a golpes a situação é aquela que te relato na carta levada pelo Gabriel. Vontade não falta. Falta aquilo, como disseste ao Ruy.

18º) Quanto à venda do terreno, o retraimento da mercadoria dinheiro é cada vez maior. Ninguém ousa empatá-lo. Falência de bancos está se tornando acontecimento normal. Disse-me o Euzébio que o deputado Herbert Levy havia apresentado um projeto na Comissão de Indústria propondo a retirada em massa dos depósitos dos institutos dos bancos particulares e sua transferência para o Banco do Brasil, provocando falências em massa e protegendo os interesses dos bancos estrangeiros aos quais ele serve.

19º) Bouças está passeando na Europa, não sei quando volta.

20º) A lona da Mamãe era física e não financeira. Neste setor vai se aguentando, embora a vida esteja cada vez mais cara. Falo de cadeira.

21º) Hildebrando continua no desvio e está começando a mandar recadinhos amorosos. Nada como um dia depois do outro e um pontapé no sentador.

**1947**  22º) O vice-governador de Minas é o Sr. Ribeiro Pena, de gloriosa memória.

23º) A conferência deu água. Bateram grandes papos, deram dinheiro ao Rolla, nome ao Quitandinha, obra da nefanda ditadura, divertiram-se e assinaram mais um papelzinho água com açúcar, prometendo debater os grandes problemas na próxima, a da Bolívia.

24º) Truman passou por aqui em brancas nuvens deixando mais a vaga impressão de um turista americano apressado. Não houve festas populares e seu único contato com o povo foi o desfile de 7 de Setembro. Dutra não quis se arriscar a ouvir mais uma vez o que lhe disseram no dia da chegada do homem: "As palmas não são para ti", "Não penses que estamos aqui para ti" etc. No discurso do banquete solene no Itamaraty falou de improviso, fazendo pilhéria. Disse que gostaria de ser prefeito do Rio de Janeiro e, a julgar pelos aplausos recebidos, julgava-se eleito.

25º) As comemorações de 7 de Setembro limitaram-se à parada e embarque do Truman. Aquela durou 3 horas, esteve muito bonita e um pouco menos fria do que no ano passado devido à presença do Truman.

---

Agora coisas novas.

a) Há dias Maria mandou-me um recado. Havia se encontrado com o Prestes. Este fez-lhe várias declarações de amor a ti, afirmou que os jornais haviam deturpado inteiramente seu depoimento à Comissão de Inquérito dos crimes da ditadura, bem como o do Chermont. Ambos haviam se limitado a acusar o Filinto, e quando lhes perguntaram se eras responsável pelo que haviam sofrido responderam que naturalmente, visto ser o chefe do governo. Depois pediu-lhe que te transmitisse a proposta de terem um candidato comum à vice-governadoria de São Paulo, que eles comunistas apoiariam o nome escolhido por ti, desde que não fosse o Novelli. Hoje veio se despedir e me disse o seguinte: esteve novamente com Prestes na conferência do Niemeyer. Disse-lhe que ainda não havias respondido, mas que ela soubera pelo Cirilo que não estava fora de cogitação o nome deste. Prestes respondeu que já havia recebido sondagens tanto do Cirilo como do Novelli, que aceitaria a candidatura daquele, se se comprometesse a não votar pela cassação dos mandatos.

Ruy de Almeida passou agora aqui. Segue depois de amanhã para o Maranhão e não te poderá escrever. Pediu-me que o fizesse. Esteve com o Grabois e remeteu o Epitácio para o Senado falar com o Prestes, ao mesmo tempo para não haver combinação prévia. Ambos responderam o mesmo: que o candidato apoiado por eles ou por ti estaria eleito de qualquer maneira, era impossível qualquer acordo entre a UDN e o PSD. Aceitariam o Cirilo ou qualquer outro que estivesse disposto a fazer-lhes algumas concessões, que o Adhemar era um louco irresponsável e que depois poderiam facilmente provocar o *impeachment* sem o governo federal e ter São Paulo nas mãos. Ruy esteve depois com Cirilo e encontrou-o disposto a enfrentar tudo e jogar sua última cartada, contra o governo federal. Afirma que não é *leader* do governo e sim do PSD e está furioso com o Dutra. Ruy observou que o PTB estava cansado de levar bordoada do PSD e ele retrucou que neste caso a palavra empenhada era a dele próprio e não do partido apenas. Disse que mandaria em breve dois emissários a São Borja para obterem tua palavra. Seriam o Plínio Cavalcanti e o Antonio

Feliciano. Porém, a convenção do PSD deverá realizar-se nos primeiros dias de outubro, **1947** não sei se 10 ou 12, e embora disponha de todo o diretório não está certo de obter sua indicação pela convenção. Novelli está trabalhando fortemente, dando entrevistas e percorrendo o interior. Neste caso ele te pede o seguinte: que a convenção do PTB só se realize um ou dois dias após a do PSD. O Tribunal Eleitoral só aceitará seu registro quando indicado em convenção. Se por acaso seu partido falhar, poderia obter o registro pelo PR ou PTN, mas isto ele não deseja e prefere ser indicado pelo PTB. Isto seria um grandississímo golpe, porque obteríamos para o PTB toda a massa eleitoral dos velhos políticos paulistas e mais seu estado-maior, que são quase todos os amigos do Fernando Costa, getulistas, apesar dos pesares. Isto sem contar que ficariam definitivamente comprometidos conosco vários maiorais, inclusive o segundo da República, que está fortemente empenhado em ajudar o Cirilo. Constou ao Ruy que o pessoal do Borghi, principalmente o Condé, estaria desejoso de abandoná-lo e voltar ao partido, caso o Baeta seja sacrificado.

b) Maria disse-me também que Prestes estaria disposto a apoiar Dutra, caso este permitisse novamente o registro do PCB e recuasse na cassação dos mandatos. De qualquer maneira parece que houve um recuo neste assunto, pois sua discussão está sendo adiada todos os dias e Novelli está procurando o apoio deles. Ainda da mesma fonte (Maria), Pawley não pretende voltar mais como embaixador, visto ter sentido da parte do governo um reinício de hostilidade aos Estados Unidos. O grupo Larragoiti, Rosalina à frente, estaria praticamente manobrando com o governo. Esta se teria gabado de haver feito sobrar o prefeito e de ter dado um prazo de dois meses para a saída do Raul Fernandes. Por sua vez (ainda Maria) Prestes manobra com Rosalina e com Mendes de Moraes, cujo proprietário é o Lodi. Macacos me mordam se entendo alguma coisa. De qualquer maneira sente-se que o 29 de Outubro ainda não terminou. O grupo financeiro estrangeiro que resolveu evitar a independência econômica do Brasil continua agindo de acordo com um plano estabelecido, servindo-se de vários anjinhos e diversos sabidões. É possível que seja imaginação minha, mas só burrice não faz toda esta trapalhada. Há uma mão invisível puxando os cordões e provocando a derrocada do Brasil.

c) Adolfo Alencastro volta amanhã também para a Holanda. Operou-se de hérnia aqui porque não acredita em médico estrangeiro. Está cada vez mais getulista e inconveniente em seu fanatismo.

d) O Barbado chegou ontem. Foi recebido com todas as honras oficiais e sociais. Avenida embandeirada, lenços brancos, serpentinas, discursos: Euclides Figueiredo e Mangaba, representante do Grão de Bico, grã-finagem à solta. Tudo fizeram para que houvesse um grande contraste entre as duas chegadas. De fato houve. Muita festa, muita gente, mas povo neca. Amanhã irá visitar o atual Barbado do Catete. Contaram-me que um dos morros da cidade estava pronto para descer para a manifestação do homem. Quando um deles reclamou: getulistas homenageando o Barbado, responderam "qualquer um serve, contanto que o atual vá embora". Mas afinal não desceram.

e) As comadres já estão brigando. O Costa antes de embarcar deitou entrevista, dizendo que ia não só trabalhar na ONU como completar certos estudos e entendimentos econô-

**1947** mico-financeiros entre Brasil e Estados Unidos. O Correa e Castro, que está em férias e praticamente considerado fora do ministério, respondeu hoje que era mentira do Costa, que ele ia apenas para a ONU e que ele Castro reassumiria em breve a pasta.

21 de setembro • f) Mando-te *O Radical* de ontem com vasto noticiário sobre o "barbado" para te distraíres. Foi muito glosado e comentado o abraço dado pelo deputado Vargas Netto e seu papo com o dito.

g) Maciel esteve hoje aqui. Está afiando a pena para começar a escrever em breve. Diz ele que está chegando a hora de agir. Ate agora era só ouvir e assuntar. Pretende ressuscitar *O Imparcial* e fazer sua *rentrée*.

h) O caso Baeta-Epitácio passou do prólogo para o primeiro ato desenrolado na minha presença, por sugestão do Maciel. Por enquanto está indo tudo bem. Deixo ao autor da peça o prazer de te dar os pormenores.

i) No casamento do Jório [palavra ilegível riscada] ri-me muito vendo o Luthero entrar na Igreja dando o braço a Mme. Viana do Castelo. Foram muito amáveis e cheios de mesuras. A garota é uma uvinha e faz bem compreender por que Jório esqueceu que é filho de João Pessoa.

Esta ainda iria longe se não fossem 2 horas da manhã. Vou reservar alguns assuntos para o próximo portador.

Um beijo muito carinhoso de tua filha **Alzira**

63 \ **G** · [Estância Santos Reis], 20 de setembro

Alzira

Lendo um discurso do Frota Aguiar, um dos seus aparteantes udenistas afirmou que eu nada fizera pelo trabalhador rural. Isto é um assunto que tem sido muito explorado.

**1947**

Eu fornecera ao Apolônio umas notas que eu fizera sobre o assunto. Ele me prometeu tratar do assunto. Não fez e talvez tenha lançado as notas na cesta. Em compensação fez um discurso de engrossamento ao Dutra, a propósito de sua visita ao São Francisco, sem uma referência ao meu nome, embora no meu governo se iniciasse a construção do núcleo agroindustrial do São Francisco e se [palavras riscadas] criasse a companhia que deve promover o aproveitamento de sua energia.

O Alvim passou a limpo essas notas. Talvez ele possa reconstituí-las e até ampliá-las e tu as fornecerias ao Frota Aguiar, habilitando-o a tapar a boca desses gritadores.

Por enquanto é só isso.

Abraços do teu pai **Getulio**

*Campanha pró-Cirilo Junior.*
*São Paulo, SP, entre fevereiro e novembro de 1947.*

**1947**

Alsira

Depois um discurso
do Prof. ... ..., um
dos seus ... ... de-
... afirmou que eu
nada fizera pelo traba-
lhador rural. Isto é
um assunto que tem si-
do muito explorado.

Eu forneci a ... Apolo
... ... notas que eu
fizera sobre o assunto.
Ele me prometeu tra-
tar do assunto. Não
fez e talvez tenha ...
... as notas na ...
Em uma ... fiz um
discurso de ...
ao ... a propósito
de uma ... ao S.
Francisco sem uma
referência ao mesmo.

1947

## 64 \ G · [Estância Santos Reis], 27 de setembro

Minha querida filha

**1947**    Recebi tuas cartas de que foram portadores o Newton Santos, Gabriel e Gregório. Só então fiquei sabendo dos trabalhos e atribulações que tem passado.

Fiquei desolado com as explorações do caso Barra do Piraí. Ocorreu o que te narrei anteriormente. Despachei o deputado Arlindo negando a mensagem por ele solicitada e observando-o quanto à atitude assumida, acordo com o Paulo, rompimento e recusa de comparecimento quando o chamei. Para despachá-lo disse que ia escrever ao Matta. Apressadamente escrevi-lhe um bilhete a lápis, acusando o recebimento de sua carta e dizendo-lhe que, por falta de tempo, responderia depois. Não fiz qualquer referência ao assunto de Barra. Quanto à parte que publicaram não me lembro de haver escrito, mas acho difícil que tenham inventado. É possível que para não entrar em minúcias sobre uma série de casos que ele me falara rematasse dizendo, em tese, que apoiava os candidatos do Partido Trabalhista. Foi só. Lamento que tivessem usado num sentido que não estava nas minhas intenções, nem nos termos expressos da carta. (1) Esteve aqui o Magalhães Castro, chegou de avião, só. Apresentou-se como emissário do governador do Estado do Rio sobre a candidatura do Matta a vice-governador, mostrou-me umas notas que trazia escritas, sobre as consequências desse ato prejudiciais ao PTB e entregou-me uma carta do Helio. Esta era muito amistosa e feita com habilidade e inteligência. Começava fazendo referência ao trabalho de intriga que faziam com o propósito de afastar o Ernani do Edmundo e o esforço para desfazê-la. Explicava depois o caso da escolha do candidato a vice-governador, o apoio dos outros partidos e a candidatura do Matta com a consequente divisão do PTB. Respondi ao Helio dando meu testemunho da consideração em que o Ernani tinha o Edmundo e da confiança na sua lealdade. Nunca do Ernani ouvi uma queixa contra o Edmundo.

Sobre o caso da candidatura do Matta só agora tinha conhecimento pela sua carta. Dada a resolução já tomada pelo diretório do PTB, abstenção quanto ao vice, considerava a apresentação dessa candidatura um erro ou uma precipitação. Não poderia, porém, dirigir-me ao Matta sobre o assunto, uma vez que eu não fora consultado a respeito. Autorizava-o, no entanto, a mostrar minha carta ao Matta, uma vez que essa tinha caráter reservado. Recebi depois um telegrama do Matta dizendo que me escreveria sobre o assunto. E nada mais soube.

Nossa correspondência é um tanto irregular e, às vezes, demorada, porque fica dependendo de portador. Não sei quando receberás esta, pois, no momento, não tenho portador. Espero amanhã o Maneco, a quem a entregarei.

Esteve ontem aqui um jornalista que veio expressamente de avião para ouvir-me sobre a chegada do Washington Luiz e sua significação. Fiquei com pena do infeliz e disse umas coisas. Depois que ele se foi me arrependi. Era preferível que ficasse quieto. Mas já era tarde.

Estou ultimando a construção da casa do Itu e um mobiliário de emergência. Pretendo depois convidar tua mãe. Ela faria uma experiência. Talvez esse repouso lhe assentasse bem. Prepara-lhe o espírito. Ainda poderemos ter uma velhice tranquila. E bem a merecemos. Como vai a Wandinha. Até agora nada disse a Alda. Que espécie de operação direi que ela sofreu?

Com a ida do Protasio a Porto Alegre é de esperar que o entendimento entre PSD e PTB seja bem encaminhado. Dize ao Queiroz Lima que recebi suas informações muito interessantes. Que não tenho, até o presente, nenhum compromisso de candidatura a vice em São Paulo.

Dize também ao Junqueira que recebi suas cartas e tenho muito apreciado sua colaboração e informações.

Recebi também um excelente relatório do Maciel.

A impressão da Celina sobre a chegada do Truman está muito boa. Aceito-a como definitiva.

Tenho te dado muito trabalho, Rapariguinha. Tem paciência. Ainda és o meu melhor intérprete.

Abraço afetuoso do teu pai **Getulio**

---

(1) Antes da vinda do deputado Arlindo eu já recebera vários telegramas comunicando a apresentação da chapa trabalhista e pedindo minha aprovação. Não respondi. Veio o deputado Arlindo pedir uma mensagem para Barra do Piraí e recusei. Recebendo cartas do Matta sobre os casos municipais do Estado do Rio, respondi dizendo que, em tese, apoiava os candidatos do PTB. Foi só. O resto é tirar conclusões forçadas sobre o caso da Barra.

*Getulio Vargas na campanha pró-Cirilo Junior para vice-governador de São Paulo. À direita da foto, Paulo Baeta Neves, presidente do PTB. SP, entre fevereiro e novembro de 1947.*

**51\A ·** [Rio de Janeiro], 2 de outubro

Meu querido pai

**1947**    Em primeiro lugar, perdão pelo bilhete desarrazoado que à última hora meti em tua carta. Estava tão desesperada por meu primeiro fracasso político, que não poderia dormir com aquilo me latejando no coco. Saiu sem pensar. Depois me arrependi mas a carta já havia seguido. Perdão.

Infelizmente o resultado foi o que esperava. A UDN ganhou em Barra do Piraí a eleição para prefeito e o PSD a maioria dos vereadores.

As eleições no Estado do Rio processaram-se normalmente, embora o Edmundo tivesse tirado umas vingançazinhas nos municípios que estão em oposição a ele. Dos 23 resultados conhecidos já papamos 19.

Papai, esta carta é hoje mais que um relatório, é um apelo consciente e amargurado. Por favor, manda dar um banho de creolina no PTB ou então desliga-te dele e manda-o plantar batatas. Continuar como está é impossível, é suicídio lento e certo. São tais e tantas as safadezas que fazem em teu nome, as desonestidades, a falta de patriotismo, de senso moral e político, de compreensão do valor que é o patrimônio de teu nome, ligado ao deles, que não tenho sequer coragem para te relatar todos os fatos. Temo e muito que um dia tudo isso venha a furo e que tu sejas atingido.

Não quero que penses que estou tentando dar razão a outros partidos contra o PTB, nem ao menos dizer que nos outros só há anjinhos. Apenas os outros partidos fazem sujeira por conta própria e o PTB o faz em teu nome.

Quando acertam roncam no papo que o partido é uma potência, que já morreu o queremismo, que é preciso criar o trabalhismo puro. Quando precisam, quando se apertam, quando fazem burradas ficam reticentes e humildes, falam em "ele disse", dão a entender que "ele não quer" ou então que "ele mandou e nós somos soldados". E com isso fazem acordos indecentes e sem resultado prático nenhum com a UDN, com o PR, com o C.C.G., com quem lhes der vantagens imediatas. Muitas vezes não o fazem por maldade ou deslealdade, mas por falta de senso político e principalmente falta de classe. Deixam-se embrulhar por qualquer um mais espertinho.

Só te falo porque as eleições no Estado do Rio já passaram, engoli em silêncio todas as trapalhadas do Matta, com exceção da de Barra, pelos motivos que te falei, portanto nenhum interesse pessoal tenho, nem mesmo o de meu sossego que já conquistei, demitindo-me de babá e conselheira.

Provavelmente me responderás que tu sabes o que estás fazendo e eu não sei, em compensação eu sei o que eles estão fazendo e tu não sabes.

Aperta com o Maciel e ele te contará o que sabe.

Soube neste momento que o Danton segue antes do Maciel, por isto esta carta e mais os *Fon-Fon* vão por ele.

Não tenho tempo de terminar.

Beija-te com muito carinho tua filha **Alzira**

———

**52 \ A ·** [Rio de Janeiro], 3 de outubro

Meu querido Gê

Esta vai por intermédio do Baeta, que para aí vai relatar-te os "dramas" petebistas.

Tenho tido muito poucos contatos políticos e informações de valor. Nossa tribo está um verdadeiro hospital. Deu um lelé que nem Xangô cura. Wandinha continua no hospital, passando otimamente. Foi uma grande operação realizada pelo Dr. Luthero. Poderá em breve voltar para casa. Mas para onde? Maria está com um dos meninos, o Eduardo, doentinho, sem grande importância. Celina está com coqueluche. Maria Luiza e Graciela foram a Rio Casca atrás de milagres. Voltaram de lá com uma infecção intestinal séria que as pôs na cama com febre alta. Milagre de "pirulito". O <u>velho</u> Dr. Amaral anda preso em casa com umas nevralgias estranhas. De modo que mamãe funciona como enfermeira interna no hospital com Wandinha, e eu virei árvore de Natal, tenho um membro da família pendurado em cada galho.

Celina está uma bola. Anteontem, por ordem médica, fiz com ela um voo de uma hora para amenizar a coqueluche. Dentro do avião, me propôs irmos a São Borja buscar o vovô. Disse-me que estava com muitas saudades e queria morar aí. Não quer mais saber de apartamento, quer uma casa. Felizmente está passando bem e suportando galhardamente o *test* de resistência infantil que é esta porcaria de doença.

Somente ontem chegaram a minhas mãos teus óculos. Já mandei consertar. Se ficarem prontos mandarei.

Mando-te dois *Fon-Fon*, uma carta do Gal. Pinto Aleixo e outra do Maciel que me foi entregue por ele com grande atraso, e não peguei mais o Gregório. É possível que ele e a carta se encontrem aí.

Pelos motivos de impossibilidade física de esticar os dias, quase não tenho tratado de teus assuntos, daí o não te poder dar nenhuma resposta.

Danton chegou dos Estados Unidos e pretende ir te visitar em breve. Mandarei notícias por ele.

Parece que a Região andou arranjando em São Paulo uma "sargentada" igual à daqui do Rio e estão tentando envolver o Frota e o Zé Barbosa.

Encontrei há dias em um casamento o Barros Barreto, que me pediu que te transmitisse com todo o carinho um abraço dele. Aí vai, sem compromissos.

Peço-te entregares ao Maneco o prospecto anexo do *jeep* e pedir a ele que me telegrafe dando uma resposta. Não são os do Vavau, são de um amigo dos de Vicq, por intermédio do Aloysio.

Por hoje é só.

Um abraço do Ernani e saudades da Celina.

Beija-te com muito carinho tua filha **Alzira**

**1947**

## 65 \ **G** · [Estância Santos Reis], 8 de outubro

Rapariguinha

**1947**  Já te havia escrito respondendo tua carta onde vinha aquele avulso sobre o caso de Barra do Piraí. Desejo saber se recebeste essa carta.

O resultado da eleição naquele município veio demonstrar o erro político cometido pelos dirigentes do PTB do Estado do Rio naquele município, agravado pelo abuso na maneira por que usaram do meu nome. Lamento o que sucedeu ao Paulo, a quem eu desejava ajudar.

Mas como se explica que o PSD, fazendo sete vereadores, tenha perdido a eleição de prefeito para a UDN, que apenas elegeu três vereadores? Ignoro as safadezas, desonestidades e outras cousas que afirmas estar o PTB fazendo em meu nome. Não te respondo que "sei o que estou fazendo" exatamente porque, desde que regressei daí, nada estou fazendo nesse assunto.

Na entrevista que dei para um jornal de Porto Alegre e que não sei se aí foi transcrita, dizia exatamente que viera para cá com o propósito de não tomar parte nas eleições de caráter regional que se estão realizando no país. E além disso não me defendem dos ataques a mim dirigidos durante a minha ausência.

Ainda agora li nos jornais uma entrevista sórdida, mesquinha e mentirosa a meu respeito dada pelo Zé-Macaco para disfarçar sua adesão ao governo.

Recebi a carta do Maciel ~~anunci~~ anunciando sua próxima visita e agora estou ansioso por ela.

Aproveita a vinda dele para remeteres outro exemplar do 11º volume da *Nova Política*, porque dei os que me mandaste. Se já estiver pronto o 12º manda-me também. Se não estiver manda-me cópia da matéria que deve constituir o mesmo. Tua mãe pode mandar-me o caroá e um vidro de Agarol. Esta é a parte prosaica. Como vão tua mãe e a Jandyra. Tive um sonho com ambas. Não sou supersticioso mas desejo saber se houve alguma cousa com elas ou entre elas.

E por hoje e só.

Afetuoso abraço do teu pai **Getulio**

**53\A ·** [Rio de Janeiro, de 12 a 14 de outubro]

Meu querido pai

É com grande pesar que esta vai por intermédio do Ernani. Gostaria bastante de ir também para matar as saudades. Infelizmente o estado "sanitário" meu e da família não o permitem. Como por ele terás notícias de todos vamos logo a nossos assuntos.

Junto o remédio e o 11º volume da *Nova Política*. O 12º está em São Paulo para ser impresso e o Queiroz Lima não tem cópia do material que desejas. Se puderes precisar quais os discursos que desejas poderemos obtê-los na imprensa ou no *Diário Oficial*. Caso contrário somente lá para o fim do mês, quando com as provas José Olympio devolver os originais, poderemos remetê-los. Vão também 24 fotografias que encontrei entre papéis para que as autografes. Recebi pelo Gabriel a correspondência que mandaste acompanhada de vários pedidos de fotos. Teus *fans*, porém, querem-nas com dedicatória ou pelo menos assinatura. Assim fica aí com 12 e devolve-me as outras 12 com o respectivo jamegão. Também seguem o último *Fon-Fon* e um discurso do Joel Presídio que me remeteu para ti.

Paulo ficou muito confortado com tuas palavras e está tentando pelo menos obter o controle da Câmara Municipal, mediante um novo acordo com o PTB. Um dos três vereadores eleitos pelo PTB é udenista, mas mesmo com os dois restantes ele poderia ter a maioria absoluta. Sabes o que é que o Matta respondeu ao Ernani quando este e mais o Paulo o procuraram com este fim: "O inimigo do PTB em Barra é o PSD". Ernani teve vontade de mandá-lo àquele lugar para onde costumam ir os desafetos do Maneco, mas mandou-o apenas a um semelhante: "Então vai depressa te juntar à UDN". Perguntas como o Paulo, tendo feito a maioria de vereadores, perdeu o prefeito. Começarei então a série de sujeiras do PTB. Em Barra do Piraí, onde terminantemente recusaram fazer acordo com o PSD, descarregaram a votação, quando viram que não podiam ganhar, no prefeito udenista. As cédulas dos vereadores petebistas eram frequentemente acompanhadas das do prefeito udenista. Em Piraí, o Manequinho, aquele velho dos tiros, que tinha acordo firmado com o PTB, teve a mesma surpresa. Mas conseguiu ganhar. Em Caxias o candidato do PTB a prefeito vendeu à última hora, por 50 contos, sua retirada do pleito em favor do Corrêa Meyer do PR. Em Campos vendiam por 6 contos o lugar de candidato a vereador. Na baixada, Maricá, Macaé etc. os petebistas ficaram a serviço da família Macedo Soares, impugnando urnas contrárias ao Zé Eduardo e muitos outros que, se quiseres, podes perguntar ao Ernani. Não é dor de cotovelo porque ganhamos em 38 municípios, com a oposição dos governos federal e estadual e muitas vezes contra o PTB e a UDN reunidos.

Em São Paulo a comilança ainda é maior, contada pelos próprios. Negociatas de arroz feitas por intermédio da Secretaria de Trabalho, subvenções diretas do Adhemar ou compras por meio de empregos. O Zé Barbosa contou-me candidamente que se tinha lembrado do nome do Cicero Prado para vice-governador só porque o homem tinha dinheiro para financiar a campanha. Querem apoiar (outro grupo) o candidato ademarista seja ele qual for pela mesma razão, dinheiro e posições. Firulas. Eu sei que política se faz com certa dose de sujeira e interesses, mas também nem tanto assim. Ainda se eles o fizessem no próprio nome! Mas é o Partido do Dr. Getulio. E por mais que se diga que estás longe e não sabes de nada o pau ronca sempre em quem tem costas largas.

**1947**

**1947**    Aqui no Rio a história se repete. Baeta e Segadas afirmam sem tremuras na voz que já desembolsaram na *Democracia* respectivamente 700 e 200 contos "particulares". Ora, eu me considero mais rica do que eles, e, quando por ocasião de eleições o Ernani retira 1 ou 2 contos de nosso orçamento, eu passo apertada. Isso ninguém me contou. A briga do Baeta com o Epitacinho foi dentro de minha casa, na minha presença. E saiu isto e muito mais, que eu não quero escrever.

---

Agora, o <u>caso</u>. Se eu estivesse aí sei que me perguntarias: "Como é que queres que intervenha em casos regionais, quando foste contra até agora?" Por isto me explico, este não é mais um caso regional. A cisão do PSD, o caso Novelli-Cirilo, pelos antecedentes, pela posição que tomaram os personagens envolvidos, pela repercussão estrondosa e pelo que representa para o futuro, tornou-se nacional. Maciel, Ernani e eu consideramos esta, já que perdemos pela caturrice dos *leaderes* do PTB a oportunidade Distrito Federal e a oportunidade Rio Grande do Sul, a última grande chance política de consolidar a posição de teus amigos, chamando-os de novo ao aprisco, e de apressar a desagregação do governo federal. O PSD-getulista, escorraçado, maltratado, desautorado e até perseguido pelo governo federal, tem se mantido quieto aguardando as eleições municipais. Depois destas eles ficam livres e de boca aberta para gritar. E essa gente que é visceralmente tua, queiram ou não, espera apenas que lhes abras as portas e acenes com a mão. E esse aceno é agora o caso de São Paulo. Sei, porque tenho visto e ouvido, que o PTB vai gritar e reagir, alegando razões eleitorais, que o povo não quer saber de políticos profissionais, que eles são partido de massas e outros argumentos que estás cansado de saber. A verdade, porém, é que os chefetes atuais sabem que, num partido que conte com elementos também getulistas de outra categoria, eles passam a ser simples amanuenses. Pasqualini tão bem entendeu isto, este gringo malandro, que sabotou os entendimentos PSD-PTB. Nem podem eles argumentar que o eleitorado não te obedecerá para votar num elemento desmoralizado como é o Cirilo. Porque o povo é bem mais inteligente e observador do que eles supõem e melhor do que eles, talvez, e com mais isenção, vai perceber que não se trata de eleger este ou aquele, mas de fazer uma grande manobra política e de dar um teco no Dutra, por intermédio do Novelli. Poderão dizer também que o Cirilo perde, mesmo com teu apoio. E eu acho que perder (embora seja pouco provável) ainda é melhor. Imagine só a raiva da dinastia dos Vergueiros todos juntos, contra o Grão de Bico, a crise que vem por aí e o governo sem *leader*. Ninguém mais quer ser *leader* do governo e a grande sinuca do Nereu é quem calçará as botas do Cirilo.

Agora que já esgotei, quase (ainda tem mais), os argumentos em favor desse golpe, exponho a segunda hipótese, Prestes Maia. Eleitoralmente é melhor. Reúne os votos do PSD, do PTB, do PCB e até da UDN. Para o partido é de aceitação muito mais fácil, não arriscam a desagradar o Adhemar e perder os empregos, e o homem já goza de simpatias. Estrategicamente é melhor, porque o homem não é político e não procurará manobrar. Politicamente é melhor, porque o Cirilo ficará na Câmara gritando.

A meu ver, há, porém dois senões.

**1947**

1º) Não há manobra política tua. O PSD, em vez de ser o pedinte a quem se presta um serviço, é o abnegado ofertante de um contingente eleitoral para uma luta. É um Exército que se oferece para uma campanha e que nada fica devendo realmente. O PTB passa a ser o beneficiado, numa parada que não é dele, em vez de ser o D'Artagnan que compra uma parada.

2º) O Prestes Maia nada tem a ver com o duelo Cirilo-Novelli. Sua apresentação desvia inteiramente o eixo da questão. Passa a ser apenas um caso eleitoral para ganhar ou perder e não uma declaração de guerra ao governo federal e um teco no Dutra. E ainda há um risco. O do Novellinho bancar o *grand-seigneur* e desistir da própria candidatura em benefício do Prestes Maia, já que seu contendor se retira do campo. É um risco pequeno porque o bruto está com o freio nos dentes. Mas é sempre um risco.

---

Deves estar espantado de minha belicosidade hoje. Estou me sentindo como touro na arena, com raiva de dar chifradas em pano vermelho. Eu agora quero ver sangue, no duro.

Se o Maciel levar avante seu plano de fazer sair um jornal "queremista" decente, vou me oferecer como colaboradora.

Neste "corsário" que é *a Democracia* não me animo a escrever.

O Professor Pereira Light está também querendo ter seu partidinho, e assumir a chefia do C.C.G. na vaga deixada por D. Santinha. Sua morte não teve grande repercussão e os efeitos dela ainda não se fizeram sentir, a não ser nos arraiais de M^me^ Pompadour.

Vou ficar por aqui para não tirar ao Ernani o prazer de te contar os detalhes.

Junto vão teus óculos já consertados.

D. Mercedes te manda um abraço. Celina cada vez que entra no avião para curar a coqueluche me pergunta "Vamos buscar o vovô!"

14 de outubro • Última hora. Grandes mudanças. Em vez do Ernani vai o Maciel. Por ele saberás do desenrolar do drama e da sensacional reunião aqui em casa.

Um grande abraço do Ernani, e um beijo muito carinhoso de tua fulismínica filha (ressuscitou) **Alzira**

**54\A·** [Rio de Janeiro, de 17 a 23 de outubro]

Meu querido pai

**1947** Escrevi-te anteontem uma carta meio falhada, porque estava na suposição de que ela seria levada pelo Ernani ou pelo Maciel e estes te contariam os detalhes do caso. Não sei se Junqueira se desincumbirá satisfatoriamente da missão, por isso vai esta como adendo.

Já sabes do início da questão: as primeiras *démarches* do Cirilo junto ao Ruy, as corridas dos candidatos petebistas, o cerco ao Ernani, os compromissos do Dutra etc. Depois da convenção do PSD as coisas se precipitaram. Novelli rompeu, Dutra, que se havia comprometido a apoiar o candidato escolhido pela convenção, recuou, Borghi vendeu-se por 18 mil contos ao Adhemar, sob o compromisso de que tu não irias a São Paulo, e o PSD teve seu primeiro movimento de reação. Procuraram o PTB, e Ernani comprometeu-se a ser o mensageiro, caso chegassem a um acordo. A teimosia do Baeta de um lado e a caturrice do Nereu de outro entornaram o caldo. Ernani desanimou, o PSD se queimou, cancelou as conversações com o Baeta, desistiu da viagem a São Borja e resolveu registrar o Cirilo para ganhar ou perder, como um protesto à traição do Dutra. Aí resolvi intervir. Convoquei o Maciel e juntos conseguimos fazer o Baeta e o Segadas compreenderem as vantagens do acordo conforme te expliquei na anterior. Pedi-lhes que não falassem em dinheiro antes do acordo, para não parecer venda. Depois a grana viria. Assentamos tudo e combinamos que seria pedida ao PSD paulista uma carta, garantindo que não recuariam à última hora. Convocamos uma reunião para as 7 horas da noite aqui em casa. Compareceram pelo PSD o Cirilo, Vergueiro de Lorena, Antonio Feliciano e Plínio Cavalcanti, pelo PTB Segadas, Baeta e Junqueira. De penetra veio o Epitácio. Agora começa o inexplicável. Maciel se comprometera a comparecer às 7 horas. Eram 8 e meia quando ele telefonou, dizendo que viria. Resolvi depois dessa hora e meia de lero-lero tomar a iniciativa e combinar o negócio. Estávamos no fim quando o Maciel chega esbaforido, toma conhecimento da marcha e se compromete a seguir com Junqueira no dia imediato. Ninguém se preocupou em instruir o Junqueira, pois Maciel ia. Com grande surpresa para nós todos, Maciel não foi, nem nos disse coisa alguma. Há 48 horas deixo recados em todos os lugares sem ter a menor resposta. Não sei por que não foi, se conversou com Junqueira e se escreveu por intermédio dele. Maria está doente, o que justifica sua não ida, mas não sei por que não quer falar nem comigo, nem com o Baeta.

A convenção do PTB é hoje e, perdidas as esperanças de obter uma resposta tua em tempo, só nos resta confiar na sorte e na capacidade de manobra do Baeta. Este tentou desesperadamente encontrar o Maciel para se instruir com ele, com o mesmo resultado negativo que eu.

Houve em tudo isso uma nota engraçada. Baeta ficou empolgado pelo Lorena e descobriu com ele afinidades, que diz não ter com outro político. Era gozado ver-se a velha raposa cochichando nos cantos com as [ilegível], com o Baeta, doutrinador e solene.

Fiquei muito preocupada com a Celina. Está me saindo igualzinha a mim! Adora ouvir conversa de político, chora quando sabe que recebo alguém para ficar na sala assuntando, arregala os olhos, não dá um pio e quer saber o nome de todos. Não perde nada. Seu Senador, estou me revendo neste Piolho de três anos que vai me sair uma boa substituta. Oh sangue brabo!

Tenho mandado procurar teu caroá. Quase não há e é muito caro. A fabricação está praticamente paralisada, o que se encontra é feio e custa com abatimento e tudo 26 cruzeiros o metro. Brim é mais barato, e se é para bombacha também serve. Manda-me dizer se insistes no caroá e que quantidade queres. Uma bombacha leva de cinco a sete metros, conforme a largura e o tamanho do freguês. Não me mandaste dizer qual o número do *Fon-Fon* que te falta. Junto o discurso do Joel Presídio que esqueci e os últimos *Fon-Fon*.

23 de outubro • Esta devia seguir pelo Gabriel mas ele adiou a viagem e Junqueira vai amanhã. As coisas em São Paulo estão ficando complicadíssimas e um tanto estranhas. Conforme faço sempre, exponho-te todos os fatos sem tomar partido. Há um grupo ligado diretamente a mim e ao Maciel, chefiado por Euzébio e Frota Moreira que se dizem getulistas 100% e não trabalhistas; há o grupo do Baeta, chefiado pelo Cassio e Nelson, ligado ao Adhemar, segundo informações, por laços financeiros, e há o grupo trabalhista não getulista, chefiado por Pedroso, que procura atrapalhar tudo e foge no momento psicológico. Durante o período que antecedeu a chegada do Junqueira o grupo Euzébio-Frota telefonava-me diariamente, dando-me conhecimento das ocorrências. Segundo eles Baeta estava fazendo o jogo do Nelson, pró-Adhemar, e procurando desmoralizá-los. Baeta chegou anteontem e contou-me exatamente o contrário, que eles é que estavam fazendo o jogo do Adhemar, tentando fazer um candidato próprio. Pediu ao Ernani que telefonasse ao Cirilo pedindo dinheiro para o PTB para poderem <u>comprar</u> os diretórios do partido que estão com o Adhemar. Ernani ficou uma bala e mastigou o freio, mas portou-se como dono da casa. Perguntei ao Junqueira, que é neutro, o que havia e ele me disse mais ou menos que houve falta de entendimento entre os dois grupos mas não traição. Neste momento telefonaram-me Euzébio e Frota, informando que o Nelson exigiu do Cirilo 5.800 contos para a campanha e propôs cartazes com o retrato do Prestes, teu e dele juntos como base da propaganda, que a impressão deles é que o Nelson está resolvido a sabotar a campanha, mantendo ligação com o Adhemar, que o Baeta está substituindo os membros da comissão por gente do Adhemar e pelo Ícaro Sidow, que eles tomam como golpe direto contra eles, que Baeta está ocultando a verdadeira situação do partido para melhor servir a seus interesses e que têm provas disso. Quanto a eles, desejavam apenas liberdade e segurança para poder continuar a trabalhar, pois Baeta os havia ameaçado de expulsão e de não reconhecer os diretórios formados por eles, que haviam posto na presidência do diretório o Canuto e na comissão executiva gente decente, mas temiam um golpe baixo. Aconselhei-os a não precipitar os acontecimentos e a agir com cautela para não criar novas crises. Euzébio respondeu-me que quem o havia aconselhado a fazer a reação fora Maciel. Não sei qual dos grupos fala a verdade. Desejo ser imparcial e crer que ambos trabalham com o mesmo objetivo. Esse apetite por dinheiro, porém, me dá o que pensar. Que te parece?

São Paulo está todo embandeirado ante a perspectiva de tua ida, Maciel já obteve um *habeas-corpus* doméstico para te acompanhar na campanha. O tom da imprensa a teu respeito modificou-se como por encanto. O *Diário Carioca*, dutrista 100%, começa a achar pesada a cruz do genro. Já não te ataca e reproduz sem maldade, nem reticências, tuas declarações. O mano Zé Carlos ficou com o Cirilo, e Zé Eduardo, o Rodanes (senador invertido) sempre fez campanha contra o Adhemar e restrições ao Novelli. De modo que... o artigo de fundo de

**1947** hoje é bastante significativo. A não ser que entre dinheiro novo, as coisas vão piorar para S. Excia.

Lembras-te do Professor? Um imprevisto em São Paulo. Está com um ano de atraso, mas veio.

Maciel e Junqueira apareceram-me ontem aqui à meia-noite para submeter um esboço de manifesto. Não gostei de alguns pontos, um pouco pessoais e que estão abaixo de teu papel. Em síntese é bom como orientação, mas conto com o Dom Quixote que saberá elevar a proclamação a seu verdadeiro nível.

Segundo os cálculos da UDN, que lançou sem esperanças a candidatura do Plínio Barreto, a decisão em São Paulo será Cirilo com grande margem, se vieres para a campanha, Novelli por 100 mil votos se não vieres. Creio que eles têm razão, pois somente tua presença poderá galvanizar o partido cindido e desmoralizado como está. Além disso a manobra de envolvimento do PSD está uma beleza. O único ponto perigoso é a aliança com os comunistas, pois o Grão de Bico transformou-se por questões políticas internas em *leader* anticomunista e, para justificar futuros golpes ou intervenções, estão sendo promovidas arruaças de rua, depredação dos bens comunistas, empastelamento da *Tribuna Popular* etc. Os comunistas inexplicavelmente estão perdendo a serenidade e passando recibo dos ataques feitos à Rússia, o que dá ao governo um pouco de razão, habilmente explorado pelos <u>foliculários</u> da praça. Por essa razão pareceu-me arriscado o tipo de campanha proposto pelo Nelson. O fato do comuno-queremista estar ligado aos magnatas de São Paulo, reacionários e conservadores, pode dar-nos, se não segurança, pelo menos um pouco de tranquilidade. Não tenho, porém, a menor dúvida, é o inicio do incêndio, que se alastrará não se sabe até onde nem quando irá parar. Talvez signifique o fechamento do Congresso, talvez a intervenção e talvez, como dizem nossos vizinhos, "*Va a correr sangre*".

Poderás me perguntar por que eu, que sempre fui partidária da prudência, quero agora te empurrar para o fogo. E eu só saberei responder que a Fulismina apareceu e está sentindo cheiro de pólvora.

Ernani é de opinião que deves esperar um pouco até que as coisas se aclarem bem em São Paulo. Estou honestamente transmitindo tudo.

---

Encontrei nos meus papéis esta carta do Ivo Arruda com recortes de jornais, que por esquecimento não te remeti em tempo. Não li a carta e não sei se ainda é oportuna.

Junto as amostras dos brins, obtidas pelo Isnard para ver se gostas. Custam entre 7 e 10 cruzeiros o metro.

Wandinha ainda está no hospital, mas em franca convalescença. Luthero já lhe deu licença de vir para casa mas Mamãe, não.

Bejo esteve aqui. Vai bem, manda abraços e pede para dizer que seu processo está descansando. E agora chega. Até cá ou até aí.

Beija-te com muito carinho **Alzira**

**66 \ G ·** [Estância Santos Reis, entre 18 e 23 de outubro]

Minha querida filha

Recebi tua carta e demais encomendas de que foi portador o Junqueira. **1947**

Que viagem atrapalhada, anuncias o Ernani, depois o Maciel, mas quem aparece é o Junqueira! Sua demora foi rápida e nem tive tempo de escrever-te.

Como estás belicosa! Que demônio interior te está impelindo para a luta. Tudo isso me veio encontrar num período de quietude e recolhimento quase confuciano. Valerá a pena sair de meu repouso e descer a arena para lutar com os Adhemar, Novelli, Borghis e Vitorinos?

Eles têm o poder, a força e o dinheiro! O estado de espírito popular já não é o de 45. Talvez vá encontrar o desencanto e o conformismo. Fiquei um pouco abalado, mas não resolvido. Se sair a luta com o apoio das forças populares em favor do Cirilo, talvez baste um manifesto para descargo de consciência. Se esse apoio não se verificar, nem o manifesto valerá a pena. Escrevi ligeiramente ao Baeta e ao Maciel. Aguardo a convenção do PTB paulista para ver que rumo tomam os acontecimentos.

Sei que faleceu meu velho amigo Gal. Espírito Santo Cardoso. Não telegrafei porque ignorava o endereço da viúva. Não me remeteram daí os guias telefônicos do Rio e São Paulo que eu pedira. Poderias ainda mandar-me o nome e o endereço da viúva e o nome dos filhos. Eu escreveria uma carta a ela, estendendo aos filhos minha referência.

Isto foi escrito no dia 18. Fico esperando oportunidade para remeter-te junto com os retratos. Talvez acrescente mais alguma cousa.

O Maneco está na Argentina com o Jango. Estão metidos em negócios de venda de madeiras para aquele país. Os donos da casa também estão ausentes – a Glasfira em Porto Alegre e o Protasio em São Borja. Regressarão breve.

Li no *Correio do Povo* um discurso do Café Filho sobre o caso paulista, muito interessante. Nele houve um aparte do Aureliano Leite sobre os meus 10 mil bois e um edital de citação para pagar impostos. Tudo mentira. Nem edital, nem 10 mil bois. E como se repetem essas invencionices!

Dizem os jornais que a atitude do PSD paulista dará ao Dutra oportunidade de formar seu partido, para apoio do seu governo, com a UDN, os partidos *sloper* e as dissidências do PSD. Vocês temem isso? Minha posição contra o governo do Grão de Bico está tomada. Não é novidade. Não desejo apenas que minha volta à luta neste momento traga para os amigos mais prejuízo que vantagens. Este é para mim um motivo de dúvida. Não prejudicar a quem desejo servir.

22 de outubro · Não tive mais notícias. Ignoro se houve a convenção do PTB.

Com a chegada repentina do Junqueira meu primeiro movimento foi de resistência. Evoluí depois. Estou disposto a ir e a lutar, desde que haja probabilidade de vitória. Será necessário que me avisem com antecedência e mandem um avião para levar-me diretamente ao Rio. Aí serão combinadas as manobras. Parece-me o tempo já muito curto. Estou sem notícias. O Maneco ainda não regressou para levar a carta.

O Aureliano voltou sobre as três fazendas e 10 mil bois. Nem uma nem outra cousa.

Infelizmente não tenho nem a terça parte desses 10 mil bois. Nem mesmo contando

**1947**    com os chifres dos que inventaram essa história. E aí está uma boa piada para *O Radical* ou *A Democracia*.

Abraços a todos os de casa. Do teu pai **Getulio**

*Nas duas páginas, Getulio, Alzira e Ernani no aeroporto Santos Dumont, por ocasião do retorno de Vargas a São Borja. Presente também Aloysio Spinola (na primeira foto atrás de Alzira). Rio de Janeiro, DF, novembro de 1947.*

55 \ **A** • [Rio de Janeiro, entre 18 e 29 de outubro][1]

Meu querido Gê

Este é apenas um bilhete para te dizer que a macacada está toda a postos. Ao som do "nosso pai vai chegar", os "marmiteiros" se agitam. A "turma" está toda assanhadíssima. Hoje voaram todos para São Paulo, Ernani, Maciel, Junqueira, Baeta etc., deixando-me sozinha para tomar as providências finais daqui. Virei pião de telefone. Enfim tudo se resolveu. Mando-te este pelo Aloysio. No meio desses "dromedários" que vão em comissão para te atucanar será uma cara conhecida e familiar a quem podes pedir que te arrume a mala, ou que te ajude a descansar dos outros. Ele leva da Mamãe uma missão, que é a de trazer a Zulmira, caso concordes e haja lugar no avião. É para nos ajudar aqui enquanto Wandinha se refaz de todo.

**1947**

Há um ambiente geral de expectativa e ansiedade, como o de um doente em vésperas de ser operado. Há o receio natural da operação e uma esperança tão grande de se curar. Os prudentes me têm vindo aconselhar a te aconselhar a não vir.

Juro-te, Gê, que pela primeira vez não os quero ouvir. Eu própria não sei o que me deu. Como bem dizes, meu demônio interior acordou e por mais que Sancho se esforce não o consigo acalmar, e o pior ainda é que eu não quero que ele acalme. Tenho medo, sim, um medo danado de ter te jogado no fogo conscientemente e sem remorsos, tenho medo de ter remorsos, medo de não ter tido medo agora.

É possível que não entendas como eu também não entendi.

Aqui te espero, com o carinho de sempre, tua filha **Alzira**

---

[1]. A anotação da data foi feita posteriormente por Alzira.

## 67 \ **G** · [Estância Santos Reis], 24 de outubro

Alzira

**1947** Já estava com essa outra carta pronta, para remeter pelo Dinarte, quando chegou novamente o Junqueira.

Se julgas realmente indispensável minha ida, chama o Maciel e combina as cousas com ele, isto é, dia da partida para o Rio, programa para São Paulo, discursos, tudo. Estou destreinado e não me inflamei ainda. Diz o Maciel, em sua carta, que o Vitorino fez declarações de ameaça a meu respeito. Esse cafajeste não teve resposta de seus ataques contra mim. Vocês o deram por morto. É preciso que se faça uma crônica de todas as sujeiras de sua vida, que deve estar pronta quando eu chegar.

O Epitacinho será o melhor informante, o Maciel completará o resto. Preciso como documento.

Dos discursos do 12º volume eu preciso mesmo do que fiz em Porto Alegre, no *meeting* da candidatura Pasqualini, ~~ante~~ já em viagem para o Rio. A encomenda do caroá fica sem efeito.

Nos discursos de propaganda deve haver uma referência que marque a cada localidade. O discurso de 1º de Maio de 45 (vol. 11) deve ser lido. Aí está recapitulado tudo o que fiz pelos trabalhadores. O principal deve ser o da capital – vim porque fui chamado, deixei a tranquilidade e o repouso para falar ao povo que sofre, sem pão, sem trabalho e sem liberdade. Traído, injuriado e caluniado, tudo o que sofri foi por causa do povo a quem servi desinteressadamente e para o qual venho apelar nesta hora, porque, ainda agora, está em causa o seu interesse. Nunca fiz a política dos políticos e sim a dos trabalhadores, tenho por isso autoridade para dizer de que lado está ~~interesse~~ a causa dos trabalhadores, a defesa de seus interesses etc.

Estou escrevendo isso ~~maqu~~ mecanicamente, sem entusiasmo. Em resumo, preparem tudo ou afastem de mim o cálice.

Não esquecer a análise da situação financeira e econômica, o aumento de despesas, o aumento de impostos, o encarecimento progressivo da vida, a falta de atividade administrativa que se tem limitado a enfeitar-se com penas de pavão, inaugurando como próprias as realizações do meu governo. Nada mais pretendo, nada mais aspiro, mas o resultado dessas eleições tem um significado de apoio ou de reprovação ao que se está praticando no Brasil.

E por aqui fico.

Afetuoso abraço do teu pai. **Getulio**

**68 \ G ·** [Estância Santos Reis], 21 de novembro

Minha querida filha

Desde que cheguei caí novamente no silêncio e no isolamento. Isso não evita que **1947** trague, de quando em vez, um pouco de fel. Não ouço rádio, não recebo jornais, senão de Porto Alegre.

Tudo chega atrasado, vago e difuso. ~~Não~~ As cousas não têm contornos nítidos. Meu *raid* político que terminou em Porto Alegre já parece uma cousa antiga. E no entanto ainda ignoro os resultados eleitorais. Sinto que foram negativos, quanto a São Paulo. Sei que lutamos contra a força e o dinheiro. Mas ignoro ainda as outras causas do fracasso. E desejo que me informes sobre São Paulo. Desejaria ver um quadro dos resultados, por município e o total. Saber por que perdemos com tão grande diferença quando poderíamos ganhar!

Informa também como vão as negociações políticas, sobre novos entendimentos, substituições de cargos, cooperação etc., toda essa trapalhada política. O governo deve estar fortalecido com o resultado político de São Paulo. E o PSD, como ficou?

Desejo saber a verdade para compreender o momento e tomar qualquer resolução ou aguardar, numa expectativa silenciosa, ou antes, num silêncio expectante.

Meu discurso de Porto Alegre foi publicado aí? Teve alguma repercussão?

Como vai tua mãe? Quase não tivemos tempo de conversar. Tudo foi tão rápido, tão cheio de acontecimentos, e os intervalos tão perturbados por interferências estranhas!

Tenho *Fon-Fon* até 8 de novembro, faltando o nº do dia 1º deste mês. Podes enviar-me os que faltam antes e depois do dia 8.

Agora uma incumbência um tanto fora de tuas atividades, mas para seu desempenho poderás encarregar alguém, como o Ladislau, por exemplo. Tenho aí três touros de raça, puros. Dois Guernsey, presente do Maciel, e um zebu, presente do Vergara. Desejo que sejam embarcados num navio do Lloyd ou doutra companhia, para Porto Alegre, consignados ao Dr. Manoel Correia Soares, da Secretaria da Agricultura, já prevenido. Avisa-me a despesa necessária para que te remeta daqui por telegrama. Avisa-me também quando embarcarem e o nome do navio. É preferível que não ~~apara meu~~ apareça meu nome para evitar explorações.

O Maneco falou ontem pelo rádio, na hora do PTB local, em termos construtivos e conciliadores. No entanto aqui fervem as intriguinhas de campanário na organização da Câmara de Vereadores e no órgão do PSD, transcrevendo ataques contra mim.

Por hoje é só.

Lembranças a todos e um afetuoso abraço do teu pai. **Getulio Vargas**

**69 \ G ·** [Estância Santos Reis], 23 de novembro

Alzira,

**1947**  Há pouco te escrevi. Enviada a carta lembrei-me que não fora datada. Foi escrita na véspera do teu aniversário e terminava pela incumbência sobre a remessa duns touros. Espero que acuses o recebimento e digas a quantia que devo remeter, usando os nomes de acordo com nossa meia cifra.

Esqueci-me dalgumas breves incumbências e de tomar umas informações que a brevidade de minha estadia não permitiu.

Manda-me um vidro de Nembutal e alguns de sacarina na primeira oportunidade que tiveres. Estas agora serão menos frequentes.

Não teremos eleições tão cedo. E aquela suposição de que eu era um trunfo capaz de decidir uma eleição em São Paulo também se desvaneceu. Não voltarão aquelas missões, desde o tempo do Borghi, a importunar-me por mensagens ou conselhos.

Por outro lado, o governo, com a recente e retumbante vitória eleitoral, perdeu o medo. O fantasma se diluiu e ele ficou mais forte, confiante e tranquilo.

Também eu, após o choque, fiquei mais tranquilo. O resultado eleitoral de São Paulo, pelo próprio plano em que o coloquei, significou um voto de aprovação à política do governo. Isso desobriga-me de certos compromissos de consciência.

Conheces a lenda da onda e do rochedo? Uma onda amava um rochedo no mar. "A onda espumava e remoinhava em torno do rochedo, beijava-o dia e noite, envolvia-o nos alvos braços, suspirava e chorava, suplicando-lhe que se entregasse a ela. Amava-o e desencadeava-se sobre ele, conseguindo assim lentamente solapá-lo. Um belo dia o rochedo cedeu, completamente minado por baixo, e atirou-se nos braços da onda. Subitamente ele deixou de ser um rochedo com o qual se poderia brincar, amar e sonhar. Não passava agora de um bloco de pedra no fundo do mar, submerso na onda. Esta, desapontada e desiludida, saiu em busca de outro rochedo". Esta é a velha lenda que eu repito. Agora as analogias. A onda é como a política. Na inconstância do seu amor ela segue à procura de outros rochedos, firme na constância da sua luta e implacável na sua vitória.

Resta à pedra que sumiu no fundo do mar conformar-se com o seu destino!

A informação que desejo é se o meu comparecimento no Senado a 10 de novembro foi considerado como uma apresentação depois de finda a licença. Pergunto isto porque não me apresentei na secretaria, nem permaneci até terminar a sessão.

Desejo também saber se o Senado encerrar-se-á a 15 de dezembro ou haverá prorrogação. O Ernani poderá saber do Nereu.

E por hoje é só.

Saudades a todos os nossos e um abraço do teu pai **Getulio**

PS.: Depois que cheguei, tia Rosa já recebeu duas cartas da Silvina. Eu nenhuma, da mulher, dos filhos ou dos amigos.

**56 \ A ·** Rio [de Janeiro], 25 de novembro

Meu querido pai

Demorei mais a te escrever desta vez por várias razões, sendo a principal que desejava **1947** esfriar a cabeça e serenar um pouco para poder ser imparcial e honesta. Como meu papel é meramente informativo e não opinativo e o sapateiro não deve ir além do sapato, limito-me às informações.

Apesar de todas as máscaras que tenho tentado pôr, dos pontos falsos e remendos, minha impressão é de que voltamos ao marco zero de novembro de 1945, com um pirulito de sobrecarga, em vista dos vários fracassos políticos, eleitorais e partidários.

Voltamos ao ponto de aguardarmos as manifestações do Astral. O Professor procurou-me há uma semana para dizer que te comunicasse o seguinte: "tudo está muito bem", e em uma das reuniões declarou que era assim que ele te queria, inteiramente só e traído por todos. Espírito de porco!

Infelizmente parece que é esta a dura e cruel realidade. Quando daqui saíste já era patente a traição do grupo Baeta-Nelson-Ciampolini. Agora aos poucos o grupo Euzébio – Pedroso Jr. está descobrindo o jogo e perdendo a razão. Os livre-atiradores Epitácio, Maciel, Salgado etc. estão fazendo uma carreira muito complicada e obscura demais para se poder confiar. O Pedroso Horta esteve comigo várias vezes agora e modifiquei inteiramente a opinião que dele fazia. Pertence à mentalidade "tenente" de 30, inteligente, politicamente honesto, sem maleabilidade e sincero. Declarou-me que te acompanha em qualquer hipótese. Frota Moreira, bagunceiro por excelência, continua firme.

Milliet foi ao Dutra em companhia do Vitorino. Disse ao Ernani que pessoalmente era o mesmo amigo, mas que politicamente não tinha esperanças de que o partido viesse a ser limpo e que não podia continuar a receber ordens de gente desonesta. E como ele vários estão de malas prontas e pé no estribo à espera apenas de um pretexto, seja ele qual for, para se bandear. E pretextos não faltam. A roupa suja do partido foi lavada em público, com conversas de comadre e intriguinhas de esquina. Nada faltou.

Estive com o Maciel duas vezes apenas. Depois disso novamente deu o sumiço. Confesso-te que tenho medo de estar entendendo demais o jogo dele. Ele está como o sapo pedindo para ser jogado no fogo. Por razões que não quero examinar, deseja ardentemente por um meio ou outro ficar com o controle do partido. Está mesmo disposto a se sacrificar e ficar como secretário-geral, conservando o Baeta na presidência, o qual ele controlaria facilmente. Se o Salgado assumir, seu controle passaria a ser financeiro. Na conversa que ele e o Salgado tiveram comigo no dia 16, notei-o muito interessado em salvar o Baeta e expulsar o Nelson sumariamente. Salgado reagiu dizendo-se disposto a assumir a presidência do partido, para te <u>servir</u>, mas sem o Baeta. Maciel aparentemente se conformou e prometeu ao Salgado trabalhar no sentido da renúncia do Baeta que ele obteria pela minguação dos recursos, com toda a facilidade. Começou pelo fechamento do jornal. Depois disto não mais o vi. Soube no entanto que havia recebido secretamente em sua casa o Nelson Fernandes, vindo de São Paulo especialmente. Salgado por sua vez não está dormindo. Já esteve em São Paulo e recebeu todas as queixas contra o Baeta. Está manobrando com o Epitácio e o Euzébio. Aquele ora serve ao Maciel ora ao Salgado. De concreto nada se fez a não ser o fechamento da *Democracia*.

**1947**  Soube pelo Frota que já estão sendo feitas as primeiras *démarches* para o *impeachment* do Adhemar. Para isso Novelli se estaria aproximando da UDN.

O acordo UDN-PSD parece que se fará finalmente devido à forte pressão do Dutra, interessadíssimo no assunto. Nereu tudo fez para impedir, sem resultado. A UDN virou gato de casa e deseja apoiar o governo. As bases do acordo são vagas, imprecisas e românticas. Servem para qualquer partido, em qualquer governo em qualquer época. Não se cogita de cassação, de ministérios de coisa alguma, só lero-lero. No entanto a situação da UDN não é boa. O bloco mineiro está se mantendo distante e intransigente. O bloco baiano está dividido. Juracy, com a aproximação das eleições municipais, está ficando queimado com o Mangabeira. Este é hoje Dutra 100% e procura uma aproximação com o PSD baiano. O deputado Luiz Viana, representante do pensamento Mangabeira aqui, desligou-se da UDN para fundar o PL com a tácita aprovação deste. Juracy, pioneiro do dutrismo na UDN, está em maus lençóis porque nada pode oferecer ao governo e será provavelmente posto à margem. Seus deputados Baleeiro, Aloysio[1] e outros já se manifestaram publicamente contra a cassação.

Para depois de amanhã, 27 de novembro, está sendo preparado pelo governo um grande *show* preparatório para a cassação dos mandatos. Discursos, passeatas, comemorações, *meetings*, e como coroamento o Padre Pinto foi especialmente convocado para vir ao Rio abençoar o povo carioca nessa data. O avião presidencial foi posto à sua disposição e um convite especial já lhe foi dirigido. Os jornais oficiais e oficiosos estão fazendo grande propaganda, embora o padre ainda não tenha respondido se vem. Se vier não há dúvida que é um grande golpe psicológico. Foi engendrado pelo Vieira de Mello, diretor do DIP, e pelo Prof. Pereira Lyra.

A Federação das Indústrias tentou na semana passada um grande golpe em cima das finanças do país através do Lafer na Comissão de Finanças, golpe este já tentado por várias vezes durante teu governo. — A pretexto de auxiliar o governo, desejoso de dar o abono de Natal aos militares, propunham, num projeto votado às pressas e meio mascarado, a permissão do aumento dos capitais industriais mediante o pagamento de uma taxa módica. Isto daria um aumento de renda para este ano e uma queda brusca nos subsequentes. O projeto passou na Comissão de Finanças contra o voto apenas do Ernani, Baleeiro, Nobre e mais um. No plenário, graças a um escândalo do Barreto Pinto e aos esforços do Prado Kelly, apesar da pressão exercida por Simonsen, Lafer, Lodi e Vidigal em plenário, caiu.

O caso de Pernambuco continua em suspenso. Passou por ora o perigo de intervenção visto estarem todos concentrados na cassação dos mandatos.

1. Refere-se possivelmente ao senador Aloysio de Carvalho Filho.

O golpe de São Paulo, apesar de todas as sujeiras, não foi perdido. Ficou nos dromedários do PSD uma profunda gratidão pelo teu sacrifício e uma admiração grande por tua coragem pessoal. No meio de todas as porcarias surgidas havia sempre a preocupação do PSD de salvaguardar teu nome. O Cesar Vergueiro, interpelado pela imprensa, fez questão de frisar tua absoluta ignorância nas manobras. Cirilo veio nos visitar. Está ainda abichornado e abatido, não renunciou à *leader*ança e está com um vasto apetite em cima do governo. Não votará a cassação. César Costa, Plínio Cavalcanti e Antonio Feliciano estão agora muito mais ligados a nós diretamente do que ao PSD e só não passam ostensivamente para o PTB porque não podem se sujeitar à direção atual. Todos os três já foram desfeiteados e maltratados ou pelo Baeta, ou pelo Nelson.

**1947**

Não sei se já chegou até aí a última do Nelson. Cobrou do Cirilo a hospedagem que te deu em sua casa, 11 contos.

Peço-te que me mandes dizer o que pretendes que se faça aqui. Sei que deste ao Maciel as instruções necessárias. Não sei se ele as está cumprindo. O que ele me disse serve-me apenas para enxugar as lágrimas dos que, desesperados, procuram comigo a orientação que não recebem de ninguém. Limito-me a servir de babá e a aconselhá-los que tenham paciência. Muitos, porém, já estão exaustos de pacientar.

Estou ficando muito importante. A Assembleia fluminense votou unânime um telegrama de felicitações pelo meu aniversário. Recebi o teu com dois dias de atraso, mas chegou. Fiquei muito contente.

Maria Luiza pediu-me que quando te escrevesse mandasse um abraço especial e um convite para passar o Natal em casa dela.

Esta vai pelo Artur Crespo, que segue esta noite.
Beija-te com muito carinho tua filha **Alzira**

Um abraço para o Maneco.

**70 \ G** · [Estância Santos Reis, de 27 a 29 de novembro]

Minha querida filha

**1947**  Esteve hoje aqui o Gabriel que veio, com outros, trazer o *jeep* do Maneco. Aproveito-o para enviar-te a terceira carta. Encarreguei o Maneco de telegrafar-te no dia do teu aniversário. Recebeste? Não tenho notícias daí, após o meu regresso. Sei apenas o que dizem os jornais de Porto Alegre. Sobre meu *raid* a São Paulo só li as interpretações desinteressadas do Chateaubriand. Aliás, prefiro não ler esses traficantes da pena.

Minha opinião é que o pleito de São Paulo fortaleceu o governo. Deixei de ser o bicho-papão. Já não faço medo num pleito eleitoral. Isto os deixa tranquilos e satisfeitos.

É preciso agora aproveitar o tempo para reorganizar o PTB. Nova direção, novos processos, atrair gente nova, enfim, organização.

Convém conversar com Salgado, Maciel, Ernani, Baeta, Segadas e outros. Saber o que eles pensam, separadamente e em conjunto. Tão cedo não teremos eleições, exceto, talvez, as vagas dos comunistas. É conveniente aproveitar esse tempo para trabalhar numa obra de organização e limpeza.

Nada dizes. Parece que estás *knock-out*. Vocês levaram-me a esse combate para o qual não estávamos preparados. Fracassamos. Procuremos desse fracasso colher algum resultado. Isso é o que manda a sabedoria. Devemos, pelo menos, examinar a situação, os dados de que podemos dispor, e concluir se devemos continuar ou desistir e tratar de outra coisa.

Já decorreu meio mês depois que vim e não tive mais qualquer informe.

Abraços do teu pai **Getulio**

29 de novembro · PS.: Há também o caso dos jornais, *A Democracia*, se pode ou não continuar. A impressão d'*O Radical* nas oficinas desta ou da Saigon. Falou-me sobre isso o Galvão. Carrazzoni, Vergara, Queiroz Lima e outros desejam colaborar.

Pensei também em dar uma entrevista, para esclarecer certos aspectos políticos. Só o desejaria, porém, fazer a um jornalista inteligente e no qual eu pudesse confiar, como o João Duarte, e a um jornal independente, como *Diretrizes*. Essa entrevista depois de pronta deveria ser mostrada a ti e ao Maciel para algum retoque. Mas o João Duarte talvez não pudesse vir aqui só por isso. Além disso conviria uma certa cautela: 1º) para que a iniciativa partisse dele e não de minha parte; 2º) para que não houvesse nenhuma divulgação antes da mesma ser concedida, isto é, não se noticiasse a vinda dele aqui para este fim, senão depois de resolvida a publicidade, caso ele pudesse vir.

Não faço empenho nisso, lembro apenas que talvez fosse conveniente, se você e o Sr. Soares também o julgarem.

E o Epitacinho, como vai, fazendo muita mexida? Ele tem possibilidade de assumir a senatoria?

**57 \ A** · [Rio de Janeiro], 29 de novembro

Meu querido pai

Confesso-te que estou um tanto ou quanto preocupada pela falta de notícias. Que é que **1947** há? Doença, preocupação, trabalho, aborrecimento, falta de portador ou estás zangado comigo? O que sofri antes, durante e depois da campanha de São Paulo dá-me direito a pleitear o meu perdão por te ter induzido em erro, se é que a consideras como tal. Nunca supus, apesar de todo o meu pessimismo, que a podridão que minava o PTB fosse tão grande. Ainda assim a manobra política foi certa e os frutos estão aparecendo.

Cirilo em manifesta rebelião não renunciou à *leader*ança, mas também não reassumiu, foi ovacionado pela Assembleia no dia em que compareceu pela primeira vez e já declarou que votará contra a cassação dos mandatos. César Costa em entrevista declarou que é "getulista" e só espera a "limpeza" do PTB para nele ingressar. Plínio Cavalcanti e Antonio Feliciano se dispõem a acompanhá-lo.

Enquanto isto no PTB se processam as coisas as mais estranhas, manobradas estranhamente pelo Maciel.

Vou historiar os fatos. Na reunião havida aqui em casa no dia 16 Maciel declarou que convinha conservar o Baeta na presidência e fazer a reforma em São Paulo; estava disposto a limpar definitivamente o partido a começar por todos aqueles que tivessem dado entrevistas ou feito declarações sem conhecimento da direção, a começar pelo Euzébio e Epitácio que, segundo ele, haviam agido tão mal quanto os outros etc. Estava principalmente indignado com o Euzébio, ao qual recusou receber e ameaçou de expulsão. Logo após chega de São Paulo o Epitácio. É procurado pelo Baeta que lhe pede que dê uma entrevista em seu favor. Epitácio cede e depois me vem explicar. É necessário que fique alguém em contato com Baeta para saber o que pretendem. Este declarara que, expulso do partido ou sujo da presidência, não sairia nunca, que abriria uma cisão maior que a do Borghi, que tinha o partido na mão etc. e que possuía uma carta do Nelson Fernandes, declarando que ele Baeta não tivera nenhuma interferência na parte financeira da campanha que fora toda negociada pelo Maciel e... pelo Ernani. Esta carta existe e é mais uma chantagem do grupo. Baeta ameaça de publicá-la para se defender e todo mundo corre para evitar, pois ninguém ignora que através do nome do Ernani eles querem comprar sua segurança.

Depois vem o Euzébio. Furioso, declara que Maciel, após ostensivamente ter recusado recebê-lo, recebera secretamente o Nelson Fernandes em sua casa. Quer dar entrevistas, fazer declarações, discursos etc. Com grande esforço consegui acalmá-lo. Deu-me um prazo de 15 dias, durante o qual ficaria calado e depois tomaria atitude. Disse ele que não poderia continuar no Partido se não houvesse uma esperança de melhora. Maltratado, combatido, desconfiado, mantivera-se por tua causa. Agora não podia mais. Afastar-se-ia da direção, não se filiaria a nenhum outro partido e continuaria fiel ao getulismo, longe da podridão do PTB. Se, porém, eu garantisse que se faria qualquer coisa ele esperaria, tomaria umas férias. Do contrário que eu tivesse paciência e te explicasse. Do mesmo ponto de vista estavam o Pedroso Jr. e vários elementos da bancada estadual.

Passou-se depois uma semana de absoluta pasmaceira, durante a qual te escrevi, somente quebrada pelos escândalos dos jornais em torno do PTB.

**1947**   Procurou-me depois a Sagramor para consultar sobre um artigo referente ao caso [da] Broca [do café]. Aconselhei-a a amenizar os ataques ao Nelson para evitar maior sujeira, disse-lhe que quanto mais atacados e acuados mais firmes eles ficariam porque teriam de reagir para não saírem desmoralizados. Deixassem o caso morrer de morte natural para se poder agir. No mesmo dia vieram juntos Euzébio e Epitácio. Ambos, separadamente, haviam feito todas as tentativas para encontrar o Maciel infrutiferamente. A razão dessa insistência é que eu lhes declarei que não os podia aconselhar ou instruir, pois as ordens tuas haviam ficado com o Maciel e não comigo, e eu não poderia dizer nada porque ignorava totalmente em que sentido este estava agindo. Disse-lhes que, se o Maciel estivesse ao lado do Baeta, era inútil tentar derrubá-lo já e eles se acomodassem, em caso contrário entrassem em entendimento com o Maciel. Procurassem o Salgado para ver se ele continuava disposto. Disseram-me que o Salgado, sentindo a resistência do Maciel, achava mais aconselhável restabelecer a confiança do Baeta para evitar uma luta prejudicial ao ~~Baeta~~ Partido. Pedira ao Euzébio que escrevesse ao Baeta, tranquilizando-o quanto à sua atitude e desmentindo entrevistas e declarações atribuídas a ele contra o Baeta. Euzébio mostrou-me o rascunho da carta, aconselhamos que amenizasse alguns termos um tanto agrestes e que continuasse quieto até a hora de agir.

Estou relatando tudo tal e qual aconteceu. Depois veio o Danton. Está penalizado e quer ajudar. Disse-lhe que também procurasse o Maciel para saber o que estava fazendo e o ajudasse. Propôs o seguinte plano. Preencher com nomes de absoluta confiança tua as 10 vagas existentes no Diretório Nacional. Com estes se obteria maioria absoluta e se modificaria a Comissão Executiva. Salgado gostou do plano, Maciel fez restrições, por achar a luta desnecessária. Danton se propôs ir a São Borja levando a opinião de todos. Pedi-lhe que esperasse uma palavra tua.

Há três dias esteve aqui o Salgado, alarmado. Disse-me que estivera em uma reunião do partido com Baeta e Maciel, que procurara tranquilizar aquele, prometendo arrancar do Euzébio e do Mergulhão as cartas de confiança que desejava. Maciel interrompeu-o dizendo que, quanto ao Euzébio, bastava falar comigo, pois era eu quem incitava o Euzébio à revolta. Fiquei pasma e pedi confirmação. O Euzébio chegou às minhas mãos como <u>cria</u> do Maciel. Não sei que razões tem este para o renegar e para me incompatibilizar com o Baeta. Se é medo de se comprometer e quer jogar sobre meus ombros a responsabilidade de atos dele que eu conheço, está bem. Se é manobra, a conversa é outra. Salgado continuou dizendo que sua posição é muito difícil. Não pode como vice-presidente abrir luta para ser presidente e sente que o Baeta não sairá sem luta a não ser que seja para te entregar a ti pessoalmente. Está firme e disposto, espera ordens tuas. Diante dessas afirmações do Salgado, pedi ao Epitácio que se avistasse com o Maciel de qualquer maneira, lisonjeasse sua vaidade, acenasse com a mosca azul, mas descobrisse o que ele pretendia. Epitácio amanheceu na casa do Maciel. Após esperar quase uma hora foi recebido. Enfeitou-o bem dizendo que era o único homem em condições de reestruturar o partido em quem tu confiavas, por sua inteligência e lealdade etc. Conseguiu o seguinte: 1º que não recebera de ti ordem alguma para depor nem Baeta, nem Nelson e que portanto não o faria; 2º que estava muito bem com o Dutra e que o venceria facilmente; 3º que o Salgado desejava a presidência do partido para o negociar com o Dutra e obter a tua exclusão de presidente de honra e que por isso não desejava a queda do Baeta, para não abrir precedente de derrubadas presidenciais; 4º que pretendia deixar as coisas como estão, quem quisesse largar o partido que o largasse; 5º que a única posição digna dele no partido era a de presidente, mas isso não podia ser porque cabia por direito ao Salgado, o homem de maior representação no PTB, mas que a secretaria geral era dele, com isso, ele teria o partido na mão e não precisaria da presidência; 6º que pretendia inverter capitais no PTB e transformá-lo em um grande partido, não importando o quanto se desmoralizasse agora surgiria no momento oportuno etc.

Anteontem apareceu o Ruy de Almeida. Declarou-me que: desiludidos ele, Euzébio e Pedroso haviam combinado provocar uma reação qualquer da Comissão Executiva. Estavam cansados de tomar na cabeça, de serem envolvidos neste lamaçal sem o menor protesto da direção do partido. Consideravam-se homens de bem e precisavam reagir. Redigiram então uma carta ao Gurgel, desligando-se da orientação política do partido, mantendo-se, porém, fiéis a ti, e combinaram não dar publicidade ao caso. No dia seguinte a *Vanguarda* estampou tudo em seus mínimos detalhes. Contou-me também o Ruy, porque o Ernani nada me disse, que este tivera uma altercação com Baeta a respeito das tais insinuações e este [Baeta] se avacalhara como sempre. Mando-te a cópia da carta com as assinaturas, a publicação da *Vanguarda* e uma carta do Ruy, explicando. Ж

Hoje virá aqui o Medeiros Netto.

---

Em resumo a situação é a seguinte. O Salgado está doidinho por assumir a presidência do Partido com vistas à sucessão presidencial, mas quer fazê-lo com todas as honras, sem se incompatibilizar. O Maciel pretende, por intermédio do Baeta, ao qual controla financeiramente, diretamente e por intermédio do Junqueira e Segadas, estipendiados por ele, assumir o controle do Partido, a meu ver com as mesmas intenções do Salgado, no qual vê um perigoso rival. Não sei se Maciel pretende fazer o Oswaldo ou ele próprio. A última hipótese me parece mais viável e mais explicativa de suas últimas atitudes. O Baeta e seu grupo são positivamente desonestos, quer em matéria de dinheiro, quer em política, por burrice, por ignorância ou por safadeza, mas são. Gente de passado mais que suspeito e com um presente absolutamente positivo de aproveitadores e assacadores. O grupo anti-Baeta composto de gente socialmente superior e moralmente mais bem formada são apenas aproveitadores políticos, não se sujam por dinheiro e são fiéis porque, mais inteligentes, sabem que haverá novas eleições.

---

A situação nos Estados é a pior possível. O PTB está apanhando fragorosamente em todos os estados, em todas as eleições. Seu quociente eleitoral em vários lugares está abaixo de 50% das eleições anteriores. Em Belo Horizonte o Negrão de Lima, com uma feroz campanha contra, venceu com apreciável maioria; em Juiz de Fora, para onde mandaste

**1947**  mensagem, o PTB à última hora trocou de candidato, perdeu o apoio do PSD e tomou um banho do PR. No Espírito Santo nada fez. No Ceará apoiou o candidato contrário ao Olavo de Oliveira e Meneses Pimentel, que se uniram finalmente a um tal Moreira da Rocha do PSD dutrista. Este fez uma declaração pública de que estava sendo apoiado pelo PTB contra sua vontade, pois não desejava as simpatias do getulismo.

As razões deste fracasso total são óbvias. Dificilmente se encontra alguma coisa mais desmoralizada na opinião pública do que o PTB e seus chefetes. O povo não é tão ignorante nem tão carneiro como se supõe. Eles veem e sabem que o PTB hostiliza teus amigos, que votou no Estado do Rio contra o Ernani, no Amazonas contra o Álvaro Maia, no Pará contra o Barata, em São Paulo contra os homens do PSD que apregoam seu getulismo etc. Os políticos malandros do PSD e da UDN exploram estas coisas e o povo tira suas conclusões. O PTB não obedece ao Getulio e nós não obedecemos ao PTB. Bem sentiste em São Paulo que teu prestígio pessoal não diminuiu, aumentou, mas este prestígio é teu e não passa por herança a ninguém. Quanto aos "ele disse" e "ele mandou", perderam seu prestígio e sua magia depois da eleição do "Grão de Bico".

---

Conclusão. Hoje, depois de receber o Medeiros Netto, vou me retrair dos mexericos do PTB. Mais por ti do que por mim, não posso permitir que meu nome seja usado por A e B como elemento de intriga. Meu papel tem sido simplesmente o de babá, consolando um, enxugando as lágrimas de outro, ouvindo as lamúrias de todos e procurando evitar brigas e dissensões. Jamais incentivei quem quer que seja à revolta e não desejo assumir a paternidade de atos que não pratiquei. Continuarei a te informar como de costume. Para meu governo, necessito, porém, saber o que pretendes fazer. — Acho difícil ~~acho~~ encontrar uma solução decente agora e um sacrifício inútil tentares pessoalmente qualquer coisa. Por outro lado é necessário dar uma satisfação ou liberdade de ação a esses elementos que te ficaram fiéis e se mantiveram limpos. Que lhes devo dizer?

Ruy pediu-me que te dissesse que podes fazer da carta dele o uso que te aprouver. Ele espera que possa servir como base de reação.

Por hoje é só PTB. A tribo vai bem e te manda abraços. Celina declarou que já está com saudades. Quando fica pronta a casa?

Ernani te manda um abraço.

Com Maneco recebe um carinhoso beijo de tua filha **Alzira**

---

71 \ G · [Estância Santos Reis], 30 de novembro

Alzira

Estava com essa outra carta pronta quando li no *Diário de Notícias*, de Porto Alegre, essa intrigalhada sobre o caso de São Paulo, onde aparece teu nome, do Ernani e do Baeta.

**1947**

A reorganização do PTB deve surgir como uma necessidade do próprio partido, num ambiente elevado de desinteresse. Não precisamos levantar acusações pessoais com o propósito de desmoralizar este ou aquele. O escândalo só aproveita aos adversários.

Essas eleições de São Paulo tiveram efeito deprimente para o PTB do Rio Grande, não só pelo resultado eleitoral como pela exploração que se fez com o *truc* das fotografias do Prestes.

O Salgado está sendo esperado dia 9 de dezembro em Uruguaiana, onde também irei. Por mais que me escusasse, não pude evitar. Se ele vier, podes mandar por ele o que eu pedi, inclusive algumas caixas de charutos.

Depois irei ao Itu, ver os trabalhos e preparar a casa para receber o casal com D. Celina, conforme prometeram.

Preciso uma nota informativa das despesas orçamentárias de 1945 para cá, quanto se gastava antes e quanto se gasta atualmente. O Maciel pode preparar isso.

Abraços do teu pai **Getulio**

*Getulio na Estância Santos Reis.* São Borja, RS, s/d.

## 72 \ **G** · [Estância Santos Reis], 5 de dezembro

Alzira

**1947**  Por todos os correios recebo um maço de cartas, umas de pedidos, outras de conselhos, outras de louvor, outras de ataque (estas anônimas) enviando [ilegível] de jornais.

Quase gente desconhecida. Até agora nenhuma de casa. De ti nenhuma, apesar de já [ter] escrito nada menos que cinco cartas. Não falo de tua mãe, porque esta não responde às minhas cartas. Será que te ausentaste da cidade, que estás doente, ou tens alguma grave preocupação? Ao menos para tranquilizar-me manda dizer alguma cousa. Desde que cheguei, há quase um mês, nada recebi.

Mandaram-me esse recorte com a notícia do grande banquete de homenagem. Não me surpreendeu. É um sinal dos tempos.

Como te disse em carta anterior, dia 9 pretendo ir a Uruguaiana, regressando no mesmo dia. Irei depois ao Itu para examinar os trabalhos da casa. Preciso organizar minha vida, trabalhar mais e pensar menos.

É o que me resta fazer.

Abraços a todos do teu pai  **Getulio**

73 \ **G** · [Estância Santos Reis, entre 5 e 6 de dezembro]

Minha querida filha

Havia escrito uma carta de queixa pela falta de notícias, quando recebi tua primeira carta. As queixas ~~ficam~~ estão sem efeito.

**1947**

Fico informado sobre as sujeiras aparecidas ~~sobre o~~ quanto ao PTB, após meu regresso.

Escrevo apressadamente para aproveitar a volta do Jango que me trouxe tua carta e a do Ruy. Dize a este que tenho na mais alta conta sua pessoa e serviços.

Tanto ele como os outros signatários da carta devem continuar no partido, prestando seus serviços, como de costume, para que as cousas possam ser resolvidas normalmente, sem escândalos, nem perda de elementos úteis. Não devem fazer qualquer pressão contra o Baeta, nem este pode expulsar elementos valiosos do partido, por discordâncias de ordem pessoal. Por enquanto é o que tenho a dizer. Depois escreverei com mais minúcias.

Quanto a ti, a melhor atitude é de retraimento para que não sejas envolvida nessa intrigalhada. Fiquei pasmo de surpresa com as tuas revelações e falta-me tempo não só para resolver, como até mesmo para pensar. O portador está à espera.

Abraços do teu pai **Getulio**

*Getulio e o também senador Luis Carlos Prestes (à direita) participam do comício pró-candidatura de Carlos Cirilo Jr., realizado no Vale do Anhangabaú.*
*São Paulo, SP, 4 de novembro de 1947.*

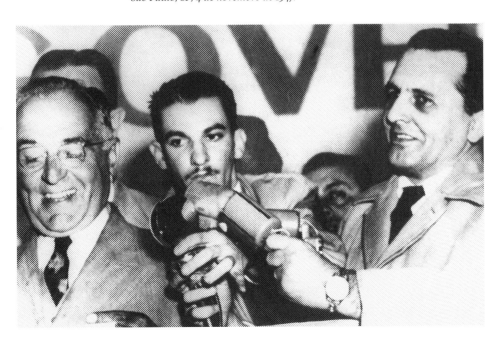

1947

Alma

Por todos os correios recebo um maço de cartas, umas pedidos, outras de conselhos, outras de louvar, outras de ataques feitos anónimos, enviando recortes de jornais quasi de gente desconhecida. Até agora nenhuma de cá. De ti nenhuma, apesar de já escrito nada menos de 5 cartas. Não falo de tua mãe, porque esta não responde minhas cartas. Será que te ausentaste da cidade, que estás doente, ou tens alguma grave preocupação? Eto menos peira tranquilisar-me manda dizer alguma coisa. Desde que cheguei, ha quasi um mês nada recebi.

1947

Me andaram me em puvite
com a notícia do grande
banquete de homenagem.
Não me surpreendeu. É um
sinal dos tempos.
Como te disse em carta anterior, dia 9 pretendo ir a Uper-
guaiana, regressando no mesmo dia. Irei depois ao Ituí
para examinar os trabalhos
da casa. Preciso organisar
a minha vida, trabalhar
mais e pensar menos.
É o que me resta fazer.
Abraços a todos do teu pai

E 5-12-947.

**74 \ G ·** [Estância Santos Reis], 6 de dezembro

Minha querida filha

**1947**  Pensei mais detidamente sobre o conteúdo de tua carta. Transcrevo da mesma este trecho que é um resumo de tudo: "Acho difícil encontrar uma solução decente agora e um sacrifício inútil tentares pessoalmente qualquer coisa. Por outro lado é necessário dar uma satisfação a esses elementos que te ficaram fiéis e se mantiveram limpos. Que lhes devo dizer?"

Parece-me conveniente evitar declarações ou atitudes que venham tornar mais patente o estado de anarquia e desmoralização do PTB. Nada se adianta com isso. Deixem o Maciel manobrar. Veremos onde ele pretende chegar.

Não intervenhas mais. Se puderes continua mantendo contato com ele e outros, apenas para saber o que se passa e informar-me.

Eu permanecerei estranho. Quando vierem a mim estabelecerei as condições para um reajustamento.

E se não vierem continuarei nesse retraimento progressivo, indo até a retirada da atividade política e a renúncia do mandato. Se eu não puder orientar o todo, num sentido mais eficiente, quero, pelo menos, ficar dono de mim mesmo. Também não serei chefe de grupos. Isto é só para teu conhecimento. Ninguém mais deve saber.

Todas as outras instruções que te mandei, em cartas anteriores, ficam subordinadas a esse pensamento. Ao que for contrário a ele não darás andamento.

Recebi a *Fon-Fon* de 29 de novembro. Estás em confusão nas remessas. Tenho aqui os números de 18 e 25 de outubro, 8 e 29 de novembro. Faltam, portanto, os números de 1º, 15 e 22 de novembro. Estes três números é que precisas mandar-me, como os que se seguirem a 29 de novembro.

Junto vai a publicação que referi em carta anterior e esqueci de remeter.

Muitos abraços a todos, do teu pai **Getulio**

## 75 \ **G** · [Estância Santos Reis], 8 de dezembro

Minha querida filha

Já recebi duas cartas enviadas por ti, uma de 29 do mês findo e depois outra mais antiga do dia 25, ~~Com~~ e dois números de *Fon-Fon*, 15 e 22 de novembro.

**1947**

Em nenhuma delas acusas recebimento de cartas minhas. No entanto já remeti cinco ou seis. A penúltima, de 6 do corrente, dava meu ponto de vista sobre a conduta que devíamos seguir.

Recebi também um telegrama do Baeta, nestes termos:

"Comunico prezado chefe convocação comissão executiva amanhã a fim apreciar últimos acontecimentos abalaram estrutura interna partido. Até presente momento mantive atitude reserva responsabilidade cargo exige. Queira vossência aguardar relatório completo, após reunião plenário executiva nacional.

Sauds.

Baeta Neves"

Quando fui para esse *raid* a São Paulo, o Segadas falou-me, espontaneamente, sobre a conveniência do Baeta e ele deixarem os cargos de presidente e secretário. O Baeta por causa das incompatibilidades criadas. Não devia, porém, sair diminuído e falou-me na possibilidade de uma viagem aos Estados Unidos se fosse auxiliado monetariamente. Quanto a ele, Segadas, alegava estar muito sobrecarregado de serviços e no desejo de dedicar-se só à política do Distrito.

~~Quanto ao~~ Isso vai a título de informação. Então o Nelson Fernandes, que exigiu fosse eu hospedado em sua casa, recusando a que oferecia Nelson Rego, cobrou 11 contos por essa hospedagem?

O Milliet não quer ser dirigido por gente desonesta mas se deixa conduzir pelo Vitorino! Tudo isso é muito curioso. O melhor mesmo é dar o fora.

A gente do PSD de São Paulo tem agido corretamente comigo, tanto mais quando não há entre nós qualquer compromisso e eles estão livres para tomar qualquer atitude de apoiar ou não o governo federal, sem que eu os possa censurar. Li as declarações do Vergueiro. Dei-lhes meu apoio em favor da candidatura Cirilo e nada solicitei. Também eles nada mais me pediram, além desse apoio. Fui estranho a todo e qualquer assunto monetário. ~~com~~ Junto envio-te um telegrama que me foi remetido agora de São Paulo. Vai também a título de informação.

Amanhã devo seguir para Uruguaiana e fico por aqui.

Abraços do teu pai **Getulio**

**58 \ A ·** [Rio de Janeiro, de 8 a 9 de dezembro]

Meu querido Gê

**1947**    Recebi nestes dois dias quatro cartas chegadas com grande atraso. Já deves agora estar de posse de meus dois relatórios, verificando que estamos ambos em completo desacordo.

Enquanto consideras a excursão paulista um fracasso e motivo para que perdessem a fé em teu prestígio eleitoral, eu (e outros autores) acho que foi um sucesso político completo e vou mais longe. Nestes 10 últimos anos foi teu ~~segundo~~ primeiro ato de política positiva. Durante o período estado-novista de 37 a 45 tu te apaixonaste perdidamente pela administração, casaste com ela e te deixaste dominar inteira e integralmente por ela, tudo sacrificando em benefício dela e desprezando teu primeiro amor, que foi a política.

Tapaste os ouvidos e fechaste os olhos e mais de uma vez saí de teu gabinete sem ter podido esvaziar o saco, obrigada a engolir as novidades que trazia pelo olhar de desinteresse absoluto que tão bem conheço. Tornaste-te negativista em política.

Ferido em 45 por ela própria que havias desprezado, desiludido e amargurado, fizeste por isso mesmo o jogo do adversário. Continuaste à margem dos acontecimentos, permitindo que tudo se fizesse em teu nome e por tua conta sem que tua alma estivesse em jogo. E sem ela nada podemos fazer. Nesse páreo que é só teu ninguém te pode substituir, nem Maciel, nem Salgado, nem Ernani, nem Baeta, nem Segadas e nem mesmo eu que sou tua filha física, moral e espiritualmente.

Tiveste uma chance em novembro de 45 de sair do brinquedo, ficando calado. Falaste para defender tua obra, teus filhos, os operários e teus amigos. Agora tens outra chance para sair de vez ou entrar de verdade. A meio como até agora é impossível. O partido está em franca e positiva desagregação e assim continuará até o final, se assim o decidires.

Como muito bem disse o Medeiros Netto "pão não se faz sem padeiros e política não se faz sem políticos". E tu mandaste teu exército de políticos às favas. Não foram eles que te abandonaram, foste tu que os abandonaste em primeiro lugar. Tu eras o chefe, o mestre político que eles conheciam desde o princípio, habituados a receber de ti a palavra de ordem. E a palavra de ordem veio, "vocês são políticos profissionais, ficam no PSD, quanto a mim eu me desligo, fico com o PTB". Não os chamaste, não os ouviste.

Alguns ficaram atônitos pensando que fosse manobra política e ficaram esperando. Outros aproveitaram logo para desfazer as amarras e procurar novos donos. Para aqueles que estavam esperando, a resposta veio logo. A palavra de ordem do PTB foi "toda a hostilidade ao PSD pois os políticos profissionais são eles". Em vão eu e outros cavalheiros de boa vontade tentamos explicar que eram políticos profissionais amigos. Encontrávamos sempre a mesma resposta carregada de desconfiança "você é PSD" ou então um silêncio hostil, carregado de desprezo.

E o resultado aí está. Tens um magnífico exército eleitoral fanático, exclusivista e disciplinado mas não tens um só, um único sargento sequer que saiba transmitir com honestidade e correção as ordens que tu dás. Quando não são adulteradas por safadeza são mal interpretadas por burrice ou ignorância.

Foi por isso e nada mais que isso que lutei desesperadamente, para te fazer ir a São Paulo, foi para te comprometer novamente com o PSD e o PSD contigo, para tentar misturar as tropas, para te devolver os amigos graduados e fazê-los esquecer os agravos recebidos **1947** do PTB. Para mim era isto o que representava, por isso não posso considerar um fracasso. Lembra-te do que te disse na minha carta. A manobra é interessante e única para ganhar ou perder. A massa getulista está no PTB, mas os comandos getulistas estão é no PSD e por isso o eleitorado anda confuso, hesitante e atrapalhado. Recebem sempre ordens para combater aqueles que eles sabem e sentem, porque veem, que são teus amigos. E estas ordens eles as recebem como vindas de ti.

---

Sobre o caso de São Paulo surgiram os maiores escândalos e imundices em todos os jornais, não respeitaram reputação nem nome de ninguém. E esta é a maior prova de que a excursão foi um sucesso. Se tivesse sido um fracasso ninguém se incomodaria com ela e passaria em branca nuvem. Para empaná-la, para denegri-la, para tirar-lhe o efeito político, transformaram as coisas mais corriqueiras e comuns de acordos políticos em massa para escândalo. Hoje posso com mais serenidade analisar tudo. São 4 horas da manhã e tenho tudo isto fervendo no meu coco. Se não escrever agora, não poderei dormir. O caso de São Paulo é simples em si. Não retiro coisa alguma do que te disse em meus relatórios, tudo aquilo se passou. Mas há uma razão. Quando daqui partiste em julho, deixaste a palavra de ordem "colaborar na medida justa (sem Prestes) com o Adhemar". Por burrice, por ignorância, por excesso de esperteza ou por desonestidade o PTB em peso se jogou nos braços do Adhemar. Ficaram de cama e mesa com ele, no bolso e na gaveta dele. Não houve um cérebro político, um elemento raciocinante em condições de prever os acontecimentos e de propor um se. Se o Adhemar mudar, se a situação for outra, se as condições se alterarem. Nada. Apoio integral. Não analiso se houve ou não má-fé inicial. Vieram os acordos, os empregos, os compromissos, as palavras trocadas, os candidatos em conjunto. Sem prevenção todos se entregaram. Aí surgiu o Novelli. E o Adhemar, que sabia que não darias apoio ao Novelli, bancou o bom moço. Mantinha todos os compromissos e o PTB poderia ter o candidato que quisesse. Assegurava assim a vitória do seu candidato e não perdia o apoio do PTB. A única hipótese atrapalhativa foi a nossa. Obrigar o PTB a romper publicamente com ele, tirando-lhe o controle da massa, cindir o PSD, forçando-o a cortar as amarras com o governo federal.

Bem, isto é apenas para te provar que a onda ainda não destruiu o rochedo. Quanto ao PTB é urgente, inadiável, premente que se lhe dê um banho. Já não digo por serem ladrões, desonestos ou chantagistas mas por incompetência absoluta. Basta fazer um retrospecto em todos os resultados eleitorais nos estados. Há um decréscimo de votação em todas as regiões, em parte devido à falta de orientação, em parte às brigas contínuas entre os dirigentes locais.

Medeiros Netto procurou-nos há dias. Fez um relato dos acontecimentos na Bahia e pediu depois que te dissesse que não podia continuar a trabalhar porque os elementos locais chefiados pelo Baraúna não lho permitiam e a Comissão Executiva não tinha força suficiente para o amparar. Desfiou um rosário de picuinhas, pequenas humilhações, desacatos à

**1947** sua autoridade, sofridas com aquela sua maciez agreste de baiano, igualzinho a tantos outros que já conhecemos. O caso da Bahia é tão semelhante ao de São Paulo e este ao de Minas e o de Minas ao do Amazonas, ao do Estado do Rio e a tantos outros que às vezes eu fico a pensar se não há dentro do PTB alguma força estranha infiltrada que lhe maneje invisivelmente os cordéis. Embora saiba que a explicação é muito mais simples, é incompetência pura e sem restrições, não consigo me libertar da ideia de que haja alguma manobra oculta.

E a desagregação continua. Junqueira procurou-me. Para restabelecer minha confiança nele, que ele sabe abalada, começou por me mostrar sua renúncia ao cargo de suplente do PTB, ao diretório e ao partido. Percebi o truque e senti cheiro de "marmelada", por isso fingi que me abria e disse-lhe somente o que queria dizer. Ainda não consegui me avistar com o Maciel. Recebi dele esta carta para te remeter, por intermédio do Renato. Talvez hoje ainda consiga conversar com ele mas não desejo atrasar esta.

João Alberto renunciou a tudo e pretende ingressar no PSD, onde diz poderá prestar-te melhores serviços. Arrasta com ele o João Machado e o Levy Neves, que não renunciam, e mais o Gama Filho da UDN. Mergulhão está indeciso sobre a decisão a tomar, após ter atacado violentamente a direção central.

Nelson Fernandes deu uma entrevista, dizendo que estavas ciente da atitude dele e do Ciampolini, e Euzébio contestou.

---

Espalharam por aqui que, em vista do *ultimatum* do João Alberto, virias ao Rio nesta semana.

Bem e agora chega de PTB.

---

Não te posso mandar nenhuma das encomendas nem solução das coisas que me pedes porque não há tempo. Hoje 9-12 entra em primeira discussão na Câmara a cassação dos mandatos.

O Acúrcio foi tem sondado o pessoal a favor. Às vezes recebe respostas como esta do César Costa: "Diga ao General que no dia em que ele souber respeitar e acatar as decisões do partido que o elegeu eu respeitarei as dele etc. E não esqueça de dizer ao General que vá à m...". A renúncia do Cirilo não foi aceita, mas ele não reassumiu. O PSD não quer desprestigiá-lo mas sabe que ele não pode reassumir, por isso vai contemporizando com o Acúrcio.

O *show* para a cassação tem sido enorme. Propaganda nos jornais, demonstração de forças etc. É provável que passe devido à pressão que o governo está fazendo, mas vai haver muita gritaria.

Recebi o telegrama anunciando as decisões. Estou ansiosa pela carta.

Por hoje devo parar. Amanhã começo outra. Mandei-te os *Fon-Fon*. Recebeste?

Com Maneco recebe um beijo muito carinhoso de tua filha **Alzira**

**76 \ G ·** [Estância Santos Reis], 11 de dezembro

Minha querida filha

Ontem regressei de Uruguaiana onde fui assistir à posse do prefeito trabalhista. Recebido com grande entusiasmo popular tive de fazer dois discursos. Felizmente não havia taquígrafos e creio que não terão maior repercussão. Deixei com o Iris Walls para serem remetidas ao Dinarte cartas dirigidas a ti e a Darcy. Desejaria que acusassem logo o recebimento para tranquilizar-me quanto a possíveis extravios. Entre essas cartas vai a minha opinião sobre as cousas do PTB. Não acusaste ainda o recebimento de nenhuma. Além dos assuntos políticos trato outros de caráter particular que bem me interessam. Preciso, pois, saber que cartas recebeste.

Eu realmente não disse ao Maciel que destituísse o Baeta e o Nelson Fernandes. Tratamos em termos gerais da situação e do resultado das eleições que se estavam processando. O fracasso eleitoral forneceria motivo para uma reestruturação do PTB. Ele expôs longamente suas ideias e planos a respeito do assunto. É necessário que os homens que estão falhando em sua missão reconheçam isso e sejam os primeiros a facilitar uma solução honrosa e digna. Isso é o que eu desejo. Não pretendo empurrar ninguém. Se não encontrar esse ambiente prefiro retrair-me ou abandonar. Não tenho por que entrar em disputas pessoais. O que ocorreu com o Nelson Fernandes em São Paulo não foi comigo. Foi com o próprio Maciel. Ninguém melhor que ele sabe disso.

E aqui termino o adendo às minhas cartas anteriores, ainda não respondidas.

Abraços do teu pai **Getulio**

PS.: Estava com essa carta já pronta quando recebi o incluso telegrama do Napoleão. Fiquei surpreso. O João Alberto entrou na chapa de vereadores proposto por mim, foi presidente da Câmara com o meu apoio. Agora se passa sem a menor explicação. Nem ao menos por delicadeza. Chama o Napoleão e conversa com ele.

**59\A·** [Rio de Janeiro], 11 de dezembro

Meu querido pai

**1947**   Mais uma carta escrita às pressas, sem responder a tuas perguntas nem mandar tuas encomendas. São 9 da noite e só agora Salgado me avisou que seguia amanhã cedo e não houve tempo para comprar nada. – Este papel sujo que vai junto é uma carta da Celina. Apareceu-me hoje de manhã dizendo que havia escrito para o vovô Getulio. Perguntei-lhe o que dizia e ela leu "vovô Getulio que as netinha não se comportar vovô Getulio não vem mais po Rio então eu vou pa Saborja". Agora aproveito o portador para remeter tão importante mensagem. Seguem mais dois *Fon-Fon* e um jornal de São Paulo, trazido pelo César Costa, para te remeter.

Ontem foi um dia cheio de PTB. À tarde veio o Frota Moreira. Está muito abatido, perdeu a mãe e terá de sair de São Paulo por algum tempo pois a esposa está tuberculosa. Continua, porém, no mesmo entusiasmo e em ligação permanente com o Horta. Informou-me que a luta Adhemar-Novelli já está esboçada. O primeiro não compareceu à posse do segundo para dar-lhe uma demonstração de que estava zangado. Às tentativas deste para renovar o secretariado respondeu que o governador era ele. O Canuto com surpresa para todos, inclusive para ele próprio que não se julgava capaz de tanta coragem, fez uma conferência na Faculdade de Direito de São Paulo sustentando a tese, lançada por outro professor cujo nome não me ocorre, de que o Brasil nunca fora colônia mas estava na iminência de o ser. Expôs as manobras anglo-saxãs desde o tempo de Portugal Reino para se apoderar do Brasil e a resistência que sempre encontraram até hoje. No entanto agora assistíamos impassíveis à entrega rápida do Brasil aos Estados Unidos, sem protestos. Atacou violentamente o Truman e propôs q, já que nada se podia fazer para evitar esta barbaridade, que pelo menos os jovens se unissem e forçassem para que a entrega fosse feita com dignidade e elevação e em troca da independência econômica do Brasil, iniciada em teu governo. Foi grandemente aplaudido e se entusiasmou. Propôs então ao Frota irem juntos a São Borja te expor a seguinte ideia: abandonar o PTB à sua própria sorte e fundar o Partido do Brasil, personalista, em torno do teu nome, sem pleitear eleições nem cargos, nem encargos e tendo por lema "unidade nacional e independência econômica". Frota lembrou-lhe que isto poderia ser feito em células dentro do próprio partido. Aí fica a ideia. A situação do PTB em São Paulo é a pior possível, de franca desagregação e desmoralização.

À noite vieram César Costa e Ruy. A este li o trecho de tua carta que lhe interessava. Respondeu está ótimo, obedeço sem restrições e quero aqui na presença do César, que é político, do Maciel, que é jornalista, e de vocês, que são da família declarar o seguinte: "Em nenhuma hipótese, em nenhuma ocasião, sob nenhum pretexto levantarei a voz para combater não o presidente nem o senador mas o meu amigo Getulio Vargas, ao qual me considero hoje preso por laços de amizade."

César Costa uma bola. Contou primeiro como fechou a sessão da Câmara de anteontem **1947** pouco mais ou menos como está descrito no jornal. O baixinho é venenoso e contou passagens gozadíssimas dele com Dutra, Guilherme da Silveira e outros no gênero da que te relatei na última carta. Depois disse ao Ernani que tivera uma palestra com o Baeta e que este lhe declarara que se o Cesar Vergueiro não respondesse satisfatoriamente uma carta que lhe havia endereçado, declararia em entrevista que nada tinha a ver com o financiamento das eleições e que este havia sido tratado pelo Maciel e pelo Ernani. César informou ainda que o Vergueiro não pretendia responder, pois do contrário seria obrigado a declarar que dera dinheiro ao Baeta e que fora ameaçado pelo Junqueira e Nelson em teu nome e que isto ele não faria. Ao sair com o Ruy declarou-me: "Diga a seu pai que eu estive aqui, que sou getulista 100% e que lhe mando um abraço. No dia em que o *escroc*, diga bem que eu falei *escroc*, Nelson Fernandes e seus companheiros saírem do PTB eu, Plínio Cavalcanti e Antonio Feliciano entraremos".

Fiquei em seguida só com Maciel e Ernani. Maciel afirma que o Baeta está manso mas que tem a comissão executiva na mão e que não é possível derrubá-lo. Considera-o sujo mas leal. Que todos querem dar-lhe o tombo mas ninguém se anima, que o Salgado não quer brigar e que ninguém faz nada. Quanto a ele, que cortou as ligações com todo o pessoal do PTB, não vê e não quer ver ninguém; está pagando as contas e tapando os buracos da *Democracia* e da Saigon; que em fevereiro deve estar tudo liquidado e então começará a reorganização da secretaria; em março reestruturação e em 1º de maio tua posse; que não adianta imprimir o *Radical* na Saigon porque este não paga; que recebe e cumpre as ordens que mandares; que nada fez nem fará contra Baeta e Nelson porque sabe que és contra qualquer violência; que ambos os lados são sujos e que é preciso recompor com gente nova. Tomou nota do nome do homem da secretaria para remeter os touros e disse que mandará junto um fardo de fazendas, promessa antiga a D. Glasfira.

Aí chega o Euzébio. Quase saiu faísca do encontro, cumprimentaram-se contrafeitos e por pouco não sai uma briga nas minhas barbas. Euzébio está irritadíssimo e magoado com o Maciel. Mostrei-lhe a carta como havia mostrado ao Ruy, tenho porém a impressão de que este está perdido. Consta que ele, Pedroso e outros formarão com o Café Filho um bloco parlamentar, sem partido, e que Pasqualini não estaria estranho a estas combinações. Veio depois o Epitácio e contou que o gozo na cidade é a entrevista do João Alberto, dizendo que havia sido contra o Estado Novo.

De acordo com tua autorização entro hoje em férias petebistas. Continuarei a te informar do que houver, mas vou cortar os contatos com a turma, por higiene mental.

Ernani manda te dizer que o acordo foi feito por intermédio do Zé. Mangabeira foi destituído. Aquele condicionou o acordo aos entendimentos estaduais e designou para representante da UDN o Odilon Braga. O PSD em vista disso resolveu indicar o Benedito para criar o impasse em Minas e o PR provavelmente indicará o Bernardes. Benedito está industriado para tratar do caso mineiro em primeiro lugar e entre estes três não há entendimento possível. — Paim compareceu pela primeira vez à reunião da comissão executiva e declarou que o Rio Grande não admitia intervenção de quem quer que seja, que estava tudo

**1947**  pacificado e o PSD agradecia o acordo. Ernani e Cirilo puseram mais fogo no homem e o animaram em seus propósitos, com grande raiva do Nereu. O Zé Eugenio Müller esteve aqui e te deixou um abraço.

Por hoje é só. Vão os charutos. Um abraço para o Maneco. Beija-te com muito carinho tua filha **Alzira**

*Oswaldo Aranha com o jóquei Ulhôa no Hipódromo da Gávea.* Rio de Janeiro, DF, 1947.

## 77 \ **G** · [Estância Santos Reis], 13 de dezembro

Alzira

Depois que o Salgado partiu reli tua carta, a ponderei as considerações do Maciel e **1947** resolvi escrever este adendo. Ele fala sobre as diversas fases de organização – em fevereiro, março, maio etc. Eu não quero precipitar acontecimentos, nem impor soluções.

Ele pode continuar manobrando e retardar ou modificar a solução, se achar mais conveniente.

Fiquei impressionado com essa rápida sucessão de casos concretos: o rompimento de parte da bancada com o Baeta, a deserção do João Alberto (que cínico), os telegramas do Napoleão e, finalmente, a vinda do Salgado e as suas informações.

Receei que a demora agravasse a crise e apressasse a desagregação. Emiti essa opinião mas não quero forçá-la, se ela piorar a situação em vez de melhorá-la. Difícil é piorar. Em todo caso transmite isso logo ao Maciel. E deixem-me em paz. Não desejo envolver-me em assuntos pessoais. Quanto aos amigos que vão aí, distribui-lhes amabilidades de minha parte, lembranças etc., conforme os casos.

E os touros? Seria bom que viesse junto o do Vergara. Inclui nas despesas de frete essas outras encomendas que te fiz e avisa para remeter-te. Dize a D. Celina que recebi sua carta e que ela virá a Saboja.

Abraços do teu pai **Getulio**

PS.: Creio que tu mesma descobriste um portador especial que leva tua correspondência ao Dinarte em Porto Alegre e este me remete. Eu faço o mesmo, remetendo, por intermédio do Dinarte. Havendo esse meio normal, porque aguardas um portador especial para escrever apressadamente e em longos intervalos, sem dispor de tempo para responder às minhas perguntas? Ou não tens mais esse meio normal de enviar a correspondência?

## 78 \ G · [Estância Santos Reis], 13 de dezembro

Minha querida filha

**1947** Recebi tua carta. Junto vai uma cópia da carta que dirigi ao Baeta para teu arquivo. É preciso amenizar e conciliar. O sentido dessa carta seria que o Baeta tirasse uma licença longa, dum ano por exemplo, da função de presidente, passando a direção ao Salgado como vice. O Segadas renunciaria ao cargo de secretário, conforme deseja, pelos motivos que já expliquei. Foi isso o que conversei com o Salgado. ~~Podes dizer ao~~ O Maciel poderia ser escolhido secretário. Explicarás a este em reserva. Se isso se puder fazer parece que ficará bem.

Abraços do teu pai **Getulio**

*Oswaldo Aranha desembarca no Brasil após as sessões na ONU quando foi criado o Estado de Israel.*
Rio de Janeiro, DF, dezembro de 1947.

1947

Minha querida filha Recebi
tua carta, junto vai uma
cópia da carta que dirigi ao
Baeta para teu arquivo. É
preciso amenisa e conciliar.
O sentido dessa carta seria que
o Baeta tirasse uma licença longa, um ano por exemplo,
 de Presidente, passando
a direção ao Salgado como vice.
E sua  permaneceria, ao cargo
de secretário, conforme desejo
pelos motivos que já expliquei
foi isso o que combinei com o
Salgado.  E ele
ele poderia ser escolhido se
 Explicando a este em
reserva. Se isso se puder fazer
parece que ficará bem.
Abraços do teu pai
[assinatura]
E 15-12-947

**60\A·** [Rio de Janeiro, de 18 a 29 de dezembro]

Meu querido pai

**1947**  Recebi até hoje 10 cartas tuas, com datas desencontradas. Como os homens elas também têm suas chances. Algumas enviadas mais tarde chegam a minhas mãos semanas antes das escritas mais cedo. Por isso muitas vezes minhas cartas podem parecer disparatadas. Vou recapitulá-las para pormos a escrita em dia.

1ª) 21-11 Pedes uma apreciação sobre São Paulo e as negociações políticas que se sucederam, providências sobre os touros de raça, e relatas as miudezas do PSD em São Borja. Encontrarás em minhas primeiras cartas que se cruzaram com a tua todas as respostas, com exceção do quadro eleitoral de São Paulo, que ainda não pude obter. Quanto aos touros Maciel disse que resolveria a parte dele e não me falou mais e Vergara está ausente na fazenda e não lhe pude falar ainda.

2ª) 23-11 Pedes-me Nembutal e sacarina que ainda não mandei por ser uma cabeça de rapadura, mas desta vez vai. Relatas a lenda da onda e do rochedo, que infelizmente para teu sossego de espírito ainda não se aplica a ti. Ainda és o tal, tão adorado pelas massas e tão temido pelos políticos quanto antes. O desespero dos primeiros e a esperança dos segundos é que o PTB continue a fazer tanta asneira que te amarre de tal maneira a seu negro destino, que fiques impossibilitado de agir politicamente nos momentos oportunos. Perguntas sobre a interrupção de tua licença e se necessitas de outra. Ernani informa que não, a não ser que pretendas te ausentar por mais de seis meses. Houve prorrogação até 15 de fevereiro, para evitar a intervenção em Pernambuco.

3ª) 27-11 Falas sobre a reorganização do PTB e sobre os jornais e uma entrevista e pedes o caroá. Tudo isso já foi respondido em cartas anteriores e o caroá, ou melhor, o brim já está encomendado.

4ª) 30-11 Tratas da entrevista do Segadas e pedes as despesas orçamentárias de 45 para cá. Estou providenciando.

5ª) 5-12 Queixas-te de meu silêncio como eu me queixava do teu. Ambos estávamos inocentes.

6ª) 6-12 Mandavas uma resposta apressada a mensagens do Ruy Almeida.

7ª) 6-12 Mandas a orientação que pretendes seguir e da qual só eu posso ter conhecimento, que continue a confiar no Maciel e aguarde os acontecimentos mantendo os contatos, e reclamas os *Fon-Fon*. A confusão a respeito dos *Fon-Fon* não é só minha. O de 1º de novembro foi o último que te mandei pelo Junqueira antes de tua vinda, os de 15 e 22 é que estou em falta, porém não houve possibilidade de encontrá-los nas bancas. Estavam esgotados. Os outros tenho-os mandado regularmente. Acusa os que não recebeste.

8ª) Acusas o recebimento dos *Fon-Fon* atrasados. Creio que agora estamos em dia. É de 8-12. Reproduzes o telegrama que te foi enviado pelo Baeta sobre a reunião do partido e aprecias a atitude do PSD de São Paulo.

9ª) 11-12 Escrita depois de tua volta de Uruguaiana, aprecias a atitude dos homens do PTB, relatas o que combinaste com o Maciel e te surpreendes da atitude do João Alberto, de que em carta levada pelo Salgado já te dera conhecimento. Conversei com o Napoleão, cuja saúde continua bastante abalada, e ele me relatou que também foi surpreendido pela atitude do João. Havia conversado com este uma semana antes e ele se limitara a conversar com Napoleão sobre os acontecimentos do Partido, manifestando o desejo de o **1947** abandonar sem nada de concreto. Posteriormente chamou um a um todos os vereadores à sua casa. O resto já te mandei contar. Projetou-se em primeira grandeza no ridículo e caiu em uma posição difícil de recuperar. Parece que a burrice coletiva que empolga o governo já se apossou dele também. A não ser que o preço cobrado por essa atitude seja alto, não compreendo o porquê.

10ª) 13-12 Em que remetes a cópia da que dirigiste ao Baeta e sugeres uma solução conciliatória entre o Salgado e o Maciel. Salgado não está muito desejoso de entregar a secretaria ao Maciel e este só sacrificará o Baeta se puder ficar controlando pessoalmente ao Salgado. As razões das atitudes de ambos podem ser meras desconfianças de razões personalistas, podem ser de excesso de dedicação a ti e também de ambição individual. Tu os conheces melhor do que eu por isso guardo meu juízo próprio que pode ser precipitado. Em todo caso, ou porque tenha chegado tua carta por ocasião das festas de Natal que distraem todo mundo de outros pensamentos, ou porque haja interesses ocultos em não mexer agora no negócio, nada se fez de positivo até agora. Soube que o Epitacinho leu tua carta ao Baeta e anda trombeteando aos quatro ventos. Ruy soube por ele.

27 de dezembro • Tive ontem a grata surpresa de encontrar aqui o Gregório com um bilhete teu de 24. Não te havia remetido nem sequer completado esta, porque o Natal me atrapalhou e porque estou sem notícias de valor para te remeter. Estou sem contato com o grupo do Baeta. Além deles desconfiarem de mim há ainda a circunstância de que não posso mais desejar ter qualquer conversa com eles, depois das entrevistas que andaram dando, envolvendo meu nome e a honestidade do Ernani. O único que me procurou há tempos foi o Junqueira, mas numa atitude de tal constrangimento que percebi logo que era sondagem. eConforme mandei te dizer então a tal renúncia era marmelada. Já se sente vereador na vaga do João Alberto e se esqueceu de dar seguimento à carta. O Maciel só me aparece quando insistentemente chamado e se limita a falar sobre as despesas de liquidação da *Democracia* e os planos futuros de reorganização do partido para que tomes posse com toda a solenidade a 1º de maio. Salgado continua mantendo contato estreito com o grupo anti-Baeta para segurá-los e está na mesma disposição, de que te informou em Uruguaiana. Pelo Gregório seguirão as encomendas pedidas: Nembutal, sacarina e brim. Se o Gregório se demorar por ele irão melhores informes que hoje não te posso dar porque o pessoal está todo ausente da cidade.

---

Junto vão os dois últimos números do *Fon-Fon* e um do *Cruzeiro*; uma entrevista dada pelo Nelson Fernandes em São Paulo que me foi remetida anonimamente. E para te distraíres uma façanha do César Costa que bancou o Barreto Pinto e fechou o tempo no dia 18 na Câmara, obrigando o presidente a suspender a sessão. Pediu-me que não deixasse de te remeter. No dia de Natal em casa da Maria Luiza, todos perguntaram por ti e pediram que te mandasse o abraço de boas festas em nome deles. A filha do Raul Brasil (o comilão) Helena Maria ficou decepcionadíssima de não te encontrar.

**1947**   O Savio Gama pediu que te escrevesse convidando para comer um churrasco no restaurante da Praia Vermelha (agora Casablanca) com todos os amigos que quisesses convidar. É um getulista fanático. Todas as noites na *boite* faz cantar uma paródia a uma marchinha de carnaval em homenagem a ti. Vai junto para o Maneco lançar aí no Carnaval.

<u>29 de dezembro</u> • Perdoa, Gê. Nada mais posso dizer hoje. Minha casa amanheceu transformada em hospital. Ernani com febre alta, a copeira com úlcera e o Pacheco de bronquite. Passei o dia fazendo injeções e correndo de um lado para outro. Tentei comunicar-me com Maciel sem resultado.

   Beija-te com muito carinho tua filha que te deseja um 48 cheio de todas as compensações e alegrias que uma filha pode desejar a um pai como tu **Alzira**

## 79 \ G · [Estância Santos Reis], 24 de dezembro

Minha querida filha

Feliz Natal e ano bom para todos. Por um recado telefônico da cidade soube que o Gregório segue amanhã para aí. A Glasfira, Ligia, filhos e empregadas seguem para São Borja, assistir à missa de Natal. Por eles escrevo esta carta.

Desejo que me informes todas as cousas que te perguntei em cartas anteriores, que me remetas as minhas encomendas e que me informes também outros assuntos que ainda não perguntei mas que também desejo saber, como quais os vereadores petebistas que renunciaram, quais os que pularam a cerca, que efeito produziu minha resposta ao Baeta, que fizeram o Salgado, Maciel etc.

Aguardo tua resposta. Nada sei até agora. Aguardo essas informações, para entrar na segunda fase do plano que tracei, retraimento progressivo. Começarei pedindo uma licença de seis meses ao Senado.

Abraços a todos, do teu pai **Getulio**

**1947**

# 1948

**80 \ G · [Estância Santos Reis], 2 de janeiro**

Minha querida filha

**1948**   Recebi tua carta e demais encomendas trazidas pelo Gregório. Tudo em ordem. Na resenha que fazes de minhas cartas, parece faltar uma, remetida pouco antes da partida do Gregório. Nessa eu perguntava por que não recorrias mais àquele meio normal de comunicação aérea descoberto por ti e aguardavas a vinda dum portador especial. Como eu continuava a servir-me desse meio, desejava saber se havia algum inconveniente. Falta-me saber se recebeste essa carta e se tua mãe também recebeu a que lhe escrevi, pouco antes.

Estamos atravessando aqui um período angustioso, sofrendo o efeito de dois grandes males, seca e gafanhotos. É um panorama de desolação. Todas as plantações da fazenda foram devoradas pelos gafanhotos, algumas dessas as colheitas já estavam perdidas pela seca. Vai ser um ano de dificuldades e misérias para os pobres.

Transmite agradecimentos e inventa uns recadinhos amáveis aos que perguntarem por mim. Falas na noite de Natal em casa da Maria Luiza. Lembro-me, com agrado, do outro Natal em que lá estive, das amabilidades do casal e dos filhos, de todas as pessoas presentes e dos novos conhecimentos que fiz, como esse simpático casal Raul Brasil e sua encantadora filha Helena Maria.

E o Ernani, já está bom? Com D. Celina, nada houve?

Estou, por intermédio da Glasfira, adquirindo um mobiliário de emergência para o Itu, a fim de poder instalar-me. Quando estiver pronto avisarei.

Que impressão causou ou que repercussão teve o veto presidencial à lei que melhorava os vencimentos dos empregados de jornal. Parece que o homem teve medo dos grandes tubarões que dominam a imprensa. Eu que os afrontei tenho a experiência. Os fundamentos do veto são significativos.

Estamos ante um governo tipicamente reacionário. Em nome da ordem fuzila o povo nos _meetings_, em nome da liberdade ampara os ricos contra os pobres.

Quanto à mudança do José que aconselhei, torna-se necessário interessar o Soares, que é o financiador, e daí atraí-lo para secretário. O Salgado fez objeções quanto ao Soares, ex e isso dificulta a execução dum plano maior. É preciso compreender. Quanto a mim, conforme te disse em carta anterior (e esta não foi acusada), inicio a atitude de retraimento progressivo. Telegrafei pedindo seis meses de licença. Quanto à renúncia não pretendo usar dela, por enquanto. Esse mandato é o meu escudo, é a minha defesa contra perseguições iminentes que estão nas intenções e nos planos dos poderosos do dia.

E por hoje é só. Vou remeter esta carta por intermédio do Maneco, à cata de portador. Não sei como chegará aí.

Saudades a todos e abraços do teu pai **Getulio**

*Getulio na Fazenda do Itu. Itaqui, RS, 1948.*

**81 \ G •** [Estância Santos Reis], 4 de janeiro

Minha querida filha

**1948** Tenho recebido muitos telegramas de cumprimentos pela entrada do ano, aí do Rio e um pouco de São Paulo. Infelizmente não posso responder à maioria deles, porque ignoro o endereço dos signatários. Há tempos eu te pedira uma lista telefônica moderna do Distrito e de São Paulo. Agora está me fazendo falta.

Quanto ao retraimento do Sr. Soares, é melhor não insistir em chamá-lo. Não parece conveniente mostrar interesse. Deixa correr o tempo. Talvez esse seu afastamento seja porque ele já tirou os efeitos que desejava. A mim até agora não escreveu. Há entre ele e o Salgado uma desconfiança recíproca que dificulta o entendimento.

Recebi um relatório do José, insulso. Embora posterior à minha carta, não faz referência à mesma. Não deu pela piola.

E do Vavá, que notícias tens? E a coalizão.

Aqui continua a mesma situação desoladora – seca e gafanhotos.

Abraços do teu pai **Getulio**

*Fazenda do Itu. Itaqui, RS, entre 1947 e 1948.*

**61 \ A ·** [Rio de Janeiro, de 4 a 9 de janeiro]

Meu querido pai

Começo hoje esta dando-te uma notícia muito triste e que, embora esperada há algum **1948** tempo, não deixará de te ferir muito de perto. Acabo de vir do enterro do Adão. Morreu esta madrugada o "meu irmão preto". Mamãe e Luthero deram-lhe toda a assistência, providenciando médicos e remédios mas nada adiantou. A mim só avisaram a tempo de ir levar-lhe, em teu nome, algumas flores. Mamãe custeou o tratamento e o enterro, porque a família dele, que tanto o fez sofrer em vida e tanto o explorou, compreendendo muito tarde o que havia perdido, limitava-se a telefonar, uivando uma dor que não sentia, como se fosse uma penitência. Fiquei tão revoltada com a atitude da tribo que não procurei falar com nenhum de seus membros.

Reunimo-nos os amigos do Adão do lado de fora a conversar sobre as virtudes e passagens de sua vida, como é de praxe, Zaratini, João Lecarlato, Pinto, Camará, José Azeredo, D. Mercedes e outros. Soube que depois que eu saí chegou o Candinho Lobo.

---

Agora, para te predispor para notícias menos terrivelmente definitivas, como esta que dei, para um pouco e lê o artigo do João Duarte que te mando junto. Eu também vou parar para continuar amanhã em outro estado de espírito.

6 de janeiro · Soube pelos jornais com grande surpresa que havias pedido mais seis meses de licença. Por quê? Quais são teus planos? Quais os motivos? — Até certo ponto achei acertado, dependendo dos motivos que o determinaram. Se é brabeza, discordo, político não é de briga. Se é nojo, acato. Se é para esperar os acontecimentos acho excelente.

8 de janeiro · Continuo sem poder pôr os olhos em cima do Maciel. Cerquei-o como quem cerca frango, sem resultado. A não ser que ele venha hoje à noite esta irá sem novidades sobre o Partido Trabalhista. Esteve hoje aqui o Almir de Andrade. Trouxe-me para te remeter dois alentados volumes de sua autoria: *A história administrativa do Brasil* até 45. Está ainda em prova e cheio de incorreções mas deseja que o recebas em primeiro lugar, por isso trouxe assim mesmo. É um trabalho interessantíssimo que fazia falta a todos nós. Não os remeto já por falta de portador. Não posso abusar de meu meio de transporte para evitar suspeitas.

---

Ontem foram afinal cassados os mandatos dos comunistas, por 169 votos contra 74. Mando-te o *Correio da Manhã* que descreve os acontecimentos pouco mais ou menos aproximados da verdade. Peço tua atenção para o voto do Ernani. Teve grande repercussão dentro da Câmara, e foi muito apreciado pela serenidade e justeza das razões. Entre outras, ele teve a intenção de distribuir carapuças a alguns puxa-sacos de todos os governos, cujos nomes deves saber quais são.

9 de janeiro · Maciel não veio, por isso vou terminar minha carta sem ele. Recebi esta manhã duas de ti nas quais reclamas a acusação de uma. Recebi-a depois que Gregório partiu,

**1948** por isso não entrou na relação. Podes ficar sossegado, o "correio secreto" continua funcionando em perfeita ordem. Muitas vezes prefiro aguardar portador por causa dos assuntos. Nunca se sabe quando vai estourar a corda.

Junto te mando, a pedido da Ilka Labarthe, cópia de uma proposta que ela recebeu para te ser feita. Desejam artigos teus sobre a situação econômica e política do Brasil para serem divulgados em todo o mundo através de vasta cadeia de jornais. O preço a ser combinado à base de 100 dólares cada e de acordo com a pauta que também vai junto. Pede ela que dês uma resposta para poder transmitir aos interessados.

———————

O calor aqui está de torrar cérebros menos aquecidos que o meu. De modo que estou com o raciocínio um tanto pastoso.

O famoso acordo político, obra-prima do Dutra, está sendo torpedeado em todos os estados, por todos os partidos, em larga escala e com todas as honras. Vai sobrar muito pouco.

Vou parar aqui para aproveitar o correio de amanhã.

Todos aqui vão indo como podem, com saúde, felizmente.

Recebe com o Maneco todo o carinho de tua filha **Alzira**

———

Seguem os *Fon-Fon* de 3 e 10 deste

**82 \ G ·** [Estância Santos Reis, de 7 a 10 de janeiro]

Minha querida filha

Após tua carta de 18 do mês passado, a última que recebi (encerrada com a atrapalhação dumas enfermidades domésticas em que bancaste a enfermeira), já te enviei três cartas.

Agora nada tenho de importante a comunicar. Apenas que estou quase sem charutos. Quando tiveres oportunidade remete-os. O Nello está aí e deve vir para cá por estes dias, se já não regressou. Seria boa ocasião. O casal aqui ficou muito satisfeito com o telegrama de cumprimentos que vocês mandaram. Fizeram bem. Estou a escrever esta a 7-1-948. Amanhã deve passar aqui o Maneco e levar-me à fazenda de Iguariaçá comer um churrasco no dia do aniversário da comadre Tinoca. Voltando de lá concluirei esta carta. Só então terei portador para a mesma. A seca e os gafanhotos continuam sendo o flagelo desta região.

Em casa do Jango recebi tua carta de 8-12-948[1] com um relatório do Maciel. Tudo com mais de um mês de atraso. O assunto da carta também atrasado. Um retrospecto político de coisas já sabidas e um desabafo de PSD contra PTB. Não vale discutir. Só farei duas observações – 1º) quem me abandonou foi o PSD na sua qualidade de partido de governo, quando sentiu que este me hostilizava. Uma das provas está na atitude desconcertante que tomou, na ocasião da moção apresentada pelo mulato Mangabeira, após meu primeiro regresso ao Rio, ainda cheio de boa vontade. A̶ ̶o̶u̶t̶r̶a̶ ̶o̶b̶s̶e̶r̶v̶a̶ç̶ã̶o̶ ̶d̶e̶ O próprio Ernani tem a prova no caso do Estado do Rio. Se quiser tomar atitude contra o governo federal por tudo o que sofreu do Grão de Bico, com quantos senadores e deputados do PSD poderá contar?

A outra observação que tenho a fazer é de que o pleito eleitoral em São Paulo foi um fracasso. Como se pode negar? Apoiavam oficialmente a candidatura Cirilo o PSD, partido majoritário, o PTB e os comunistas, partidos de massa. Os três reunidos perderam por mais de 100 mil votos. Nada adianta individualizar culpas. Foi um fracasso.

Vou encerrar esta que o Maneco está esperando, para prosseguir viagem e entregá-la ao Jango que segue para Porto Alegre.

Saudades a todos e um beijo do teu pai **Getulio**

———

---

**1.** Refere-se à carta de 8-12-1947.

## 83 \ G · [Estância Santos Reis], 15 de janeiro

Minha querida filha

**1948** A leitura de alguns jornais, a observação de certos fatos levam-me a pedir notícias que me esclareçam sobre a verdadeira situação da economia e das finanças do país. Ora, eu sei que depois de 1945 a produção, pelo menos a dos gêneros alimentícios, vem diminuindo e que a vida encareceu de 40%. Isso quanto à parte econômica.

Por outro lado, as opiniões do velho Whitaker e do inefável João Daudt dizem cousas maravilhosas da administração financeira. Já não falo dos artigos do Chateaubriand e outros cantantes pagos para louvar ou para agredir.

Desejaria muito ter um quadro, em resumo, da vida financeira e econômica do Brasil. Quanto à parte financeira, a receita e a despesa dos anos de 1945 a 1948, os aumentos de impostos, as relações do Banco do Brasil com o Tesouro, a redução do meio circulante, a situação das divisas no exterior, a dívida flutuante etc.

Quanto à parte econômica, produção, importação, exportação, custo de vida etc. Também o auxílio americano ao Brasil, planejamento, viagem do Souza Costa etc. Fala ao Maciel, pede-lhe que me mande esses informes, como os de outra natureza que achar interessantes. Dize-lhe também que recebi seu relatório, já um tanto atrasado, e que estou satisfeito com seus informes. Não supunha que *A Democracia* e Saigon estivessem tão desorganizadas e comprometidas.

Recebi regularmente *Fon-Fon* até 27 de dezembro.

Estava com esta pronta, aguardando oportunidade para remeter, quando chegou aqui o Omar Dornelles. Levará alguns dias de viagem, mas é um portador seguro. Parece-me que seria um ato de justiça sua efetivação como comandante no Lloyd.

Saudades a todos os nossos e um carinhoso abraço do teu pai **Getulio**

**62\A·** [Rio de Janeiro, de 16 a 20 de janeiro]

Meu querido pai

Recebi tua carta de 10 deste em que reclamas de meu silêncio. Há um motivo ponderá-vel. Meu correio <u>certo</u> entrou em férias e eu fiquei sem portador com a correspondência e revistas já preparadas. Somente anteontem consegui comunicar-me com outro meio e a carta seguiu com grande atraso. Mandei-te nela entre outras coisas o voto do Ernani contra a cassação dos mandatos e os *Fon-Fon*.

**1948**

Escrevo-te hoje debaixo de uma forte depressão, porque uma dúvida atroz entrou final-mente em meu espírito. Telefonaram-me hoje para dizer que o Chatô, saindo de seus cui-dados, dedica-me um longo artigo, atribuindo-me toda a responsabilidade de tua ida a São Paulo, sujeitando-te a um fracasso eleitoral, devido à minha paixão política contra a opinião de todos os *leaders* do PTB etc. Não li o artigo mas a orientação é essa. Dá-me ele a grande honra de supor que eu tenho sobre ti uma força espetacular, capaz de dominar todos os demais "crânios" que se dizem teus amigos.

Já há dias o Baeta havia insinuado qualquer coisa em entrevista dada a *Diretrizes* (vai junto), cuja orientação me parece vir mais do <u>cérebro orientador</u> do PTB que do coco do próprio Baeta. É possível que eu esteja apenas vendo fantasmas, porém o fato real é que os óculos de *Pangloss*[1] que eu uso sistematicamente para poder manter minha força moral caíram no chão e se partiram. E aqui estou eu a matutar sobre minhas responsabilidades às quais não fujo, como nunca fugi. Aqueles que hoje jogam sobre minhas costas toda a carga, uns em cochichos de esquina, outros em reuniões partidárias e outros em entrevis-ta, declarada ou veladamente, na ocasião eram os pais da criança, os mais entusiasmados, os imaginadores do magistral golpe político.

Nada disso importa para mim. Antes da eleição disse que a manobra era boa para ganhar ou perder e depois do fracasso eleitoral continuei olhando apenas a vitória política.

Não importa tampouco que eu seja responsável única por tudo isto. O que importa, e mui-to, é que depois de teu pedido de licença longo e desses ataques a mim e ao Ernani eu fico a pensar se no meu desejo de te servir não fui apenas uma idiota, proporcionando-te novas mágoas e desilusões e te expondo ao me expor. E agora sem os meus óculos não consigo reconstituir uma tese que tranquilize minha consciência.

Por um caquinho que sobrou eu consigo ainda ver que se houvesse sido um tal fracasso eles não continuariam a mexer no assunto. Qualquer coisa ainda os preocupa.

---

Tenho em meu poder para te remeter os dois volumes do Almir de Andrade, as listas tele-fônicas do Distrito Federal (de São Paulo não consegui) e uma caixa de charutos que o Bar-ros Barreto veio trazer de festas, como todos os anos. Falta-me apenas o portador. Nello se esteve aqui não deu o menor sinal de vida. O ramo de cá rompeu definitivamente conosco.

---

Respondo agora às três últimas cartas recebidas.

---

**1.** Personagem do conto *Cândido ou O otimismo* (1759), de Voltaire.

**1948**　2 de janeiro · A situação do homem em face da lei de melhora dos vencimentos dos empregados de jornal era de sinuca total. A imprensa desenvolveu uma fortíssima campanha contra a lei, tachando-a de inconstitucional e publicando ataques violentos àqueles que a defendiam e pareceres de jurisconsultos eminentes contrários à lei. Terminavam sempre depositando sua confiança, esperança, segurança etc. no salvador da pátria. E o salvador preferiu ficar ainda mais impopular a perder os diários elogios da imprensa livre. O veto já voltou ao Congresso e foi nomeada uma comissão para o examinar. Ainda não deu parecer.

Quanto ao Soares nunca mais lhe pude pôr os olhos em cima, nem ouvir sua maviosa voz pelo telefone. Contra seus hábitos passou a mandar-me flores e presentes, mas de conversa comigo, neca. Mandei-lhe vários recados, inclusive dizendo que para te responder precisava antes conversar com ele. Nem assim. Não sei se tem medo dos recados que eu te possa transmitir, se é medo do Dutra, ou se é vergonha por estar se servindo de mim como escudo, ou armazém de pancada.

4 de janeiro · De acordo com teu conselho e devido à inutilidade das tentativas, desisti de procurar o Maciel. Vamos ver em que dá. Quanto ao Baeta, como podes ver por sua entrevista, não se deu por achado. Por uma coincidência estranha o retraimento do Maciel data da época de tua carta aconselhando a saída do Baeta. É uma outra hipótese. Ele sempre propalou aos quatro ventos que tu jamais perderias a confiança no Baeta e que o manterias a qualquer preço, e agora não quer tomar conhecimento oficial da realidade para não ser obrigado a agir nesse sentido.

10 de janeiro · As enfermidades continuam. Isabel, a babá, operou-se da garganta, Maria Motta está com cobreiro. O mais bem.

---

20 de janeiro · Fui ontem a Teresópolis deixar S. Excia. D. Celina com os avós paternos. O Rio está um braseiro e ela estava começando a sofrer. Nós viemos passar uma semana em Friburgo, o Carnaval em Teresópolis enquanto aguardamos teu chamado e uma ligeira refrigeração por aí.

No dia 14 deste, a pretexto de apresentar votos de felicidades no Ano Novo, compareceram incorporadas à nossa casa as três bancadas pessedistas do Estado do Rio. Os três senadores, a bancada federal, menos os três trânsfugas (Collet, Duvivier e Acúrcio, que anda seco para voltar), e a bancada estadual completa. Nereu também compareceu. Falaram em nome da bancada federal o Sylvio Bastos Tavares e o Miguel Couto, dos senadores o velho Neves, dos deputados estaduais o Helio Macedo Soares e Hamilton Xavier, que me saudou. Ernani agradeceu e depois falou o Nereu. O melhor discurso foi o do Helio, pela firmeza e coragem, considerando a difícil situação em que se achava de irmão do governador. Fez referências a ti e deixou que seu discurso fosse publicado.

Conto-te esta homenagem por causa do significado que lhe deram inconscientemente os oposicionistas. Para tentar evitar o que eles consideravam uma demonstração de força ao Ernani, inventaram que era uma demonstração de solidariedade por causa do voto do

Ernani contra a cassação. O jornal do governador publicou uma nota nesse sentido e o Nereu recebeu apelos para evitar que o Ernani fosse envolvido nessa nova conjura queremo-comunista. Teve por isso mesmo uma grande repercussão e assumiu um caráter muito mais significativo do que o que se pretendia.

O Barbosa Lima foi finalmente diplomado após um ano de picuinhas. É tal a situação de desordem e descalabro em Pernambuco que os próprios coligados acharam melhor desistir de suas pretensões. É preferível entregar a alguém, ainda que seja o Agamenon, do que continuar na desordem atual. Se não fosse isso creio que o drama continuaria por mais um ano.

O Adhemar fez uma tentativa junto ao Milton Campos para se firmar futuro candidato e se estrepou. Recebeu um contra redondo. Voltou então a cortejar o Novelli, de quem se havia separado um pouco, e o resultado tem sido lamentável politicamente para o Novelli. Ao seu banquete aqui no Rio não compareceram nem Dutra, nem Nereu, nem ministros, nem o gabinete.

O Mendes de Moraes está a ferro e fogo com o C.C.G.

O Zé Arruda com grande inabilidade, não se sabe se proposital ou não, levantou o nome do Brigadeiro para a sucessão. Este recusou-se a fazer declarações. Oswaldo, sentindo-se em perigo, está buscando aproximação com o pessoal do Rio Grande, através do Costa.

O acordo que deve ser amanhã assinado com festas e discursos na presença do Dutra já está em frangalhos e quem deu o maior corte, crea-se o no, foi mestre Vitorino, rompendo com a UDN no Maranhão por um pretexto fútil. Zé interpelou-o no Senado e ele apresentou explicações e desculpas avacalhando-se perante o Zé mas mantendo o rompimento.

Hugo Borghi acaba de ser nomeado secretário de Agricultura do Adhemar. Finalmente juntaram-se as preciosidades. Vamos ver em que dá.

---

Agora o PTB. A debandada continua. Passaram agora mais cinco para o partido do Vitorino: o Pedroso Jr. de São Paulo, o Ezequiel de Minas, o Fisher do Rio Grande, o Barros do Paraná e o Lago da Bahia. O Euzébio e o Ruy estão pendurados à tua carta e mais nada, loucos também para sair. Não tenho mais cara, nem jeito, para segurá-los. Humilhados, desfeiteados, escoiceados pelo Baeta e pelo Maciel, cantados, tentados e festejados por outros partidos, em nome de que posso obrigá-los a manter suas palavras empenhadas. [?] Não sei se na próxima carta não te anunciarei a saída deles e de outros. Baeta continua dizendo que quantos mais saírem melhor, ninguém precisa deles, e que seu desejo é ficar sozinho de posse do título do PTB, que ele é o tal e não respeita ninguém. Como não pode expulsar nenhum torna a vida deles no partido por tal forma insuportável que os obriga a sair e depois os chama de traidores do partido.

Nas eleições nas paróquias o Segadas fez misérias. Interveio por todas as formas, colocou gente dele em todos e negou o direito de viver aos outros. Luthero foi derrotado em Irajá pelo Segadas. Ainda não sei detalhes do negócio, mas sei que houve marmelada.

Não se pode ocultar mais a realidade, o partido está em franca desagregação e nada mais pode impedir. Ontem esteve aqui o Epitacinho alarmado. Não sei se veio por conta própria

*Getulio na Fazenda do Itu.* Itaqui, RS, s/d.

ou industriado por alguém. Pode ser excesso de desconfiança minha, mas conhecendo o **1948** sistema de trabalho, a organização e o abuso do suborno de nosso amigo Soares, sinto o dedo dele por onde quer que olhe. Epitácio queria saber se valia a pena tentar deter a desa-gregação e se era conveniente chamar-te ao Rio para isso. Respondi-lhe que era preferível que a desagregação continuasse na tua ausência do que em tua presença.

Não há eleições próximas capazes de galvanizar a opinião pública no momento. Vir ao Rio para ouvir mexericos, queixas, lamentações, protestos de inocência de todos os lados e ser narcotizado pela verbosidade e os planos mirabolantes do Sr. Soares não é programa para ti. Pede ao Maneco uma carta que escrevi há tempos dando minha opinião sobre esse cidadão. Quando a mandei, pensei que houvesse exagero meu, agora acho pouco. Pode ser, como diz mestre Chatô, que eu seja apenas inteligente e não entenda nada de política. Mas qualquer coisa me diz que há dedo estranho puxando os cordéis do PTB ou para entregar ao governo o Partido ou para destruí-lo de tal maneira que não possas ter veículo algum nas eleições de 50.

---

Estou esperando agora o Pedroso Horta e o Duque Estrada. Se houver algo interessante ainda vai nesta.

Os homens não vieram. Acabo de saber que o Sr. Ruben Berta vai amanhã para aí. Vou mandar por ele os charutos do Seu Barros Barreto. O resto é muito grande, não quero abu-sar do homem.

Com Maneco recebe um beijo carinhoso de tua filha **Alzira**

---

84 \ **G** · [Estância Santos Reis], 21 de janeiro

---

Minha querida filha

Desde aquela carta atrasada dum mês, nada mais recebi de tua parte. Estou isolado de notícias. Sei apenas o que dizem alguns jornais, nem muito exatos nem muito minucio-sos. Podias ter-me escrito pelo Omar Dornelles que era um portador seguro.

Nesta data escrevo também ao Severino Góis em Santa Maria para apressar a remessa de minha mobília. Só falta isso para instalar-me na casa do Itu. Logo após avisarei para receber a esperada e prometida visita.

Recebi pelo correio esses artigos do Chateaubriand sobre meu *raid* a São Paulo. Um deles trata da tua pessoa. Ele deve estar sendo pago por essas guampadas. Que lhe faça bom proveito. Aguardo notícias.

Um abraço do teu pai **Getulio**

**85 \ G ·** [Estância Santos Reis], 24 de janeiro

Minha querida filha

**1948** Recebi ontem, trazida pelo Maneco, tua carta de 4 do corrente. Estava com 20 dias de viagem. Nesse intervalo escrevi várias outras a que ainda me deves resposta.

Nela dás a triste notícia da morte do Adão. Não me surpreendeu. Seu precário estado de saúde fazia prever esse fim próximo. O pior é que morreu amargurado: mal auxiliado pela família e furtado por seus companheiros de trabalho que o iludiram em sua ignorância e boa-fé.

Recebi os outros informes – o parecer do Ernani traçado com muita inteligência e habilidade. Carapuças havia até para o Grão de Bico. O artigo do João Duarte muito interessante. Ele tem sido um amigo que sabe servir com inteligência. Quanto à proposta de escrever para a imprensa americana, por enquanto não estou tentado a fazê-lo: 1º) porque as disposições de espírito no momento não são favoráveis; 2º) porque não disponho aqui de dados e informações para tratar dos assuntos que os interessados desejam. Só li tua carta. Ainda não li o <u>memorando</u>.

Quanto aos motivos de minha licença já expliquei em cartas anteriores. Não há brabeza. Convém meu afastamento desse cenário por algum tempo.

Amanhã sigo para o Itu com o Protasio num aparte de tropa. Estou aborrecido com a demora da remessa da mobília já encomendada em Santa Maria. A casa está vazia. Espero a chegada dessa mobília para avisar-te e aguardar a visita prometida e esperada.

A Ligia, que está aqui com o marido e os filhos, e regressa a 27, será portadora desta até Porto Alegre. Manda lembranças.

Dá-me notícias de tua mãe, dos filhos e netos. E o Pataco, como se vai adaptando à nova vida?

Aguardo resposta das cartas que deves ter recebido de 4 do corrente até o presente.

Abraça-te afetuosamente teu pai **Getulio**

<u>PS.:</u> Estou quase sem charutos. Manda-os na primeira oportunidade ou terei de fumar mata-ratos.

**63 \ A ·** [Rio de Janeiro], *27 de janeiro*

Meu querido Gê

Acabo de chegar de Friburgo-Teresópolis-Petrópolis onde fomos passar quatro dias fugin-do do calor bárbaro que está fazendo, e matar as saudades do "Piolho", ausente há 15 dias.

**1948**

Em Friburgo fomos grandemente homenageados pelo pessoal da cidade e ainda mais so-licitados a te levar lá. Houve grandes disputas para saber quem era o maior getulista do local. O Zé Müller, que é o dono do melhor hotel de lá, renovou o convite que te fez para pas-sar uns dias como hóspede dele. Disse-lhes que era este teu grande desejo e que havias simpatizado muito com a cidade quando por lá passaste, o que é verdade. Deixei-os cheios de esperança.

Chego hoje e encontro um bilhete teu e outro do Maneco e a notícia do embarque do Epi-tácio amanhã. Ele está esperando enquanto rabisco estas notícias.

Já te escrevi duas cartas, cujo recebimento não acusas e nas quais explicava as razões do atraso. Mando-te agora por ele o livro do Almir, as guias telefônicas e o *Fon-Fon* da sema-na. Não te escrevi pelo Omar, porque não tinha certeza de que ele poderia ir até aí e porque a carta chegaria com um mês de idade.

Diz ao Maneco que não lhe dou resposta do caso entregue ao Maciel pela razão muito simples de não conseguir avistar o homem. Vou fazer mais umas tentativas agora para resolver o caso dele.

Pelo Epitácio saberás todas as novidades daqui, inclusive a "belíssima recepção" do Grão de Bico em São Paulo. Sobre o PTB só tenho a acrescentar mais deserções além das assi-naladas em minha última carta.

Não quero fazer o <u>Senador</u> esperar, por isso termino aqui.

Com o Maneco recebe um beijo muito carinhoso de tua filha **Alzira**

**86 \ G** · [Fazenda do Espinilho/Estância Santos Reis, de 1 a 7 de fevereiro]

Minha querida filha

**1948**   Começo a escrever-te esta da fazenda do Espinilho em 1º-2-948 e acuso o recebimento das tuas cartas de 4, 16 e 27 de janeiro. Fomos, Protasio, Omar e eu ao Itu faturar uma tropa de bois e agora aqui estamos em visita de inspeção. Devemos regressar amanhã.

Esteve aqui o Epitacinho. Embora sua visita me fosse muito agradável, o objetivo da mesma, levar-me ao Rio para harmonizar as desavenças do PTB, não me parece acertado. Desejo que o PTB se harmonize. Não adianta porém o sacrifício dessa viagem, a atenção e comentários que irá despertar, para um resultado negativo. E será negativo não só pelos motivos expostos em tua carta, como pela reconhecida intransigência de uma das partes.

Não devo envolver-me numa contenda de natureza pessoal, tornando-me também um contendor. É conveniente que o Epitacinho não insista no assunto.

Quanto às informações que recebo sobre a estranha atitude do Maciel, não se deve também insistir em procurá-lo. Só o tempo entregará a chave desse mistério. A fórmula que te sugeri em carta, para resolver os desentendimentos, parece não ser do seu agrado, nem do Segadas, nem do Baeta. Para que insistir? Eles que procurem outra. E quando todos estiverem de acordo, se ainda precisarem de mim, então poderei intervir. Não te apoquentes com os comentários sobre o _raid_ a São Paulo. A preocupação dos escribas oficiais bem demonstra que não foi tão fracasso como afirmam. Quanto ao Maciel, tenho sua carta fazendo um eloquente apelo para que eu fosse. O inspirador dos artigos do Chatô deve ser outro e não ele, segundo me informou o Epitacinho.

É cedo portanto para meu regresso. A estação climática é muito quente e a temperatura política muito morna.

Passei uma vista ligeira no livro do Almir de Andrade que recebi em viagem. Vou ler depois com mais vagar. Fiquei, porém, comovido com sua lembrança de escrevê-lo e muito satisfeito com o trabalho. É o mais importante até agora realizado sobre a minha administração e sobe de valor por ser elaborado depois que deixei o governo e quando estou no índex dos poderosos do dia.

É a justiça da história que começa.

Por que não teria ele incluído o plano ferroviário e as obras da Baixada Fluminense? Será que ele pretende escrever algum outro livro sobre educação e saúde? Aí poderia entrar o saneamento da Baixada na parte de engenharia sanitária. Sobre educação e saúde teria copioso subsídio a fornecer-lhe.

E aqui suspendo minha missiva. Em regressando a São Borja continuarei.

Em Santos Reis há alguns dias, retomo hoje – 5-2-948 – minha carta.

Tenho uns cobres a receber na Academia. Para isso é necessário uma procuração que pode ser passada ao Epitacinho. Devem enviar-me uma norma de procuração, pois não sei como se denomina o que tenho a receber, isto é, uma parte fixa mensal, embora não esteja presente. Esse cobre deve ser entregue a ti, para algumas encomendas, pois tens o mau costume de não cobrar e nem dizer o preço das coisas que te encomendo. Pagarás as despesas e o que sobrar entregarás à tua mãe.

Entre essas encomendas em primeiro lugar – charutos. O Martins, que me abastecia, **1948**
vai para Paris. Estou acostumado com esses charutos cubanos – Romeu e Julieta, de preferência, Coronas ou outros. É o meu vício e já não posso mudar. O Walder estará para vir. Podes fazer a encomenda dalgumas caixas por seu intermédio. Também desejo meia dúzia de camisas leves, frescas e folgadas, não grandes demais, mangas curtas. Dessas que chamam *slake* ou *slack*. Também podem vir alguns discos de sambas novos.

Recebi 40 e tantos volumes de livros, obras literárias editadas pela Livraria José Olympio, alguns bem interessantes. Já os estou lendo. Deve ser presente, porque não encomendei, e um belo presente. Ignoro porém quem os mandou. Nenhuma informação acompanhou a remessa. Desconfio que fosse do próprio José Olympio. Indaga e agradece por mim. Dá-me também notícias do 12º volume da *Nova Política*.

Logo que aí chegou, o novo embaixador argentino passou-me um telegrama muito cordial de cumprimentos. Logo respondi, mas como o telegrama dele gastou 10 ou 12 dias de viagem, minha resposta pode não ter chegado. Se houver oportunidade indaga.

Como vai o Professor com suas emanações do Astral?

Se ele ainda não desanimou é pouco provável que o mesmo não tenha acontecido com a assistência. Esta já o deve ter abandonado.

*Fon-Fon* – o último nº recebido é o de 24 de janeiro. Hoje recebi, enviadas pela Bica, uma carta de tua mãe (enfim escreveu a segunda) e duas caixas de charutos.

Estou escrevendo esta para ser levada pelo Júlio Santiago, que pretende ir ao Rio. Manda-me por ele mais algumas caixas de charutos. Essas que me vieram de 25 a 30 charutos são esgotadas numa semana, isto é, uma por semana, o que constitui uma média bastante razoável, três a quatro charutos por dia.

E os touros, nenhuma notícia? Já os havia anunciado e estavam sendo esperados. Foi pena. Paciência. Também não insistas.

Manda-me selos para uma procuração de próprio punho. Já não sei quanto se paga de selo numa procuração desse gênero. Manda-me também um injetor *Schick* de vinte lâminas para barba. É só isso, já tenho o resto do aparelhamento.

Só os charutos são de encomenda americana. As outras coisas podem ser encontradas aí.

O Maneco anda pela Argentina. Está metido em negócios de madeiras. Tua mãe, em sua carta, não me deu notícias dos filhos, nem dos netos. Nada sei sobre Luthero, nem Jandyra.

Enfim, vou terminar esta carta, escrita em duas etapas, e na qual me parece ter dito o que pretendia. Se esqueci algo ainda há tempo de acrescentar.

Em 6-2-948 • Chegou o Júlio que pousará aqui e partirá amanhã.

Lembrei-me que também preciso de um vidro de água de colônia.

Todas as cousas que enumerei não são para que as remetas pelo portador, exceto os charutos. Tive o propósito de catalogar tudo isso, aproveitando a viagem do Júlio, para que me remetas quando dispuseres da verba da imortalidade.

Saudades a todos os nossos e um afetuoso abraço do teu pai **Getulio**

**64\A·** [Rio de Janeiro, de 3 a 4 de fevereiro]

Meu querido pai

**1948**    No dia do embarque do Epitácio recebi um bilhete teu reclamando resposta a tuas cartas e logo depois uma acusando recebimento de uma das minhas. Tenho escrito regularmente, apenas nossas cartas às vezes se desencontram, devido à falta ou preguiça dos intermediários. Mas para ter segurança precisamos nos conformar com a demora. Já deves ter recebido a esta altura mais duas cartas minhas e as encomendas pedidas. Se faltar alguma avisa-me.

Epitácio deve ter te posto ao corrente de todas as sujeirinhas trabalhísticas, de modo que passarei este assunto por alto.

A tribo vai indo mais ou menos bem. Mamãe atravessou esta semana, dura para todos nós, um pouco melhor que nos anos anteriores. Entregou-se ao trabalho de costuras e arrumações lá no Cais do Porto e, embora quem a conhece saiba o quanto sofre, nota-se um sensível desejo de reagir e demonstrar um pouco mais de animação. Luthero está radiante e feliz. Seu sonho começa a se tornar realidade. O Hospital Barata Ribeiro, ao qual ele dedicou todas suas esperanças, após uma série de escândalos e explorações, foi finalmente mandado abrir pelo prefeito.[1] Compareceu pessoalmente, assistiu o Luthero operar, deu-lhe toda a atenção e declarou que como diretor estava autorizado a solicitar a demissão de qualquer funcionário que não andasse corretamente. O ato de nomeação não foi feito até agora, mas os jornais deram a notícia fazendo grande onda. Que será que está para acontecer? Jandyra está muito bem. Ontem esteve aqui com as crianças. Estava interessada e animada. Será que o bissexto[2] vai dar um jeito na família? Tio Pataco já arranjou um jeito de viver no Rio, tal qual vivia em Porto Alegre. Não tivesse ele a adaptabilidade universal da família Vargas, que em qualquer lugar dá um jeito de se sentir bem. Foi passar o *weekend* com o Bejo em Petrópolis e já voltou. Cândida está novamente com a Mamãe e, embora ainda se ressinta da educação que teve, há uma grande mudança para melhor. Celina está em Teresópolis com D. Alice. Dia 6 pretendo subir para passar lá uma semana com ela. Se não te puder escrever é que me faltou portador de lá. Não te preocupes. Está entusiasmada com o Carnaval. Encomendou ela própria uma fantasia para cada avó: cigana e havaiana. Ernani, depois que o Edmundo se revelou candidato dele próprio e do Zé Eduardo à presidência da República, está sendo namorado pelo Dutra. Principiou, de longe, fazendo elogios a pessoas que deviam contar, depois [foi] um pouco mais direto e ultimamente declarou que teria muito prazer em receber uma visita dele, e um de seus espias, o Acúrcio, anunciou ao Ernani que ele ia ser chamado. Está ficando gozado! O Zé Eduardo, por sua vez, está danado com a visita do Dutra a São Paulo e, após passar uma semana sem escrever, hoje vem dando bicadinhas, conforme seu sistema, em S. Excia. Sobre a visita que foi um fracasso total, mando-te junto um artigo do Duarte.

O acordo está cada vez mais agonizantezinho, graças ao Piauí. O caso continua na mesma. O *impeachment* foi julgado procedente e o Sr. Governador declarou que prefere ser esbulhado a submeter-se às exigências do PSD.

**1.** Ângelo Mendes de Moraes.
**2.** Refere-se a Ruy da Costa Gama, marido de Jandyra.

Hoje recebi duas visitas petebianas. Primeiro o Canuto Mendes de Almeida. Em resumo **1948** disse que está afastado do Partido, porque já não sabe mais quem é partido em São Paulo. Existem atualmente três diretórios. O do Nelson reconhecido pela Comissão Executiva, o dele reconhecido pelo Tribunal mas que não existe porque a Com. Ex. negou registro, e agora um terceiro organizado para reconhecer o segundo. Que o único homem no momento capaz de levantar o Partido em São Paulo seria o Pedroso Horta, devido a suas "diabólicas" (expressão dele) ligações com homens de todos os partidos. É bem-visto pelo PR, onde tem amigos dedicados, pela UDN e pelo PSD, respeitado e temido pelo Borghi e pelo Adhemar, dos quais foi advogado. Faz em qualquer lugar profissão de fé getulista. Vendo o peixe conforme comprei.

A segunda foi do Joel Presídio, acompanhado pelo Landulfo Alves. Vieram ao Rio tratar do reconhecimento do diretório, organizado em convenção legal, sob a presidência do Medeiros Netto. Baraúna fez um recurso e eles temem que o Baeta dê ganho de causa ao seu preposto, contra toda evidência. Disse-lhes que não poderia intervir em favor deles por estar fora de contato com a turma, prometi relatar-te o ocorrido e aconselhei-os a se agarrarem com o Salgado. Joel pediu ainda que te dissesse que te seguirá em qualquer emergência, embora esteja com os direitos políticos "cassados"... pelo Baraúna.

4 de março[3] • Ontem fomos à festa de coroação da Rainha do Rádio Dircinha Batista (informações sobre a família podem ser dadas pelo Maneco). Estavam presentes o Sr. Prefeito, acolitado pelos primos do Maneco (Fernando e Francisco Elisio), o Levy Neves e o Alvaro Dias. Teu prestígio entre o pessoal do rádio é enorme. Fiz um bruto sucesso à tua custa. O diretor da Rádio Nacional, o Lamartine Babo, a Aracy Cortes, as irmãs Batista, a Ismênia dos Santos, Alvarenga, enfim os dromedários do Rio e até o Rei Momo foram me cumprimentar e pedir para te remeter abraços. Aí vão eles.

Junto os dois últimos *Fon-Fon*. E agora até depois do Carnaval.

Com Maneco recebe um abraço e um beijo cheios de saudade e carinho **Alzira**

---

3. O provável é que Alzira tenha trocado o mês. A continuação seria 4-2, já que a festa de coroação da Rainha do Rádio foi realizada no dia 3.

**87 \ G ·** [Estância Santos Reis], 11 de fevereiro

Minha querida filha

**1948**  Há poucos dias escrevi pelo Júlio, fazendo-te várias encomendas. Entre elas está a da procuração e do selo que me deves remeter antes do regresso desse portador, pois pretende ele demorar-se aí algumas semanas.

Como se foram de carnaval? Pela notícia junto parece que apesar de toda a encenação democrática dos mandarins eu não fui esquecido, pelo povo. É verdade? O carinho anônimo deste sempre me interessou muito mais que as opiniões dos políticos.

Também li, no mesmo jornal, um discurso do Flores ameaçando aliar-se ao PTB do Rio Grande se não fosse aceito pelo PSD e a réplica do Costa abrindo-lhe os braços acolhedores.

Li ainda a notícia que o Góes iria para o partido do Vitorino. Já não tenho reações de revolta, nem de surpresa. Ao contrário acho graça de toda essa pantomima e fico satisfeito por não estar tomando parte na mesma.

Marcho para um estado de saturação em que essas cousas não me espantam, nem me irritam. É a vida. Estou me acomodando a ela para chegar ao fim, que não está longe, tranquilamente.

Continuo aguardando a chegada da mobília para ir ao Itu arrumar a casa. Essa remessa está demorando mais do que eu esperava e o Severino Gois, que está em Santa Maria dirige um hotel, foi encarregado de cutucar os vendedores. Temo que com a demora vocês não possam vir. E isso me aborrece.

Saudades a todos e um afetuoso abraço do teu pai **Getulio**

88 \ **G** • [Estância Santos Reis], 15 de fevereiro

Rapariguinha

Desde a vinda do Epitacinho que trouxe uma carta ligeira, após teu regresso de Friburgo, nada mais recebi.

Esta vai a título de ~~atendo~~ adendo às duas anteriores, com novos pedidos. Quero que me tragas quando vieres ou que remetas por algum portador umas duas ou três camisas com as respectivas cuecas e colarinho, já usadas, de seda lisa, mais ou menos espessa e de cor creme ou amarelada, colarinhos com a marca do fabricante – James. Estão no guarda-roupa grande do meu quarto, o que fica à esquerda de quem entra pela sala de costura de tua mãe.

São roupas que posso usar aqui.

Como vão as cousas por aí. Pelo que leio nos jornais tudo está em mar de rosas. Também preciso de uns dois vidros de Bromural.

E por hoje é só. Vai junto uma carta para tua mãe.

Abraços do teu pai **Getulio**

1948

*Baile da coroação de Dircinha Batista como Rainha do Rádio. Da direita para a esquerda: Francisco e Lourdes Rosemburgo; Regina Castro Neves, Alzira, Isnard Castro Neves e Ernani (sentado).* Rio de Janeiro, DF, 1948.

**65 \ A** · [Rio de Janeiro], 19 de fevereiro

Meu querido Gê:

**1948**   Regressei de Teresópolis há três dias, trazendo como lembrança do Carnaval uma belíssima e substanciosa gripe. Minhas ideias estão portanto um tanto... endefluxadas, mas vamos ver o que se pode fazer com elas.

Em primeiro lugar, remeto o bilhete anexo. Trata-se de mais uma obra-prima de S. Excia. Estávamos jantando em casa de D. Alice, sem lhe dar a menor atenção, quando apoderando-se de um bloco e um lápis começou a rabiscar e a rasgar papel, procurando provocar interesse. Perguntei-lhe o que fazia, respondeu: estou escrevendo uma carta para o vovô Getulio e uma para a vovó Darcy, para você levar. Quis saber o que continha a carta, disse-me: é para ele vir no meu aniversário, como da outra vez. Limito-me a transmitir a tradução, sabendo que infelizmente seu desejo, desta vez, não será satisfeito. A da mamãe era de encomendas.

Tive a surpresa agradável de encontrar duas cartas tuas, uma atrasada, do dia 15 de janeiro, e a outra trazida pelo Júlio.

Como encontrar o Maciel tornou-se quase tão difícil como achar pensamentos na cabeça do Dutra, resolvi buscar os dados que pedes por outros meios, pelo menos para adiantar serviço. Incumbi o Ernani, por intermédio da Câmara, e o Luiz, pela Fundação Getulio Vargas, de conseguirem o que puderem. Posso adiantar-te o seguinte: 1º a receita e despesa de 45 e 46 é fácil obter, sendo que a de 46 deve estar em teu poder remetida pelo Ernani há tempos; a de 47 ainda não foi publicada, e a de 48, só te posso mandar a proposta orçamentária; aumentos de impostos federais houve apenas dois, os estados é que estão carregando mais a mão; as relações do Banco do Brasil com o Tesouro são osso, a Câmara já pediu informações há quase um ano e não obteve resposta, o mesmo se dá em relação às divisas no exterior; dívida flutuante; e meio circulante é fácil. Idem quanto a importação, exportação e meio circulante. Já em relação ao auxílio americano e missão Souza Costa e planejamento quase nada há. Vou tentar remeter tudo pelo Júlio. Esta irá até Porto Alegre pelo Palombo, para não te deixar sem notícias.

7 de fevereiro[1] · Estou de acordo contigo sobre as desvantagens de tua vinda para harmonizar o PTB. Ainda mais agora com a infelicidade de perder o Medeiros Netto, que se estava portando com grande correção e tino político, foi-se mais uma ponta de lança na Bahia. O *team* do Baeta agora fatalmente se firmará lá, hostilizando o Landulfo e o Presídio, que está até suspenso pelo Partido local de seus direitos políticos. Essa é enorme!

A última chance que tivemos de galvanizar e harmonizar o Partido foi sem dúvida a eleição paulista. O bruto, porém, estava minado e carunchado demais, não foi possível. Agora só um fato novo poderá trazer outra oportunidade. E a não ser que o Sr. Presidente carinhosamente no-lo forneça, somente as eleições de 50. Até lá o melhor é ainda fingir de morto. É o que tenho dito aos poucos que me procuram. – Entendeste-me mal quanto ao provável inspirador dos artigos do Chatô. Referia-me não ao Soares, mas ao meu grande, dileto amigo das primeiras horas, o coco do PTB, o Vieira.

---

1. Refere-se à carta de Vargas datada do dia 7 de fevereiro.

As tuas encomendas estão sendo providenciadas. Não te preocupes com a grana. Uma **1948** mão lava a outra e o sabão português lava as duas. Já mandei pedir a fórmula na Academia para a procuração. Já escrevi ao Xico encomendando os charutos, mas ainda tens aqui em *stock* alguma coisa. As camisas queres brancas ou de cor? Os sambas irão também.

Já agradeci ao Zé Olympio os livros. Ficou muito contente porque os apreciaste e disse que era esse seu objetivo. A *Nova Política* 12º volume está já na composição e dentro em breve ele te mandará as provas. Pediu-me para te sugerir que fosse feita a modificação do título. Diz ele, com razão, que nova política era ótimo enquanto estavas no governo e a política era aquela, mas agora as políticas são outras e os assuntos de teus discursos últimos não podem ser equiparados aos anteriores. Disse-me também que tem uma excelente sugestão para o título que mandará quando seguirem as provas.

O Astral continua anunciando que o seu dia chegará, mas ainda não chegou. E a assistência continua firme.

Quanto aos touros estou ainda providenciando, não perdi as esperanças.

Esteve aqui o Almir, mostrei-lhe as referências a ele. Ficou muito sensibilizado e grato. Pede que te diga que aquilo é o resultado de seu trabalho na Agência Nacional e na *Cultura Política*. Agora torna-se para ele mais difícil a coleta de material. Tem no entanto ainda alguma coisa que pretende publicar mais tarde como continuação.

Seguem dois *Fon-Fon*, as lâminas, a água de colônia e o que puder arranjar até logo mais. Pelo Júlio, escreverei mais.

Com Maneco recebe um beijo muito carinhoso de tua filha **Alzira**

**66 \ A ·** Rio [de Janeiro, de 28 a 29 de fevereiro]

Meu querido Gê

**1948**   Regressei ontem de Teresópolis, aonde fui passar o aniversário de S. Excia. e encontrei dois bilhetes teus, reclamando correspondência. Já agora deves ter recebido carta minha e parte das encomendas feitas. Estou em dia.

Há dias telefonou-me o Frank Garcia do *New York Times*, dizendo que havia recebido um pedido urgente do jornal para se comunicar contigo. Corria o boato que estavas escrevendo tuas memórias e eles queriam comprá-las a qualquer preço.

O calor anda derretendo meus miolos, de modo que minhas cartas saem um tanto ou quanto, mais ou menos.

Em primeiro lugar, nossa ida a São Borja só poderá ser em fins de março, princípios de abril. A 19 de março os velhos completam 50 anos de casados. Para ir agora e voltar correndo para as comemorações não vale a pena, além de que São Borja ainda está muito quente. A não ser que pretendas vir antes disso, podes contar com nossa visita, sem precisar "o velho Vargas" atucanar a vida do Severino, por causa dos móveis.

---

Há tempos mandei te dizer que o Dutra andava namorando o Ernani, não sabia com que intenção. Após várias peripécias, deu-se o encontro. Antes de descrever o encontro vou contar os prolegômenos. – O Xico Tinoco que é muito abelhudo andava com recadinhos amorosos do Dutra para o Ernani: que não tinha queixas nem dele nem de ti, que estava aborrecido com o Edmundo, que era PSD etc. Finalmente um dia apareceu dizendo que o Dutra teria muito prazer em receber o Ernani. Este respondeu que nada tinha a conversar com ele e mandou o Xico embora para Itaperuna. Soube depois que o Dutra o havia esperado em Petrópolis num domingo. Xico Tinoco de volta bolou outro golpe. Nas vésperas do encerramento do Congresso inventou uma comissão parlamentar para estudar as condições da lavoura e meteu o Ernani na comissão. A ideia era interessante e visava pôr em xeque o Banco do Brasil, os congressos rurais bolados pelo Borghi e ainda estabelecer contatos políticos em todos os estados rurais. No entanto, a orientação imprimida pelo Xico desde o início fazia crer que tudo isso tinha sido organizado para promover o encontro. Propôs inicialmente que a comissão fosse cumprimentar o Dutra, foi barrado. No dia seguinte sugeriu nova visita com outro fim, foi barrado. Na terceira vez compareceu com um convite do Dutra à comissão toda. Não podia ser recusado. No dia o Ernani pensou fugir, mas mesmo que o tentasse não conseguiria. Ele havia saído há meia hora para a reunião da comissão, quando um oficial de gabinete do Dutra que é amigo do Ernani veio buscá-lo. Compareceram todos, cumprimentaram o homem e se retiraram, sem novidades. O Alfredo Neves e o Tinoco ensaiadinhos seguraram o Ernani e começa então o seguinte papo:

Alfredo Neves — Presidente, vamos aproveitar a ocasião para acertar o seu relógio aqui com o Ernani.

Dutra — Não é necessário acertar relógios com ele, não tenho dele nenhuma queixa e, ainda que o tivesse, pertenço à escola política do Dr. Getulio de receber até os inimigos, quanto mais ao Ernani, a quem aprecio e que é homem do meu partido. As portas do palácio sempre estiveram abertas para ele, ele não vem porque não quer. Também não tenho nenhuma queixa do Dr. Getulio, nem mesmo a atitude dele no caso de São Paulo me fez guardar ressentimentos.

**1948**

Ernani — Já que o Sr. tocou neste assunto, desejo esclarecer um ponto. Dr. Getulio não pretendia intervir pessoalmente nas eleições de São Paulo e estava decidido a não sair de São Borja para fazer campanha. Cabe-me grande parte da responsabilidade de sua vinda. Um portador especial foi a São Borja obter o apoio dele à candidatura Cirilo Junior do PSD. Empenhei-me a fundo para jogá-lo no fogo por duas razões: 1º para evitar que o Partido Trabalhista se unisse ao Adhemar e elegessem juntos um outro elemento semelhante ao Borghi, que trairia o Dr. Getulio na primeira oportunidade e 2º porque estava na firme convicção de que, conforme havia sido combinado, o candidato eleito pela convenção do PSD seria apoiado pelo governo federal.

Dutra — (silêncio absoluto)

Ernani — Quanto aos ataques feitos pelo Dr. Getulio ao governo federal em São Paulo o Sr. deve se lembrar do ambiente em que ele foi recebido em São Paulo. Debaixo de tiroteios e desordens, correndo perigo de vida não só ele próprio como os amigos que o acompanhavam, um homem por mais sereno que seja, e o Sr. sabe como o Dr. Getulio é sereno, tem que perder a serenidade.

Dutra — Quanto a isso não me cabe nenhuma responsabilidade, pois não quis ter interferência em São Paulo. Fui contra a candidatura do Novelli, pois sabia que mais cedo ou mais tarde teria de agir contra o Adhemar e não queria com isso parecer estar protegendo a candidatura de meu genro. Novelli tem a sua personalidade política e é responsável por seus atos, da mesma maneira que o Sr. o é em relação ao Dr. Getulio. Foi o Adhemar quem promoveu isto tudo.

Ernani — Para tranquilizar o país, o Sr. terá de intervir em São Paulo, tirando o Adhemar do governo.

Dutra — Pois é. Todo o mundo me diz o mesmo, mas eu não sei como fazer, devido à posição do Novelli.

Ernani — Convivi com o Adhemar, fui hóspede dele e ele foi meu hóspede. Estou convencido que se trata de um louco. As próprias forças políticas acabarão pleiteando a retirada do cenário desse corpo estranho que é o Adhemar como medida necessária à tranquilidade pública. Esta é a convicção geral e o Sr. pode contar conosco, nesse sentido.

Em linhas gerais esta foi a conversa. Tentei reproduzi-la tal qual Ernani me relatou à sua chegada para te transmitir, pedindo sigilo. O papo foi assistido pelo Tinoco e Neves, de modo que em breve estará na rua, mas é melhor que o seja propalado por eles. – Dutra continuou depois atacando o Adhemar, censurando a iniciativa do tal congresso rural, depois, provocado pelo Neves, passou a tratar da política fluminense. Disse que o Edmundo não tem habilidade política, que é manobrado pelo Zé Eduardo. Atacou a família Macedo Soares em geral, declarou que no Estado do Rio qualquer composição teria de ser feita através de pessoas que como o Ernani sempre tinham sido seus amigos etc. Distribuiu serpentinas e confetes. Em resumo: o homem pretende desfazer-se do Adhemar. Não o pode fazer antes dele completar dois anos de governo porque nesse caso haveria nova eleição e o Novelli

**1948**  não assumiria. Para isso precisa de apoio e o está buscando. O problema da sucessão não tarda a surgir e ele precisa amansar, anular ou captar o grande eleitor. Ernani só saiu com uma dúvida. Não sabe se S. Excia. quer se servir dele como ponte para chegar até aí, ou se utilizar dele contra ti. Tu és a grande incógnita. Se te candidatares não haverá competição ou haverá revolução. Se tiveres candidato, depende do candidato (*remember* Dutra) e das forças que o apoiarem. Se ficares neutro pode não acontecer nada e pode acontecer o diabo.

---

Notícias políticas: o Mendes de Moraes, após ter gozado temporariamente de uma popularidade fictícia, tendo cortejado por todos os meios a opinião pública carioca, caiu redondo do pedestal. A causa ou por outra o manto diáfano da fantasia que caiu, foi a demissão do Capriglione que, por sua vez, havia conquistado popularidade também com a campanha de saúde pública. Depois disto Mendes de Moraes teve uma séria altercação com o Pereira Lyra no palácio e quase chegaram às vias de fato. Este declara que um dos dois é demais no governo. As opiniões estão divididas. Uns dizem que o Dutra não terá coragem de demitir o Mendes de Moraes para não criar uma questão de classe, outros que os dias dele estão contados, que o C.C.G. exigiu sua saída e já se apontam os vários substitutos: Guilherme da Silveira, João Alberto, Lima Câmara, o da Polícia, entre outros.

---

O eterno candidato à Secretaria de Saúde, o Xico Elísio, procurou hoje o Ernani em nome do Mendes de Moraes dizendo que constava que o Luís Paes Leme pretendia convocar uma sessão extraordinária da Câmara Municipal com o intento de criar dificuldades ao prefeito. Que pretendiam com o apoio do Junqueira eleger o Tito Livio presidente da Câmara. Que ele Mendes de Moraes desejava a eleição do Napoleão e pedia para isso a intervenção do Ernani junto a ti.

---

O Wanderley declarou que o Pereira Lyra estava procurando fazer acordo com o Argemiro na Paraíba. E que o Zé Américo furioso com isto dissera que faria acordo contigo.

29 de fevereiro • Acabo de saber que o Ernesto segue para aí amanhã, de modo que vou aproveitar e mandar por ele o *Fon-Fon*, as camisas que estão aqui e os discos. Não mando a procuração, porque hoje é domingo e os correios e coletorias estão fechados. Também a da academia não pode seguir porque Epitácio ainda não me entregou.

Passamos um Carnaval pacato em Teresópolis com apenas um dia de farra em Petrópolis, no Quitandinha. Soube, porém, que o Carnaval no Rio esteve muito animado e a prefeitura gastou o diabo para isso. Fazia parte do plano de popularidade do General. De fato não foste esquecido. Figuraste em um dos préstitos, creio que o do Arsenal de Marinha, provocando, segundo me disseram, verdadeiro delírio por onde passava. Pela avenida apareceram

vários fantasiados de Getulio, causando grande sucesso que os jornais procuraram escon-  **1948**
der debaixo de ironia.

O discurso do Flores foi provocado pelas declarações do Paim, que não haveria acordo no Rio Grande. Ameaçou de fato aliar-se ao PTB referindo-se a ti de maneira respeitosa e até carinhosa. Aproveitou a entrada do Ernani no recinto no momento exato para tirar efeitos teatrais, invocando-lhe o testemunho. O Gordo teve que se explicar. Sei que anda muito irritado com o Dutra, principalmente porque não terá mais uma vez a presidência da Câmara. Junto a pessoas de sua confiança ataca o Dutra e te elogia muito. Coitado, coragem ali é manga de colete. Flores está se enchendo com as negociatas que arranja e jogando como um louco.

---

As dúvidas que esboças sobre a real situação do país, até parece que já te esqueceste da sinceridade dos jornais e dos homens que citas. O preço de tudo continua subindo, o Banco do Brasil até hoje não publicou seu relatório anual e parece que não o fará. Ele e o Tesouro estão brigando para saber qual dos dois deve mais ao outro e não conseguem achar uma explicação para o desaparecimento das reservas. O dinheiro desapareceu, tudo está em crise e a paralisia é geral em todos os ramos de negócios. Minhas idas constantes a Teresópolis têm prejudicado um pouco a coleta dos documentos que te prometi. Esta semana vou dedicá-la aos teus assuntos.

Ernani te manda um abraço.

Com Maneco recebe o beijo carinhoso de tua filha **Alzira.**

**67 \ A •** [Rio de Janeiro], 4 de março

Meu querido Gê:

**1948**   Em primeiro lugar, pelos 30 e muitos anos (não sei bem quantos) que aturas esta ilustre família, em boa hora fundada, meu abraço de reconhecimento e de simpatia.

Pelo Ernesto mandei-te a carta que devia seguir pelo Júlio e agora pelo Júlio mando-te as encomendas que deviam seguir pelo Ernesto. Houve uma série de quiproquós e desencontros e só hoje seguem os pedidos.

Como ainda não respondeste em relação às camisas vai uma para modelo. Diz-me se é esse o gênero que queres e eu mandarei as outras cinco, se não for há tempo de escolher outras.

A documentação ainda não vai. Luiz prometeu-me para breve. Vai apenas o que o Ernani conseguiu. Suspendo a remessa de charutos ou queres que continue mandando por todos os portadores viáveis.

Vai a fórmula da procuração para a Academia e o respectivo selo de $3,00, válido para qualquer procuração, e mais o de educação.

Depois das notícias que te mandei sobre o caso Adhemar a situação tornou-se mais tensa. O Congresso Rural de inspiração e influência nitidamente comunistas, aproveitado pelo Borghi e esposado com entusiasmo pelo Adhemar, está assustando as classes conservadoras e o governo, a ponto deles não desejarem mais esperar a passagem dos dois anos. O rompimento Novelli-Adhemar já se tornou publicamente efetivo. O secretário de Finanças do Adhemar, em entrevista, atacou o Banco do Brasil e a política financeira do governo, obedecendo à tese defendida em teu discurso no Senado.

A Bolsa de São Paulo tornou-se o teatro de uma luta surda entre o governo do estado e as classes conservadoras e aquele e o governo federal. Forçam a alta e a baixa dos títulos, conforme o momento. Pequenas greves aparentemente fracassadas em todas as posições-chave dão aos comunistas a oportunidade de irem estabelecendo seus núcleos. Está em gestação nova greve no porto de Santos. O *stock* de arroz acabou e o quilo deve subir a 10 cruzeiros no próximo mês.

A situação em São Paulo do ponto de vista econômico-financeiro é tensa e delicada.

Do ponto de vista político há o seguinte: Adhemar destruiu a possibilidade de *impeachment* fazendo com o Novelli o mesmo que fez com o PTB. Adquiriu alguns deputados, fez a cisão e desfez a maioria. Nelson Fernandes foi a palácio hipotecar-lhe a solidariedade da bancada. Há uma história muito suja de 150 contos, de cujos detalhes te pouparei. Os jovens turcos do PR chefiados pelo Wladimir Piza estão açulando o Adhemar a reagir. E este, segundo fui informada ontem, gostaria de obter uma palavra de encorajamento nosso para resistir empunhando a bandeira separatista mais uma vez. Fui sondada por um amigo que me informou ter te sido enviado um mensageiro nesse sentido. Repeli a ideia e aconselhei-o a não se meter dizendo que se eles quiserem se pegar que o façam, mas não com o auxílio nosso. Tudo isso porque afastada a possibilidade do *impeachment* consta que o governo federal fará a intervenção. Neste caso Adhemar, se for apoiado, reagiria *manu militari* e para tanto estaria preparando ambiente no Exército. Se não for apoiado reagiria verbalmente

abrindo luta com o governo federal por ocasião da reabertura da Assembleia estadual, inclusive servindo-se de teu discurso no Senado. O inspirador disso tudo é o Wladimir Piza,
cuja <u>simpatia</u> por nós é por demais conhecida para crermos em suas boas intenções, sem
contar com a falta de escrúpulos do Adhemar. Em resumo e em aditamento à minha carta
anterior, tanto o governo federal como o estadual querem te meter no brinquedo de seu
lado. E como o divertimento do palhaço é ver o circo arder, *entre les deux*, *mon coeur* fica
*indécis*, e vamos ver do lado de fora em que é que dá. Que te parece? O Horta está tentando
evitar tudo isso, convencendo o Adhemar a ceder e compromissar, cancelando definitivamente o Congresso Rural e não continuando seus ataques à política financeira do governo.

**1948**

---

Isto é o que há de mais importante no momento no cenário político, o resto é café pequeno.

*O Globo* anunciou ontem que estás mesmo escrevendo tuas memórias e o Frank Garcia
voltou a pedir prioridade. Que tal, vamos fazer nossa independência financeira, à custa do
*New York Times*?

Agora quem está devendo cartas és tu. Estou com a minha em dia.

Um beijo muito carinhoso de tua filha **Alzira**

89 \ **G** · [Fazenda do Itu], 7 de março

Minha querida filha

**1948**   O senador Ernesto baixou de avião nestes rincões do Itu onde eu estava com o Protasio, Glasfira e Ondina que vieram auxiliar-me na arrumação da casa. Foi lavada, pintada e foram instalados os móveis existentes. Estão faltando apenas as duas camas de casal compradas em Santa Maria, já embarcadas, mas que ainda não chegaram.

Abrimos todos aqueles caixões que tu e o Maneco arrumaram ainda no Guanabara. Só agora é que tomei conhecimento do seu conteúdo. Muita cousa apareceu, bonitas umas, úteis outras e outras sem aplicação deixadas em depósito. Muitos presentes, alguns de procedência ignorada. Foi uma evocação do passado. Parece que algumas cousas foram furtadas na estação da estrada de ferro Conde de Porto Alegre ou na casa de negócio junto a esta, onde estiveram depositados antes de seguirem para cá. Havia sinais de violação nalguns caixotes. Entre os objetos ornamentais próprios para uma fazenda estava a reprodução do monumento A Carreta, de Montevidéu. Não veio porém a do gaúcho a cavalo. Desejo saber se ficou aí. Faria um bom *pendant* com A Carreta (próprios para uma fazenda).[1] Há outros objetos que destino ao Museu Histórico e ficam em depósito.

A roupa de cama mandada por tua mãe, toalhas de banho etc. tudo foi muito útil, oportuno e bem escolhido. Faltam colchas para as camas de casal, são duas. Vieram dois jogos, fronhas e lençóis, para uma cama de casal. Faltam para a outra. Também falta um relógio para uso da casa, de mesa ou de parede, e toalhas para a mesa de jantar que tem 1,60m. Falaram-me também nuns dois ou três pratos de vidro para servir comida, pirex.

Nesta tua carta, trazida pelo Ernesto, e noutra anterior dizes que recebeste dois bilhetes meus reclamando notícias, mas até agora não acusaste o recebimento da carta, que não é bilhete, enviada pelo Júlio Santiago. Acertados os relógios quanto à viagem fico à espera, pois não pretendo regressar antes do termo da minha licença.

Os objetos trazidos pelo Ernesto ficaram em São Borja, só no meu regresso é que os receberei. Dize à tua mãe que o Maneco está bem e em viagem de negócios para a Argentina.

Muito interessante o encontro do Ernani com o Grão de Bico. Mutuca é que tira boi do mato.

Recebi também as cartas de tua mãe e do Luthero.

Saudades a todos os nossos e um beijo do teu pai  **Getulio**

———

Apresenta meus cumprimentos ao casal Amaral Peixoto, que vai festejar seus 50 anos de vida feliz. Cousa rara nestes tempos. E o Dr. Amaral, ainda continua com o prestígio entre as artistas?

---

1. Acrescentado por Getulio à margem da carta.

Agradece ao Epitacinho as informações que me transmitiu em carta trazida também  **1948**
pelo Ernesto. Espero que me informes sobre os assuntos tratados na carta levada pelo
Santiago. Encontrei algumas caixas de charutos nos caixões abertos aqui. Isto me dá
tempo para esperar. Não esqueças porém da encomenda ao Walder, para a renovação
do estoque.

*Chegada de Benedito Valadares (no centro)
ao aeroporto de Divinópolis (MG),
vendo-se Israel Pinheiro (próximo aos militares).* 1948.

**68 \ A ·** [Rio de Janeiro], 10 de março

Meu querido Gê

**1948**   Este é apenas um bilhete escrito às carreiras para aproveitar a ida do tio Pataco. Estás me devendo resposta a umas seis cartas mais ou menos.

A confusão aqui está tremenda em matéria política. A reorganização da mesa da Câmara está dando pano para mangas. Ao Rio Grande não querem dar porque este ficaria demasiado bem aquinhoado (dois ministros); a São Paulo não podem dar porque o acordo ainda não está feito e as marcas ainda estão quentes. Parece que ficará nas mãos do Samuel ainda. A luta na *leader*ança também está o diabo. Querem dá-la de volta ao Cirilo para facilitar a recomposição do PSD paulista, porém não sabem o que fazer do Acúrcio, que tantos serviços prestou na cassação. É provável que o Acúrcio continue.

O acordo paulista é na base da retirada imediata do Adhemar e afastamento do Pavão da presidência do PSD. Zé Eduardo já não escreve mais no *Diário Carioca*. Está mudo; ainda não se atreve a falar mal.

Adhemar anda espalhando que tu estás chefiando uma conspiração muito séria, que ele pretende dominar, estando com a Polícia de prontidão. Nas tuas costas quer fazer média ou cortina de fumaça. Tenho a impressão de que esta sessão legislativa será tumultuária.

Os gêneros de primeira necessidade sobem cada vez mais e a perfumaria desce. Sinal dos tempos.

Soube que já estás com a casa quase pronta. É verdade? Aqui vamos indo mais ou menos, todos.

Cada qual se arranjando como pode na vida que escolheu.

Luthero está se metendo em política petebista. Agora que me retraí pelos motivos que sabes, não faz mal que continue um Vargas mexendo, pelo menos para saber o que fazem.

Euzébio telefonou-me ontem, dizendo que continua teu *fan* e amigo, embora afastado do PTB. Não se concretizou ainda a passagem do pessoal para o Vitorino, estão todos pendurados, feito a mãe de São Pedro.

A América deve estar chegando para buscar a carta.

Recebe um beijo muito carinhoso de tua filha **Alzira**

**90 \ G · [Estância Santos Reis], 14 de março**

Rapariguinha

Cheguei do Itu onde tudo ficou arrumado na nova casa – lavada, pintada e mobiliada, água encanada, luz elétrica e geladeira. Está em condições de receber a prometida visita.

O quarto de D. Dadá, junto ao banheiro, com cama de casal, guarda-roupa, cômoda, mesinha de luz, tudo novo. De volta do Itu, recebi, no mesmo dia, três remessas de cartas e encomendas, trazidas pelo Senador,[1] pelo Artur Crespo e pelo Júlio Santiago.

Vieram tuas seis cartas e uma da Celina. Nas tuas, algumas noticiosas, outras relâmpagos.

Acusando e agradecendo o desempenho das incumbências, tratemos da parte negativa destas.

As camisas de seda pedidas e descritas, não as recebi.

Também daí não me explicas quantas peças remeteram, nem se vieram também cuecas e colarinhos.

Camisas de verão, folgadas, para uso campeiro. Não gostei do modelo. Quando vieres mostrarei outro mais do meu gosto. ~~Ou levarei aí, se não vieres~~ Além disso já estamos no outono e o frio aí vem. Para este creio que estou preparado.

Não há referência a outros assuntos tratados na carta levada pelo Santiago: Walder – encomenda charutos; Almir – informações sobre o livro; José Olympio – remessa de livros e vol. 12 da *Nova Política*.

Agora sim, abarrotaram-me de cartas. Já não posso reclamar. Encontrei a tua que trata exatamente dos três assuntos acima referidos: Walder, Almir e José Olympio. A maioria dos livros que enviaste ao Maneco eu já os tinha, remetidos pelo José Olympio, e alguns desses já o Maneco levara para ler.

*Fon-Fon* tenho uma reclamação a fazer. Recebi os números de 21 de fevereiro e 6 de março. Ficou faltando o número de 28 de fevereiro, dia em que regressaste de Teresópolis.

Dizes que o Adhemar apregoa que estou dirigindo uma grande conspiração que ele vai reprimir. O fato é tão absurdo e destituído de bom-senso que sou levado a duvidar da veracidade dessa informação. Será conveniente averiguar se ele realmente afirmou isso e a quem.

Junto envio-te a procuração para receberes a parte útil da minha imortalidade.

Cancelo a reclamação das camisas. Estão com a Adilia, em São Borja, onde o Senador as deixou.

Traze, ou manda-me o disco do samba – *É com este que eu vou*.

Saudades a todos e um beijo do teu pai **Getulio**

---

PS.: – Traze-me um vidro de Nembutal, outro de Loção Lusitana para o cabelo e umas colheres de pau. Colheres de pau? É isso mesmo, para cozinha, por aqui não há.

1. Ernesto Dornelles.

1948

**69 \ A ·** [Rio de Janeiro], 17 de março

Meu querido pai

**1948**   Recebi tua carta trazida pelo Ernesto. Fiquei preocupada por não teres recebido a que te mandei uma semana antes, com alguns assuntos importantes e parte das encomendas trazidas pelo Júlio. Não sei se houve extravio ou apenas atraso, pois usei de uma outra via intermediária. Peço-te que me tranquilizes assim que receberes, não só pelos objetos que seguiram como pelo teor da carta.

Amanhã sigo para Teresópolis por poucos dias, darei teu recado aos velhos. Depois fico esperando a ordem de embarque para aí.

Muito me alegra que tenhas apreciado o desencaixotar dos objetos levados para aí. Havia uma lista da qual o Maneco parece possuir cópia. Por ela poderás ver o que foi furtado. Não sei o que é feito do Gaúcho que reclamas, mas quero refrescar tua memória lembrando que A Carreta está aí devido a uma formal desobediência minha e do Maneco. Do contrário estaria como tantas outras coisas bonitas a alegrar a vista esverdeada do teu amiguinho Gustavo. Havia vários relógios dentro dos caixões, de vários tipos e feitios. Sumiram? Quanto à roupa de casa algumas coisas são mais baratas aí em Santo Tomé e Zulmira e Galega poderiam escolher para ti. Os pratos pirex bem como o relógio são fáceis de arranjar aqui, o difícil é portador.

Tenho me divertido muito só em pensar em ti preocupado com problemas de dona de casa, dos quais nunca te deste conta. Estou morrendo de vontade de te ver em ação.

———————

Sarmanho chegou há dois dias e está temporariamente hospedado comigo. Ainda não sabe o que vai fazer. Não deseja interromper os estudos da filha e vai tentar obter uma licença. Está tratando disso. Trouxe duas caixas de charutos por causa do peso, mas já providenciou mais. Está seriamente preocupado com a situação econômica do Brasil, em face do novo drama internacional que se anuncia. Estamos sem crédito e sem desejo de obter. Os americanos estão desejosos e até necessitando de auxiliar o Brasil mas não o fazem porque não sentem confiança. Se a guerra com a Rússia estourar ainda este ano, ficaremos totalmente imobilizados, pois não teremos gasolina nem para os aviões. Truman deve falar hoje perante as duas Casas sobre o problema internacional. As perspectivas são as seguintes: se a Rússia ganhar as eleições na Itália a guerra será imediata, pois significa domínio do Mediterrâneo pelos comunistas. Se a Rússia recuar ou permanecer onde está, poderemos talvez ter mais um ano de paz.

———————

Maria veio no mesmo avião do Xico. Está uma fera com o Dutra e disse que iria hoje ter uma conversa com o Dutra para dizer-lhe algumas roviradas, principalmente no caso do consulado, pois o substituto do Xico é o Berenguer, 100% Mangabeira. Trouxe uma carta do Martins para ti que segue junto. Deseja ir a São Borja te visitar. Levo? Prometo zelar por tua integridade… matrimonial.

A Câmara e o Senado reabriram. Para evitar novos dramas, seguiram o critério da reeleição **1948** em ambas. O Ernani na Assembleia fluminense andou com água pela barba. O Edmundo, de comum acordo com a UDN, tentou dar-lhe uma rasteira em regra na eleição da Assembleia forçando-o a escolher entre duas situações igualmente desagradáveis: ou permitir a cisão do bloco pessedista ou trair os compromissos com o PTB.

Mas o rapazinho parece que aprendeu bem nestes 15 anos e o resultado foi exatamente o contrário. Um pouco de habilidade e a firmeza absoluta de seu bloco decidiram a derrota da UDN e a raiva do Edmundo. A UDN denunciou o acordo no Estado do Rio e os jornais começaram a gritar: manobra queremista do Comandante Peixoto. O Dutra mandou chamar para uma audiência toda a bancada fluminense. Ernani saiu de casa com a resposta na ponta da língua, crente que S. Excia. ia tentar uma recomposição. Voltou neste momento ainda surpreso. S. Excia. não só aprovou o que fora feito como se mostrou encantado com a solução. Declarou: que o acordo interpartidário não excluía a colaboração de outros partidos e que seria desejável que o PTB pudesse vir a colaborar, mesmo no setor federal.

Ernani saiu de lá com a impressão de que o homem pretendeu três coisas ao convocá--los. Primeiro, pôr o Edmundo em xeque por causa da situação do Zé Carlos em São Paulo; hostilizar a UDN com o mesmo jogo já usado contra o PTB e aumentar a ponte em direção a ti por causa do caso de São Paulo. Que tal a perspectiva de servir de comboio outra vez para o Grão de Bico?

Faleceu há poucos dias o Velho Lourival Maciel, pai do Rubens, da Déa e outros. Era teu *fan* indiscutível. Creio que seria para eles grande conforto receber um telegrama teu. A viúva mora no Hotel Paissandu, rua Paissandu.

Há dias o Miguel Teixeira encontrou-se com o Raul Amaral Peixoto numa roda no Jockey e mandou-te em altos brados o seguinte recado do Anael: antes do fim do ano Dutra larga o poder, junta militar assumirá mas não aguenta; irá buscar Getulio em São Borja, este recusa, eles insistem, ele aceita. Depois virou-se para o Lourival e disse: mas não fique você pensando que vocês vão subir com ele outra vez. O homem vem mudado e escolherá gente inteiramente nova. Sem comentários. Há muito desliguei o motor desse setor.

Falamos com o Maneco pelo telefone, há poucos dias. Estava muito bem.

Ernani te manda um abraço.

Beija-te com muito carinho tua filha **Alzira**

PS.: A patroa está desesperada, numa pinda absoluta. Manda-lhe dinheiro, com o devido respeito.

**70\A ·** [Rio de Janeiro], 23 de março

Meu querido Gê

**1948**  Recebi ontem tua carta e hoje aproveitando a ida do Osmar cá estou de novo. Tenho certeza de ter remetido o *Fon-Fon* do dia 28, no entanto já mandei procurar outro exemplar. Temo que esteja esgotado, devido ao tempo já passado.

Não te mando as encomendas desta última carta porque não houve tempo. Seguem os charutos trazidos pelo Xico, para que não envelheçam visto não estarem devidamente protegidos como os outros.

Epitácio disse que tens a receber dois contos e pouco na Academia. Assim que receber indenizarei o Xico e verei o que sobra para tuas outras encomendas.

Quanto às coisas do Adhemar, por carta não te posso dar as fontes. No entanto podes ter como certo, quando nas minhas afirmações não houver uma ressalva, podes ficar seguro que não te transmito boatos. A psicologia é simples. Acossado, sentindo o cerco fechar, ele está conspirando. Para camuflar ou fazer média, joga as culpas em quem tem costas mais largas que as dele. Ao mesmo tempo, procura o apoio de nossa gente para seus objetivos.

Sobre São Paulo a carta do Epitácio que deve seguir com esta é mais esclarecedora, por isso não abordo o assunto. Da mesma maneira em relação ao PTB.

Ernani esteve hoje com o Nereu e dele ouviu a reafirmação do desejo do Dutra, de se aproximar do PTB em detrimento da UDN. Aquele no entanto está em frangalhos. Por ocasião agora da reorganização das comissões da Câmara verificou-se que havia apenas cinco deputados trabalhistas confessos e filiados ainda ao Partido. Baeta, Segadas, Barreto Pinto, Matta e Fiori. Os outros ou estão afastados pela direção, passaram para outros partidos, ou estão pendurados apenas pelo cordão umbilical. Em vista disso deveriam perder todos os lugares nas comissões. Para evitar isto Nereu propôs que se mantivesse o critério da reeleição também nas comissões, sem examinar estes detalhes.

Vou amanhã para Cabo Frio passar lá a Semana Santa, na volta escreverei combinando a data de nossa ida.

A festinha das bodas esteve muito bonita e os Velhos ficaram muito contentes com teu recado. Celina portou-se muito bem e entrou na igreja carregando as alianças. Só há um detalhe um tanto grave: participou a todos os convidados que havia assistido ao casamento da vovó. Durante o sermão do Padre protestou porque só o padre falava e ela não podia dar palpites. O poeta Olegaria[1] perpetrou uma poesia muito bonita alusiva ao ato. Perguntou muito por ti, com muitas saudades, e disse que tens feito muita falta às sessõezinhas da Academia onde todos te admiram e apreciam.

Pensa bem nesta semana o que desejas mais daqui e me escreve logo para que eu tenha tempo de comprar tudo.

Esta era para ser apenas um bilhete pois estou arrumando as malas, tenho de receber várias visitas e oferecer um jantar a uma jovem que segue hoje para a América, mas afinal saiu quase uma carta.

Beija-te com muito carinho tua filha **Alzira**

---

1. Refere-se ao poeta Olegário Mariano Carneiro da Cunha, membro da Academia Brasileira de Letras.

**91 \ G ·** [Fazenda do Espinilho], 24 de março

Alzira

O Júlio veio ao Espinilho onde estávamos tropeando e daqui aproveito para escrever. De Santos Reis escrevi a ti e a Darcy e mandei fazer um passe de Cr\$ 20.000 para creditar-me na filial do Província de que ela pode dispor. **1948**

Daqui seguirei para Santos Reis e de lá, a 9 de abril, para o Itu, fazer outra tropa. Se vieres a Santos Reis seguiremos de lá para o Itu de caminhonete. No Itu, embora haja um campo de aterrissagem, este não é conhecido dos aviões de carreira.

Enviei também a procuração acadêmica. Por conta dessa verba podes trazer-me meia dúzia de camisetas.

Quanto às mexidas políticas, intervenção em São Paulo e outras cousas, meu propósito é ficar estranho. Era o que pretendia dizer-te nessa cartinha rápida.

Muitas saudades a todos e um beijo do teu pai **Getulio**

## 92 \ **G** · [Estância Santos Reis], 29 de março

Minha querida filha

**1948** Chegado ontem do Espinilho recebi tua carta de 17 do corrente que me foi entregue na cidade pelo Maneco. Avisei-o que viesse a Santos Reis buscar as encomendas e cartas que tinha para ele, por quem pretendo remeter esta.

Antes de partir para lá já havia escrito duas cartas remetidas pelo Jango até Porto Alegre.

Na que te escrevi acusava o recebimento das encomendas e remetia a procuração acadêmica. Na que escrevi à Darcy respondia a carta dela e comunicava-lhe o passe de Cr$ 20.000. Após essas cartas, lá do Espinilho, escrevi pelo Júlio. O recebimento dessas três cartas ainda não foi acusado. Estou em dia com a nossa correspondência.

Recebi a carta do Martins. Por ela e pelas tuas informações fiquei surpreso. Supunha que a remoção para Paris fora feita a pedido dele, ou pelo menos, de acordo com ele. Mas assim, sem consulta prévia, não supunha que fizessem. A vinda da Maria seria muito interessante se ela perdesse a mania amorosa que poderia ser transferida ao Grão de Bico. Comigo não! Seria forçado a desempenhar o papel de José do Egito. E isso não me agrada. Poderias evitar a vinda alegando a falta de conforto aqui ou outro qualquer motivo.

Enfim deixo isso à tua conta, inclusive as consequências... da vinda.

Voltemos às encomendas. Fica assentado entre nós que encomenda minha é feita para ser paga por mim e não pela sua conta. Está entendendo? Se continuar assim eu mudarei de freguês. Não tenho feito por intermédio de tua mãe porque ela encarregaria a ti. Mas farei por intermédio dela, avisando que estás te portando mal. Feita essa advertência vamos ao caso, pois, você pode descontar de minha quota de imortalidade. Enviei-te já a procuração.

A encomenda é de meia dúzia de camisetas de lã, de meia dúzia de cuecas comuns de algodão para uso campeiro e de meia dúzia de camisas de verão que eu já falara antes (eslaques). Junto vai amostra de uma que tenho por aqui e está de meu gosto. Encontra-se aí no Rio. Na etiqueta diz *Monroe-Lemos*.

Quanto à lista dos objetos enviados nos caixões, perdeu-se. Relógios é provável que não tivessem vindo. Algum ter-se-ia salvo. A reprodução do monumento do Gaúcho não veio. E eu bem desejaria reavê-lo. Vê se o encontras por aí, nalgum depósito lá por casa.

Quanto às caixas de charuto trazidas pelo Chico (Walder) podes enviar-me ou trazê-las.

Como já disse tudo está pronto para recebê-los. A viagem é você que marca e avisa.

Política: externa, boatos de guerra; interna, intervenção em São Paulo. Não acredito em qualquer deles. A manobra do Comandante Peixoto esteve boa. Recebi um recorte de jornal confirmando o que está em tua carta.

E por hoje aqui fico. É pouco provável que escreva outra antes da tua viagem.

Muitas saudades a todos e um beijo do teu pai  **Getulio**

**71 \ A ·** [Rio de Janeiro], 2 de abril

Meu querido pai

Tenho recebido teus bilhetes, mais ou menos apressados de fazendeiro que tem mais o **1948**
que fazer, em resposta a meus massudos testamentos informativos. Tuas compras estão
todas feitas e, como há dois portadores em perspectiva, o Júlio e o Jesuíno, vou remetendo a prestação. Os discos que me pediste já os deves ter recebido, seguiram junto com as
camisas de seda e são presente do Isnard.

Ainda não recebi o dinheiro da imortalidade porque o Adelmar Tavares está ausente. Além
disso cometemos os três, tu, Epitácio e eu, uma mancada, pois a procuração foi assinada
de São Borja sobre selo federal. Creio, porém, que isto não impedirá a entrega.

Vamos amanhã a Teresópolis resolver em definitivo a vida da Celina. Estamos com vontade de seguir para aí em meados do corrente para passar contigo o aniversário "onde quer
que estejas". Não sei se poderemos levar S. Excia. por duas razões: uma é que ela tomou
verdadeiro pavor de avião devido aos voos que fez por causa da coqueluche. Fica entusiasmada em rever o vovô mas logo se apavora ao pensar no avião e na porta da casa do Tasio,
cujos efeitos ela ainda não esqueceu. A outra razão é mais séria, ést financeira. Nós dois
podemos ir de avião até Porto Alegre e de lá a São Borja de trem. Para Celina, porém, isto
seria penoso. E o avião de Porto Alegre a São Borja, especial, não é sopa. Logo mais vou
conversar com o Júlio sobre o melhor meio de aí chegar. As saudades estão um bocado
grandes, estou ansiosa por te ver de dono de casa e ajudar no que me for possível, com o
"largo tirocínio" que possuo.

As coisas por aqui andam pretas. Os preços sobem cada vez mais, o feijão já está a 6,50 o
quilo e a carne-seca a 15,00. Percorrendo o comércio há dias, e o comércio feminino que é
sempre o último a sofrer, porque a vaidade feminina não tem limites, encontrei um grito só:
que saudades do tempo do Getulio.

O caso de São Paulo está na ordem do dia. Os comunistas lançaram manifesto apoiando
o Adhemar.

Interrompi a carta para terminar em Teresópolis mas não pude. Celina estava febril e descemos muito tarde. O Julio já está com o pé no estribo.

Por isso fica para a próxima.

Um beijo muito afetuoso de tua filha **Alzira**

**93 \ G ·** [Fazenda do Itu, de 8 a 11 de maio]

Rapariguinha

**1948**    Desde que partiste fiquei só, como caruncho na tronqueira, no dizer do finado Jorge Acosta. Não recebi mais nem jornais, nem telegramas, nem cartas, nem visitas. Só com o meu silêncio e as minhas saudades. Parece que eras o centro de todo esse movimento.

Estou, porém, curioso por saber notícias do que se passou aí durante tua ausência e após teu regresso e do Amaral.

E o Maciel, virá? Receio muito que seja conversa-fiada. Ele seria uma excelente companhia, embora não fosse verdade tudo o que dissesse.

Ontem enviei a camionete a Itaqui [para] trazer o agrimensor. Ainda não regressou. Também o Calafanges não veio buscar a Paulina, que continua aqui. Deixaste muito boa impressão no pessoal que continua falando em ti. Escrevo esta e fico aguardando portador para remetê-la, por intermédio do Maneco. Não sei quando irá. O dia está quente. Começou a chover. Como vão os nossos, Celina já regressou? O Amaral já conversou com o grande dromedário. Estou curioso por saber como foste em tua passagem por São Borja, com quem estiveste e a quem visitaste.

Abraços do teu pai  **Getulio**

---

11 de maio · PS.: Encrencou o serviço de luz e mandei a camionete a São Borja, trazer o técnico. Aproveitei para remeter também a Paulina. A Joana já foi. Estou com o agrimensor em casa, um velho amigo, o Otávio Silveira. Fazemos as refeições em casa do capataz. Esqueci de enviar pela camionete esta carta que já estava pronta. Eis o motivo do PS. Por estes quatro ou cinco dias regressarei a Santos Reis. Quando tiveres oportunidade, manda-me charutos. Quanto a revistas continua a enviar-me *Fon-Fon*. Estou *fan* das palavras cruzadas.

**72 \ A ·** [Rio de Janeiro, de 10 a 11 de maio]

Meu querido Gê

Somente hoje, quatro dias após minha chegada, posso pensar em te escrever, já cheia **1948**
de saudades. Conforme eu previa o abacaxizal estava alto à minha espera; a casa sem governo há 20 dias e a família sem o esparadrapo estavam que nem mata-borrão quando vê
tinta. Como vingança conto e reconto os dias magníficos que passei contigo nesse Shangri-
-La sem telefone, campainha, telégrafo ou condução.

Manda-me dizer com urgência se já saíste do Itu. Não consigo me conformar em saber-
-te sozinho aí. A primeira noite que passei em casa não consegui dormir. Via-te em pé, só,
em frente à casa me dando adeus. Acabei chorando. Ernani perguntou assustado o que eu
tinha. Respondi que eras tu que não me deixavas dormir. Brigou comigo, chamou-me de
criança e ameaçou não me levar mais a São Borja se eu resolvia voltar desse jeito. Agora
já consegui me livrar de ti à noite, e já durmo, mas durante o dia ainda fico pensando: que
andará fazendo aquele rapaz?

De São Borja para Porto Alegre fizemos uma viagem ótima. Em Porto Alegre, tivemos um
drama para achar hotel. Estavam todos cheios de engenheiros para o congresso e de mis-
ses para o concurso. Depois de duas horas de peregrinação conseguimos nos alojar no
apartamento do Paim no Grande Hotel, graças aos velhos conhecidos. Estivemos com a
Lígia, Naná e Israel, que já havia recebido a arma. Dei o recado do Omar, Naná disse que
está certo por ela, mas a Alaíde não se conforma.

Esquecia-me, em São Borja não consegui falar com tio Protasio, não estava em casa
quando telefonei. Deixei os papéis com tio Periandro, que prometeu entregar. Só tivemos
10 minutos para passar na cidade. Calafanges estava com medo do tempo.

Chegamos ao Rio quinta-feira à tarde, no sábado fui a Teresópolis buscar a Celina e hoje
segunda já foi ao colégio. Mamãe e Luthero estão vivendo um verdadeiro drama com a permanência da Ingeborg no Rio. Por mais que meu bom-senso de Sancho Panza tente pôr
calma e realidade nestes dois Quixotes de imaginação forte e temperamento sensível, não
consigo. A confirmação do desquite será no dia 17 e depois disto ela partirá de volta aos
Estados Unidos.

Até lá é preciso uma paciência de Jó com eles para que não transformem a cabecinha da
garota, colocada entre o pai e a mãe, sem compreender os porquês. O advogado tem vindo
buscá-la para ver a mãe duas vezes por semana.

11 de maio · Hoje a família se dividiu para ir às missas. Ernani foi à dos fuzileiros vítimas
dos integralistas e assinou teu nome, eu fui à de ação de graças pelo restabelecimento
do Napoleão e o abracei em teu nome. Fui depois com a Celina fazer compras e fizemos
um verdadeiro *show*. Na Sloper todas as empregadinhas nos rodearam perguntando pelo
Getulinho, fazendo festas à Celina e pedindo para te levar lá. Na sapataria os empregados
se despencaram todos e um falou: quero que vocês conheçam nossa irmã (eu) e nossa
sobrinha (Celina).

Ontem Maciel veio buscar tua carta. Repetiu a mesma desculpa esfarrapada para justificar a ausência. Dei-lhe quitação e não procurei investigar. Está disposto a ir te ver. – Hoje

**1948**  me apareceu o Euzébio Rocha. Disse-me que os dissidentes estão alucinados, sem saber o que fazer. Se saem do partido isto é considerado traição a ti, se ficam são maltratados e anulados politicamente. Ele pessoalmente tem feito o impossível para aguentar-se e a seu grupo pendurados, mas não sabe quanto tempo durarão.

Deu-me ele uma versão interessante do recuo do Dutra quanto à intervenção em São Paulo. Dutra continua afirmando que fará a intervenção a todos os que o procuram com o objetivo de manter o Adhemar fraco, mas não fará a intervenção para não fortalecer o grupo Nereu do PSD. Este, com maioria na Câmara e no Senado e o controle de São Paulo, ficaria demasiado forte. Daí o Lyra habilmente ter mandado notícias da presença do Vice--Presidente no Catete, para pedir a intervenção, e o incompatibilizou com a opinião pública de São Paulo. Quem levou o Dutra a desejar e propugnar a intervenção foi o Macedo Soares (qual deles?), que lhe acenou com a possibilidade de modificar a Constituição de modo a permitir sua reeleição. Para compensar o PSD do recuo consta que oferecerá ao Cirilo o Ministério do Trabalho.

Diz a D. Felícia que já estou providenciando a encomenda dela. Assim que tiver portador mandarei, bem como o blusão para o Amaraldo. Dá lembranças minhas a todo o pessoal.

Esta vai curta para não te deixar sem notícias. Vão dois *Fon-Fon*, para te distraíres. Um abraço para o Maneco.

Recebe um beijo carregado de saudades de tua filha **Alzira**

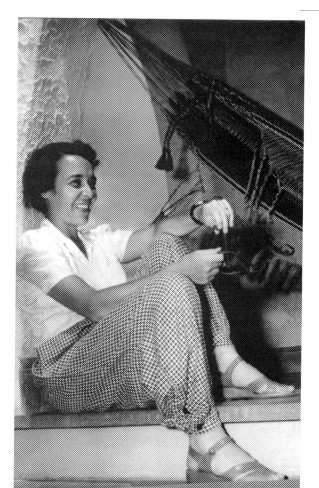

*Alzira na Fazenda do Itu. Itaqui, RS, 1948.*

94 \ G · [Fazenda do Itu], 18 de maio

Minha querida filha

Estou ainda aqui no Itu e aproveito uma vinda rápida do Maneco para escrever-te uma segunda carta, ~~para~~ e tratar de alguns assuntos cruentos.

Preciso estar preparado para desligar-me de certos compromissos e poder agir individualmente, na administração do que me pertence. Isso, porém, é assunto que não pode ser comentado entre pessoas íntimas que poderiam contar aos parentes daqui. Portanto esse instrumento deve-me ser remetido guardando-se as necessárias reservas e sem comentários. Trata-se de uma procuração de tua mãe passada a mim dando-me poderes para representá-la com poderes amplos na organização ou dissolução de qualquer sociedade, bem como para comprar, vender ou permutar bens imóveis de qualquer natureza, receber, dar quitação etc. e subestabelecer. Essa procuração pode ser passada no cartório do Luiz Simões Lopes.

D. Felícia pede-me para lembrar-te a encomenda dum casaco que ficaste de mandar. O mesmo pode vir por meu intermédio, como a nossa correspondência, via Maneco.

Tua mãe, como vai de cobres? Dentro de três a quatro dias estarei de volta a Santos Reis onde irei providenciar sobre alguns assuntos e regressarei novamente aqui.

Desejo saber em que dia e mês termina minha licença no Senado. E por hoje é só.

Beijos do teu pai **Getulio**

1948

*Na Fazenda do Itu Alzira entre os sobrinhos Getulinho, Cândida e Edith, tendo à frente a filha Celina. Fazenda do Itu. Itaqui, RS, outubro de 1948.*

95 \ G · [Estância Santos Reis], 26 de maio

Minha querida filha

**1948** Estou novamente no solar de Santos Reis, de onde só pretendo regressar ao Itu em fins do mês próximo ou princípios de julho.

Esta é a terceira carta que te escrevo, sua malandrinha, desde que partiste, e, até agora, nenhuma carta recebi.

A compra que fiz do campo deixou-me com as ~~finanças~~ economias arrasadas, de forma que, também por motivos financeiros, devo demorar-me por aqui.

Assim que tiveres oportunidade, manda-me charutos. Meu estoque está quase a esgotar-se.

O Calafanges estava por seguir para aí, trazer seu novo avião. Não pude vê-lo antes de partir. Se ele procurar-te aí terás um bom portador.

Muitas saudades a todos os nossos e um beijo do teu pai **Getulio**

*Getulio na Estância Santos Reis.*
*São Borja, RS, entre 1948 e 1950.*

**73 \ A ·** [Rio de Janeiro], 26 de maio

Meu querido Gê

Fazendo um grande esforço hoje consegui dominar cento e quinhentos milhões de micróbios, o dobro de bactérias e uma tonelada de dores indefinidas e ambulatoriais, para te escrever. Celina e eu apanhamos uma gripe danada, dessas que fazem a gente pensar em pneumonia e congêneres. Mas foi só o susto. Celina já está boa e eu quase.

**1948**

O Luiz Simões Lopes vai para Pelotas amanhã e por ele aproveito para te escrever, mandar o *Fon-Fon*, um pouco de "cola" para as palavras cruzadas, tua caneta já em condições e as colheres de pau de D. Felicia. Já encomendei o casaco para ela e o blusão que me pediste para o Amaraldo. Como não tenho podido sair não fui levar as medidas, por isso estou em falta.

Recebi agora de manhã tua segunda carta falando na procuração e na data da expiração de tua licença. Vou providenciar tudo, assim que puder sair.

---

A política petebista vai indo de mal a pior: Napoleão desligou-se do partido, publicamente, logo depois o Gurgel do Amaral, e agora a entrevista maldosa do Loureiro está sendo convenientemente explorada. Tenho mantido contato com o pessoal da dissidência mas por higiene tenho evitado as tentativas de aproximação do grupo do Baeta. Ernani transmitiu ao Segadas os recados.

Fui procurada pelo Euzébio, Napoleão, Frota Moreira e Pedroso Horta sucessivamente. Há um esboço de congraçamento entre os vários grupos dissidentes para tentar a derrubada do Baeta, entregar-te depois a solução do caso presidencial. Queriam saber como encararias essa atitude. O Horta foi mais explícito. Disse-me que lhe haviam dito que tua eras o homem dos fatos consumados, mas isto não estava no seu modo de agir. Se tal iniciativa contasse com tua simpatia ele entraria de coração aberto no brinquedo. Para isso estava desejoso de ir até São Borja conversar contigo e queria saber se sua visita não te seria desagradável. Respondi-lhe que tu o apreciavas muito e terias muito prazer em vê-lo. Ficou de me prevenir nestes 10 dias da data de sua ida. Frota, que está atravessando uma crise moral e financeira muito grande devido às doenças em sua família, está sendo amparado pelo Horta e irá com ele.

O Adhemar continua insistindo em uma aproximação contigo, através do Ruy, do Borghi, do Emílio Carlos, do Horta e de quantas pessoas ele possa se utilizar. Adhemar já conseguiu fazer a cisão no bloco do PTB restante, lançando o Cassio Ciampolini contra o Nelson na luta pela presidência do partido, conseguiu segurar os deputados do Borghi que receberam ordem deste, acossado pelo Catete, de abandonar o Adhemar. Em resumo, a minoria do Adhemar é atualmente de seis deputados, em vias de ser a diferença reduzida para quatro. O golpe do Horta seria obter do PTB um pequeno bloco getulista que se tornasse o fiel da balança, dando ocasionalmente maioria ao Adhemar para evitar o *impeachment* e permitir que governe e ao mesmo tempo manter em xeque o prestígio do PSD em São Paulo e consequentemente o domínio do Nereu, nas futuras eleições. Disse-lhe que achava o plano interessante mas de difícil execução, devido à falta de coerência, disciplina e senso político do grupo petebista de São Paulo. Horta tem no entanto esperanças de obter isto. A ele não

**1948**  disse mas digo-o a ti. Aquele grupo que tanto se revoltou contra a candidatura do Cirilo à vice-governança está agora de cama e mesa com ele, recebem ordens telefônicas do Cirilo e seu grupo, tal como recebiam do Adhemar naquela ocasião.

A reforma ministerial gorou mais uma vez. O Correa e Castro voltou triunfalmente devido à pressão da família do Dutra que não deixou sacrificar o amigo da mamãe. Parece que o Guilherme da Silveira tem seus dias contados em vista desta volta. Por outro lado o Simonsen e o Lafer torpedearam a candidatura do Cirilo ao Ministério do Trabalho e conseguiram mais uma vez aguentar o Morvan.

———————

O Roberto Simonsen faleceu espetacularmente ontem à tarde na Academia de Letras. Teve uma morte bonita. Enquanto fazia a apresentação do Van Zeeland, que ia fazer uma conferência, no meio de uma frase, caiu fulminado. Foi velado na Academia e às 11 horas da noite o corpo seguiu para São Paulo, onde deverá ser enterrado.

Tenho mais coisa para contar, mas meu cérebro está obumbrado pelas ipecas, chás de limão, efedrinas e vaporizações.

Até breve.

Beija-te com muito carinho e saudade tua filha **Alzira**

———

**74 \ A ·** [Rio de Janeiro], 31 de maio

Meu querido Gê

Quem te escreve é mais uma das muitas milionárias da penicilina que andam soltas por **1948** aí. Mais surda que o Vergara, estou recuperando hoje de uma otite que me fez desejar ser lagartixa para subir nas paredes. Ainda não estou boa por isso não posso aproveitar bem o Calafanges, que caiu do céu aqui. Se alguma das coisas que enumero aqui não seguir corre por conta da minha cabeça que está uma droga.

1º *Fon-Fon* e <u>cola</u> das palavras cruzadas, 2º mudas de pau-brasil e de cambucá, obtidas em Niterói, 3º cartas e relatório do Maciel, 4º a procuração da Mamãe, 5º o blusão do Amaraldo que encomendaste. O casaco de D. Felícia só fica pronto no sábado que vem, por isso não segue, diz a ela que vai ficar uma uva, 6º umas cobertas que a Mamãe te manda para usar no Itu / ela também anda adoentada e "pronta".

Há muita coisa interessante sobre política, principalmente o "revertere" getulista de muitos safardanas políticos que andam por aí. Mas o meu tímpano ainda está obstruído e eu fico tonta de escrever muito tempo.

Ernani foi agora se avistar com o Dutra. Se ele chegar a tempo ele te fará o relatório.

Um beijo empenicilinado de tua filha **Alzira**

Tua licença termina a 2 de julho

**96 \ G ·** [Estância Santos Reis], 31 de maio

Minha querida filha

**1948** Fui a São Borja comprar umas botas e lá o Jango entregou-me a tua primeira carta após o regresso, de 10 de maio. Fiquei ciente das ocorrências até esse dia e muito comovido por ter perturbado teu sono.

Ainda do Itu enviei-te duas cartas e outra já de Santos Reis. No dia em que estive em São Borja almocei com a Alda e o Periandro.

Maneco anda para a Argentina. Dize a tua mãe que ele se interessa em comprar as partes dos herdeiros dos pais dela. Se estiver de acordo, a parte que lhe pertence podemos vender-lhe fiado. É o meio mais fácil para ele adquirir e o patrimônio continuará na família, através de um de seus descendentes. Ele tem grandes planos.

Continuo muito interessado em organizar o parque e o pomar do Itu. Não esqueceste as sementes de cambucá e outras preciosidades? Recebi os dois números de *Fon-Fon*. À noite, em vez de escrever as memórias, distraio-me na decifração das palavras cruzadas.

Estou aguardando resposta a algumas perguntas que te fiz em cartas anteriores. Já veio a que se refere à encomenda de D. Felícia.

E por hoje é só. Abraços do teu pai **Getulio**

**97 \ G ·** [Estância Santos Reis], 4 de junho

Minha querida filha

Por que mandas tuas cartas em envelopes abertos? Elas chegam, às vezes, desacompa-nhadas de qualquer outro invólucro e passando por várias mãos!

Escrevo-te esta para tratar de três assuntos objetivos:

1º) Uma carta do Edmilson convidando-me para testemunha no seu casamento e exi-gindo minha presença. Dize-lhe que não é possível. Alguém terá de representar-me ou ele escolherá outro padrinho.

2º) Esse telegrama do Euzébio Rocha. Dize-lhe que para um homem do seu mere-cimento e dos seus serviços ser eliminado do partido devem existir motivos muito graves. Como ignoro esses motivos não posso opinar a respeito.

3º) O telegrama incluso do Junqueira. O pedido de voto é uma cousa normal. Exa-minarei com tempo. Intrigou-me esse "meu companheiro de comissão diretora". Que comissão diretora é essa? Para quando está marcada a eleição acadêmica de preenchi-mento da vaga do Simonsen? Quem são os outros candidatos?

Abraços do teu pai **Getulio**

PS.: Já estava com esta pronta, quando recebi a inclusa carta da Inge. Ignoro até que ponto essas informações sejam exatas. Lastimo a situação dessa menina sofrendo o en-trechoque de duas forças opostas que ela não pode compreender. Confio em ti. Poderás amenizar essa situação estabelecendo certo equilíbrio para amenizar essa situação e evitar mexericos.

## 98 \ G • [Estância Santos Reis], 9 de junho

Alzira

**1948**

Há uns três dias recebi um atado meio desfeito de cobertas e um caixãozinho com mudas de flores. Vinha desacompanhado de qualquer informação. Perguntei para a cidade e de lá disseram que essas encomendas foram deixadas em casa do Jango pelo Calafanges, que deixara em Uruguaiana as cartas que trouxera para mim. A família do Jango está para fora, ele também ausente e, naquela meio república, foi só o que pude saber. E até agora não recebi senão esses cobertores e o caixote.

Já te escrevi meia dúzia de cartas sem resposta. Pedi várias cousas – charutos, uma procuração, e alguns informes que preciso. Mas instava principalmente por charutos. Em vez de charutos recebo cobertores, num dia de calor. Fiquei desolado!

Em resumo, parece que nosso correio particular está falhando, pois não tens recebido minhas cartas. Vou mandar esta pelo correio comum, a título de experiência. Desejo saber qual dos dois é mais incerto e demorado.

Abraços do teu pai **Getulio**

*Getulio na Estância Santos Reis, tendo à sua esquerda o irmão Protasio. São Borja, RS, 19 de junho de 1948.*

**75 \ A ·** [Rio de Janeiro], 10 de junho

Meu querido pai

Recebi ontem após longuíssimo silêncio, que já me estava deixando preocupada, três **1948** cartas tuas de 26 e 31 de maio e 4 de junho. Soube que estás finalmente acompanhado por carta de tia Alda para as gurias e já estou dormindo em paz.

Esta é a terceira ou quarta que te escrevo, não me lembro bem, porque te mandei dizer pelo Calafanges que estive encrencada de saúde e às voltas com as encrencas da família, que têm sido bastante brabas. Não fossem as energias que trouxe acumuladas do Itu, estaria nos forros, em vez de estar só na lona.

Depois de mim, Mamãe caiu também com febre de 40° e uma otite supurada, felizmente já está boa e recomeçou as costuras. Ignoro o que ela te manda dizer em sua carta porque recusou mostrar-ma mas suponho que tenha respondido às questões que lhe dizem respeito.

Respondo em primeiro lugar tuas perguntas. 1° Maciel diz-se disposto a ir e convidou-nos para acompanhá-lo mas mais tarde. 2° A procuração já seguiu, foi feita pelo Alvim porque o cartório do Luiz é só de distribuição. 3° O casaco de D. Felícia já está pronto aguardando portador. Não quero abusar da Cia. Cruzeiro enviando coisas pesadas, por isso vou aguardar portador, que parece terei em breve. 4° Mamãe como de costume anda mal de cobres. Só de penicilina para curar a otite gastou mais de um conto e isso com médico de graça e enfermeira também. A vida está cada vez mais cara. 5° Os charutos estão prontos à espera também de portador, recebi o pedido depois da saída do Calafanges, por isso não mandei. 6° Ernani obteve em Niterói mudas de pau-brasil e cambucá que seguiram pelo Calafanges. Que outras plantas te interessariam no momento. O rapaz do Horto de Niterói ficou encantado em servir. 7° Tenho te mandado as soluções achadas por mim com auxílio do Dicionário das palavras cruzadas, não sei se tens aprovado isto. 8° Tenho sempre o cuidado de fechar as cartas que te mando, provavelmente me distraí em alguma, pois andava com a cabeça aboborada. 9° Vou providenciar quanto às incumbências da última carta, Edmilson e Euzébio. Quanto às eleições da Academia ainda não estão marcadas. Por enquanto os candidatos apresentados são o Aníbal Freire e Jorge de Lima, conforme já te mandei dizer. Consta que o Novelli também se candidatará e fala-se em outros nomes apenas como boato. Teu voto é muito cobiçado por todos os candidatos pois dizem que arrastas contigo pelo menos mais dois, o Ataulfo e o Olegario. Também não compreendi a frase do Junqueira, suponho que ele quis dizer direção da Câmara Municipal, pois traindo a palavra empenhada ao João Luiz candidatou-se ele próprio e foi eleito secretário da Mesa. Exigiu automóvel e está fazendo misérias. Foi isso a causa aparente da renúncia do Gurgel à liderança. 10° A carta da Inge. Eu já esperava que ela te escrevesse, procurando em ti de certa forma um aliado ou pelo menos uma testemunha de suas belíssimas intenções. Naturalmente como irmã do Luthero achei a atitude dela estupenda, como mulher e mãe, porém confesso-te que o pouco de consideração que ainda tinha por ela foi-se. Afinal se ela faz sobre a família do Luthero o juízo que revela na carta é incompreensível que ela, voluntária e passivamente sem uma palavra de revolta ou um gesto de luta, entregue a própria filha. Se ela gostasse do Luthero e confiasse nele para educar a Cândida ela teria pelo menos o gesto bem feminino de fazê-lo sofrer, não gostando e não confiando nele poderia pelo

**1948**  menos gostar da filha e lutar por ela. Nada. Entregou-a sem sentimento e sem remorsos, sem uma lágrima. Precisa e prefere ter as mãos e o corpo livres para agir. A Cândida é-lhe um tropeço. Quanto ao campo de luta que foi o cérebro dessa pobre criança, sofrendo já tão cedo pela culpa dos outros, fui testemunha e procurei por todos os meios amenizar. Mamãe e Luthero enervados pela luta e expectativa não eram os companheiros de que ela necessitava. Diariamente trazia-a para minha casa e junto da Celina ela se distraía e perdia o ar abstrato e preocupado. Pessoalmente te contarei melhor. Tudo acabou bem, a jovem partiu, dizem que para casar com o tal Wiener, *pivot* da tragédia.

Um jornal daqui publicou que eu iria em teu nome presidir a convenção do PTB em São Paulo no dia 12. Houve um certo mal-estar nas hostes baetistas. O grupo dos dissidentes está tentando fazer uma convocação do diretório para substituir a comissão executiva, já iniciou as *démarches*. Creio que Zé Barbosa irá até aí conversar contigo a respeito. Ontem ele e o Gurgel me procuraram para auxiliá-los. Que achas? Não da minha entrada, é claro, mas da iniciativa deles. O partido já não existe a não ser como pretexto para exploração. Desmoralizado, sem forças, sem autoridade, sem gente, nada se pode esperar dele como conjunto.

Esteve aqui o Ruy de Almeida. Foi procurado novamente pelo Lemos, mensageiro do Adhemar, com a seguinte proposta: se se fizer a intervenção ele reagirá e quer o teu apoio, se tu fores candidato à presidência ele te apoiará em troca de uma posição em teu governo, se não fores ele o será e quer teu apoio. Disse ao Ruy que quanto à primeira parte a resposta tu já a havias dado aí, quanto à segunda era muito cedo para uma definição. Em princípio não eras candidato a nada e portanto nada desejavas pleitear ou prometer. Deixasse o barco correr. Ruy queria responder de modo a deixar supor que serias candidato, disse-lhe que não convinha pois o Adhemar poderia perfeitamente se utilizar disso para conquistar o Dutra. – Soube depois que esta proposta ele tem feito a todos os prováveis candidatos à presidência.

Ernani deu um golpe na Comissão de Finanças absolutamente "inocente", ficou como relator do Ministério da Guerra na comissão.

O Astral afirma que o negócio está para breve.

Fico aqui hoje para não te deixar sem notícias e sem *Fon-Fon*.

Mando-te alguns recortes de jornais interessantes para desopilar teu fígado, inclusive **1948**
uma entrevista do Braga.

Ernani te manda um abraço e pergunta se há mais alguma coisa que ele te tenha prometido aí para enviar.

Celina manda um beijo.

Recebe um beijo cheio de saudade de tua filha **Alzira**

Teus *fans* andam impacientes e perguntam a toda hora quando vens.

**99 \ G ·** [Estância Santos Reis], 10 de junho

Minha querida filha

**1948**   Há dias enviei-te pelo correio uma carta, um tanto desconfiado pelo que supunha um possível extravio de correspondência. Hoje recebi, pelo Dinarte, tua segunda carta. A crise de gripe que te atacou e à Celina explica a sinalefa.

Faço votos para que estejam restabelecidas e possas escrever com mais tranquilidade e boa disposição. Só recebi duas cartas: a que escreveste após a chegada e esta da gripe. Pelo Calafanges recebi um atado com cobertas e um caixote com mudas. Supunha que as mudas fossem enviadas por "um senhor de São Paulo" que esteve com o Ruy de Almeida no Itu e ficou de mandar algumas plantas de acácia. Hoje é que fui examiná-las. Fiquei bastante satisfeito. Eram excelentes mudas de pau-brasil e de cambucá, enviadas pela Secretaria da Agricultura do Estado do Rio e muito bem acondicionadas. Então concluí que tinham sido enviadas por pedido teu ou do Amaral.

Toda essa trapalhada é porque ainda não recebi a carta ou cartas de que o Calafanges foi portador. Ainda estão em Uruguaiana. Reitero o pedido de charutos. Manda-os na primeira oportunidade. A 18 deste deve reunir-se em Porto Alegre o diretório do PTB estadual. Talvez venha alguém daí. Também pode vir pela Varig, por intermédio do Dinarte. Sobre o assunto de que te falou o Horta não precisa ele vir. Pode ajudar no trabalho. Não devem porém arriscar-se, sem contar com a maioria do diretório nacional.

Recebi também *Fon-Fon* de 22 de maio, o lápis tinteiro e as colheres de pau de D. Felicia. Esta está apressada é pelo casaco. Quanto à decifração vou tentar sozinho, mas se custar muito não garanto respeitar o envelope.

Saudades a todos e um beijo do teu pai **Getulio**

PS.: Recebi telegrama do Aníbal Freire solicitando meu voto para ele na Academia. Acho um bom candidato e estou inclinado a dar-lhe meu voto. Pede ao Epitacinho para falar com o Ataulfo de Paiva que é o cozinheiro desses assuntos e pedir-lhe que me mande aquelas cedulazinhas da Academia para enviar o meu voto e a carta correspondente. Vem tudo pronto, é só encher e assinar. Junto mando-te uns retratinhos tirados aqui.

## 100 \ **G** · [Estância Santos Reis], 13 de junho

Minha querida filha

Recebi, enfim, hoje 13 de junho, dia de Santo Antônio, os papéis que o Calafanges esquecera em Uruguaiana – tua carta, do Maciel, carta ao Maneco, que ainda está na Argentina, procuração, revista, encomendas Amaraldo e D. Felícia, embora digas na carta que a da última não viria. Mas tive uma decepção. Não recebi os charutos que tanto esperava, tendo apenas para uma semana! Manda-os com urgência.

1948

Fiquei triste com a notícia da tua otite. Por que arranjas essas doenças dolorosas e complicadas? Talvez alguma imprudência ou complicação da gripe. Ainda bem que já estás curada. Amanhã irei à cidade comprar umas botas e conversar com o Jango. Lá deixarei esta carta para que a remetam. Em princípios de julho irei ao Itu passar uma quinzena. Antes remeterei uns cobres para tua mãe. Como te disse, em carta anterior, estes ficaram curtos pela compra do campo.

Esteve aqui uma turma de petebistas de São Paulo, quatro. Estavam alarmados porque o Borghi declarara que os dissidentes do PTB daquele estado breve se reuniriam e tu irias presidir a reunião, em meu nome. Desfiz a balela e reafirmei minha atitude estranha a combinações políticas e desinteressado pelas mesmas.

Avisa ao Epitacinho que fale ao Ataulfo sobre a eleição na Academia e mande-me as cédulas e carta de remessa, de acordo com as normas. Penso votar no Aníbal Freire. Quando é a eleição?

Saudades a todos e um beijo do teu pai **Getulio**

**76 \ A ·** [Rio de Janeiro], 15 de junho

Meu querido pai

**1948**    Acabo de saber que o Epitácio foi intimado a seguir amanhã para São Borja seguindo as pegadas do Baeta.

Por ele seguem os charutos, e o que consegui das últimas palavras cruzadas. Escrevi-te três cartas nesta semana que já deves ter recebido. Pouco tenho a acrescentar. O jornal falado dirá melhor o que está acontecendo por aqui.

As pitonisas de D. Dadá afirmam que vens em breve de surpresa e em segredo e aconselham grande discrição porque vai haver barulho.

O Correa e Castro está em luta com Adhemar pelos jornais não se sabe se com a conivência do editor-chefe ou não. O Gal. Alexander está no Rio mas não tem tido grande aceitação. O acompanhante está cada vez mais "popular" de modo que reflete no visitante.

Manda me dizer se as encomendas do casal Amaraldo serviram e se eles gostaram. Queria enviar qualquer coisa também para o Noé, mas com minha doença e a incerteza de portador não pude ainda procurar.

Maneco já chegou. Mandei-lhe pelo Calafanges uma das letras da Rural,[1] a que estava em meu poder. A que está com o Maciel ele prometeu liquidar e remeter diretamente. Estou esperando, se não o fizer reclamarei de novo.

Hoje é só.

Um beijo muito afetuoso de tua filha **Alzira**

---

Maciel acaba de chegar aqui trazendo-me este documento para ser entregue ao Maneco, é o reconhecimento da posse da outra letra da Rural. Ele está na sala escrevendo-te uma carta rápida para o Epitácio levar. Está sendo escrita em mesa-redonda de modo que será o reflexo da opinião dos quatro: Maciel, Epitácio, Ernani e eu. Devo acrescentar que convém que qualquer instrução para ele, Salgado ou para mim venha por escrito. Quanto ao Maciel é exigência dele, devido à <u>confiança</u> que deposita no emissário, quanto ao Salgado é para dar-lhe autoridade, quanto a mim é só para receber carta tua. **AVA**

---

1. Refere-se a uma das parcelas do financiamento da caminhonete Rural, da Willys-Overland.

**101 \ G ·** [Estância Santos Reis], 16 de junho

Minha querida filha

Recebi tua carta de 15 do corrente e também os charutos. Os meus já estavam no **1948**
fim. Foi um alívio! O Maneco ainda não chegou. A letra anterior entreguei ao Jango,
para quando ele regressasse. Além das cartas pelo correio particular enviei-te uma pelo
correio e outra pelo Corrado. Não sei se as recebeste. As encomendas de D. Felícia e
Amaraldo levarei quando for ao Itu. Como sabes as comunicações para lá não são
frequentes.

Dize ao Maciel que recebi sua carta. Penso que ele deve acompanhar a maioria do
diretório. E não esqueça que estou aguardando a visita dele.

Um beijo do teu pai **Getulio**

---

**102 \ G ·** [Estância Santos Reis], 16 de junho

Minha querida filha

Recebi tua carta de 15 do corrente e também os charutos. Já estavam no fim. O Maneco ainda não regressou. A letra anterior entreguei ao Jango para dar-lhe quando
chegasse. As encomendas de D. Felícia e Amaraldo levarei quando for ao Itu. Como
sabes as comunicações para lá não são frequentes.

Dize ao Maciel que recebi sua carta. Penso que ele deve acompanhar a maioria do
diretório. E não esqueças que estou aguardando sua visita.

Um beijo do teu pai **Getulio**

*S/l, s/d.*

**1948**

## 103 \ G · [Estância Santos Reis], 17 de junho

Minha querida filha

Recebi tua carta de 10 do corrente e outra de tua mãe, enérgica e incisiva, de protesto **1948** contra as alegações da moça desquitada. Fiquei muito satisfeito com a solução do caso: Luthero readquiriu sua liberdade, regularizou sua vida privada, conseguiu a posse da filha e a moça regressou. Se ela permanecesse aí seria uma fonte contínua de aborrecimentos.

Amanhã vou fazer um passe de 20 mil cruzeiros pra tua mãe ir se equilibrando durante algum tempo com o auxílio do que recebe aí. Espero enviar-te esta pelo Dinarte, quando ele regressar a Porto Alegre.

Partiu hoje daqui o Epitacinho que passou como uma ventania. A escassez do tempo e a importância da matéria que ele vinha tratar absorveram a atenção. Por isso esqueci-me de perguntar sobre outras cousas que me interessavam e sobre algumas das quais já te escrevi.

A missão do Epitácio vai colocar-me numa posição que eu não desejaria tomar e que me trará muitos aborrecimentos.

Dize ao Amaral que fiquei satisfeito com as mudas que chegaram em muito bom estado, pela excelente embalagem. Vou conservá-las como chegaram, até seguir para o Itu, quando vierem as outras mudas de encomenda que fiz para a Secretaria da Agricultura daqui.

Como vai meu estoque de charutos? Encomendaste mais para os Estados Unidos, conforme conversamos aqui? Agora, sem pressa, mas, quando houver outra oportunidade, manda-me novo reforço. Essa verba da Academia deve ser entregue a ti, para atender essas minhas frequentes encomendas. Quando excederem a verba pede reforço à tua mãe. Manda-me dois vidros de Bromural.

Para teu conhecimento, envio cópia da carta que pretendia enviar ao Baeta sobre a coalizão partidária, mas que não mais enviarei, por desnecessária.

Desde Porto Alegre está me caceteando um indivíduo que se diz recomendado do Amaral e vem forçando a marcha para chegar aqui. Quem é?

E por hoje aqui fico.

Um beijo do teu pai **Getulio**

---

PS.: *Fon-Fon* tem vindo regularmente. Nas noites de sexta a domingo eu e o Nello trabalhamos nas palavras cruzadas. É uma distração, e uma ginástica cerebral. Às vezes deciframos tudo. Outras ficam alguns termos que não descobrimos. Abrimos então o teu safa-onça. É um alívio, está terminada a tarefa.

Dize ao Amaral que havia por aqui muita muda de angico-jacaré, passando por pau-brasil. A vinda das mudas que ele remeteu dissipou as dúvidas. Fiquei encantado com as mudas. Sei que é muito difícil uma oportunidade igual à ida do Calafanges, mas, se houver, ele pode mandar algumas outras mudas – pau-brasil, *flamboyant*, frutas locais ou acácias.

**104 \ G · [Estância Santos Reis], 20 de junho**

Minha querida filha

**1948**   Recebi tua carta, sem data, de que foi portador o Sr. Dalmo Oliveira, e as encomendas nela referidas. Apresso-me a escrever-te para retificar a má impressão antecipada do portador. Ele não me causou nenhum incômodo. Veio apenas trazer as encomendas e visitar-me. Foi muito cordial e breve. Regressou junto com o Dinarte que aqui estava.

Pelas tuas informações sobre o caso de São Paulo parece que a intervenção está mesmo difícil.

Quanto às promessas do Adhemar fizeste bem em nada prometer, não só porque ele não mantém o que promete, como porque a isca não me tenta.

Nada me informaste ainda sobre o encontro do Amaral com o Grão de Bico. Provavelmente não se falou a meu respeito, o que seria a melhor solução.

Sobre os meus projetos já te mandei dizer em carta anterior, parece-me que levada pelo Corrado. Pretendo seguir daqui para o Itu em princípios de julho. Irão também o Protasio e o Nello. Este para auxiliar-me na plantação das novas mudas e na poda das lá existentes.

E por hoje é só. Um beijo do teu pai **Getulio**

**77 \ A ·** [Rio de Janeiro], 23 de junho

Meu querido pai

Com a carta que me foi entregue ontem pelo Bejo, trazida pelo Corrado, completam-se **1948** sete cartas tuas e um bilhete (Epitácio). Escrevi-te outras tantas, que parece ainda não recebeste. Nossas comunicações estão um tanto emperradas, vou tentar lubrificá-las. Devo-te resposta apenas às cinco últimas que aqui chegaram depois da ida do Fernando Souto por quem te mandei o último *Fon-Fon*. Já me desincumbi das missões anteriores, com exceção dos recados ao Euzébio que está em São Paulo, e ao Edmilson a quem já procurei.

Parece que por engano colocaste as fotografias que me eram destinadas na carta do Bejo, que já me telefonou mas ainda não mandou.

1º A carta do correio comum chegou bem mas quase ficou relegada, porque vinha sobrescritada por uma letra que me era estranha. Os cobertores enviados foram um presente de D. Dadá para os dias frios do Itu. Pena que tivessem chegado a Santos Reis e num dia de calor.

2º Vou providenciar contato com o mestre Ataulfo a respeito da votação da Academia. Quanto às soluções das palavras cruzadas, tenho mandado porque sei que não dispões de um bom "amansa-burro" por aí e há algumas palavras que só mesmo dicionário. Confio, porém, que só recorras à <u>cola</u> em último caso.

3º Ainda não estive com o Maciel, que anda atrapalhado com as exposições de gado em Barra e em <u>Leopoldina</u>.

---

Recebi mais duas cartas tuas atrasadas. Pelo Gregório que segue amanhã mando-te esta, mais duas caixas de charutos, uma encomenda que veio do Norte, a solução da semana passada do *Fon-Fon*, um artigo do João Duarte e uma carta do Queiroz Lima que eu abri para poder combinar com o Gregório o meio de remeter, se devia ser só seguro ou seguríssimo.

---

Agora os assuntos. A questão de São Paulo está parecida com a do Partido Comunista: o Dutra quer fazer a intervenção a todo pano mas tem medo das consequências, então hesita, posterga, despista, descarrega até que a fruta esteja bem madura para colher. Açulado diariamente pelo Zé Eduardo o homem vai fazendo suas *démarches*. Remeteu agora o relatório do Correa e Castro ao Senado. Este está diante de três soluções: arquivar simplesmente como não sendo assunto de sua alçada; propor uma lei inócua ~~regulardando~~ regulando os empréstimos e emissões a serem feitos pelos estados; recomendar ao Executivo a intervenção agindo assim mais como conselho de Estado do que como órgão legislativo. Esta última solução é a que está sendo soprada aos senadores pelos membros do C. C. e pelo próprio Dutra. Alguns senadores estão reagindo outros estão matutando.

Este e o caso da Escola Naval são os assuntos do dia.

---

Há dias o trêfego Xico Tinoco, que está entrando dentro do Exército como poderosa cunha e já é quase marechal honorário, promoveu uma visita dos parlamentares à 1ª Região e um

**1948** almoço com os generais para levar o Ernani. Este pretextou uma gripe real e não foi. Canrobert e Zenóbio estranharam a ausência, visto ter sido especialmente convidado. Tinoco aproveitou para dizer: é, tem havido muita exploração de modo que o Comandante se [retrai] em festas puramente militares. Ao que o Canrobert retrucou: não há motivo pois nós todos gostamos muito dele e não há nada contra ele de parte do Exército, e mesmo em relação ao Dr. Getulio ninguém aqui tem direito de levantar a voz para falar contra. Todos aqui são generais feitos por ele, eu o Zenóbio etc. O que houve em 45 é que havíamos assumido um compromisso de que haveria eleições e nos pareceu que ele não queria realizá-las, mas todo o Exército é amigo dele e grato pelo que ele fez. Que tal?

Os sinais iniciais para a intervenção serão a substituição do Paquet pelo Denys já ameaçada e postergada três vezes e o pronunciamento do Senado.

O caso do PTB vai indo bem. Os dissidentes já estão com 25 assinaturas. Há dias procurou-me alguém para obter de ti um pronunciamento em relação ao petróleo nas mãos dos nacionais. Que isto te asseguraria o apoio de gregos e troianos.

Gê, tenho que parar aqui. Juntou tudo agora. Visita, concertos e gritarias.

Beija-te com muito carinho tua filha **Alzira**

---

105 \ **G** · [Estância Santos Reis], 23 de junho

Minha querida filha

Continuo empenhado na decifração das palavras cruzadas. Os teus safa-onças têm me tirado de vários apertos, mas para provar-te como estou me aperfeiçoando envio a tua solução do problema nº 2, de 12 do corrente, com o preenchimento de três palavras que deixaste em branco. Valeu-me o *Pequeno Dicionário Brasileiro da Língua Portuguesa*.

Mandaste-me em duplicata esse número de 12 do corrente. Aviso-te para que não suponhas que remeteste algum número de *Fon-Fon* posterior a esta data.

Recomendei ao Gabriel que verificasse os telegramas de felicitações que ainda não tivessem sido contestados. É ele quem está servindo de secretário. Até agora ainda estou assinando cartões. Maneco ainda não regressou e não sei o endereço dele para escrever-lhe.

Saudades a todos e um beijo do teu pai **Getulio**

**106 \ G ·** [Estância Santos Reis, de 23 a 25 de junho]

Minha querida filha

Ontem, caminhando um tanto distraidamente, tropecei numa pedra, caí e esfolei um **1948**
joelho. Hoje amanheceu um nevoento dia de São João. Por isso, e para sarar mais depressa da esfoladura, fiquei de perna estendida e resolvi aproveitar esses momentos de inação para escrever-te. Isso não tem importância nem deve ser objeto de comentários. Há dias em que sinto palpitações mais fortes do coração e momentâneas ameaças de tontura, talvez dos dentes. Pensei que talvez me fizessem bem umas aplicações de penicilina, esse remédio de que se proclamam tantas maravilhas e que nunca experimentei. Qual seria a fórmula mais cômoda e mais eficiente dessa aplicação e qual a quantidade aconselhável? Indaga isso por aí.

Escrevo-te seguidamente. Ignoro se tens recebido essas cartas, porque não acusas o recebimento nas tuas respostas.

Como sabes, desde que estou por aqui a única revista do Rio que recebo e leio com assiduidade é *Fon-Fon*. Agora com a vinda desses emissários daí e de São Paulo, recebi várias revistas cariocas. E notei, com surpresa, que uma das que me atacam e fazem picuinhas era a pacífica e doméstica *Revista da Semana* que eu antigamente gostava de ler. Por que está tão azeda? Será que tem como colaborador algum vira-bosta do Grão de Bico?

Que notícia me dás do Zé Olympio e do meu livro? De Jaguarão recebi uma longa e interessante carta do Vergara. Não respondi porque ignoro onde ele anda. Como vai o Professor, quais são os seus palpites? Este mês de junho tem sido muito camarada – nem frio, nem chuva. Vou ficar por aqui, à espera do correio que talvez traga alguma novidade.

24 de junho · Chegou o correio. Não trouxe correspondência tua. Li nos jornais que fora expedida carta precatória, por um juiz aí do Rio, para que eu fosse ouvido em São Borja, sobre a Fábrica Nacional de Motores, arrolado pelo advogado dos trabalhadores. Como está isso, que fizeram da fábrica? Desejaria estar informado a esse respeito, bem como sobre o que desejam saber de mim, antes de ser interrogado.

25 de junho · Amanheci bom e pronto para montar a cavalo. Foi uma impressão de dia nevoento. E as encrencas do PTB?

Recebi comunicação de que o deputado Porfírio Paz fora eleito presidente do diretório de São Paulo e li nos jornais que o Ciampolini seguira para o Rio, pleitear junto ao Baeta a nulidade da eleição.

O diretório nacional vai reunir-se aí no dia 29. Mandei ao Baeta uma carta que ele pediu, mas não nos termos que ele pleiteou, por intermédio do Junqueira. Que resultará dessa reunião? Talvez uma nova maçaroca.

Ainda não tive resposta de várias coisas que te perguntei. Pergunta à D. Celina por que não me tem escrito.

Saudades a todos e um beijo do teu pai **Getulio**

**107 \ G ·** [Estância Santos Reis], 28 de junho

Minha querida filha

**1948**    Esteve aqui o Junqueira, portador desta, como emissário do Baeta e Segadas. Dei-lhe um manifesto ao diretório, não nos termos que ele pretendia, mas no mesmo ponto de vista das cartas que dirigi ao Baeta e ao Salgado: não sou candidato, mas prestigiarei o que for resolvido pela maioria. Tanto o Junqueira como o Epitacinho afirmam ter a maioria. Parece que a encrenca está formada e chegando no ponto que eu esperava para dar o fora, se não se harmonizarem. Se encontrarem uma fórmula conciliatória será melhor.

Mas essa fórmula eles é que devem encontrá-la, e não uma das partes impor o meu nome para derrubar a outra, o que redundaria em parcializar-me na luta, em vez de apaziguar.

Disse-me o Junqueira que o Gregório estava aí. Não me avisou. Aproveita seu regresso para enviar-me charutos. Se ele não deseja vir aqui, pode entregar o que trouxer ao Gabriel, que está em minha casa da cidade como caseiro do Maneco e gerente do jornal de São Borja. O Jango nem sempre é encontrado.

Saudades a todos e um beijo do teu pai **Getulio**

---

**108 \ G ·** [Estância Santos Reis], 28 de junho

Minha filha

Mexendo velhos papéis encontrei uma carta do Carlos Martins de 20 de fevereiro que merecia resposta e aproveitei para fazê-lo. Mando-ta junto para que a remetas ao destinatário. Ignoro se ele já assumiu o novo posto.

Preciso que me mandes as seguintes informações: receita e despesa do Brasil de 1945 para cá e quais os impostos que foram aumentados. Também a história dos saldos, isto é, qual, aproximadamente, a dívida flutuante.

É só. Quero tudo isso em resumo, numa meia folha de papel, se possível. Fala ao Maciel que organize e te entregue. Não me mandem relatórios, mensagens e outros cartapácios que não lerei e a que dou um crédito muito relativo.

Os jornais publicam que elementos do Partido Trabalhista pretendem vir aqui para levar-me ao Rio. Avisa ao Salgado que evite isso porque, neste momento, não sairei daqui.

Agora algumas pequenas coisas meio esquecidas:

1º) charutos, como andamos, por que não vieram mais. Quando não tenho dos meus charutos sou forçado a fumar os <u>mata-ratos</u> que encontro e me atacam o estômago.

2º) *Fon-Fon*, último número recebido foi o de 12 do corrente.

3º) recebi, pela Varig, um saco de sementes. Parecem de acácias. Não sei quem mandou, nem recebi qualquer esclarecimento sobre as mesmas.

Saudades a todos e um beijo do teu pai **Getulio**

**109 \ G ·** [Estância Santos Reis], 2 de julho

Rapariguinha

Há vários dias, talvez cerca de duas semanas, não recebo cartas tuas. No entanto tenho escrito seguidamente. Mas nem fico sabendo se minhas cartas chegaram a termo. Quando não recebo cartas tuas fico meio isolado do meio exterior. E os jornais? Sim, recebo alguns jornais já um tanto atrasados. Nestes porém a exatidão é muito relativa. Metade eles ocultam porque não lhes convém dizer. A outra metade ainda se subdivide em duas, uma de meias verdades e outra de mentiras. E outras cartas? Sim, todos os correios recebo muitas cartas. São quase que inteiramente de gente desconhecida. E todas de pedidos ou queixas.

Pedidos de dinheiro, de empréstimos, de auxílios, de empregos, de remoções, de recomendações etc. Se eu fosse atender a todas essas solicitações de dinheiro, daria o que tenho e ficaria reduzido também a esmolar. Quanto a empregos só com o governo. E esses quem os consegue são os vitorinos.[1]

As queixas, as angústias, os sofrimentos também não competem a mim remediar.

Neste momento estou só com os empregados da fazenda. Os patrões foram à cidade. Há quase três dias estamos com chuva e nevoeiro. Passo-os no quarto, lendo, pensando, decifrando palavras cruzadas. Não é que essa vida me aborreça. O corpo está em repouso. O espírito trabalha. Faltando-me tuas cartas, falta-me o carinho da família que recebo através delas. Compreendes? Está bem. O resto vai por conta da chuva.

Esteve aqui o Junqueira. Escrevi por ele. Recebeste? Foi a última. Há tanta coisa que perguntei nessas diferentes cartas e ainda não tive resposta: informações sobre charutos, idem sobre sementes recebidas e não identificadas, Academia, livro José Olympio, balanço financeiro de 45 para cá etc.

No dia 5, se as estradas permitirem irei ao Itu. Não escreverei por algum tempo. De lá não é fácil. O Amaraldo andou aqui e aproveitei para entregar-lhe os presentes. Ficou muito agradecido. Quando tiveres ~~tempo~~ oportunidade manda-me meia dúzia de estojos dessas navalhas. Meu estoque está quase acabado. Aqui não há. Encomendei para a Argentina e ainda não consegui. A venda está controlada.

Quando vim daí trouxe uns casacos para as empregadas daqui. Foram comprados pela Wandinha. São mercadorias baratas. Mas o da Auristalina não serviu. Ficou pequeno. Manda-me outro para dar-lhe. Ela é a cozinheira e me trata muito bem. Um pouco maior do que se fosse para a Silvina.

E aqui fico por hoje.

Lembranças a todos e um beijo do teu pai **Getulio**

1948

---

**1.** Partidários de Vitorino Freire.

**78 \ A ·** [Rio de Janeiro], 3 de julho

Meu querido pai

**1948**    Recebi tua carta trazida pelo Junqueira, pedindo mais charutos. Já os havia mandado pelo Gregório. Confesso-te que levei um grande susto, com a mensagem. Ela chegou na véspera da reunião marcada pelo grupo dos dissidentes e se o grupo da situação tivesse manobrado como eu supunha, isto é, mantendo as mensagem em segredo e exibindo-a na hora da convenção, teria desnorteado os menos avisados e conseguido estabelecer a confusão e sair-se bem mais uma vez. Certos, porém, como estavam da vitória ou talvez supondo que o simples fato do documento ter sido trazido por um deles fosse um trunfo, deram-se pressa em publicar. Perdeu assim o efeito fulminante que teria para ele e produziu o efeito pacificador e harmonizante de seu texto. Moderou os elementos exaltados dos dissidentes que foram para lá menos dispostos a brigar e assim a reunião que se esperava trágica e turbulenta acabou em comédia entre discursos floridos, beijos e abraços. A mensagem foi escrita com grande habilidade não dando brechas para nenhum e teve uma repercussão formidável. Os jornais que nos haviam deixado em paz abriram manchetes com teu nome e *sueltos* pouco virulentos.

Amanhã deve haver nova reunião para eleger os 10 membros restantes do diretório. As vagas por morte ou desistência, que são três, creio eu, devem ser preenchidas de maneira diferente. O grupo Baeta pediu, para manter o acordo, a faculdade de indicar quatro nomes, ficando cinco para o grupo Salgado, e o 10º és tu, indicação unani.

A indicação do Horta para o diretório está em perigo pois o Marcondes, ~~com~~ ao qual o Salgado não quer desgostar para poder atrair, veta terminantemente.

Depois da reunião do dia 30 vieram para minha casa o Horta, o Frota, o Gurgel, o Porfírio e o Otávio. Estavam emocionados e radiantes. Jogaram *confetti* uns nos outros e quase se lançaram sobre este corpinho aos abraços. Foi muito engraçado. Disseram-me que a decepção do Baeta era visível e o Segadas começou a se agarrar para salvar alguma coisa. Ele está tentando fazer o Cicero Prado presidente do diretório de São Paulo. Ele é casado agora com uma sobrinha do Segadas. O Nelson finalmente renunciou, ficando praticamente legalizada a situação do Porfírio.

Não estive ainda com o Salgado, depois da reunião.

———————

Tua licença termina hoje. Não sei o que pretendes fazer. Devo esclarecer o seguinte. Se não renovares o pedido de licença teu substituto não poderá assumir. Isto é, a partir de hoje seu Mercio não é mais senador. Se renovares o pedido de licença só poderás reassumir depois de passada metade da mesma. Tens para te apresentar o prazo de seis meses a partir de hoje. Há uma dúvida em relação aos vencimentos, parte fixa. O Bejo me informou que perdes inclusive o direito de receber a parte fixa. Ernani acha que não, que o vencimento é sagrado, bastando justificar a ausência. Em todo caso amanhã ele esclarecerá.

———————

Passaram aqui uma semana o velho Lee e a senhora, da Moore McCormack. Aqueles que nos convidaram para ir aos Estados Unidos batizar o navio. Perguntaram muito por ti e pediram muito especialmente que te desse recomendações deles. Trataram-nos com muito carinho, chamando-nos seus filhos brasileiros.

346

Está se processando a virada da montanha: anda todo mundo amável conosco e de cara **1948** sorridente. O governo está cada vez mais desmoralizado. Os fornecedores estão exigindo pagamento à vista. A luta Correa e Castro x Guilherme da Silveira continua no mesmo ponto morto com prejuízo para todo o país. O Dutra não consegue se decidir por um ou por outro e a vida continua. As importações estão paralisadas por falta de *dollar*, as negociatas avultam.

Não te mandei contar o encontro do Ernani com o Grão de Bico já em outra carta? Nada houve de extraordinário a não ser o interesse deste em que o Ernani tocasse em teu nome e a deliberada omissão feita. Quando finalmente não se contendo ele perguntou: "E o Dr. Getulio, como vai?", Ernani respondeu está ótimo de saúde, cuidando de seu gado e cada vez mais desinteressado de política, e encerrou o assunto.

A política está girando em torno dos casos de São Paulo e de Alagoas. Os intervencionistas parece que vão perder mais uma parada, pois o Senado se está inclinando pela solução inócua, isto é, projeto de lei regulando as emissões e empréstimos dos estados. No entanto Dutra compareceu há poucos dias a um jantar em casa do Novelli para o qual foram convidados os paulistas intervencionistas, dando-se destaque ao nome do Zé Carlos, cujo pedido de demissão do IBGE foi recusado.

O caso de Alagoas está patético. O Góes colocou-se ao lado do Silvestre contra o Ismar e tem feito no Senado discursos incríveis pondo a nu toda a podridão familiar. Disse-me o Ernani que o Nereu lhe contou que antes de ocupar a tribuna o Góes remeteu à mesa o pedido de renúncia do Ismar redigido em termos humilhantes. Confessava-se indigno de ser senador e um traidor de seus correligionários. Alarmado pelo conteúdo Nereu não quis dar publicidade e entregou ao Georgino que levou ao Dutra. Este partiu hoje para Recife em visita ao estado e lá vai tentar a pacificação de Alagoas. Ismar está por lá.

Bejo esteve aqui ontem e deixou-me esta carta para te remeter. Renato vai ser operado da tiroide na próxima semana.

Mando-te as soluções da semana passada e o número do *Fon-Fon* e mais os jornais que esqueci da outra vez, acrescidos do discurso do Góes, parcial. A íntegra está no *Diário do Congresso*.

O Astral mandou te avisar que o país está à beira da falência e cairá nas mãos do estrangeiro. Que deves evitar isto senão teu trabalho no futuro será dobrado.

Encerro aqui para não te deixar sem notícias. Amanhã começarei outra com as novidades que houver.

Ernani te manda um abraço e diz que as mudas ele consegue, o difícil é remeter.

Beija-te com muito carinho tua filha **Alzira**

**110 \ G ·** [Estância Santos Reis], 4 de julho

Minha querida filha

**1948**  Escrevo-te esta para acusar o recebimento da revista e carta trazidas pelo Fernando e da carta e demais encomendas trazidas pelo Gregório. Só não encontrei o artigo do João Duarte referido em tua carta. Foi pena.

Tomei conhecimento da reunião do diretório do PTB e das resoluções tomadas. Não posso seguir agora para aí. Chama o Salgado e dize-lhe, de minha parte, que assuma o exercício e vá tomando as providências mais urgentes, principalmente a parte referente à organização dos recursos monetários, apaziguamento dos espíritos, exame da situação nos estados.

Mas, principalmente, o que ele precisa fazer é examinar a situação do partido, tomar pé na mesma, e escrever-me expondo seu ponto de vista sobre o que lhe parece mais conveniente fazer. Choveu muito por aqui. Espero que melhorem um pouco os caminhos, quase intransitáveis, para viajar para o Itu. Essa ausência será, no máximo, de duas semanas. O que vier para mim pode ficar no Periandro, com o Gabriel ou mesmo vir para aqui. O Jango está em Porto Alegre, acompanhando a mãe seriamente doente, o Maneco foi de Buenos Aires a Porto Alegre e regressou novamente.

Saudades a todos e um beijo do teu pai **Getulio**

**79 \ A ·** [Rio de Janeiro, de 5 a 7 de julho]

Meu querido pai

Tuas cartas parece que marcam encontro pelo caminho e chegam aqui todas juntas. Às **1948**
vezes passo 10 dias sem notícias e de repente chovem cartas. Hoje, com intervalo de meia
hora, recebi três: uma de 23, outra de 25 e a terceira de 28. A de 25, mesmo com a de 28 à
guisa de paliativo, está latejando no meu coco, porque eu sei a espécie de pai que eu tenho.
Sei como é "cuidadoso" com a saúde e que só entrega os pontos quando já não aguenta
mais. Sozinho, entregue a si próprio e longe de meu olho clínico de charlata, imagino as imprudências que não andará fazendo por aí o filho do velho Vargas. Excesso de carne, longas
caminhadas ao sol, cavalgadas para cansar o corpo, um traguinho para cansar o espírito,
remédios para dormir e um "diadema cruel" parafusando o coco,... e os dentes levam a
culpa. Escrevi hoje ao Syrio para que ele vá aí fazer uma revisão no motor e tirar a pressão
e me mande seu diagnóstico de colega. Conforme o veredito eu despacho a penicilina, despacho o Jesuíno ou me despacho e não quero estrilos.

Alguns médicos aqui já condenam o abuso da penicilina, isto é, o uso da mesma sem uma
indicação específica, não só para não habituar o organismo e reservá-la para quando for
realmente necessária, como porque talvez não seja tão inócua como se supunha até agora.

Agora vamos às respostas.

Se recebeste dois números do *Fon-Fon* de 12, não foi remetido por mim o segundo. O de
19 seguiu pelo correio, o de 26 o Gregório levou e o de 3 segue amanhã pela Cruzeiro. Esta
carta vai pelo Vechio depois de amanhã.

O Dalmo Oliveira, aquele rapaz de Niterói que esteve aí, veio nos visitar e se ofereceu para
auxiliar na correspondência. Fiquei de escrever, sugerindo ao Gabriel que mande os do Rio
para o Norte em bloco dirigidos a mim e nós faríamos a distribuição. Está havendo muito
extravio e são inúmeras as pessoas que reclamam resposta.

Estás ficando bamba nas palavras cruzadas e já em condições de dar quinaus numa veterana como eu. Uma das três palavras eu achei depois de ter mandado o safa-onça, mas as
outras duas apanhei mesmo.

---

A *Revista da Semana* é de propriedade do Gratuliano de Brito, que foi seu interventor na
Paraíba e tem ódio feroz ao Epitacinho. Desde o princípio foi a mais virulenta contra ti e,
dada sua moderação anterior, até pior que o *Cruzeiro*, por isso nunca mandei, embora traga
histórias interessantes.

O Zé Olympio ficou de me telefonar quando o livro chegasse de São Paulo. Vou me informar
do que há. Quanto ao caso da Fábrica de Motores, vou também averiguar. Ignorava que te
houvessem citado. O que sei a respeito é que foram formuladas acusações ao Muniz e este
se defendeu pelos jornais.

Em minha carta de ontem informei-te por alto da reunião petebista que correu melhor
do que se esperava. Hoje o Porfírio me telefonou de São Paulo verboso e emocionado com
o telegrama que lhe havias passado. Fez quase um discurso declarando que era o maior
prêmio a que podia aspirar. O Nelson negou a princípio a veracidade do telegrama que dizia
ser forjado. O diretório do Porfírio deverá ser reconhecido por estes dias.

**1948** Conversei hoje longamente com o Frota Moreira e ambos concordamos num ponto: que não se deve apressar agora a reestruturação do partido em São Paulo e sim manter o Porfírio provisório até acalmar um pouco a situação. O grupo Marcondes está tomando uma preponderância muito grande, apoiado no Salgado e no Epitacinho, que é agora seu defensor, e nos parece que o único meio de contrabalançar seria empurrar para a frente o Pedroso Horta. Lobo não come lobo e um cuidaria de não deixar o outro mandar sozinho. Eu, porém, não tenho e não desejo ter influência nesses casos e o Frota está impossibilitado de agir porque todos os grupos desconfiam dele, por ser demasiado inteligente.

Estiveram também aqui o Carlos Maciel, que está secretariando o Salgado, e o Vecchio. Gostei muito deste último, vivo, franco e leal, pareceu-me bem melhor do que o retrato que me haviam pintado.

———————

D. Celina não quer mais saber de cartas, pergunta-me sempre quando é que vamos visitar o vovô em São Borja. Ernani prometeu-lhe quando chegou e ela agora está cobrando e não compreendeu ainda por que setembro está demorando tanto.

———————

Amanhã vou começar a caça ao Maciel para que me dê as informações pedidas.

———————

Os jornais estão anunciando tua vinda todos os dias e os telefones da Mamãe e meu não param. Podes ficar sossegado que não te irão buscar sem minha licença e eu acho de toda conveniência que não venhas ainda, a não ser que minhas ordens médicas não sejam cumpridas, conforme a ameaça que mandei por intermédio do Syrio.

———————

Quanto a charutos, mandei duas caixas pelo Gregório. Se o Vechio puder levar mandarei mais duas. O *stock* daqui ainda aguenta. O Xico deve voltar para os Estados Unidos ainda este mês num *rambles* que ele conseguiu e já combinei com ele a remessa regular de charutos de lá.

———————

As sementes que recebeste agora devem ser as do tal secretário do Adhemar que as havia prometido. Nós não rememetemos mais por falta de bom portador.

———————

Falei hoje pelo telefone com o Ataulfo. Enchi-o de *confetti* e chamei-o de consultor-geral dos assuntos acadêmicos. Ficou esfuziante, pediu que te mandasse um abraço muito, muito afetuoso e que te dissesse que as eleições serão a 30 de setembro, que as inscrições já estão encerradas e que a eleição do Aníbal Freire será quase unânime, e que é também o candidato dele.

Recebi a carta para o Martins que já está em Paris. Vou remeter.

**1948**

6 de julho • O Jesuíno acaba de sair daqui. Mandei chamá-lo para o consultar sobre teu caso. Conferenciamos como colegas, ele também é charlata. Tranquilizou-me em relação à pressão etc. e atribui à ureia. Pediu que mandasses fazer um exame de urina, especificando a dosagem de ureia, e enviasse o resultado. Desaconselha também o uso indiscriminado da penicilina. — Convém também que evites o Bromural, consumindo de preferência o Nembutal, que é inofensivo ao rim, teu ponto fraco.

7 de julho • O Vechio vai amanhã cedo, de modo que não te posso mandar o *Fon-Fon* desta semana que só vem amanhã à tarde. Entre as cartas que Mamãe me entregou selecionei as mais interessantes para mandar junto. Maciel ficou de mandar um relatório hoje para seguir. Se vier mandarei.

Um beijo cheio de saudades de tua filha **Alzira**

**111 \ G ·** [Estância Santos Reis], 8 de julho

Minha querida filha

**1948**   Recebi tua carta de 3 do corrente, com informações muito interessantes. Ela foi trazida pelo Maneco que afinal regressou da Argentina, onde esteve somente tratando de seus negócios particulares. Veio via Porto Alegre com o Jango.

Li o resumo do discurso do Góes muito confuso. Não fiquei entendendo, na parte em que ele se refere à intervenção estrangeira, para evitar eleições. Isso foi na ocasião da visita do Knox ou após o 29 de outubro? Se foi após o golpe nada tenho que ver. Na ocasião da visita do Knox, não tive disso o menor conhecimento. Seria uma inverdade e um contrassenso. Essa visita realizou-se no período da guerra e só disso se tratava. Não se cogitava de eleições. Quanto à direção da guerra eu ouvia os ministros militares e os chefes de estado-maior.

Os aborrecimentos do Góes e sua ida para Montevidéu, em missão diplomática, foi um meio encontrado pelo Oswaldo para resolver suas dificuldades financeiras, segundo me afirmou Θ o próprio Oswaldo. Este naturalmente não irá agora confirmar. Mas é a verdade. Ele lá nada tinha a fazer e nada fez. O discurso dele está cheio de bajulações ao Dutra, de quem ele dizia as piores cousas.

Desejo que me esclareças esse ponto acima referido, que não entendi, a parte sobre a minha licença e como estou de charutos.

Estou em vésperas de seguir para o Itu. O Maneco prometeu levar-me a correspondência que chegasse, principalmente a tua.

Eu ainda não sei se pedirei nova licença ou deixarei que as cousas corram assim mesmo. Aguardo tuas informações. Quando deve encerrar-se o Congresso? Responde-me logo que receberes esta.

Saudades a todos e um beijo do teu pai **Getulio**

**80 \ A ·** [Rio de Janeiro, de 14 a 16 de julho]

Meu querido pai

Hoje é aniversário do Ernani mas enquanto ele foi até a Câmara, aproveito para te escrever acusando o recebimento das tuas de 2 e 4 que chegaram juntas anteontem. Nelas reclamas cartas minhas. Escrevo-te regularmente uma vez por semana e às vezes vai um bilhete extra, quando surge portador. Basta veres que não falhei nenhum *Fon-Fon*. Não escrevo mais de uma por semana porque minhas cartas são verdadeiros diários que te remeto em letra miúda, condensando o que há de mais interessante para ti. Creio que meus portadores estão levando demasiado a sério suas missões, por isso estás recebendo a correspondência muito irregularmente.

**1948**

16 de julho · Não foi possível continuar a carta nestes dois dias. O PSD está realizando sua convenção e eu estou de revisora dos discursos do Ernani, o PTB continua em efervescência e D. Celina recomeçou as aulas. Além disso, para comemorar as festas do rapaz fiz grandes orgias, tomei *whisky*, bailei, comi o que não devia e meu coco virou porongo. – Das respostas que me reclamas faltam as seguintes:

1º Livro. Zé Olympio estava há várias semanas com as provas na gaveta por sugestão do Queiroz Lima, que o aconselhou a esperar um pouco. Mandou entregar-me hoje para a revisão. Devo remeter-te ou esperar pelo Queiroz Lima? Não me julgo competente para fazer a revisão sozinha. Ele, Zé Olympio, Lourival, Almir, Andrade Queiroz etc. acham que deves mudar o título deste volume, visto ter mudado o conteúdo. Já não é mais uma diretriz política, mas uma campanha eleitoral. Zé Olympio pede para te dizer que publicará o livro com qualquer título que queiras, mas lembra a conveniência de substituir o de *Nova Política* e envia a sugestão do Almir *A Política Trabalhista no Brasil* para tua apreciação.

2º Navalhas, não há no Rio de Janeiro. O Xico Sarmanho embarcou hoje de volta para os Estados Unidos num *ramble* que ele conseguiu e pediu que te remetesse seu abraço afetuoso. Encomendei-lhe as tuas navalhas e os charutos à razão de duas caixas por mês. As caixas pequenas acabaram-se. Tens ainda umas três ou quatro das grandes que irei remetendo parceladamente se o quiseres ainda enquanto não chegam as pequenas encomendadas.

3º Maciel ficou de entregar ainda esta semana o relatório que pediste.

4º Dei todos os teus recados ao Salgado e este declarou que já estava seguindo essas instruções. Irá antes do fim do mês até aí conversar contigo.

4º[1] Tua situação no Senado em relação aos vencimentos continua inalterável, isto é, recebes apenas a parte fixa e enquanto tua licença não for renovada o substituto nada percebe. Teu pedido está nas mãos do Nereu há vários dias, mas não teve andamento a pedido do Salgado, que não [a] deseja enquanto não harmonizar o PTB. Ernani conversou com Nereu que está atento a qualquer golpe. Salgado pede que respondas à comunicação que te fez para evitar que o grupo Baeta explore teu silêncio como uma reprovação. Disse-me que o Júlio Müller já declarou que passará para o PTB agora e que espera novas adesões. Está quase louco com a falta de seriedade e de disciplina de seus comandados, mas está manobrando

---

1. Numeração repetida por Alzira.

**1948**   como pode. Epitacinho na parte financeira e no avançar o sinal está substituindo o Broinha com vantagem. Mas não há de ser nada.

———————

O Soares procurou-me há dias para conversar sobre a sucessão presidencial, lembrando agir desde já para evitar uma evolução do J. P. para o lado de seu ex-comandado. Avisa-me quando o Maneco chegar para que eu possa esclarecer melhor.

———————

Ontem foi inaugurada a nova sede do PSD com a presença de S. Excia. Ernani disse que estava muito engraçado. A primeira fila ocupada pela tropa de choque do Estado Novo, fina flor: ele próprio, o Agamenon, Costa, Luzardo, Benedito, Góes, Aleixo, Barata, Israel e Cirilo e S. Excia vestido de democracia. Fez um discurso PSD esquecido que pela manhã havia sido PST.

———————

O homem da esquina (sabes quem é) está sendo muito procurado e requestado pelas fardas. Seu nome está sendo lembrado como companheiro de chapa de Marte para atrair a votação de Varela. A monobra vem de longe e o rabo do gato está aparecendo. O patrono do homem que te mandou as acácias não dorme, mas nós estamos atentos e vemos de onde vem a corrente.

———————

Houve anteontem uma grande festa em casa do Pedro Brando, sob o patrocínio do Chatô, à qual compareceu todo o governo. Nós fomos. Já estou começando a rir com a cara porque o couro da barriga já não chega. A virada da montanha está perto e eu não tenho mais onde colocar os abraços que te mandam e os rapapés que me fazem. A lata do lixo já está cheia. Já estou desabituada de fingir que gosto e tanta falta de vergonha chega a me dar náusea. Gê, dou-te a minha opinião a mais honesta. Se por acaso, por um azar, desses que descem do além, tu ou o Ernani, vierem a ocupar cargo de relevo novamente na política, eu não aguento. Peço demissão da família, viro mula manca ou vou para o hospital com úlcera nervosa. Até as primas do Ernani esquecidas de suas amizades vitorínicas e angélicas voltaram a fazer roda e a visitar a Mamãe. O biriba anda solto.

———————

Recebi carta do Syrio e estou esperando as informações que te pedi sobre a saúde, inclusive o resultado do exame de urina. A ameaça continua de pé. Ou dá ou desce.

———————

São quase duas horas da manhã. Ernani acaba de chegar de Niterói onde lhe foi oferecido um banquete. Chegou esfuziante, quase não passou na porta de tão inchado. O Edmundo está fazendo com ele o mesmo que o Dutra faz contigo: o elogio permanente de seu governo.

D. Celina escreveu a carta anexa. Melhorou muito.

**1948**

Mamãe mandou-me esta correspondência que lhe pareceu interessante, o resto tem ido para o arquivo geral. Esta vai pela via comum com o último *Fon-Fon* de quebra.

Se não decifrares as charadas desta carta, não me perguntes de volta. Serei mais clara quando tiver portador.

Beija-te com todo carinho tua filha **Alzira**

**112 \ G ·** [Fazenda do Itu], 17 de julho

Minha querida filha

**1948**   Estou aqui no Itu há vários dias. Acompanha-me o Nello, que é o diretor do campo de sementes de São Borja e está me auxiliando na plantação de árvores de diversas qualidades. Durante o dia trabalhamos e à noite deciframos palavras cruzadas. Aqui o Syrio que me veio examinar a teu pedido, grande [ilegível]. Já estou bom. Ignoro o que ele mandará dizer.

Chegaram aqui de avião o Pedroso Horta e o Newton Santos, de São Paulo, e o Dinarte. Aproveito a ocasião para escrever-te. Recebi a carta, charutos e outras coisas trazidas pelo Vecchio. Breve regressarei a São Borja e para lá podes continuar enviando-me charutos, porque os remetidos por ti não bastam pra fazer estoque.

Maneco prometeu vir passar uns dias comigo.

Recebi informações interessantes do Maciel, mas não ainda o que pedi.

Dize ao Ernani que não esqueci o aniversário dele, mas estava incomunicável. Não [sei] se o Maneco telegrafou.

Saudades a todos e um beijo do teu pai **Getulio**

**81 \ A ·** [Rio de Janeiro], 27 de julho

Meu querido Gê

O portador desta, o Salgado, será uma informação viva do que se passa por aqui. Meu **1948**
bilhete será apenas um adendo.

A "virada da montanha" está se tornando estonteante. O couro da barriga já não aguenta
sozinho as gargalhadas que tenho vontade de dar na cara dos sem-vergonha que recome-
çam a nos fazer roda. Tenho tido juízo, não te preocupes.

As manobras para a sucessão estão fortes. A UDN ala Milton Campos está tentando uma
aproximação com o PSD. Sentindo que qualquer candidato próprio, inclusive o Eduardo,
provocaria cisão em suas fileiras estão dispostos a abrir mão da Presidência para o PSD
em troca da vice-presidência para o Milton, que ficaria assim em condições de esperar a
próxima rodada. Por outro lado temem a possibilidade do PSD se unir ao PTB nesta mesma
fórmula (Nereu-Salgado). E mais ainda, temem o teu nome mesmo sozinho porque sabem
que mais da metade do PSD te acompanharia.

Existem muitas outras possibilidades que com calma escreverei depois. Ernani está
atento a todas essas manobras e se deixa envolver por todas as correntes para saber o
que pretendem. Os militares temem uma candidatura civil qualquer que signifique a perda
de seu prestígio político atual e o retorno à caserna.

Vão junto duas cartas interessantes: do Martins e do Camilo Altilio para te distraíres. Vai
também mais uma caixa de charutos para melhorar o *stock* e o último *Fon-Fon*. Soube que
teu <u>secretário</u> charadista declarou que só te mando soluções erradas e bobagens. Se deixasse pesar meu orgulho de veterana cruzadista pararia, mas como eu trabalho é para ti
e me dá prazer ter este traço de união contigo o secretário que se dane. E lá vai mais uma.
Pelo número 2 eu respondo; do número 1 apanhei, mas mando assim mesmo.

Fico aqui hoje. Tem havido tanta doença e trapalhada por aqui que não pude fazer meu
relatório semanal. Beija-te com todo carinho tua filha **Alzira**

## 113 \ **G** · [Estância Santos Reis], 28 de julho

Minha querida filha

**1948** Recebi no mesmo dia duas cartas tuas, uma de 14 e outra de 27 do corrente. A mais recente trazida pelo Salgado e a outra pelo piloto do Jango que transportou o próprio Salgado. Não tive tempo de responder por ele, pois demorou-se pouco e o tempo foi absorvido pela conversa. Quando escrevo-te reclamando resposta, há, para isso, dois motivos, um de saber notícias e outro de tranquilizar-me quanto à possibilidade de extravio de minhas cartas.

Recebi também as cartas do Camilo Altilio, Maciel e Martins. As duas primeiras muito interessantes pelas notícias que transmitem. Então estás observando a virada? Também sinto isto pela copiosa correspondência que recebo, embora não tenha a vivacidade das tuas narrativas, nem eu conheça os autores das cartas. Também recebi os números de *Fon-Fon* e os safa-onças.

Não creio que o <u>meu secretário charadista</u> tenha dito o que referes. Deve ser cousa adulterada aí. Digo isso não só pelo apreço que ele sempre demonstra por ti e o Ernani, como pelo interesse demonstrado pelas soluções que mandas e que nos auxiliam a modificar soluções errôneas ou a preencher outras não encontradas. Foi ele que me propôs enviar-te as soluções que encontramos não só para estabelecer troca de impressões, como para mostrar que estamos progredindo. Contou-me, certa vez, que quando esteve aí pretendia ir visitar-te e à Darcy. Não o fez porque, tendo encontrado o Luthero, este lhe negou cumprimento e, por este fato, julgou que encontraria um ambiente desfavorável. Não o vi ainda após a informação de tua carta, nem lhe falarei a respeito, pois só acreditarei tendo prova em contrário.

Minha penúltima carta foi escrita do Itu [e levada pelo] Newton Santos. Nela dava-te notícias do Maneco que seguiu para Porto Alegre e, de lá, iria à Argentina. Disse-me que pretendia comunicar-se contigo e tua mãe pelo telefone. Depois não tive mais notícias. O Jango também está em Porto Alegre, acompanhando a mãe, que está doente e vai ser operada. Nossa correspondência está sendo demorada, mas é a melhor que temos.

Quanto ao livro aceito o novo título proposto e prefiro seja feita aí a revisão pelas pessoas a que te referes. Deves mostrar as provas também ao Soares.

Dize à D. Celina que a carta dela está muito bonitinha e benfeita.

Junto vai essa carta para entregares ao Salgado. Assim que a receber, ele deve avisar-me.

Saudades a todos e um beijo do teu pai **Getulio**

**82 \ A ·** [Rio de Janeiro], 2 de agosto

Meu querido pai

Escrevi-te pelo Salgado uma carta meio atabalhoada (v. palavras cruzadas) que não sei **1948**
se entendeste direito. Antes de entrar em assuntos políticos acuso o recebimento da tua
de 28 que aqui chegou batendo todos os *records*. Não dês maior atenção ao grito de meu
calo de estimação em referência ao secretário. Foi besteira de índio e vaidade ferida. O
Newton Santos, quando veio daí, em palestra sem pretensão me disse: encontrei o Dr. Getulio se distraindo com palavras cruzadas, auxiliado por fulano. Eu, de abelhuda, fui logo
contando garganta e disse que, como não tinhas dicionário aí, eu mandava parte das soluções na semana seguinte. Ao que ele retrucou: por sinal que quase todas erradas, segundo
me disse o seu fulano. Confesso que assim de cara não gostei, embora compreendesse
que era piada ou vontade de fazer farol de ambas as partes. Já passou, já passou e podes
ficar sossegado que não irá nem sequer para a lista cor de cinza e não precisas esclarecer
nada com ele pois está arquivada a mágoa.

Maneco falou comigo pelo telefone tranquilizando-nos em relação à tia Alda, que nos deu
um vasto susto. Ficou de telefonar novamente antes de embarcar. Recebi carta do Syrio
dando-me o resultado de teu exame, falta apenas o exame de urina que te pedi. O resto
está legal e me deixou inteiramente aliviada. — Já remeti a carta do Salgado pelo Epitacinho
que aqui esteve hoje. Conversei com Salgado no sábado. Disse-me ele que pretendes vir
em setembro e que já telegrafaste pedindo nova licença. Combinei com ele aguardar tua
resposta a esta carta antes de dar entrada à mesma no Senado.

1º os pedidos de licença devem ser de seis meses mínimos e o senador licenciado só pode
assumir o posto após decorridos três meses, isto é, metade do prazo pedido.

2º novo pedido de licença poderá ser explorado pelo grupo Baeta, que anda arrependido
e dizendo que foi ludibriado e que não desejavas essa solução, sendo prova o fato de não
teres vindo assumir.

3º não há prejuízos de vencimentos pois o subsídio é garantido por lei e Mamãe já recebeu
6 contos deste mês.

4º tens um prazo de quatro meses ainda para te apresentar sem perda da cadeira.

5º o que resolveres será feito. Nereu aguardará.

Amanhã Queiroz Lima passará aqui para combinarmos a correção das provas do livro. Ele
quer saber se tens recebido as informações que manda.

---

Informações seguras do C. C. G.: vai ser feita a intervenção em São Paulo. Já está havendo
remessa de tropas federais.

---

A virada está alucinante e eu te confesso com toda a honestidade que meu estômago
está muito delicado. Foi uma amostra por demais forte para minha sensibilidade a noitada
do Copacabana no sábado do *sweepstake*. Fui saudada, cumprimentada e festejada como
nos áureos tempos. Por contraste, as mesas de pessoas do governo estabeleciam um frio

**1948**  pelo redondor [?]. O eminente prefeito,[1] que não vai a parte alguma sem a galante guarnição das primas do Ernani, lá estava entregue a si próprio e a elas. Fiquei com pena, até.

Para te dar uma demonstração de minha incapacidade "deglutidora", aí vai um diálogo que mantive. Lá pelas tantas, vendo o *show* em torno de nossa mesa, o casal Bley, que nunca se abalou antes por nós, veio se instalar na nossa mesa para conversar. A Sra. Bley, em grande exuberância de intimidade, perguntou por todos e finalmente por ti: Ela – Como vai o Dr. Getulio? Eu – Ótimo. Ela – Quando é que ele vem? Eu – Ele não vem. Ela – Como? Mas todo mundo quer. Eu – Mas ele não quer. Ela – Por quê? Eu – Porque está enjoado. Ela – Ah! Pois ele, ele tem razão. Nunca que ele devia ter saído naquela ocasião, mas agora ele precisa voltar. Eu – Mas acontece que para [sic] já chega. Além disso, depois de 15 anos de trabalhos forçados, nós temos direito a um pouco de liberdade. Quanto a mim, estou achando ótima a vida de gagosa que levo agora e não quero voltar para a canga por nada deste mundo. Mais umas duas respostas atravessadas neste gênero e ela se levantou dizendo: – Vamos, Bleysinho. Enquanto isto o dito derramava no ouvido do Ernani suas mágoas: havia recebido na véspera o pontapé do Dutra. Puxa! Quanta gente sem brio.

O Chatô anda nos fazendo um cerco incrível, principalmente ao Ernani. Mandou ameaçar-me por intermédio do Lourival com uma reportagem laudatória a mim. Disse ao Lourival que pedisse a ele para me deixar em paz, ainda estou de marca quente. Houve há dias em casa do Átila Soares um almoço para aproximar o Ernani do Canrobert. Quem tomou conta da festinha foi o Chatô. Sentou-se ao lado do Ernani e se desmanchou em elogios a Mamãe, declarando que nunca houve nem haverá uma primeira-dama igual a ela em todos os sentidos. O Tristão de Ataíde agarrou o Ernani num canto e o chamou de maior governador que o Estado do Rio jamais possuiu. O Negrão de Lima levou para outro canto para falar mal do prefeito. Finalmente o Oswaldo Costa chamou-o para dizer que estava às tuas ordens para o que der e vier. Segundo a expressão dele o governo está uma tal "merda" que somente tu novamente podes dar um jeito. O Canrobert manteve-se discreto como convém a um futuro candidato.

---

O Correa e Castro entra de licença no próximo dia 15. Tudo leva a crer que a intervenção será antes disso. Será seu substituto eventual o Ovídio de Abreu, que já foi convidado.

---

O Oswaldo Aranha, segundo informações, continua se empinando para ser teu candidato. Está muito preocupado com a situação na Europa. Segundo diz dificilmente se escapará de nova guerra.

---

**1.** Ângelo Mendes de Moraes.

O Cumplido Sant'Anna e o Oscar Costa, professores da Faculdade de Direito no meu tempo, mandaram me dizer que assinaram o manifesto contra ti em 45 e querem agora ser os primeiros a votar em ti, como penitência.

**1948**

Conheci anteontem o embaixador argentino Cooke. Disse-me que é teu grande admirador e queremista.

Isto é o que me lembro. Em resumo, estou cansada de receber declarações de amor eterno para ti. Já estava desabituada.

Ontem esteve aqui o Rubem Rosa. Ficou de me mandar seu parecer sobre o orçamento. Disse ele que a desordem orçamentária é tão grande que já fez o governo despesas de valor sem a respectiva abertura de crédito e que portanto o saldo orçamentário apresentado poderia ser muito maior ainda, enquanto o *deficit* real é astronômico. Na falta do relatório do Maciel vou catando o que me aparece para te mandar. Como vais de charutos? Junto vai o *Fon-Fon*. **Alzira**

**114 \ G ·** [Estância Santos Reis], 2 de agosto

Minha querida filha

**1948**     Junto remeto várias cartas para que sejam entregues aos seus destinatários. Não esqueças de avisar-me seu recebimento.

Por aqui não há novidades. Maneco regressou de Porto Alegre, esteve aqui e foi ao Itu a meu serviço. Já recebi da Argentina as navalhas encomendadas, em número suficiente. Dos Estados Unidos basta que venham os charutos. Enquanto não chegarem os da encomenda, vai me remetendo os daí mesmo, quando houver oportunidade. Não esqueças que essas latinhas, contendo duas dúzias de charutos, não duram mais duma semana.

Logo que vierem as informações do Sr. Soares, escrever-lhe-ei. Quais são as novidades?

Saudades a todos e um beijo do teu pai **Getulio**

A *Fon-Fon* de 24 não trouxe o safa-onça. Da carta ao Junqueira vai cópia ao Salgado Filho. Se não acharem conveniente poderá ser modificada. Parece-me estar bem.

**83 \ A ·** [Rio de Janeiro, de 6 a 9 de agosto]

Meu querido Gê

Tenho tido em geral pouca folga para te escrever. Quando acabo minhas ocupações habituais de casa, telefonemas, providências e visitas, e devia começar a hora que dedico a mim mesma, Celina chega do colégio e com ela vai-se o sossego. Arrebanha todas as crianças da redondeza, Cândida, Getulinho, Editinha inclusive, e os corredores do apartamento viram pista de corrida e a minha cabeça se transforma em mingau.

Queiroz Lima esteve aqui esta semana. Entreguei-lhe o livro para fazer as correções. Deu-me as seguintes informações, que podem ser verdadeiras, ou não: a) a intervenção em São Paulo se fará por ocasião da viagem do Dutra à Bolívia e será feita pelo Nereu que assumirá então a presidência. Objetei não acreditar o Nereu capaz de semelhante burrada, pois seria comprometer seriamente sua candidatura à sucessão, ao que ele me respondeu concordando, mas chamando minha atenção para o fato de o Nereu perder a serenidade quando lhe pisam nos calos. Segundo informação de seu irmão Joaquim ele não perdoa à S. Excia. a situação falsa em que o deixou e ao PSD quando lhes encomendou a intervenção e depois recuou. b) a chapa do Dutra para a sucessão seria Jobim-Barbosa Lima. Agamenon em particular se teria manifestado contra assegurando que a única chapa vitoriosa para o PSD seria Getulio-Nereu. c) os vermelhos estão quietos e nada pretendem fora das eleições. Já desistiram ou por outra desanimaram do cerco que nos estavam fazendo e se contentam em fomentar a campanha do petróleo. d) está também sentindo a aproximação da virada com grande intensidade. e) internacionalmente não crê em novo conflito. Os americanos iriam encontrar grandes dificuldades em convencer a Europa ocidental a ser teatro de uma nova guerra e a Rússia está demasiado preocupada com suas lutas políticas internas para desejar esse embate. O drama da Rússia gira em torno da herança de Stalin, disputada cada vez que há boatos sobre sua saúde. Dois grupos se digladiam, o eslavista e o universalista. O 1º chefiado por um <u>vitch</u> qualquer é de parecer que a Rússia deve se contentar por ora com os povos eslavos, fortalecer-se, organizar-se e depois demonstrar ao mundo as virtudes do regime, o 2º encabeçado por um <u>popoff</u> acha que devem aproveitar a confusão atual para se apoderar do mundo. Segundo o informante o caso "Tito" nada mais é que uma amostra dessa luta interna. Não concordo com a maior parte destas informações, transmito-as.

---

Recebi no dia seguinte a visita do Sr. Newton Santos, vinha credenciado pelo Porfírio para conversar comigo sobre vários assuntos. Inicialmente me declarou que um grupo grande de São Paulo só obedecia à minha orientação pessoal e que eu precisava agir mais. Respondi-lhe que meu pedido de demissão de babá do partido havia sido aceito e além disso o partido já não necessitava de babá, pois tinha um presidente em condições. Ficou meio decepcionado, mas continuou distribuindo *confetti* e entrou no assunto. 1º Queria orientação quanto às eleições na Assembleia estadual (o presidente morreu num acidente de automóvel). O candidato do PSD era o Lincoln Feliciano (foi eleito), inimigo pessoal do Adhemar e franco intervencionista no qual o PTB não deveria votar, ainda mais porque tinha possibilidade de fazer candidato próprio caso o grupo do Nelson concordasse. Fingi interessar-me

**1948**

**1948** muito pelo assunto, pedi dados, números e possibilidades porque temia o 2º assunto, que era um pedido para que eu influísse junto ao Salgado para iniciar imediatamente a reestruturação do partido em São Paulo, sendo ele Newton o escolhido pelo diretório central. Fiz uso dos meus 15 anos de circo para tirar isso da cabeça do homem sem que ele ficasse zangado ou descobrisse as minhas razões. Consegui e ainda fiquei com cartaz de gênio. Não convém em absoluto mexer agora no partido em São Paulo. A bomba está por estourar e nós temos de ficar nas encolhas. Em 3º lugar consultou-me sobre, o que considerou um golpe notável, a conveniência do diretório estadual lançar um manifesto aos trabalhistas anti-intervencionistas. Consegui demovê-lo disto também. Uffff!

8 de agosto • Os jornais publicam hoje um telegrama do ministro da Justiça ao Adhemar que é quase um *ultimatum*. É o 1º passo para a intervenção. As opiniões quanto à reação do Adhemar divergem. Alguns dizem que ele reagirá violentamente e que o povo o acompanhará. Outros que ele se limitará a seguir o exemplo do Flores em 37. São Paulo virou praça de guerra, tanques e tropas por todos os lados. Já ninguém mais tem dúvidas lá quanto à intervenção e agora já chegam a desejar que se faça de uma vez para terminar com a expectativa, a sensação de angústia e a paralisação total dos negócios. Esta é a opinião de quantos vêm de São Paulo. Tudo leva a crer que será no fim deste ou em princípios de setembro.

Mamãe falou hoje com o Maneco pelo telefone. Segue quinta para Buenos Aires e de lá vem ao Rio. É possível se as coisas até lá estiverem em ordem que sigamos com ele para aí. Continuo achando que a tua permanência aí é a melhor coisa no momento. Se as saudades forem muitas manda me chamar. Ainda não me respondeste sobre o que desejas em relação a teu pedido de licença.

Recebi hoje de manhã tua carta com correspondência a ser distribuída. O safa-onça do *Fon-Fon* de 29 seguiu com o de 31, pois custei a matá-lo e assim mesmo ainda vai uma retificação no de hoje. Vão também as de 31 e de 7 deste. Estás ficando mal habituado?

Estou esperando a ida de algum portador para te mandar mais charutos, pois as caixas pequenas acabaram.

Aloysio e Maria estão pretendendo seguir com as crianças em princípios de setembro. Estão muito preocupados com a saúde de tia Alda. Pediram-me que informasse quanto o Calafanges cobraria para levá-los: o casal, as duas crianças e talvez a Wanda. Eles querem uma base de preço para poder combinar a ida. Podes perguntar-lhe para mim e mandar dizer?

Há um ligeiro recrudescimento da campanha antiqueremista. Ainda não sei se obedece a um plano, se é propaganda para vender jornais ou se é fruto do medo de tua candidatura. A esse respeito o Andrade conversou hoje longamente comigo. Sinto que seu maior desejo é ser o depositário de toda tua confiança como antigamente. Quer saber o que pretendes **1948** a esse respeito para que ele possa começar a manobrar de acordo, não quer ser obrigado novamente pelas circunstâncias a atuar em campo diferente do teu. Teme agir em determinado sentido e depois de ter avançado demais ser surpreendido por manobra tua em sentido diferente. Assim prefere não agir e às vezes se impacienta com a falta de senso político dos supostos depositários de tua confiança. Prometeu-me para hoje à noite grandes novidades. Esperarei sua volta para encerrar esta.

---

É o seguinte. Oswaldo Aranha levou à sua fazenda vários representantes do PSD, inclusive Barata, e lhes disse que o PSD é um grande partido muito mal orientado pelo Nereu. O único caminho seria a união com a UDN para a sucessão presidencial. Getulio quer ser candidato e portanto correrão três. Neste caso é provável que ganhe a UDN, mas é uma loteria e gerará grande confusão. O Exército não tolerará que Getulio se candidate e se eleja. Visivelmente procurou amedrontá-los. Está nisso unido ao Góes e Georgino. A horas tantas tocou o telefone e ele após atender informou aos circunstantes: era uma pessoa do Getulio perguntando se ele já podia vir. Respondi que ficasse quieto em São Borja. Segundo o informante a manobra é lançar a candidatura Oswaldo Aranha pelo partido do Vitorino, apoiado por Alagoas e Rio Grande do Norte, uma ala da UDN e a parte do PSD que conseguir atrair com suas mentiras.

Desculpe a miudeza da letra.

Ernani te manda um abraço. Um beijo muito carinhoso de tua filha **Alzira**

---

**1948**

*Oswaldo Aranha e Sérgio Lima e Silva (ao centro).*
*Rio de Janeiro, DF, s/d.*

## 115 \ G · [Estância Santos Reis], 7 de agosto

Minha querida filha

Desde a partida do Salgado não mais recebi cartas tuas. Lembro-me de três enviadas por mim e que não tiveram resposta: uma sobre declarações do Góes envolvendo meu nome, essa não tem importância. Outra remetendo a carta combinada com o Salgado. Essa é a de maior interesse, não só porque constitui uma autorização para ele agir no sentido do fortalecimento do PTB, como para resolver meu pedido de licença que está preso no Senado. Deve ele também dizer se está satisfeito com os termos da carta. Dá lembranças ao Napoleão e dize-lhe que recebi seu telegrama sobre a publicidade da Saigon. Como?

A *Revista da Semana* do mês de junho publicou um artigo ameaçando-me com o Exército se eu for candidato. Desejaria que me enviasses esse número com o nome do autor. Talvez consigas por intermédio do Epitacinho. Não é por nada, mas estou interessado. O Luzardo esteve aqui. Falou-me, com muito jeito, sobre a união do PSD e PTB para a chapa Nereu-Salgado. Recebi notícias daí sobre outra Jobim-Barbosa Lima apoiada pelo Dutra. Minha atitude tem sido de espectador. Nem me comprometo, nem recuso.

Maneco segue amanhã para Porto Alegre e levará esta carta para remeter de lá. Está fazendo muito frio, geada e minuano. Manda-me uns três pares de meias de lã, charutos e um vidro de Nembutal. Por enquanto é só o que preciso. Manda-me também, mensalmente, o "*Eu sei tudo*".

Apressa junto ao Maciel a remessa das informações que pedi.

Saudades a todos os nossos e beijo do teu pai **Getulio**

**1948**

**84 \ A ·** [Rio de Janeiro], 11 de agosto

Meu querido pai

**1948** Depois da vinda do Salgado esta é a terceira que te escrevo. Da mesma forma hoje recebi a terceira tua, trazida pelo Maneco. Parte de tuas perguntas já foram portanto respondidas. Esta seguirá pelo Luiz que vai a Buenos Aires via Porto Alegre. Por ele irão os charutos, as meias e o remédio.

Nada esclareci sobre as declarações do Góes porque nada representam. É mais uma das loucuras dele. Quanto à Saigon, disse-me o Epitacinho que *Diretrizes* já está sendo impresso lá. Não tenho conseguido falar com esse malandro que anda dando o grande [sic] apoiado pelo Salgado. Não me trouxe ainda teu dinheiro da Academia e levou quase 10 dias para entregar a grana de D. Dadá, que andava já na pinda. Vou tentar obter a revista que desejas.

Em minha última carta mandei-te alguns informes sobre as manobras sucessórias. A fórmula Nereu-Salgado me foi sugerida de início pelo Soares, cujas ligações textis [?] com o cavalheiro que aí esteve não seriam de estranhar. Há em todo caso um grande trabalho oculto nesse sentido. A UDN, temendo isso, está procurando assuntar Nereu e seus partidários com as terríveis consequências disso. Chamam-nos "queremistas" e estão fazendo uma série de intrigas para evitar qualquer acordo PSD-PTB.

Um desses aspectos é a manobra Oswaldo que contei resumidamente na última. Houve uma visita de um grupo de parlamentares a Volta Redonda. Oswaldo mandou buscar para almoçar com ele um grupo do PSD, entre eles Barata, Alvaro Adolfo, Lameira Bittencourt e Munhoz. Tentou envolver o Barata a sós mas este pediu a presença do Lameira e Munhoz. Um deles, não sei qual é que contou ao Ernani o papo. Inicialmente disse que era um golpe Góes-Oswaldo para te envolver de qualquer maneira e ou tirar-te do páreo, cortando-te, com ameaças do Exército, até da possibilidade de influir no pleito, ou forçar-te a um acordo com eles. Oswaldo almoça semanalmente com Georgino e hoje Ernani ia penetrar no círculo deles almoçando com eles no banco do Ceglia, aonde se reúnem.

Há novamente um esboço de reação dos círculos oficiais e da imprensa contra ti, após um período de vários meses de expectativa simpática. Em parte pode-se atribuir isso a mais um erro de tática de alguns dos nossos. Ignoro ainda se é por burrice ou má-fé. Vindo do grupo que vem deve haver um pouco de ambos. Iniciaram uma campanha de folhetos e discursos com o *slogan* <u>ele voltará</u>. O entusiasmo com que o público recebeu a campanha assustou a caça que está novamente tentando se unir contra o grande inimigo que és tu.

Ontem estive com o Euzébio que me contou entusiasmado um *meeting* que havia feito nesse sentido em Mogi das Cruzes com o mais completo sucesso. Alertei-o quanto às possíveis consequências de uma campanha tão prematura e ele me prometeu sossegar um pouco. Aqueles sobre os quais tenho uma certa influência consigo controlar. Mas nada posso fazer junto aos elementos de Pernambuco, aos rasgos de intelectualidade do Matta, às loucuras do Barreto Pinto, que às vezes assumem proporções sérias, e ao complexo radiofônico do Lins, que é parente do João Alberto.

Vou fazendo o que posso do meu canto, fazendo o impossível para que continues com as mãos livres para agir quando quiseres ou ficar quieto se te aprouver.

Ernani que já está no meio do fogo, solicitado por ele próprio e por ti, às vezes se impacienta e quer uma orientação. Desta vez ainda consegui convencê-lo que é cedo, e muita água ainda deve correr.

**1948**

---

Antes do almoço Ernani encontrou-se com Oswaldo casualmente no gabinete do Ceglia. Conversou sobre uma porção de coisas, contou uma palestra que tivera com Dutra sobre a intervenção acautelando-o contra os perigos disto etc. O. levantou-se dizendo que precisava sair e da porta, chapéu na mão, invetivou: E esse partido de vocês, já está dissolvido? – E. Pelo contrário, somos majoritários, a convenção foi um sucesso etc. – O. É, mas na sucessão presidencial o Nereu está agindo mal, é candidato... – E. Não é verdade, Nereu não é candidato, o partido não cogitou ainda deste assunto e é muito cedo para pensar nisto, em nossa convenção nem sequer se aventou o problema política. Vocês, sim, é que já não valem mais nada, essa UDN de vocês só pensa em política. Aliás fazem bem porque como minoritários têm que começar a pensar no problema da sucessão mais cedo para não ir ao diabo. Mas não me venham novamente de Virgem porque já não fazem nada. É um bom sujeito, seu amigo, mas já não impressiona ninguém. – Ernani examinou as várias possibilidades da UDN prometendo que o PSD se pronunciaria depois e em tom de brincadeira disse: – Ainda se o candidato da UDN fosse você, mas você parece que já não faz parte do partido, ou faz? Eu examinaria o caso com mais simpatia. – O homem largou o chapéu, esqueceu que tinha pressa e sentou de novo. Ficou um doce de coco e quer almoçar com o Ernani. É gozado ou não é?

---

Últimas informações de São Paulo. Adhemar disposto a reagir de qualquer maneira, comprando material, gente de farda e falando às massas. Daqui, novo recuo. O PSD paulista está furioso e o Zé Eduardo volta a incentivar S. Excia. ao bom caminho. Segundo alguns políticos experimentados a tática dutrista está se tornando mais sutil. Forçar o Adhemar a perder a cabeça e marchar para a violência em primeiro lugar, justificando assim qualquer medida mais radical que por acaso esteja bailando no coco presidencial. Vou começar a fazer *stock* de cigarros para um caso de prisão repentina. Oba! Consta que uma determinada senhora teria recebido 20 mil bagarotes para obter a abertura do jogo nas estações de águas e que o *de cujus* vai voltar a funcionar.

Vou te remeter junto mais dois discursos do Joel Presídio que estão bem interessantes. Estou te devendo o assunto da Fábrica de Motores, mas o Muniz está ausente do Rio. A razão de tua citação parece ter sido uma formalidade apenas na questão dos operários contra o governo, pois desejam ser considerados funcionários e ser tratados como tal, visto que a companhia deve ser entregue agora a particulares. Não estou bem certa, mas é uma confusão danada. Podes exigir mais bem escritas, mas mais noticiosas do que minhas cartas, duvido. Vai o Nembutal.

Um abraço do Ernani, saudades da Celina e um beijo cheio de carinho de tua filha **Alzira**

## 116 \ G · [Estância Santos Reis], 12 de agosto

Alzira

**1948**   Apresento-te o cantor Pedro Raymundo que passou parte do dia em Santos,[1] delician-
do e entusiasmando a todos com suas canções.
  Abraços do teu pai  **Getulio**

1. Refere-se à Estância Santos Reis.

**117 \ G ·** [Estância Santos Reis, de 14 a 15 de agosto]

Minha querida filha

Ando desconfiado que <u>nosso</u> correio não está funcionando com regularidade. Não recebo cartas tuas e ignoro se as minhas estão sendo recebidas. Um portador conhecido para aí não é fácil. Vou talvez promover a ida desse portador ou esperá-lo. Daqui não posso controlar esse serviço, porque ignoro quem o entrega aí. Esse estado de espírito desperta-me desconfianças, inclusive de desvios da própria correspondência. E não esqueças que deve haver alguém muito interessado em apanhá-la. Não será o caso de lubrificar algum portador para torná-lo mais solícito?

**1948**

Dize ao Epitacinho e Eurico que recebi e ~~gr~~ agradeço a carta que me escreveram, enviando o primeiro número de *Diretrizes* impresso na Saigon. Parece que estava mesmo faltando um jornal assim independente. Não vejo conveniência em tirar um jornal órgão de partido. Gostei da leitura desse número, principalmente a seção do Gondim – Imprensa em Revista.

Estou recebendo cartas daí, pedindo minha ida ao Rio, assumir a presidência do PTB, tirar nova licença e regressar. Não me parece que haja urgência disso. O Salgado irá arrumando as cousas. Qual a tua opinião?

Tua opinião e a do Sr. Soares têm sido, até agora, contrárias a essa viagem e isso combina com o meu pensamento.

Tenho recebido cartas do Viriato e da Ivete com informações bastante interessantes, confirmando as tuas. Quando tiveres oportunidade agradece-lhes de minha parte.

Levantei-me hoje, 14, de uma gripe braba, à força de inalações, cataplasmas, tisanas e poções. Junto envio-te o exame de laboratório. Parece que estamos bem.

Recebi, de Belo Horizonte, um livro do Sr. Anibal Vaz de Melo – *Sinais dos tempos*. Comecei a ler. Estou em pleno domínio do Astral. Lembrei-me do Professor. Como vai ele? Que diz? Ainda acredita no que diz?

Estava neste ponto quando recebi tua carta de 2 do corrente com a *Fon-Fon* de 31 do passado que passo a responder.

Parece haver uma certa confusão ou engano de tua parte quando falas no meu pedido de licença: 1º) não se trata de novo pedido de licença mas de soltar meu telegrama que está preso no Senado, solicitando quatro meses de licença; 2º) eu não disse que pretendia ir em setembro; 3º) parece haver engano quando dizes que os pedidos de licença devem ser de seis meses no mínimo. Por quê? O Regimento do Senado que vigorava quando estive aí ~~falava~~ não marcava prazos. Por que obrigar a pedir seis meses quando o interessado precisa de menos, vamos dizer três ou quatro meses? Parece que, a esse tempo, havia em discussão um projeto de reforma do regimento. O assunto não me preocupa grandemente. Examina essas dúvidas e responde-me.

O Major Newton Santos parece que é muito garganta. Ofereceu-se a mandar-me várias mudas de plantas e até agora nada. Dize ao [L. L.?] que recebi sua carta com informações muito interessantes e que ele deve continuar a informar-me.

O que te disse o Rubem Rosa sobre orçamento deves transmitir ao Sr. Soares e apressar junto a este as informações pedidas.

Curiosas e divertidas as notícias sobre a virada. Continua.

**1948**  Sobre o embaixador argentino há tempos eu te contei ~~sobre~~ de um telegrama dele e disse-te que procurasses saber se ele recebera a minha resposta.

Saudades a todos e um beijo do teu pai **Getulio**

———

PS.: Estou quase sem charutos.

118 \ **G** · [Estância Santos Reis, entre 16 e 20 de agosto][1]

Minha querida filha

Estou ainda convalescendo da gripe e num estado de espírito pouco propício a ser perturbado, quando recebi esse telegrama. Envio-te para que o entregues ao Salgado.

Após a doença de Alda almocei em casa dela. Estava bem, queixando-se apenas do rigorismo da dieta. Ela gosta de alimentar-se bem.

Quanto às informações do Calafanges sobre a viagem do Aloysio e família, é mais fácil colhê-las do Jango, que deve estar aí. O Calafanges está morando em Porto Alegre e há muito não o vejo.

Estiveram aí o Serafim e o Cunha [?]. Parece que não estiveram aí. Também não me procuraram antes de partir.

Manda-me charutos.

———

**1.** Carta não assinada por Getulio.

## 119 \ **G** · [Estância Santos Reis], 20 de agosto

Minha querida filha

Estou ainda convalescendo da gripe, tomando uma série de injeções, inalações, cataplasmas e poções. Estou bem. Apenas ainda estou com um pouco de tosse. O Nello passou aqui dois dias e duas noites, fazendo-me injeções de penicilina, transformina, B1 e B2 C. Foi isso o que me informaram. Terminou hoje.

À hora em que te escrevo as estradas de acesso ao Itu devem estar guardadas por tropas de polícia e do Exército, para prender o Prestes que ia encontrar-se comigo para uma conferência. Isso de acordo com as instruções do chefe de polícia do estado a todos os municípios vizinhos. Eu estou em Santos Reis atacado de gripe, não recebi direta ou indiretamente qualquer convite do Prestes para encontrar-se comigo. No entanto ele arriscava-se a uma corrida espetacular pelo interior do estado para ir encontrar-se comigo num local onde eu não estava. Isso só do bestunto do novo Scarpia gaúcho ou dos seus patrões. Não sei se foi criação dele ou instruções do Rio.

Desejaria saber, se possível, qual a origem desse boato. Talvez seja até uma pura invencionice de natureza política para me comprometer. Uma canalhice urdida por canalhas. Para evitar os mexericos dos politiqueiros e a espionagem dos esbirros governamentais, venho para cá. Pois mesmo aqui vem incomodar-me essa cáfila reles. ~~Essa~~ Tal investigação deve ser feita com cautela para não comprometer o delegado local, que agiu corretamente comigo.

Logo que tive conhecimento do fato comuniquei em carta ao Maneco, ainda com tempo de alcançá-lo em Porto Alegre. O Calafanges esqueceu-a no aeroporto. Agora vai esta já um tanto atrasada e que não sei quando chegará aí.

Passemos agora ao capítulo das encomendas: 1º) manda-me charutos, em número suficiente para formar um pequeno estoque e não estar, a cada momento, correndo o risco de ficar cortado, como agora está acontecendo. 2º) um maço de papéis iguais a este da carta. É com esse papel que prefiro escrever.

Estava com estas linhas escritas, quando recebi tua carta de 11 do corrente e a caixa com as encomendas.

Estamos mais ou menos quites. Faltam ainda algumas pequenas coisas que aproveitarás o regresso do Maneco para enviar.

Tua carta está muito noticiosa e interessante, principalmente a conversa com o Vavá e o assunto de São Paulo. Falas num esboço de reação da imprensa e círculos oficiais contra mim. Talvez essa invencionice de encontro com o Prestes faça parte do programa. Não suponham, porém, eles que me assustam com esses arreganhos. Ao contrário me revoltam e estimulam à resistência.

Apressa com o Sr. Soares a remessa dos dados que lhe pedi. Isso, para ele, é um trabalho de dois dias. E já lá vão quase dois meses que os solicitei.

O Jango e Maneco estão aí, têm se divertido? O tempo aqui é de calor e seca, parece até que já terminou o inverno.

Às pessoas que te falarem sobre política, sucessão presidencial etc. e quiserem saber qual a minha opinião ou orientação, podes responder que só estou encarando esse assunto pelo seu aspecto pitoresco de jogo de interesses, no qual não desejo tomar parte.

Saudades a todos e um beijo do teu pai **Getulio**

**1948**

**85 \ A ·** [Rio de Janeiro], 20 de agosto

Meu querido Gê:

**1948** Quase que não te escrevo esta semana. 1º Há três cartas minhas por aí, sem resposta. 2º Bateu um lelé na família: gripe e sarampo por todos os lados. 3º Sem poder sair esta semana comecei a fuçar no arquivo. Fiquei tão empolgada com as descobertas que fiz que não queria saber de mais nada. Tenho me divertido à grande com o ano de 44: cartas do Góes, do Dutra, do Álcio, do Vitorino, do Zé Carlos, e finalmente achei em um envelope junto com outros papéis selecionados por ti a declaração vitorínica[1] de ter recebido dinheiro do João Alberto. Não é telegrama como supunhas, é de próprio punho...

Notícias

O Góes está passando mal, vitimado por um infarto do miocárdio. Melhorou um pouco nestas 24 horas, mas, se ficar bom, terá cama por muito tempo. Oswaldo está desolado. Nunca supus que o pobre velho fosse tão odiado. No dia em que circulou a notícia de sua enfermidade, os meios políticos andavam esfuziantes como se algo de muito bom estivesse para acontecer.

Novo recuo no caso São Paulo. Adhemar tenta se aproximar agora da ala velha do PSD capitaneada pelos Vergueiros. O grupo Cirilo continua resistindo e Adhemar manda publicar de vez em quando sujeirinhas da família Macedo Soares. Primeiro foi um caso de herança jacente e agora o do jornal *Estado de S. Paulo*. O Zé Eduardo anda por conta. O Correa e Castro não entrará mais de licença, conforme fora combinado, mas afirma que pedirá demissão se não for feita a intervenção. O Grão de Bico meteu-se numa camisa de 11 varas e será preso por ter cão ou preso por não ter cão. Agora ou ele faz a intervenção e marcha para um golpe, cujas consequências são imprevisíveis pois não terá unanimidade no Exército, ou não faz e perde um restinho de autoridade que ainda lhe resta e o Adhemar ficará dono da situação.

Recebi as seguintes pessoas:

2ª feira – O Zé Barbosa com o seu Lupo que vinham daí. Desejavam que o Salgado mantivesse o *status quo* em São Paulo. Prometi ajudá-los mas aconselhei-os a não dizer que haviam estado comigo. Não quero que o Salgado pense que quero me meter na administração dele.

3ª [feira] – O Zé Barbosa com o Newton Santos. Vinham assustados. Por ocasião da posse do Porfírio houvera uma infiltração comunista que não puderam impedir e o grupo do Nelson estava agora explorando a dizer que o Porfírio era fichado no Estado-Maior do Exército. Ora, se o Porfirio é comunista, o Prestes é papa-hóstia. Pediram-me que te escrevesse explicando a situação pois sabiam que Cassio, Nelson e Conceição te haviam telegrafado fazendo a intriga. Disse-lhes que isso não tinha importância e cairia por si, que eu estava muito mais assutada com uma entrevista do Nelson sobre o "ele voltará" que eu considerava como obedecendo a um plano de manobra para te amarrar as mãos. Disseram-me que acreditavam mais em uma tentativa do Nelson de se afirmar o único queremista de São Paulo para refazer seu prestígio abalado. Propuseram-se a publicar um desmentido que

1. Referente a Vitorino Freire.

eu desaconselhei pois seriam então tachados de antigetulistas, fazendo o jogo do Nelson. **1948**
Prometeram fazer o possível para evitar novos surtos prematuros de queremismo.

4ª feira – Carlos Maciel estava muito assustado porque o Salgado havia dito ao Newton Santos que só faria a reestruturação do PTB em São Paulo com o Marcondes porque este era o teu desejo. Que o Newton teria respondido que nesse caso ele abandonaria o partido, pois não estava disposto a servir com um homem desmoralizado como o Marcondes e em quem o povo não acreditava, pois te havia negado publicamente. Carlos Maciel estava afobado vendo nisto uma manobra do Salgado para te queimar. Pediu-me que o ajudasse a convencer o Salgado a repor o Canuto na linha de frente, pois consegue contentar a gregos e troianos e só obedece a ti.

5ª feira – Salgado explicou que havia largado o nome do Marcondes para esfriar o entusiasmo do Newton que está muito ansioso pela reestruturação. Lembrei-lhe o Canuto e contei, como quem não quer nada, todas as acusações que lhe fazem e sobre a necessidade de dividir o domínio do Distrito inteiramente nas mãos do Segadas. Respondeu que a tropa que tem para manobrar é muito fraca. O Marcondes quer ser o chefe em São Paulo e atrapalhará qualquer outro que lhe faça sombra, mas não tem coragem para assumir. No Distrito o Napoleão não quer trabalhar, o Ruy quer comida de colher, o Seu Silva e o Gurgel têm medo físico do Segadas, de modo que ele não pode andar com eles no colo. Mostrou-me a carta do Junqueira que eu não havia lido e a tua resposta. De comum acordo resolvemos que a tua resposta não seria entregue, sob minha responsabilidade. 1º a carta do Zé Broinha é de um cinismo alvar, 2º ele não te consulta, comunica que vai largar o partido por causa do Epitacinho, 3º tua resposta será para ele uma arma, que não receberá de mim. Perdoa se tomo essa iniciativa, depois te explicarei como tenho razão.

Joel Presídio veio da Bahia obter o reconhecimento do diretório. Conseguiu. Contou-me que Juracy está tentando se infiltrar no PTB, que o desprestígio do Mangaba é enorme. Para ilustrar: um velho amigo do Mangabeira que o havia sustentado financeiramente no exílio disse-lhe: – Dr. Otavio, o sr. conseguiu com um ano de governo o que o Dr. Getulio não pôde em 10 – acabar com o mangabeirismo na Bahia. Se o Dr. Getulio for candidato desta vez, pode contar com meu voto.

Ernani recortou de um jornal de São Paulo esta lista de preços, para ti. Enquanto o Maciel não desova o trabalho dele, vai te divertindo com isto. E por hoje é só.

Vou mergulhar de cabeça no arquivo. Esqueci-me: Andrade Queiroz te manda um abraço e diz que vai criar vergonha e te escrever.

Um beijo cheio de carinho de tua filha **Alzira**

**120 \ G ·** [Estância Santos Reis], 21 de agosto

Minha querida filha

**1948**   Em aditamento às minhas cartas anteriores, envio-te mais esta com os inclusos documentos para que os entregues ao Salgado. Pergunta-lhe que há com o PTB de São Paulo que me parece estar um tanto anarquizado, não só pelo telegrama que recebi da bancada, como pelas notícias dos jornais sobre divergências deste na Assembleia do estado. Não tenho preferências por nomes. Só desejo que se harmonizem ou que haja disciplina.

Não esqueças de enviar-me a tempo os elementos para enviar meu voto à vaga acadêmica.

Toda correspondência que recebo, depois de selecionada, envio para a secretaria organizada pelo Maneco e lá fica. Nunca vêm os cartões com as respostas para que eu assine. E eu não tenho tempo nem gosto para desenhar a mão todas essas respostas.

E por hoje é só.

Saudades a todos e um beijo do teu pai **Getulio**

**121 \ G ·** [Estância Santos Reis], 27 de agosto

Minha querida filha

Há dias o transporte aéreo está paralisado pelo céu nevoento, bruma seca. Hoje apareceu o Calafanges e aproveito para escrever-te, prevenindo que não deixes de enviar pelo Maneco o resto das minhas encomendas, principalmente charutos.

De quando em vez os jornais lançam palpites sobre opiniões minhas. Ainda agora publicaram que eu só seria candidato se fosse apresentado o nome dum militar. Eu nada disse mas também não desmenti. Se esta ainda alcançar o Maneco, dize-lhe que não é mais necessário contratar o secretário conforme ele me havia falado. O Gabriel já apresentou a conta das despesas de correspondência. O serviço foi feito por ele e três ajudantes. As despesas andaram em 8 mil e tantos cruzeiros, faltando ainda gratificar o serviço dos auxiliares. É desnecessário aumentar mais essas despesas.

Com a falta de tuas cartas e a ausência do Maneco e Jango ando muito pobre de notícias. Entre a correspondência enviada e ainda não acusada foi uma carta para tua mãe.

Saudades a todos e um beijo do teu pai **Getulio**

**86 \ A ·** [Rio de Janeiro], 29 de agosto

Meu querido pai

As complicações cá por casa têm sido tantas ultimamente que não há serenidade possível para escrever com clareza. Preferi esperar um pouco. Já deves a esta altura ter recebido duas ou três cartas minhas com várias informações interessantes. Infelizmente tive novamente de parar com o arquivo porque a cabeça não dava vazão. Maneco te contará depois as coisas. **1948**

Quanto à demora em nossa correspondência é em Porto Alegre e não aqui. Costumo mandar por intermédio do Dinarte. Ele parece que não tem as mesmas facilidades e conhecimento que tinha tio Pataco, daí o atraso. Talvez também por precaução. Agora pelo Maneco recebi duas cartas tuas que deviam estar em poder dele há já algum tempo. Poderia tornar intermediário alguém com mais expediente, mas acontece que seu endereço e pessoa já são conhecidos do pessoal de ambas as companhias que nos ajudam, por isso parece-me melhor sujeitar-nos a um pouco de demora a troco de segurança. Se não concordares poderei tentar o Israel ou o Artur Crespo, que se têm oferecido, ou o Vecchio. Esta vai pela Maria e Aloysio, bem como uma caixa pequena de charutos. Não mando maior por eles porque vão meio apertados de peso. Pelo Maneco irão outras caixas.

Até hoje não consegui me comunicar com o Epitácio, nem receber teu dinheiro da Academia. Por isso não lhe dei teus recados. Falei com Napoleão que me prometeu escrever-te, bem assim como o Andrade Queiroz que aqui esteve.

Minha opinião a respeito de tua vinda continua a mesma, embora com isso já esteja me tornando antipática, pois o povo, atribuindo-me maior força do que a que realmente possuo, diz que sou eu que não quero que venhas. Tua vinda só te trará aborrecimentos, ataques e uma nova enxurrada de casos e casinhos, que se resolvem com o tempo. Se as vantagens pelo menos fossem iguais às desvantagens eu ainda hesitaria, mas como está não hesito em te dizer, espera mais um pouco. Salgado vai se aguentando bem, embora muito desajudado. O grupo Baeta move-lhe uma campanha impiedosa de sapa e intriga, e o grupo adversário é absolutamente inoperante em parte porque o é e em parte por medo do Segadas, que é ativíssimo. Em São Paulo a luta é a mesma. O grupo Nelson, apeado e despeitado, não poupa esforços para desmoralizar o Porfírio. Há dias ainda esteve ele aqui assustado com a acusação de comunista que lhe fizeram. Disse-lhe que essa não tinha pegado mas que se preparassem para o pior pois iriam ter muito que se defender por todos os meios. O tutor do Porfírio é o Newton, que por sua vez trabalha para o Pedroso Horta. O ambiente portanto é absolutamente hostil ao Marcondes, que o Salgado quer a todo custo salvar. Aquele ainda não está maduro para voltar, suas ligações vitorínicas são muito recentes.

Recebi teu exame e já conferenciei com o Jesuíno. Parece realmente que estamos bem. Há no entanto um ponto que ainda me preocupa. Syrio em sua carta diz que acusas uma apendicite crônica. Seria sacrifício muito grande ires secretamente a Porto Alegre tirar uma radiografia, só para acalmar esta abelhuda? Maneco leva plenos poderes para agir nesse sentido.

O Professor entrou em férias há alguns dias, de modo que nada sei a seu respeito, agora. Quanto ao assunto da licença, houve uma modificação no regimento do Senado e os pedidos de licença devem ser de seis meses, podendo o solicitante gozá-la total ou parcialmente,

**1948**  desde que exceda a metade do prazo solicitado. É para facilitar a vida do suplente que ficaria sempre na dependência do efetivo. Uma vez que o regimento permite que o senador falte sem justificativa durante seis meses, quando o prazo necessário é menor não há necessidade de pedir licença. Salgado continua a ponderar que novo pedido de licença seria dar azo às intrigas da trinca Segadas-Junqueira-Nelson e levar o desânimo ao grupo fiel. Portanto continuamos aguardando tua decisão.

A respeito do telegrama do pessoal de São Paulo já te havia escrito e Salgado já lhes deu solução. Mando junto o discurso proferido pelo Porfírio e a resposta indireta que foi dada ao telegrama. Junto também três folhas de pergaminho. Uma *fan* ardorosa de Niterói manda te pedir para que escrevas numa delas de próprio punho, assines e dates a famosa frase que vai no modelo. Deseja a jovem fazer um quadro para pendurar em sua casa.

Vai o *Fon-Fon* e o safa-onça da vez passada.

Mangabeira andou por aqui tentando o acordo PSD-UDN para a fórmula Canrobert-Mangabeira com o apoio do Grão de Bico. Em torno deste palpitante assunto há coisas muito interessantes que não te posso dizer por carta. Se, como tudo leva a crer, for necessário levar as crianças da Jandyra a São Borja eu te contarei tudo.

Beija-te com muito carinho tua filha **Alzira**

————

Recebi agora três cartas tuas de 20, 21 e 28. Responderei pelo Maneco.

**122 \ G · [Estância Santos Reis], 29 de agosto**

Minha querida filha

Agora que o Maneco e o Jango andam por aí e que não tenho recebido cartas tuas, **1948** estou escasso de notícias. Resolvi escrever-te esta, a título de nota, meio sem ordem, dizendo o que sei, perguntando o que desejo saber e relembrando algumas encomendas. Continuo recebendo visitas, principalmente de gente deste estado, de São Paulo e Paraná, a maioria compradores de farinha argentina. Aparecem-me todos com a cantilena da minha candidatura para 50, a necessidade desta e o compromisso de seu apoio. Sei que tudo isso tem um valor muito relativo e não me deixo levar por essas cantigas. Estou ficando um tanto homem da terra, tabaréu e desconfiado. Preciso ir até aí para matar saudades, sentir o ambiente e pôr no estaleiro minha carcaça meio enferrujada. Estou com pouco dinheiro para essas despesas e não desejo tomar emprestado.

Vi nos jornais a notícia duma escandalosa história ocorrida em São Paulo, da herança Cantinho Cintra, tendo como comparsas os dois manos Macedo Soares,[1] um como interventor e outro como advogado, com o batismo de um decreto especial do Sr. Presidente da República para surrupiar ao patrimônio do Estado 100 milhões de cruzeiros. Tudo isso é verdade? E o arcabouço do regime democrático não rangeu nos seus gonzos?

Chegou da França a Sra. Duquesa de la Rochefoucauld. Muita gente foi esperá-la em Recife. Entre eles estavam o Sr. Valentim Bouças e Sra. A senhora dele que eu conhecia faleceu. Está casado novamente? Há muito tempo não tenho notícias desse amigo.

Então o Nereu fez S. Excia. general de Exército, depois de reformado? Bem merecido! Mas o signatário do decreto deve ter sido muito instado. O nosso L...[2] veio sondar-me sobre a chapa Nereu-Salgado. É uma boa dupla. Receio apenas que o povo não vá mais no "ele disse"...

Encomendas – charutos, papel e o casaco para a Auristalina. É um casaco modesto, de cento e poucos cruzeiros, modelo comprado pela Wandinha, apenas mais amplo.

E as informações do Sr. Soares? Espero recebê-las para depois descrever-lhe.

Estava com esta pronta quando chegou o Gabriel. Vou aproveitá-lo para remeter.

Saudades a todos e um beijo do teu pai **Getulio**

———

1. José Carlos de Macedo Soares e seu irmão José Eduardo, proprietário do jornal *Diário Carioca*.
2. Batista Luzardo.

**87 \ A ·** [Rio de Janeiro], 31 de agosto

Meu querido pai

**1948** Ontem acabei de escrever-te a carta que deveria ser levada pela Maria, fui até a casa dela, passei pela Jandyra para tratar da Editinha que está com sarampo e lá recebi um recado, chamando-me com urgência à casa da mamãe. Era o Professor, que lá estava. Após vários meses de silêncio era sem dúvida uma grande surpresa. Disse-me então que ao serem reiniciados os trabalhos após as férias, Anael lhe havia dito: Procura Alzira amanhã e diz a ela que mande dizer ao nosso homem pelo portador de confiança que ela tem aí agora que o momento é da maior gravidade e que é necessário que Getulio tenha os olhos bem abertos principalmente com o Baeta. O recado fora só este, no entanto o Professor estava habilitado a dar-me outras informações. 1º desde o princípio Anael havia dito que Baeta não merecia confiança e que daria aborrecimentos. 2º que Borghi havia sido avisado para não marchar contra ti pois haveria um buraco em seu caminho. 3º que tudo aquilo que Anael havia anunciado estava agora por acontecer: sangue no Brasil, junta militar, fechamento do Congresso e volta de Getulio por consagração popular. 4º que Góes não morreria já pois ele e Oswaldo Aranha seriam os instrumentos da volta do Getulio, quer quisessem, quer não, depois o primeiro seria posto a comer mingau por Anael. Perguntei-lhe quais eram as instruções sobre tua vinda. Respondeu que tu as estavas seguindo. Que Anael te havia dito para ficar em silêncio pois tuas palavras de hoje poderiam ser interpretadas contra ti amanhã e que, quanto à volta, seria por consagração popular. Foi só.

O grande desejo da Maria é ir passar uns dias contigo e as crianças no Itu. Leva a babá que sabe cozinhar e diz que promete ser uma boa dona de casa. Que tal? As crianças da Jandyra estão radiantes por irem para aí também. Coitados, estão bem necessitados de sair um pouco daquele ambiente abafadiço. Getulinho te adora e andava muito desconfiado que gostas mais da Celina que dele. Maneco te contará tudo. Vou responder tuas cartas. 1º Sobre teu propalado encontro com Prestes aqui nada transpirou. Ficaram envergonhados do fiasco. Parece que desembarcou em Porto Alegre um sujeito parecido com o Prestes e, como eles próprios acabam acreditando nos fantasmas que criam, acharam que ele devia ter encontro marcado contigo. 2º Encomendas. Vão os blocos de papel, e tantas caixas de charutos quantas o Maneco puder levar. Vou ver se consigo achar o casaco da Auristalina amanhã. 3º Consegui encontrar o Epitácio que manda a *Revista* pedida e outras coisas. E estamos quites de encomendas.

Recebi tua novíssima carta de 29.

a) tua candidatura. O movimento popular em torno dela é intensíssimo e é o que mantém o povo quieto e ainda esperançoso. Os autores do 29 de Outubro com medo dela andam ativíssimos, fomentando intrigas e espalhando boatos e inclusive alertando por campanhas queremistas sabiamente preparadas com o intuito de assanhar o povo e ~~alertar~~ os responsáveis diretos. O *Diário da Noite* estampa diariamente notícias de teus projetos de campanha e intenções soturnas. Consegui convencer o Maneco mas não o Jango de que o movimento queremista antes do tempo é jogo do adversário. Eles acham que é necessário manter a chama acesa e eu que é imprescindível apagar os vestígios do fogo. Compreende--se. Eu faço política pessoal, a deles é partidária! Eles confiam na eleição, eu espero barulho. Não te preocupes que não estou me baseando no Astral mas em observação pessoal.

380

O pessoal do PSD queremista está nas encolhas trabalhando em surdina. O pessoal do PTB **1948** está agindo infantilmente, mostrando a todo mundo que tem uma bicicleta nova capaz de vencer qualquer páreo. Esquecem-se [de] que os [que] vão correr em bicicletas velhas estão de olhos prontos para usar de todos os truques para sabotar-lhes a corrida. O Soares, que é francamente partidário da dupla Nereu-Salgado, *et pour cause*, disse-me que está absolutamente convencido de que tua candidatura é inviável. Os atuais detentores do poder estão demasiado sobrecarregados pelo "complexo de Judas" para permitir que tomes posse.

b) a escandalosa história da herança Cantinho Cintra é absolutamente verdadeira e foi um golpe hábil do Adhemar dar-lhe publicidade no aceso da campanha intervencionista. Desmoralizou a turma. As explicações chochas dadas pelo Danton Jobim e pelo Carlos Luz deram muito mais foros de verdade ao fato do que se tivessem ficado quietos.

c) Ernani e eu andamos também às voltas com a tal duquesa, que é bem fraquinha. Jantamos com ela em casa do Pedro Brando. Lá estava o Valentim Bouças com sua nova esposa. Mandou participação a ti e a nós. É simpática, um tanto tímida e bem mais nova que ele. Comprou o terceiro andar do nosso prédio e muda-se para cá em breve. Hoje ainda o encontrei na portaria, pediu notícias tuas e mandou-te um abraço.

d) Esteve aqui hoje o Embaixador Moniz de Aragão, que te manda um abraço. Maneco te dirá seu pensamento sobre a guerra, porque esta já vai longa.

O safa-onça não vai desta vez porque não tive tempo.

Maneco bem espremido deve te dar as informações principais que a cabeça não consegue traduzir no papel.

Cuida bem de tua saúde que eu preciso muito dela. Celina diz que não escreve mais porque prefere ir a Sabója. Ernani te manda um abraço.

Beija-te com muito carinho tua filha **Alzira**

**88 \ A ·** [Rio de Janeiro], 9 de setembro

Meu querido Gê

**1948** Estou muito triste contigo. Desde que te pegaste aí com um carroção de notícias, bom papo e boa companhia, nem uma linha me mandaste. Deixa estar, jacaré...

Depois do período de confusão e pressa em que vivemos nos dias da permanência do Maneco aqui, caí em uma espécie de apatia intelectual e atividade física. Fui a festas, jantares, cinemas, jogos etc., sempre moralmente ausente.

Justamente agora que estamos às portas de uma grande crise, quando eu mais necessito de minha cabeça, ela se recusa a funcionar. Fumo quase tanto quanto a Maria Fumaça, divago horas a fio mas não consigo me concentrar em coisa alguma. Vou tentar.

Mandei te contar pelo Maneco o que se esboçava em matéria de campanha queremista. Pelos autores e pela maneira parecia-me coisa preparada e fiz o possível para impedi-la ou pelo menos amenizá-la. Com alguns tive sucesso, com outros não. Na ocasião agi apenas movida pelo sexto sentido, não tinha base concreta para reagir contra a campanha. Hoje tenho. Consegui aos poucos ir juntando os fios da meada, através de observação e bons amigos, cujos nomes depois te direi.

Há uma grande campanha em preparo contra ti e se chama a "campanha da traição". Começou com a campanha queremista em grande escala fomentada por interessados. Eles já sabiam que a coisa depois pegaria fogo e continuaria sozinha. Logo em seguida os jornais começaram a chamar a atenção para os perigos do queremismo. Como não tinham atos ou palavras tuas para explorar, criaram uma conspiração... com o auxílio da Argentina. Um falso correspondente dos Diários Associados de Santo Angelo envia mensagens sobre armamentos e folhetos financiados pela Argentina que estariam atravessando a fronteira. Coisas rocambolescas. Logo depois uma notícia inocente informa que um suplente de deputado trabalhista requereu a cassação do registro do PTB por incompetência da direção. E após um pequeno preparo, quando não for possível reação alguma, o PTB segue o destino do PCB. Pretendo mandar esta pelo correio comum, por isso não remeto as revistas e jornais esclarecedores. Quero ver se esta chega a seu destino, por isso peço-te que acuses o recebimento. Pelo pimeiro portador mandarei os *Fon-Fon* e os safa-onça, bem como jornais e outras notícias que não cabem nesta.

Beija-te com muito carinho tua filha **Alzira**

———

As notícias da Jandyra são muito boas, Mamãe está bastante animada.

**123 \ G ·** [Estância Santos Reis], 12 de setembro

Minha querida filha

Recebi tua carta trazida pelo Maneco e demais encomendas. A Auristalina ficou satisfeita com o casaco e manda dizer que, se o figurino escolhido foi a Silvina, serviu muito bem.

**1948**

Espero a carta e cédulas da Academia para enviar o voto. Nada me dizes a respeito e a eleição é a 30 do corrente.

Maneco fez um relatório completo do que sabia. Agora falta o Jango.

A última *Fon-Fon* que recebi é de 28 de agosto. Aguardo confirmação de tua viagem e a comitiva, porque indo também a da Maria, e terei prazer em levá-la, preciso adquirir mais alguns catres para a mobília. Muito interessantes as informações do Professor e a parte que confirmas por observação pessoal, embora eu desconheça os sintomas em que te baseias. O Sr. Soares não me mandou os dados que solicitei e explica os motivos. Vou escrever-lhe insistindo.

Maneco trouxe-me duas caixas de charutos. Espero que venham mais. E o reforço americano que o Chico ficou de remeter?

Preciso colecionar todos os escândalos administrativos do atual governo, para quando tiver de falar em voz alta. Estas cousas se fazem com método e com tempo. Eis por que falei-te na última carta sobre a remessa dos elementos referentes a alguns desses escândalos que chegaram ao meu conhecimento. É preciso reuni-los.

Junto vão outras cartas para que cheguem aos seus destinatários.

Acusa logo o recebimento e toma as necessárias providências. Tua mãe recebeu minha carta?

Saudades a todos e um beijo do teu pai **Getulio**

Lê a carta ao Maciel, fecha e entrega. Dá-me tua opinião a respeito. Podes mostrá-la ao Ernani e guardem reserva.

**89\A·** [Rio de Janeiro], 13 de setembro

Meu querido pai

**1948** Estou há 15 dias sem notícias tuas. Que é que há? Há quatro dias mandei-te uma carta pelo correio comum endereçada ao Maneco. Fi-lo de propósito para, no caso da censura pegar, eles ficarem sabendo que já sabemos de seus planos. Não sei se a receberás. Trata-se do seguinte.

Venho sentindo, conforme mandei te dizer, de uns tempos para cá um recrudescimento de campanha contra ti. Supus que fosse só medo, mas continuei assuntando. Fui informada finalmente que havia um plano originado do Catete (Zé Lyra), com o objetivo de te comprometer publicamente, como recebendo ou consentindo em um auxílio peronista à tua candidatura. Não sei até que ponto o plano foi elaborado, nem posso avaliar o grau de inocência com o qual os "nossos" estão contribuindo para isso. São responsáveis principais:

1º Luzardo. Ausenta-se constantemente do país para fazer seus negócios, sem licença do Congresso. Ultimamente saiu daqui, foi a São Borja, daí para Buenos Aires, voltou por São Borja para o Rio. Ninguém tira da cabeça de ninguém que ele esteja agindo como teu emissário junto ao Perón.

2º Epitácio. Anda com o embaixador argentino a cabresto e com a discrição que lhe é habitual anuncia que tirará dinheiro dele para uma campanha política quando quiser. Faz propaganda de tua candidatura e fala na frente de quem não deve as maiores inconveniências.

3º Barreto Pinto. Chegando de São Paulo declarou aos Diários Associados e não foi desmentido que serias candidato e irias dirigir a campanha política de um país estrangeiro para ver em que paravam as coisas.

4º Baeta-Segadas, que estão ligados ao governo o primeiro e à imprensa o segundo e trabalham o quanto podem para te comprometer e aniquilar o Salgado.

5º O grupo Nelson em São Paulo com a propaganda queremista provocativa.

6º O Paranhos, que está fomentando o queremismo no Distrito por ordem de Astral. Embora mereça a confiança do Astral ainda não conquistou a minha.

7º O grupo queremista daí que está mandando imprimir cartazes de propaganda na Argentina por ser mais barato. Mesmo de boa-fé, muita gente não acredita que seja esta a razão.

Com tanta colaboração espontânea basta ao governo o pretexto para pedir a cassação do registro do PTB, o que já foi feito em São Paulo por um suplente de deputado.

Pus o Ernani em campo no dia seguinte. Foi inicialmente ao Nereu. Este declarou que estava a par da manobra e que era necessário o máximo cuidado. Estava indignado com a leviandade do Luzardo que se estava arriscando a perder o mandato por traição ao país. Suas viagens estavam te comprometendo seriamente e a ele Nereu também, visto Luzardo ser sabidamente sócio de seu irmão Hugo. Um escândalo envolvendo seu nome poderia estourar a qualquer momento. Explicou depois ao Ernani que o desejo do Salgado de não publicar teu pedido de nova licença para não prejudicar ao Partido estava prejudicando a ti. Embora estivesses garantido por seis meses de acordo com o regulamento do Senado, era preciso não esquecer que estávamos à mercê de um governo de gente safada, para quem qualquer pretexto era bom. Que o secretário do Senado havia mal informado e que a licença poderia ser concedida por quatro meses. Ernani foi então ao Salgado, expôs-lhe tudo e Salgado concordou com o processamento da licença, que foi dada no dia seguinte.

À noite Salgado veio conversar comigo. Mostrou-me a entrevista que dera para desfazer **1948** um pouco a onda. Vai junto. Disse-me que o grupo de São Paulo estava anunciando tua chegada a 29 de Outubro como o início da campanha queremista chefiada por ti.

Foi o que se pôde fazer. Agora é aguardar os acontecimentos. Sei que pouco ou nada podes fazer daí e que talvez estas notícias te aborreçam, mas é preciso que teus jovens e fogosos políticos daí compreendam que estamos pisando em terreno falso e que é preciso cautela. Gastar entusiasmo e energia antes do tempo não traz resultado prático. A desagregação governamental está se processando lenta mas seguramente. Um pouco mais de paciência. Sou corresponsável por uma aventura tua, a de São Paulo, não quero ser de outra sem garantias mais cabais.

Sei, como se tivesse conversado longamente contigo, o que vai por tua cabeça e não quero que a sofreguidão de muitos te prenda antes do tempo. Sei que precisas e deves permanecer livre e desimpedido até a hora em que quiseres agir, e embora nada tenhas dito, muita gente quer falar por ti e isto te compromete de certa maneira aos olhos do povo e é justamente em relação a este que precisas estar livre de compromissos. Se por acaso eu estiver errada e eles certos, basta dizer: larga e eu me encolho.

Mando-te uma carta do Joel Presídio e alguns jornais que remeteu. Ontem telefonou-me da Bahia, pedindo que lhes mandasses uma mensagem, ao novo diretório. Disse-lhe que telegrafassem te comunicando sua posse, que tu responderias nos devidos termos, como fizeste em relação ao Porfírio. Pediu também que o orientasses, está brigando com todo mundo na Bahia para te defender e não sabe se está agindo bem ou se está sendo pouco político.

Vai também um recorte do *Globo* com uma conversa minha com o presidente do Uruguai, homem moço e muito simpático que me pediu notícias tuas com grande interesse. A notícia é feita pelo Moses que assistiu o papo bem como o Cardim, o Costa Rego e o Pedro Brando. Costa Rego manda te dizer que agora é teu correligionário em Góes Monteiro.

A família vai bem e não há tempo para mais notícias. Escreve-me ou te deixo sem charutos, sem *Fon-Fon*, sem safa-onça e sem cartas.

Um beijo muito carinhoso de tua filha **Alzira**

**90 \ A ·** [Rio de Janeiro], 14 de setembro

Meu querido pai

**1948**    Recebi hoje um telegrama do Maneco reclamando o voto da Academia. Não o remeti ainda porque só hoje Ataulfo me telefonou dizendo que me mandará o papelório depois de amanhã. Irá pelo Correio assim que chegar. Não pretendia escrever-te mais, pelo menos até receber resposta a minhas cinco últimas cartas. Mas, como tens muita sorte, apareceu-me hoje um <u>voluntário</u> que te levará carta, revistas e charutos apesar de meus protestos anteriores.

Espero que estejam em tuas mãos meus dois relatórios da semana passada para que possas compreender a razão desta. Se não o portador te explicará melhor.

A campanha queremista prematuramente provocada por elementos interessados por motivos diversos, fáceis de compreender, está feia e forte e fugindo já a todo controle. Deram-lhe um caráter de provocação e o povo ávido de uma forra está topando em toda a linha. Prever as consequências que ela trará é difícil. Tanto pode apressar a crise política que se anuncia simplesmente, como pode degenerar uma barricada e também provocar uma violenta reação do governo, e ainda pode ser que não seja. Todas as hipóteses podem ser formuladas. A confusão é total e eu me debato no meio das correntes contraditórias tentando dar-lhes um sentido.

Hoje estiveram longamente conversando comigo o Newton Santos e o Frota Moreira. Pela terceira vez veio o Major tentar me convencer da necessidade da reestruturação do partido em São Paulo e desta vez parece que conseguiu. Dos argumentos apresentados por mim nas duas vezes anteriores, conforme te relatei, apenas um ainda subsiste, que é a meu ver a conveniência de se fazer silêncio em torno das atividades petebistas para não provocar reações. No entanto o excesso de prudência pode às vezes dar tão mau resultado quanto a sua falta e nestas circunstâncias resolvi acordar o galo de briga que estava sossegado à força desde a campanha de São Paulo. Sacudi a Fulismina! Segundo as informações dos dois, agora, é possível reorganizar o partido, dentro de um mês já não será, o Major te explicará por quê. Sei que o Salgado prefere não mexer diretamente nos diretórios estaduais e prefere que os estados se harmonizem sozinhos e lhe apresentem o fato consumado. E isso por várias razões. A principal é o desconhecimento quase total que ainda tem do valor qualitativo e quantitativo dos homens com os quais lida. Ele ignora os serviços prestados por cada um deles, o papel que tiveram e as ligações. É natural que hesite e prefira deixar que se arranjem sozinhos, vencendo o mais forte. O pessoal já habituado contigo não compreende a situação do Salgado e passa a desconfiar dele. Ele, por sua vez, não se sentindo apoiado pelos correligionários, torna-se indiferente. Alegam todos que ele anda às voltas com a mosca azul. Ainda está para nascer o homem que trabalha sem a mosca azul e, se para que o Partido ande para a frente a bichinha ajudar, o que é que custa soltar um enxame de moscas por aí. Voltemos ao assunto antes que eu escreva um tratado sobre os supraditos insetos.

A intervenção em São Paulo esteve por um fio e agora foi adiada *sine die*. Adhemar está aproveitando para se fortalecer com grande habilidade. Sua aproximação com o governo federal não causará mais grandes surpresas, o preço, porém, pode ser tirado nas nossas costas. O Vitorino anda em grande atividade e o Borghi também. A infiltração de qualquer

um destes mosqueteiros num partido fraco como está agora é perfeitamente possível, **1948**
ainda mais contando com os quinta-coluna internos. Abstenho-me de dar palpites sobre
nomes, tu os conheces melhor do que eu. O ideal seria um que conseguisse harmonizar as
várias correntes ou pelo menos evitar choques violentos. Tenho a impressão de que o que
o Major deseja de ti é que sugiras ao Salgado alguns nomes. Embora saiba que isto é contra
a tua religião, dificilmente poderás escapar. Manda as ordens que serão cumpridas.

———————

Soube hoje que o Galvão deu ordens ao *Radical* para cessar a campanha contra o Edmundo. Causador da ordem: Vitorino. Não sabemos ainda se é farol do próprio ou se é do Catete. Neste caso está dentro do plano geral, exposto na carta anterior.

Ernani confessou-me ontem que está sentindo também em relação a ele a pressão de algo organizado, obedecendo a um plano. Esperemos para ver o que é.

A mira é a candidatura Canrobert.

Estava esperando notícias novas do Ernani para fechar esta. Mas os homens chegaram antes.

Um beijo de tua filha **Alzira**

———

**124 \ G ·** [Estância Santos Reis], 18 de setembro

Rapariguinha

**1948**   Há três dias que chove e estou isolado, sem correspondência, sem avião e sem telefone. Desde 31 do mês findo, data da última de tuas cartas recebida pelo Maneco, não tive mais notícias. Tua mãe recebeu minha carta?

Nada me disseste sobre o voto da Academia. E agora já não há tempo de remeter-me o expediente, para ser devolvido. Desejo votar. O candidato é digno e tem sido um bom amigo. Além disso, entre os <u>imortais</u>, leva-se muito em conta não votar tomado como um protesto mudo. Assim, avia-te aí e manda meu voto. Basta remeter ao pesidente da casa uma carta assinada com o meu nome e três cédulas em envelopes separados e fechados, cada uma delas com o nome de Aníbal Freire da Fonseca. Chama o Epitacinho e desempenha-te dessa incumbência.

Parece que o Salgado vai se mantendo com o equilíbrio e serenidade que lhe são habituais. Em São Paulo o pessoal contrário ao Porfírio continua a telegrafar-me. Os amigos dele, por sua vez, dizem que esses elementos se mantêm ligados ao Grão de Bico, via Novelli e José Carlos, para intervir em São Paulo. Como prova enviam-me esses recortes de jornais. Informa ao Salgado e entrega-lhe os recortes. Escrevi esta carta para enviar por um próprio especial que vai, patinhando no barro, levá-la à cidade.

Saudades a todos e um beijo do teu pai **Getulio**

---

**125 \ G ·** [Estância Santos Reis], 19 de setembro

Minha querida filha

Chegaram aqui o Maneco e o Jango. Vou aproveitá-los para esta carta-bilhete.

Como vai a publicação de meu livro de discursos? Manda-me charutos, Nembutal e a resposta do Lino Machado ao senador da C. C. C.[?], na íntegra. Recebi tua carta de 9 do corrente. Antes deste bilhete já te havia escrito duas outras cartas que não tinham seguido por falta do portador, impedido de viajar pelo mau tempo. Creio que irás receber três cartas juntas. Assim, não houve falta minha.

Abraços do teu pai **Getulio**

---

Quando encontrares o Major Newton Santos pergunta pelas mudas que ele ficou de me enviar.

**126 \ G ·** [Estância Santos Reis], 20 de setembro

Minha querida filha

Recebi tuas cartas de 13 e 14 do corrente, charutos, revistas, safas [sic] e outras cousas que me trouxe o Major Newton Santos. A Wandinha deve ser portadora de três cartas minhas que estão em poder do Maneco.

**1948**

Ciente das maquinações referidas em teus relatórios e das leviandades ou precipitações de alguns dos meus correligionários. Interpretaste bem meu pensamento. Desejo apenas não assumir compromissos e guardar minha liberdade de ação, para, no momento oportuno, poder agir. Não estimulo nem aprovo essas agitações em torno do meu nome.

Luzardo só esteve aqui uma vez, no mês passado em viagem para Argentina, para assistir à exposição de Palermo. Foi o que me disse.

Sobre política mostrou-se interessado na colaboração do PSD e PTB com a apresentação da chapa Nereu-Salgado para a sucessão. Afirmou que essa notícia causara sensação e assustara a UDN.

Como vai o arquivo, não tens feito novas descobertas? Minha correspondência particular reservada está ficando muito volumosa. Estou com míngua de espaço e não tenho onde guardá-la. Aproveito, por isso, o portador para remetê-la. Destina-se ao arquivo. Vão muitas cartas tuas. Não estranhes pois tu também és uma personagem histórica. Acresce, como já te disse, que estou à míngua de espaço.

Ri das tuas reclamações sobre a falta de cartas. Muito pior fica um pobre vivente como eu, isolado e longe do centro de operações.

O Major chegou quase à noite, jantou comigo e regressou a São Borja, deixando-me toda a papelada. Amanhã virá procurar a resposta.

Achei interessante teu encontro com o presidente uruguaio. Continuo não acreditando nem em nova guerra, nem na intervenção em São Paulo.

Então, estão querendo novamente apertar as cravelhas no Ernani. Ele já passou pela pior com o Cel. Silva e venceu.

Saudades a todos e um beijo do teu pai **Getulio**

PS.: Vou escrever ao Salgado sobre São Paulo. Convém tratares também do assunto com ele, ajudando a solução. A carta será em termos gerais. Tu preencherás os claros.

**127 \ G ·** [Estância Santos Reis, de 22 a 23 de setembro]

Rapariguinha

**1948**   Recebi tua carta com o expediente acadêmico. Não sei se chegará a tempo. Como estás autorizada a votar por mim, isso não me preocupa. Ia grafar com um N só, porque assim está nos seus dois livros recentemente publicados e que ele me remeteu. Mas mestre Ataulfo deve saber.

E recordei-me de um velho Marciano Dutra, que aqui viveu há muitos anos, e costumava escrever o nome com Ç. Se alguém ponderava-lhe a inutilidade desta cedilha no C, ele respondia, invariavelmente: – O nome é meu e eu é que sei como se escreve. Era melhor não discutir.

Já devem estar em teu poder minhas quatro cartas que terás de responder em troco miúdo. Enviaste duas pelo correio. Estás arriscando... Sobre a missão do Major Newton ou Nilton não quero insistir, talvez o Salgado tenha suas razões para demorar. Os argumentos contrários são, porém, dignos de ponderação.

E o Sr. Soares, que efeito teria produzido minha carta? Ele diz não é claro em seu pensamento. Interpretei-o pela tua.

Se tua mãe precisa de algum cobre que me diga quanto. Embora andem escassos, para ela sempre há.

No fim do mês pretendo seguir para o Itu. Espero o Maneco, a quem chamei para combinar sobre esses assuntos da tua carta e entregar-lhe esta, que suspendo em 22-9-48.

O Maneco veio. Diz que se vens no fim do mês, é melhor as crianças virem contigo. Ele não está com vontade de viajar.

E por hoje é só.

Saudades a todos e um beijo do teu pai **Getulio**

Alzira

Quando o Maneco esteve aqui a última vez, disse-me que a Maria regressaria, com sua turma, na próxima terça-feira e que o Aloysio viria despedir-se. Estou a escrever para entregar-lhe. Infelizmente vão demorar menos tempo do que eu esperava e não terei o prazer de hospedá-los no Itu.

**1948**

Penso será esta carta a última que te escreverei antes de tua vinda. Estive hoje organizando com a Glasfira a lista das cousas que preciso para lá, a fim de remetê-las com a necessária antecedência. Estes dias tem chovido bastante e os caminhos estão em mau estado. Se eu seguir antes de tua chegada, ficará o Maneco para levá-los ~~antes~~ no *jeep*, ou parte neste e parte de avião. Ignoro se o Amaral virá junto ou depois. Assim conto na certa contigo, os três netos e a babá. Se esta não vier, espero que venha, pode-se também conseguir uma aqui.

Junto vão uns papéis para conhecimento do Salgado. Daqui nada posso fazer a respeito.

Traze-me, além de charutos e revistas, um vidro de água de colônia e outro de loção lusitana. Em 25-9-948.

Prossigo a 27. Chegou agora o Aloysio que veio despedir-se. Deverá seguir daqui o pessoal e material para aparelhar o Itu. Mas, com as grandes chuvaradas, as estradas estão quase intransitáveis para veículos. Assim, só a 6 de outubro pretendo seguir para o Itu, onde irei esperá-los. Esta carta vai como prevenção, para evitar desencontros.

E até breve. Saudades a todos e um beijo do teu pai **Getulio**

*Nas duas páginas, os primos Edith, Celina e Getulinho. Na foto abaixo, a prima Cândida entre eles.*
*Fazenda do Itu. Itaqui, RS, outubro de 1948.*

**129 \ G ·** [Estância Santos Reis, de 2 a 3 de outubro]

Rapariguinha

**1948**   Aproveito a viagem do nosso senador, que nos [deu] o prazer de passar aqui alguns dias, para escrever-te.

No próximo dia 6 pretendo seguir para o Itu, com o Nello, a cozinheira e a copeira. Ele irá para dirigir a plantação dalgumas mudas de árvores e fazer-me companhia até tua chegada. Maneco ficará esperando em São Borja, pois ainda ignoro o dia de tua partida, bem como se o avião baixará diretamente no Itu, com toda ou com parte da carga. Mandarei fazer uma revisão no campo de aterrissagem para que esteja em boas condições.

Se houver tempo, além do que já encomendei, traze o *Dicionário Charadístico* e a 2ª edição do *Pequeno Dicionário da Língua Portuguesa*. A 1ª eu tenho e levarei.

Informa-te do Queiroz Lima sobre a publicação do meu livro. Parece que está na hora de sair. Avisa ao Salgado, Viriato, Maciel, Epitacinho, Napoleão e algum outro que julgues conveniente. Talvez tenham alguma informação a transmitir.

Tua greve está quebrada mas, já agora, não espero mais receber cartas e sim a autora das mesmas. Vão dois cartões para entregar aos destinatários.

Passando em Porto Alegre pergunta ao Dinarte se já recebeu as mudas que o Major Newton ficou de mandar. Se recebeu que me remeta, eu pagarei qualquer despesa.

Saudades a todos e um beijo do teu pai **Getulio**

PS.: Estava com esta pronta e já entregue ao senador quando, no dia seguinte, pedi-lhe para este acréscimo. Amanheceu chovendo e continua até a tardinha. Este aguaceiro retardou o regresso do senador e talvez também a minha viagem, se os caminhos ficarem dificilmente transitáveis. Se for obrigado a retardar a viagem avisarei. Se não receberes qualquer aviso é que não houve alteração. Peço-te que tragas também a minha máquina de cortar cabelo. Deve estar no armário do meu quarto de banho.

130 \ **G** · [Fazenda do Itu], 14 de novembro

Rapariguinha

Aqui fiquei curtindo as saudades de vocês. Primeiro notícias da viagem, como passaram, se não houve qualquer desencontro, se as crianças chegaram contando muitas façanhas e se os nossos que aí ficaram estão passando bem. Junto envio-te uma carta para o Egydio Câmara em Londres. Não sei como remetê-la.

**1948**

Disse-me o Brigido Luzardo (esteve aqui após teu regresso) que procuraram espalhar no Rio ter sido eu mandante da morte do Virgilio. Custa-me crer haja gente tão canalha capaz de afirmar isso, ou tão idiota para supor. De qualquer forma canalhas ou idiotas não merecem resposta.

E os amigos a quem escrevi receberam minhas cartas. Aguardo teu relatório sobre os acontecimentos e as incumbências que levaste.

Saudades a todos e um beijo do teu pai **Getulio**

**91 \ A ·** Rio [de Janeiro], 18 de novembro

Meu querido pai

**1948**   Aqui chegamos no dia 13 às 7 horas da noite, após uma viagem bastante acidentada devido ao mau tempo. Saímos de Porto Alegre com sol e quer em São Paulo, quer no Rio tivemos de sobrevoar a cidade durante perto de 40 minutos para encontrar uma brecha para aterrissar. A tensão entre os passageiros e a escuridão dentro do avião já eram bastante grandes, quando finalmente conseguimos tocar o chão. Celina no meio do silêncio do avião gritou "graças a Deus". Parece que todo mundo esperava por isso, quebrou-se a tensão e uma senhora virou-se para dizer: – Esta criança exprimiu o que todo mundo estava sentindo.

Demorei um pouco para te escrever porque cheguei aqui com uma série de feriados pela frente, encontrei minha casa em desordem e a tribo e os apêndices sequiosos por notícias tuas. Fiquei rouca de tanto falar e contar histórias. Só agora te posso fazer um apanhado geral da situação.

---

Fiquei hospedada com Celina em casa da Lígia até a chegada do Ernani. À noite, Israel, Naná e eu fizemos uma sessão em homenagem à grande família. Creio que nenhum de seus membros conseguiu dormir nessa noite. Soube que vão se reunir aí em congresso, já tendo seguido parte da turma do Rio. Pensarei muito em ti nessa ocasião e já não sei o que desejar: que fiques aí sozinho ou vás para o meio do fogo ser confortado por aquelas almas caridosas, do abandono em que nós te deixamos. O objetivo da reunião parece ser preparar o terreno para o maninho, futuro capataz da estância. Naná e Israel têm consciência disso. Chega de veneno.

---

Ernani chegou de manhã cedo, apavorado com as habilidades automobilísticas do teu primo. É ainda mais barbeiro do que eu pensava, toma cuidado quando tiveres de viajar com ele.

---

Pelos jornais de Porto Alegre (Chatô) verifiquei que havia uma nova campanha contra ti e resolvi apurar as causas.

1º) conversa Ernani-Cilon em Porto Alegre. Impressão Ernani – Canrobert não é candidato do Dutra e sim Jobim, que está em sincronia com seu pensamento. Cilon diz que esta ilusão é alimentada pelos círculos jobinísticos embora o próprio o negue, mas que o PSD do Rio Grande não vê com bons olhos. Ernani fez-lhe ver que o Brasil só poderia funcionar em ordem tendo o Rio Grande unido, que esta união só era possível em torno de tua pessoa e por isso achava interessante uma melhor aproximação entre os dois partidos. Que esta aproximação nunca seria possível em torno do Jobim, mas com ele Cilon, sabia que gozava da simpatia do PTB. O indigitado assegurou-lhe que nem Jobim, nem Adroaldo, nem Paim ou [ilegível] poderiam ter qualquer influência sobre o PSD devido às atitudes tomadas em relação à tua pessoa, onde aumentava o número de simpatizantes do queremismo. Ernani me disse que a conversa não poderia ter sido mais oportuna, pois havia conseguido um *goal* abrindo os olhos do Cilon e as esperanças. É preciso ir desarticulando as igrejinhas **1948** para que não nos tomem de surpresa.

---

Dinarte está esperando um golpe contra ele na Caixa. Disse-me que te iria ver e contará o que me informou sobre a intervenção do Arcebispo de Porto Alegre[1] junto a ele para que os queremistas ficassem quietos. O medo era enorme.

---

Nenhuma das cartas que escrevemos daí em resposta às que te levei chegou a seu destino.

Ernani de chegada aqui apurou a questão da aproximação Dutra-Adhemar. A carta é verdadeira e foi vista pelo Cirilo e o intermediário é o Bias. Novelli está pretendendo por causa disso ir embora para a Europa e Carmelita está furiosa. O Zé Armando Afonseca disse que o tio Zé Carlos estava muito sentido com o General e que era uma ótima ocasião para o Getulio aproveitá-lo... (sic). Queres o Piano de Cauda outra vez? Cirilo foi aclamado presidente do PSD paulista, com a desistência do Novelli, e declarou que pretende manter a mesma orientação. Zé Eduardo está mais manso e Chatô cada vez pior. Anteontem publicou "*Ultimatum de Getulio a Dutra*". Diz que ciente das perseguições sofridas por teus amigos no Ministério do Trabalho pelo Honório Monteiro lançarias um *ultimatum* a Dutra. Ontem saiu outro título escandaloso, "Linha direta de Buenos Aires a São Borja". "Perón, Getulio e Prestes unidos".

Alvim disse-me que estava sendo muito explorada pelos jornais uma frase que terias pronunciado aí no dia 29. "A solução para os problemas do Brasil é a socialização progressiva dos meios de produção", *slogan* socialista, dito com o objetivo de estender a mão ao Partido Comunista.

---

O Newton Santos está no Rio e pretende ir até aí antes do fim do mês levando as mudas prometidas. Foi eleito por unanimidade o representante do diretório estadual na Comissão de Reestruturação. Salgado deve agora designar o do diretório central e ambos o terceiro membro. O homem esteve comigo longamente e hoje deve voltar. Minha impressão está cada vez mais forte quanto à sua posição em face do Adhemar. Por razões que ainda não apurei, querem afastar o Horta do brinquedo. O candidato do Adhemar à sua sucessão é o atual secretário Caio Batista, o dono da caixinha com quem o Major teve longa conversa. Prosseguindo em meu papel de trouxa, aconselhei o Major a ter cuidado na reestruturação contra uma possível infiltração do governador, já que ele estava agora ligado ao Dutra. O homem pulou e esvaziou o saco. Que era mentira, Adhemar havia declarado que Dutra nada lhe podia dar, que ele precisava viver e portanto tinha de jogar mas que cada vez mais

---

**1.** Refere-se ao Cardeal Alfredo Vicente Scherer.

**1948**  desejava se aproximar de ti. Tomara conhecimento de toda a conversa telegráfica de Jobim e Dutra através de seu serviço de informações. Dutra é que desejava se aproximar dele. Que a campanha de imprensa do Chatô não era ordem dele e que a entrevista que lhe é atribuída é falsa. Chatô voltou do Norte apavorado com teu crescente prestígio e resolveu uni-lo ao Dutra por conta própria etc. Que Caio Batista havia pedido ao Major que te cientificasse disto.

---

Adhemar contratou um navio do Lóide para percorrer o Norte levando uma exposição dos produtos de São Paulo. Propaganda... comercial?

---

Barata está sendo fortemente atacado na imprensa porque no Pará proibiu toda e qualquer manifestação no dia 29, inclusive ao governador.

---

Ainda não pude me desincumbir das missões que me deste, mas já comecei. Vão as revistas.

---

Jandyra vai bastante melhor. Mamãe tirou-a do hospital em que estava, para outro mais sossegado. As crianças ficaram com o Ruy em Porto Alegre.

Celina não para de contar garganta.

Maneco já apareceu por aí? Fiquei com muita pena de não me despedir dele, nem do Jango. Dá um abraço meu.

Lembranças nossas ao pessoal todo daí. D. Felícia, Amaraldo etc.

O resto fica para a próxima.

Ernani te manda um abraço e Celina um beijo.

Beija-te com muitas saudades já tua filha **Alzira**

---

## 131 \ **G** · [Fazenda do Itu], 21 de novembro

Alzira

Esta é a segunda carta que te escrevo, após a tua partida e antes de receber qualquer **1948** notícia. Estou ainda no Itu, em parte por causa dessa falta de notícias, esperando qualquer informação sobre a possibilidade da vinda dos touros e das mudas de que falamos. Se vierem já aguardarei aqui, se não vierem regressarei para Santos Reis. Aguardo pois a tua informação. O Maneco, que está aqui, regressará amanhã, levando esta carta para remeter e enviará a tua resposta assim que chegar a São Borja.

Nada mais sei do que se está passando fora deste círculo em que vou vivendo. Recebo jornais, com intermitências, e dou às notícias destes um crédito muito relativo. Estou curioso por notícias e tu estás em débito para comigo. Ficaste de escrever-me assim que chegasses. Portanto avia-te.

Saudades a todos e um beijo do teu pai muito saudoso **Getulio**

## 132 \ **G** · [Fazenda do Itu], 22 de novembro

Rapariguinha

Aí vai a terceira carta, ainda sem notícias. Esta é ainda para fazer-te uma recomendação sobre o meu livro, ou antes reiterar o que te recomendei aqui. Os discursos pronunciados no Senado devem sair como foram lidos e publicados nos jornais. Não quero o enxerto dos apartes de alguns cafajestes, nem quebrar a harmonia dos mesmos.

O Oscar já veio e consertou os desarranjos nas pias, torneiras, canos, fechaduras e ferrolhos bem como os prendedores nas janelas. Esta parte do teu programa está terminada.

E por hoje é só. Saudades a todos e um beijo do teu pai **Getulio**

**92\A** · [Rio de Janeiro], *27* de novembro

Meu querido pai

**1948**  Recebi neste momento teu bilhete de 21 vindo pelo correio comum, o primeiro cá não chegou. Já te escrevi uma longa carta, remetendo as revistas. A estas horas já deves tê-las recebido. Para esta se não houver portador irá pelo correio, sem revistas, visto ter entrado em férias o meu de confiança.

Desde que cheguei tenho andado troteando sem parar. Encontrei uma grande foguetaria preparada para o dia do meu aniversário que me atrapalhou muito a semana que havia projetado dedicar a teus negócios. Alguma coisa já foi feita. O Newton Santos afirmou que irá pessoalmente levar as mudas que já estão prontas. O rapaz de Niterói está preparando outras, ficou radiante com teu cartão. Estas seguirão de navio conforme entendimento que tive com Maria Luiza, devendo chegar aí em meados de dezembro ou fins somente. Quanto aos touros ainda não pus os olhos no Maciel, que anda inteiramente sumido.

Tenho muita coisa interessante para te contar, porém terei de deixar para uma oportunidade mais segura. Como novidade mando-te o Padre Nosso que surgiu agora em sequência ao Credo. Foi divulgado na rádio de São Paulo: "Pai dos pobres que estais em São Borja, glorificado seja o vosso nome, venha a nós o vosso governo, seja feita a vontade popular, assim nas urnas, como depois na posse. A certeza de vossa volta nos dai hoje, candidatando-vos à presidência da República, assim como vão candidatar-se os vossos inimigos. Não nos deixeis cair nas mãos da UDN. Livrai-nos doutro general e do Adhemar, TAMÉM."

A tribo vai muito bem. Celina estava hoje na janela, quando passou um avião. Começou aos gritos: "Vovô, vovô, o vovô vai lá, vem cá, vovô". Mande suas encomendas que vou preparar um caixote para remeter.

Um beijo muito carinhoso de tua filha **Alzira**

**93 \ A ·** [Rio de Janeiro], 29 de novembro

Meu querido pai

Recebi ontem a primeira carta anunciada na segunda e como tenho portador depois de **1948**
amanhã começo esta com as novas informações prometidas.

Incumbências. 1º Seguem charutos do *stock*. O Xico com medo de não receber os dólares
e de não ter portador ainda não enviou outra remessa. Mas não te preocupes que já o Ernani autorizou o pagamento e mandou reclamar. 2º Galinhas e touros dependem de oportunidade. 3º Mudas estão sendo providenciadas, sementes seguem agora algumas, outras
depois. 4º Pijamas vou mandar fazer. 5º Creme de barba estrangeiro não há mais, falta de
dólar, mando-te um nacional para experimentar, se servir avisa. 6º Distribuí os abraços e
recados, só não consegui ainda falar com o Pedroso Horta, mas o Frota vem cá amanhã.
7º As cartas que respondemos daí não chegaram até agora a seus respectivos destinos,
dei os recados. Queiroz Lima diz que em dezembro irá te ver. O livro está pronto para ir
para o prelo, porém José Olympio aconselhou a esperar um pouco. Julga ele que do ponto
de vista livresco a publicação não é oportuna, mas obedecerá às ordens. 8º A família está
bem e Jandyra ficou encantada com a carta. 9º Vão as revistas, sem safa-onça. O coco não
está em condições de funcionar. É tanto problema a cair bem no alto da sinagoga que eu
tenho a impressão de que se não fosse esse mês de tranquilidade que passei contigo eu
já teria estourado.

Caso de São Paulo. Salgado está muito bem orientado e tentando limpar o partido. Sofrerá
no entanto uma oposição seríssima, porque o grupo está todo mancomunado e não quer
gente de fora. O Carlos te explicará melhor o que há. Eu fico por aqui funcionando de para-
-choque.

O caso da morte do Virgílio foi uma tentativa vã de romantizar um crime vulgar, querendo
dar ao defunto a aura de herói que ele não conseguiu em vida. Tentaram insinuar que era
crime político, porém não é verdade que tivessem espalhado seres tu o mandante. É exagero do teu informante ou então uma sondagem que ele quis fazer um tanto ou quanto es-
tupidamente. Teceram-lhe elogios e panegíricos mas em vão escarafuncharam-lhe a vida
de bom moço para encontrar um gesto de valor positivo. A única coisa foi a Revolução de 30
mas esta não podia ser explorada, *et pour cause*...

O Bernardes pronunciou há dias na Câmara um discurso que é em si uma verdadeira bomba e grande deve ser a influência obtida pelo grupo comunista sobre ele para que da boca
do Calamitoso saíssem tais afirmações. Os jornais logicamente não o comentaram e com
certeza não comentarão. Em resumo, fazendo a defesa do Parlamento contra a campanha
de difamação que ora se está fazendo, afirmou que durante a Constituinte de 34, quando
o Parlamento começou a examinar os contratos Farquhar, forças estrangeiras auxiliaram
o governo a fechar o dito e implantar a ditadura de 37. Quando, porém, o governo ditatorial

**1948**   enveredou pelo caminho nacionalista procurando desenvolver nossas indústrias, estas mesmas forças estrangeiras projetaram e concretizaram a derrubada do governo, e lembrou aos colegas que um embaixador estrangeiro em 1945 se havia imiscuído na política brasileira. Assim que sair o *Diário Oficial* mandar-te-ei.

Está havendo uma onda danada em torno do aumento de vencimentos dos deputados e senadores. A casta, pura e rica UDN resolveu ser contra de uma maneira *sui generis*. Grita nos jornais que é um absurdo, no Parlamento que é inconstitucional mas dá número direitinho sempre que a votação para passar é garantida. O PSD, bode expiatório, coveiro da democracia, continua fazendo força e cavando no duro para construir molduras adequadas aos *shows* da UDN. Às vezes eu acho graça, outras dá uma raiva.

---

S. Excia. foi à Bahia, receber os agradecimentos do povo baiano ao presidente que mais trabalhou por eles. Voltou encantado com o Mangaba que tudo fez para satisfazê-lo. Só não conseguiu ocultar a séria divergência existente entre a sua UDN e a UDN do Juracy. Em algumas solenidades o grupo Juracy fez ao Mangaba hostilidade acintosa. Houve farta distribuição de "Ele Voltará", o que causou sérias dificuldades à polícia. Contam que o Simões Filho para obter as palmas de praxe para S. Excia. ia de batedor gritando para o povo: Viva a Bahia! E também que diante da famosa imagem da Virgem que concedeu a Antônio Vieira o milagre do estalo em vão, o Pereira Lyra suplicou uma repetição do fenômeno para seu pupilo. Desesperado dirigiu-se ao dito nos seguintes termos (relatado por jornalistas presentes): Não lhe parece, presidente, que seria uma boa ideia levarmos esta imagem para o Rio? Há tanta gente lá precisando de um estalo.

---

Os jornais estão novamente se preocupando comigo. Disseram que eu havia trazido teu apoio à candidatura do Nereu e outras coisas.

---

O Canrobert anda novamente cercando o Ernani. Parece que o Chatô está já um pouco desiludido desta candidatura e parou de mexer contigo. Mas continua a pregar uma candidatura militar. Parece que a mosca anda agora zunindo nos ouvidos do Zenóbio também.

---

Junto vai um vidro de remédio, receita do colega Luthero para melhorar a tua dor na perna. Fizemos uma conferência e ele acha que é um pouco de artritismo e talvez uma remota consequência da fratura que convém radiografar assim que possas. Deves tomar de dois a três comprimidos diários e informar se sentir alguma melhora para remeter mais e aumentar ou diminuir a dose. Não vai esquecer. Tens tomado as injeções e a sulfa e a vitamina. Esta última pode parar quando começar o Viderol e a sulfa também.

Manda-me dizer se recebeste os números de *Fon-Fon* que faltavam, se não quais?

Diz ao Jango que o Clemente Mariani também foi à Bahia e só voltou hoje por isso. Ernani **1948** ainda não fez o pedido dele, mas não esqueceu.

O Adroaldo mandou pedir para conversar com o Ernani hoje. Estão agitando o problema da sucessão novamente.

Beija-te com muito carinho **Alzira**

**133 \ G ·** [Fazenda do Itu], 3 de dezembro

Minha querida filha

**1948** Recebi hoje, trazida pelo Maneco, com algumas arrobas de correspondência comum, tua primeira carta, datada de 27 do mês findo. A outra, a longa carta anunciada juntamente com as revistas, ainda não recebi. Já estou quase sem charutos.

Depois de amanhã pretendo regressar a Santos Reis e estou ansioso por notícias. Nada sei do que se passa por aí, nem como encontraste nossa gente. ~~Fiquei~~ Soube apenas pelo Maneco, através de carta da Maria, que teu aniversário fora muito festejado pela grande afluência de mimos e cumprimentos.

Após tua partida fiquei quase isolado, não mais apareceram visitas, nem aviões, nem telegramas, nem cartas, nem jornais. Isso pouco importava. Preocupava-me apenas a falta de notícias de tua parte. Parece que eras o centro de tudo. Finalmente esse silêncio foi interrompido hoje com a chegada do Maneco. Mas de tua parte uma cartinha minguada.

Dize à Celina que aquela varandinha de mosaico que ela varreu com a Editinha está suja. Ninguém mais limpou depois que ela foi. O vovô está precisando da volta dela para limpar tudo e fazermos uns foguinhos.

E por hoje é só. Continuo aguardando tuas notícias. Maneco regressa hoje mesmo, de avião, e levará esta para remeter-te.

Saudades a todos e um beijo do teu pai **Getulio**

**134 \ G ·** [Estância Santos Reis], 7 de dezembro

Minha querida filha

Recebi hoje tua carta de 18 do mês findo, a primeira que escreveste após o regresso, narrando as peripécias da viagem e a estadia em Porto Alegre, bem como as interessantes conversas do Ernani. Recebi já em Santos Reis, onde cheguei ontem no avião do Jango, pilotado pelo Cleberto. Hoje chegou a camionete conduzida pelo teu primo, meio pensa e com uma mola quebrada. Ajustei as contas com o chofer e despachei-o. A notícia de que as cartas remetidas pelo correio não chegaram a destino confirma a suposição de que não se pode confiar na lisura desta democracia que nos governa. Julgo preferível não tratares do assunto dos touros e desistir, mesmo se ainda não tiverem embarcado, bem como das mudas. O tempo está muito quente, já deixei o Itu e isso tudo já está fora de tempo.

Na véspera de partir recebi umas mudas de plantas muito bem acondicionadas, mas com os nomes das tabuinhas meio estropiados. Só não vieram os cambucás. Ainda foram plantadas, mas não tenho muita esperança que vinguem por já estar fora do tempo.

Conversa com o Sr. Soares e insiste sobre as informações que pedi. Dize-lhe que são de caráter particular e não tenha receio, pois guardarei segredo sobre o informante, para não prejudicá-lo. Ainda não tiveste oportunidade de conversar com o João Neves?

Estava com estas linhas escritas, no dia 6, quando a 7 desabou o Maciel[1] com uma série de coisas e notícias. Fiquei satisfeito não só pelo prazer de vê-lo, como pela oportunidade dum portador seguro.

Recebi os remédios e vou usá-los. Quanto à minha doença, as dores e fraqueza na perna direita eram atribuídas a diversas causas: apendicite, desarranjos na antiga fratura, dor ciática etc. Agora o Dr. Luthero fala em artritismo. Talvez ele tenha razão. Artritismo é doença de velho, a dor que sinto é um tanto difusa, mas às vezes se localiza nos joelhos. Lá no Itu tomei o que havia – injeções, sulfa e vitaminas. Vou continuar as injeções de iodo e ~~aplica~~ tomar esses novos remédios que mandaste.

Interrompi a carta para almoçar. De volta é que abri os volumes trazidos pelo Carlos Maciel: charutos, revistas, sementes, adubo, creme de barba e remédio. Este consiste num vidro de Viderol. Não ~~tem~~ veio sulfa nem existe nas farmácias daqui.

Estás pois quase em dia com as encomendas, uma vez que já te exonerei da parte referente aos touros e às mudas, pelo menos para o momento.

Saudades a todos e um beijo do teu pai **Getulio**

---

**1948**

---

1. Carlos Maciel.

**135 \ G** · [Estância Santos Reis], 8 de dezembro

Alzira

**1948**   Saíram agora daqui o Jango, o Gabriel, o cancioneiro gaúcho Pedro Raymundo e outros comparsas que bastante me distraíram.

Espero o Maneco e o Maciel.[1] Este vem despedir-se e escrevo esta em adendo à outra que já lhe foi entregue. Esse adendo é para falar-te do novo volume dos discursos. [ilegível] Se for possível desejo que sejam incluídos no livro não somente os discursos pronunciados no Senado, muito magros para um volume, mas também os outros da campanha eleitoral, anteriores e posteriores aos do Senado. Parece que deve começar por um discurso em Porto Alegre e terminar por outro na mesma cidade, o último que pronunciei. Aliás os discursos de Porto Alegre são três e o segundo é o mais importante – corrijo em tempo, são quatro discursos de Porto Alegre e o terceiro é o mais importante. Há ainda os discursos pronunciados em diversos estados para as eleições de 19 de janeiro[2] e da campanha posterior para vice-governador de São Paulo, o que foi pronunciado na capital desse estado. ~~Infor~~ Examina o assunto e informa-me se está tudo de acordo com o que consta nesta carta e nas anteriores.

Tanto o Jango como o Maneco ficaram informados do que lhes interessava nas tuas cartas.

Abraços do teu pai **Getulio**

PS.: Minha doença parece que é mesmo proveniente da antiga fratura da articulação coxofemoral. A dor localizou-se na perna direita e começa na zona da fratura até a perna. Não é uma dor aguda, mas difusa e meio dormente. É só.

1. Refere-se a Carlos Maciel.
2. Refere-se às eleições suplementares de 1947.

**136 \ G ·** [Estância Santos Reis], 10 de dezembro

Minha querida filha

Na última carta que te escrevi esqueci-me de acrescentar que precisas enviar-me um vidro de Nembutal e outro de Bromural. Quanto a charutos a dose que recebi foi pequena. Parece que meu estoque está se acabando. E o Chico, se não vai o cobre ele esquece... O Epitacinho já entregou-te os meses em atraso? **1948**

E o Ernani já conversou com os pretendentes?

Parece que os desvios de correspondência são quanto às cartas por mim remetidas que não chegam a destino, pois eu recebo, todos os correios, um grande número. ~~de cartas~~. É verdade que se trata de cartas inócuas, de gente humilde que não oferece perigo aos donos da terra!

Insiste com o Sr. Soares sobre as informações pedidas, pelo menos para que eu fique certo se vêm ou não, a fim de providenciar por outro conduto.

Dize-me se recebeste uma carta, enviada ainda do Itu, para remeter ao Egydio Câmara e se o fizeste com relativa segurança. A Celina ainda se recorda do passeio? E o Ruy,[1] já voltou com os garotos, o Getulinho conta muita façanha? E a babá ainda se recorda da caçada de zorrilho?

A suspensão da remessa das mudas não se refere ao Major. Apenas quanto a este não trates mais do assunto. Ele que faça o que entender.

Saudades a todos e um beijo do teu pai **Getulio**

---

[1] Refere-se a Ruy da Costa Gama.

**94\A·** [Rio de Janeiro], 10 de dezembro

Meu querido Gê

**1948**  Espero que já estejas de posse das três cartas que te escrevi, como já estou das quatro que me mandaste. Depois da última, seguida por intermédio do Carlos, houve uma verdadeira crise familiar, por isso não te escrevi. Mamãe teve uma fortíssima crise de rim que nos trouxe num pé só durante mais de uma semana. Aborrecimentos, cansaço físico e algumas imprudências foram a origem. Por felicidade na hora da crise eu estava com ela e pude atendê-la logo e fazer sair da cama o Barata, que aqui ficou com o Luthero até de madrugada. Fiz uma noitada cívica e vi nascer o sol do teu gabinete. O aspecto inicial era de apendicite aguda, porém resultou numa passagem de areia pelo ureter que dizem as vítimas ser uma das dores físicas mais violentas e constantes. Felizmente D. Dadá já se refez e está meio escabreada prometendo não fazer novas travessuras. Wandinha teve de fazer uma punção de sinusite e eu trouxe-a para casa para cuidar. Fora os adminículos Jandyra está ótima, apenas necessitando de um reajustamento familiar que ainda não se iniciou por precaução. O resto vai indo.

Hoje de manhã procuraram-me o Danton, o Major e o portador desta. Todos os três pretendem ir até aí. Como o Arquimedes é o primeiro a seguir esta vai por ele, com revistas, charutos, sabão de barba e um vidro de água de colônia, presente da Maria Luiza e Nonô.

Estou preparando para seguir pelo Lóide um caixote contendo algumas utilidades para o Itu, inclusive as latinhas que têm ido com charutos são para lá. Não vás homenagear alguém com elas.

---

Tenho recebido vários avisos do Astral de que: coisas graves devem acontecer em breve e devo cuidar muito de ti e não permitir que viajes, pois há pessoas grandemente interessadas em te retirar do cartaz definitivamente utilizando-se para isso de mulheres. Ernani, com quem conversei sobre isso, disse-me que por ora não me preocupasse. Por enquanto está todo mundo interessado em captar a tua simpatia eleitoral para os candidatos embrionários. Mais tarde, quando as coisas se definirem mais, aqueles que não te conseguirem poderão tentar tudo. Agora não: Ernani está se deixando cortejar e já foi convidado por vias transversas para ser companheiro de chapa do Canrobert e do Eduardo com o fito de te atrair. Tem respondido que tu és uma moça casadoira com vários pretendentes, que quem quiser casar tem de fazer por onde merecer. Agora, por ocasião da votação do aumento dos subsídios e do preenchimento das vagas comunistas, o rompimento do acordo interpartidário esteve por um fio. O PSD resolveu adiar o problema do preenchimento para março, na esperança de provocar o rompimento da UDN nessa ocasião.

---

O velho Hime faleceu na semana passada. Fui à missa e apresentamos pêsames em teu nome também. Era um bom amigo.

Diz ao Maneco que escreverei para ele pelo próximo portador. Já tratei dos clichês e o Renato prometeu mandar. Diz que é um caixote muito pesado por isso ainda não se animou. Vou ver se consigo fazer seguir com as coisas do Lóide. Quanto aos galináceos a remessa é difícil.

Por hoje aqui fico. Celina ficou muito impressionada com a sujeira da varanda e quer ir varrer.

Um beijo muito carinhoso de tua filha **Alzira**

**137 \ G ·** [Estância Santos Reis], 14 de dezembro

Alzira

Recebi essa carta que junto remeto. Conheço o signatário e o que ele diz é exato. Não posso fazer pedidos ao atual governo. Talvez, porém, o Napoleão ou outro possam conseguir algo, sem envolver meu nome. Por isso recomendo o paciente que é merecedor.

Saudades do teu pai **Getulio**

**1948**

**95 \ A ·** Rio de Janeiro, [entre 15 e 24 de dezembro][1]

Meu querido pai

O portador desse cartão é o Sr. Falcão, amigo do Getulinho de São Paulo. Por ele mando-te uma revista com a primeira pose grã-fina da Srta. Celina para a posteridade. Tuas encomendas irão pelo Epitácio ou pelo Ladislau, pois ambos estão ameaçando uma ida até aí. Recebi o que me mandaste pelo H.[2] que voltou animado e disposto a trabalhar.

Todos aqui bons. Um beijo muito carinhoso de Celina e meu **Alzira e Celina**

1. Esta carta foi datada por Alzira como sendo de janeiro de 1949, mas sua data correta é entre 15 e 24 de dezembro de 1948, o que é atestado pelas cartas de Vargas dos dias 16 — em que este diz haver recebido a visita do "H." – e 25 de dezembro, em que informa haver recebido as cartas enviadas por intermédio do Sr. Falcão.
2. Refere-se possivelmente a Oscar Pedroso Horta.

## 138 \ G · [Estância Santos Reis], 16 de dezembro

Alzira

**1948**    Pelo Carlos Maciel mandei um recado ao Salgado sugerindo que fosse deferida à deputação estadual do PTB de São Paulo a escolha dum dos membros da comissão de reestruturação. Posteriormente informaram que essa medida seria perigosa porque a mesma está infiltrada de ademarismo. Assim, peço dizeres ao Salgado que essa minha sugestão fica sem efeito. Como vai ele, que está fazendo no sentido de fortalecer o partido?

Não tenho recebido cartas tuas. Recebi a visita do H.[1] Não convém que o Salgado saiba que foi ele o informante. Tive boa impressão da conversa que mantivemos.

Abraços do teu pai G

---

1. Refere-se possivelmente a Oscar Pedroso Horta.

*Pérsio Colombo Lima, Píffero e Getulio. São Borja, RS, entre 1948 e 1949.*

**96 \ A ·** [Rio de Janeiro], 16 de dezembro

Meu querido pai

Escrevi ontem para o Maneco e pretendia escrever-te hoje uma vasta epístola. Mas acontece que eu sou baiana e o corpinho deu o prego. Amanheci com uma gripe de fazer chorar um anjinho e o coco está cheio daquilo... Escrevi por intermédio do Arquimedes, o homem do japonês, mas não sei quando chegará aí, visto ter ido primeiro a Marília. Manda-me dizer se te falta algum número do *Fon-Fon*. Nonô facilitou-me a remessa pelo Lóide de alguns objetos e eu te mandei algumas coisas para a casa do Itu, as mudas não foram em virtude da contraordem.

As novidades aqui são apenas os candidatos que surgem aos montes. Candidaturas subterrâneas, mal alinhavadas, que logo começam a se queimar. As últimas são o Zenóbio, o Bias, escoteiros em duplas: Mangabeira-Jobim; Canrobert-Mangabeira; Canrobert-Ernani; Brigadeiro-Ernani (estas duas para ver se te apanham). O negócio está uma pândega. E eu continuo a não acreditar que se chegue até a eleição. Minhas antenas estão registrando abalos sísmicos, mas estão falando sozinhas pois ninguém acredita em possibilidades de golpe mas só falam nisso como a procurar se convencer de que não existem almas do outro mundo.

O chefe de polícia e o ministro da Justiça estão brigados por uma ridícula questão de censura em torno de um filme de bailarinas. Não se sabe se o General vai desempatar ou se vai continuar no governo um segundo *match* semelhante ao B.B. x C.C.

O caso do aumento dos subsídios deu margem ao Chatô para fazer uma feroz campanha contra o Parlamento, no sentido de o desmoralizar, atemorizar os incautos e encaminhar a opinião pública para a única solução capaz de evitar a tua volta: candidatura Canrobert ou outro militar.

Por hoje não dá mais.

Beija-te com muito carinho tua filha **Alzira**

**1948**

**139 \ G ·** [Estância Santos Reis], 20 de dezembro

Rapariguinha

**1948**   Já faz por aqui um calor intenso e, há quase um mês, não chove. Os agricultores estão cheios de apreensões e as plantinhas novas estão torcendo as folhas queimadas pelo sol.

O Jango está em Porto Alegre, o Maneco foi para o Cerrito e há duas semanas não recebo cartas tuas. O Pedro Melo chegou ontem de Porto Alegre, esteve hoje aqui. Lá não havia nada para mim. Conclusão – não tens escrito. Já foram quatro cartas minhas que ainda não tiveram resposta. Que há, doença, atrapalhações, preguiça, sabotagem?

Consta que se está passando algo de grave nos domínios de Marte: confabulações dos comandos, troca intensa de comunicados em nova cifra e completa ignorância das patentes inferiores, excluídas do conhecimento desses mistérios. Verdade, boato?

Em política confabulações Minas-São Paulo, encontros Benedito e Adhemar, dois velhos conhecidos, pescados um dia pelo destino que ainda não os abandonou.

O Calafanges foi proibido de voar, por falta do cumprimento de formalidades burocráticas. Há mesmo gente que gosta de atrapalhar! Disseram-me que o Salgado é que estava incumbido do cumprimento dessas formalidades para que a empresa funcionasse regularmente.

*Fon-Fon*, último número recebido é de 27 de novembro.

A suspensão de tráfego do Calafanges não prejudica a remessa da correspondência de Porto Alegre para cá. Há outros meios. Não é, pois, esse o motivo da falta de tuas cartas.

Saudades a todos e um beijo do teu pai **Getulio**

**97 \ A** · [Rio de Janeiro], 20 de dezembro

Meu querido pai

Pelo Ladislau, que deve seguir por estes dias, pretendo mandar-te esta e responder a **1948** todas as tuas perguntas atrasadas. Já me refiz da gripe e das diversas doenças ocorridas na famíia e o coco já está novamente em condições.

1º - Emprazei uma conversa com o Capitão para tratar de teus discursos e saber coisas de seu setor. Não me respondeste no entanto se queres que a publicação seja feita agora ou se concordas com o Zé Olympio em esperar melhor oportunidade.

2º - Os remédios que te mandei, isto é, a vitamina parece-me bastante por enquanto, para ver se localizamos de vez a origem do mal. Não te mandei a sulfa propositadamente, para não te intoxicar. Manda-me dizer se com o iodo e o Viderol tiveste alguma melhora e quais os sintomas que ainda tens. Não esqueças que és o único pai que eu tenho e precisas cuidar dele por mim. É esta a razão por que não te mando o Bromural. O Jesuíno diz que faz mal ao teu rim. Vai só o Nembutal e olhe lá.

3º - Perguntas se conversei com o João Neves. Não me recordo se me incumbiste de algo em relação a ele ou se é mero papo. Ainda não o encontrei.

4º - Vou tentar o Maciel agora nesta semana e te mandarei o resultado.

5º - As mudas que seguiram foram do Major obtidas no horto de São Paulo. Não te mandei ainda as nossas porque não houve portador na ocasião, quando surgiu portador já havia contraordem tua. De modo que ficarão para depois.

6º - Mandei fazer os pijamas de verão para ti. São as festas do Papai Noel. Ainda não ficaram prontos. Considere-se presenteado até lá.

7º - Já remeti sua carta para o Egydio por via aérea.

8º - O Ernani não esteve com os pretendentes. Esses ficaram meio ressabiados com o escândalo de alguns jornais que trouxeram a furo as intenções secretas dos mesmos.

9º - A garotada e a Umbelina continuam garganteando sobre a permanência no Itu. Há dias D. Camila surpreendeu o Getulinho contando para a Editinha a história da travessura nas tuas mudas. Pôs as mãos para trás e disse sério: Alzira vem ver o que estas crianças fizeram nas minhas mudas.

10º - O Salgado está doente, por isso não foi a São Borja. Estou esperando para transmitir--lhe teu recado trazido pelo H.[1]

11º - Recebi teu pedido em favor do Baetão. Se realmente desejas que se faça alguma coisa em seu favor tentarei, mas não me parece que se deva gastar pólvora com chimango, pois a ficha do jovem não é das mais recomendáveis. É primo do Baeta, o que exclui o Napoleão como padrinho; durante a campanha de São Paulo que ele dá como padrão de glória, fez todos os papéis feios que pôde, inclusive comprar presentes para a família para serem pagos pela verba da campanha. É uma espécie de guarda-costas do Baeta e, desculpe o excesso de desconfiança, tenho para mim que isto é uma espécie de teste do grupo para sentir tuas ligações com o prefeito, visto as homenagens dele a mim no dia de meu aniversário terem sido muito exploradas. Baeta teve oportunidade de aproveitar o primo

---

1. Refere-se possivelmente a Oscar Pedroso Horta.

**1948** no Ministério do Trabalho, quando estava ligado ao Morvan, e na Câmara Municipal através do Junqueira e não o fez. Por quê? Enfim são considerações, mas se tens interesse verei o que se pode fazer.

Mando-te outro tipo de creme de barba também nacional para experimentar. Diz depois qual o preferido. No caixote que foi pelo Lóide mandei um pote daquele que o tio Protasio usa, o único estrangeiro que encontrei. Não pediste lâminas, mas mando um pacote, por se acaso.

Peço-te que tenhas o máximo cuidado com tua correspondência. De minha parte só escreverei com segurança. Quando não tiver portador mandarei apenas notícias gerais pelo correio. Não te assustes portanto se as informações rarearem. Fala-se novamente e com insistência em golpe. O Góes voltou a dar entrevistas diárias negando a viabilidade de um golpe mas como sempre deixando margem para qualquer coisa.

Há um ambiente de insegurança tão flagrante que chega a assustar. O termômetro mais sensível, o comércio, está acusando isso. É plena época de Natal, no entanto o movimento de compras quase não aumentou do normal apesar do reajustamento do funcionalismo. Tenho ido fazer compras e as manifestações de apreço que recebo agora não só mais dos empregados, mas dos próprios donos, dão o que pensar.

Já falei com o Salgado sobre o caso de São Paulo, e o homem está com água pela barba. É um osso duro de roer. Todo o mundo quer e se empurra.

Estou às voltas com as árvores e os presentes de Natal.

Ernani, Celina e eu desejamos-te um Natal feliz com todas as coisas boas que mereces.

Um beijo muito carinhoso de tua filha **Alzira**

———

**98 \ A ·** [Rio de Janeiro], 23 de dezembro

Meu querido pai

Tem chovido ultimamente tanto portador que eu já nem sei mais o qual receberás em **1948** primeiro lugar.

Tenho escrito a esmo.

Esta vai pelo Major Newton e tem o objetivo de te informar sobre a situação de São Paulo.

O ambiente aqui no Rio é dos mais tensos. Sente-se no ar que alguma coisa está para acontecer, mas não se sabe como, nem de onde, nem quando. Dizem os otimistas, entre os quais o portador, que ninguém tem força para fazer nada, que o Exército está minado de getulistas e que não há ambiente. Eu que sou pessimista e que sei que és o inimigo nº 1 de uma porção de figurões, que toda a tensão existente vem do medo da <u>volta</u> e que me lembro bem de 1945, sinto que o negócio todo é para rebentar em cima de ti. Como não tenho outro pai, nem possibilidade de vir a ter, prefiro dizer é com esse que eu fico e não entoar no refrão do é com esse que eu vou.

Em vão aconselho o pessoal a não assustar as lebres. Isso é aqui. De São Paulo as informações que tenho são contraditórias: uns afirmam que o Adhemar está fortíssimo apoiado pelo povo e desejoso de se unir contigo contra o governo federal a qualquer preço; outros que está fraco, que te combate e que busca apoio federal; outros ainda que aceita qualquer combinação para ser o sucessor do Dutra. O Major informará melhor. Qualquer que seja a situação, porém, nada impede que se reorganize o partido em bases sólidas para o que der e vier. Estive hoje com o Salgado a quem transmiti teus recados, observando as recomendações dadas. Ele está na melhor das intenções em relação ao assunto, mas confessou-me hoje que está terrivelmente embaraçado para resolver e talvez nada faça antes de ir até aí por estes dias para te consultar. Não deseja se arrepender do nome que escolher por isso precisa ter muito cuidado. Alguns nomes satisfazem por algumas qualidades positivas mas assustam pelas negativas e enquanto isso o tempo passa. Como ele não conhece ainda bem o pessoal, suas origens, atitudes anteriores e ligações atuais, bem compreendo a "sinuca de bico" em que está metido. Estou certa de que se sairá bem. Prometeu mandar seus discursos últimos do Senado e disse que ia dar uma entrevista que irá provocar celeuma. É esse o objetivo. Ainda estou com o coco cheio de água, restos da gripe, e não consigo fixar a atenção por muito tempo. Com o Maneco recebe nosso carinhoso abraço de boas festas – os Peixotos –

Tua filha **Alzira**

140 \ **G** · [Estância Santos Reis], 24 de dezembro

Minha querida filha

**1948**
Recebi tua carta trazida pelo seu Manhães, charutos etc.

Por ela fiquei sabendo da doença de tua mãe e consequentemente da falta de notícias.

Diga a essa velha candongueira e teimosa que ela é mais necessária do que pensa e deve cuidar-se. Com esta envio a toda a família e a todos os amigos as minhas saudações e votos de felicidade.

Diga a Celina que vi seu retrato e da mãe dela na revista. Estão muito bons e com muita naturalidade.

Abraços do teu pai **Getulio**

---

141 \ **G** · [Estância Santos Reis], 25 de dezembro

Minha querida filha

Recebi hoje tua carta de 16 do corrente com os últimos números da *Fon-Fon*, até 18. Também as outras enviadas por intermédio do Sr. Falcão e por fim do Sr. Manhães, o da Fundação Getulio Vargas de Marília. Este empenhou-se muito para que eu fosse a São Borja gravar uma mensagem de Natal e Ano-Bom. Não fui, mas, dei-lhe uma mensagem feita às pressas para que ele irradiasse. Recebi também os charutos, sabão de barba etc. e o vidro de água de colônia gentileza da Maria Luiza e Nonô que peço agradecer.

Vou chamar o Maneco para entregar-lhe tua carta e o presente para a filhinha do Gabriel. O Amaraldo ficou esperando um cachimbo e um pouco de fumo que o Ernani prometeu a ele. Este pessoal, quando lhes prometem algo, está sempre lembrando.

No cartão trazido pelo Sr. Falcão dizes que o Epitacinho e o Ladislau pretendem vir até aqui. Embora seja-me muito agradável receber qualquer deles não me julgo com direito de insistir, porque [sic] duma viagem longa, dispendiosa e incômoda, principalmente nestes tempos de calor.

Em cartas anteriores, falei-te em dois assuntos que ainda não me contestaste, as informações do Maciel e a carta para o Egydio que enviei por teu intermédio.

Estou a escrever esta no dia de Natal, pesaroso por não estar junto de vocês.

Neste momento chegaram o Maneco e o Periandro. Encerro a carta e envio um saudoso abraço a todos do teu pai **Getulio**

**99 \ A ·** [Rio de Janeiro], 29 de dezembro

Meu querido pai

Lá se vai mais um ano que só não me trouxe decepções porque nada esperava dele mas também não me deu motivos para confiar mais neste que entra. Enfim, deixá-lo vir para ver.

**1948**

Recebi duas cartas tuas uma vinda pelo correio outra pelo Manhães e várias queixas de minha preguiça?. A esta altura já não deves estar dizendo o mesmo. Gurgel será o portador desta.

Pela tua de 20 verifico que por aí já sentiram também o peso do ambiente daqui. Não creio no entanto que a coisa esteja tão adiantada quanto pensas, por enquanto está só no ar que se respira. A troca de cifras e mensagens parece que se deve atribuir a questões internacionais relacionadas a um suposto movimento comunista que surgiria simultaneamente em toda a América. O problema político do Brasil está ligado no drama mundial, aos sucessos russos na Ásia, à fome dos berlinenses, às atitudes do Perón e ao interesse americano de manter a organização capitalista ainda viva. No meio do Exército aqui consta que existem três grupos bem distintos: um, pequeno, partidário de uma candidatura militar de qualquer maneira, de preferência a do Canrobert, outro, o maior, formado pelos ex-tenentes, generais hoje por obra e graça do Feiticeiro de São Borja, defensores da garantia de liberdade de candidaturas e prometendo assegurar a posse do eleito, ainda mesmo que se chame Getulio, o terceiro, preferindo o golpe que tanto pode ser a prorrogação do mandato do Dutra, como o fechamento do Congresso, como a imposição de uma ditadura militar. Esta tese está sendo habilmente manipulada pelo Chatô e Macedo, o primeiro fazendo a campanha de desmoralização do Congresso e assustando com teu nome, o segundo estimulando o Dutra e procurando criar ambiente propício aos militares, nos moldes da manobra feita em 43, 44 e 45. Lembras-te?

Canuto esteve hoje aqui e pediu para te consultar se gostarias que ele te fosse visitar, desejava ir em princípios de janeiro, mas espera antes tua aquiescência.

---

Ontem em um jantar fui apresentada ao Embaixador da Índia no Brasil, homem moço e altamente inteligente. Deseja ardentemente te conhecer e pediu que te informasse disso. Creio na sinceridade dele porque o disse antes de saber da identidade minha e do Ernani. Foi uma cena engraçada. Conversava com Ernani tateando o terreno sobre política brasileira até que se animou e fez-te vários elogios e acabou perguntando qual era a opinião do Ernani. Este riu e se declarou suspeito por ser teu genro. O homem levou um choque, virou-se para o sofá onde eu e a Embaixatriz conversávamos sobre banalidades e perguntou: qual é para você a maior sensação que podia esperar neste jantar? Não era seu grande desejo conhecer a Alzira Vargas? Pois ela está a seu lado. Confesso que encabulei, não esperava ser sensação. O casal ficou excitadíssimo. Conversei longamente com o Embaixador. Desejava saber muita coisa a teu respeito. Perguntou se em minha opinião tua permanência no governo teria alterado a marcha dos acontecimentos na Argentina, revelando grande preocupação quanto a isso. Disse-lhe que acreditava que sim, pois a *leader*ança assumida pelo Perón nos negócios sul-americanos era em parte devida à nossa passividade em matéria internacional, o que não se daria contigo. Perguntou se tua ação seria pela violência ou

**1948** amizade. Respondi que somente a amizade bastava para resolver isto. A atual hostilidade existente entre os dois governos era coisa habilmente provocada e durante o teu tempo havia sido tentada sem resultado, porque o povo argentino tinha confiança em ti também. Passando ao plano europeu disse-lhe eu que tinha a impressão de estarmos vivendo um fim de civilização e que a que estava por vir tinha de ser melhor. Quis saber se eu julgava uma fatalidade ou uma necessidade. Respondi – fatalidade. O que vem seja o que for será melhor do que a incerteza atual em que vive nossa geração. Revelou-me ele então toda a angústia do povo indiano ante as vitórias russas na China e a certeza de que serão as próximas vítimas. Creio que o homem pensou que eu era profeta, pois perguntou depois se eu achava que a mudança se daria brutal ou humanamente. Respondi que de início deveria ser brutal mas se humanizaria logo como todos os grandes acontecimentos históricos do mundo e que somente os primeiros povos sofreriam. Riu e disse: a senhora pode filosofar porque o seu país será dos últimos e assim já receberá a mudança humanizada. Continuei: além disso no Brasil o campo para o comunismo violento não é propício, devido à pequena diferenciação existente entre as classes sociais. O homem espantou-se. Não é essa a in-formação que eu tenho, disseram-me que a situação do Brasil é desesperadora e que as classes miseráveis são muito maltratadas. Não é tanto, respondi, o povo brasileiro não está habituado a sofrer e se esquece de olhar para a miséria dos outros países. Compara-tivamente ainda somos privilegiados, porém o que nos falta é confiança. Durante 15 anos eles tiveram quem pensasse por eles, sofresse por eles, enxugasse suas lágrimas e lhes dirigisse palavras de consolo. Isto lhes faz falta e é por isso que se sentem tão infelizes. Tens mais um *fan* no corpo diplomático.

---

A notícia de tua mensagem tem sido muito explorada aqui. Dizem os jornais que não serás candidato e que lançarás o nome do Salgado nessa mensagem. Li-a ontem e achei muito boa. É possível que faça espuma, vamos ver.

---

Nada me dizes sobre a situação aí. Como se resolveu o caso de São Borja e o do Rio Grande?

---

Mamãe felizmente já está boa e voltou a trabalhar. Continua às voltas com o problema da Jandyra e Cia., tenho a impressão de que tudo sairá bem.

---

Acabo de receber tua carta de 25. Epitacinho já deve estar aí. Ladislau teve de voltar de Porto Alegre, não encontrou condução. Vou lembrar ao Ernani as encomendas prometidas ao Amaraldo. A carta do Egydio já seguiu. O Maciel anda Gabrielando e não se consegue vê--lo.

O Gurgel passará dentro de alguns minutos por isso vou parar. – O teu *fan* nº 1, o pai da Lourdes R., Seu Artur Leitão, foi operado e esteve passando mal. Fiz uma visita em teu nome, ficou radiante. No dia de Natal pensei muito em ti aí sozinho, sem nenhum de nós para te fazer sentir a família, e agora no dia 31 novamente podes ficar certo que estarei pensando em ti. Ernani, Celina e eu te faremos companhia de longe. Nosso abraço muito afetuoso para ti e Maneco.

Beija-te com carinho tua filha **Alzira**

**1948**

# ICONOGRAFIA

## 1946

AVAPFOTO005_52 · **p. 19** / AVAPAVULSA 2 · **p. 21** / EAPFOTO450_2 · **p. 22** / EAPFOTO450_1 · **p. 23** / EAPFOTO436_1 · **p. 30** / GVFOTO288 · **p. 34** / EAPFOTO451_2 · **p. 38** / EAPFOTO451_4 · **p. 39** / CFAFOTO234_2 · **p. 44** / AVAPFOTO014_51 · **p. 47** / AVAPFOTO004_83 · **p. 48** / AVAPFOTO085_18 · **p. 66** / AAPFOTO047_3 · **p. 72** / GVFOTO158_1 · **p. 78** / GVFOTO158_3 · **p. 79** / GVFOTO158_5 · **p. 80** / GVFOTO158_6 · **p. 80** / AVAPFOTO004_80 · **p. 87** / AVAPFOTO070_127 · **p. 95** / GVFOTO156 · **p. 100** / GVFOTO157 · **p. 103** / AVAPFOTO089_104 · **p. 104** / AVAPFOTO070_33 · **p. 106** / AVAPFOTO023_48 · **p. 118** / AVAPFOTO023_49 · **p. 119** / EAPFOTO044_2 · **p. 122** / EAPFOTO435 · **p. 132** / GVFOTO152 · **p. 138** / JAFOTO009_1 · **p. 141** / JAFOTO009_5 · **p. 143** / JAFOTO009_2 · **p. 143** / AVAPFOTO038_150 · **p. 145** / AVAPFOTO070_7 · **p. 159** / CCFOTO055 · **p. 170** / GVFOTO155_33 · **p. 177** / GVFOTO155_36 · **p. 179** / GVFOTO154 · **p. 181** / GVFOTO153_7 · **p. 182-183**

## 1947

AVAPFOTO091_34 · **p. 185** / GVFOTO161_1 · **p. 186** / GVFOTO161_3 · **p. 188** / AVAPFOTO091_70 · **p. 197** / EDFOTO012_90 · **p. 207** / GVFOTO162_2 · **p. 231** / GVFOTO162_1 · **p. 235** / GVFOTO164_2 · **p. 246** / GVFOTO164_1 · **p. 247** / AVAPFOTO070_115 · **p. 259** / CDAVARGASEBNFOTO4 · **p. 261** / OAFOTO324 · **p. 272** / OAFOTO327_14 · **p. 274**

## 1948

AVAPFOTO004_98 · **p. 281** / AVAPFOTO091_68 · **p. 283** / CDAVARGASGERALDOCALMONCOSTA · **p. 284** / AVAPFOTO004_107 · **p. 292** / AVAPFOTO038_42 · **p. 301** / BVAFOTO088 · **p. 311** / AVAPFOTO004_84 · **p. 322** / AVAPAVULSA1 · **p. 323** / AVAPFOTO004_82 · **p. 324** / AVAPFOTO070_121 · **p. 330** / AVAPFOTO005_75 · **p. 338** / OAFOTO339 · **p. 366** / AVAPFOTO004_87 · **p. 390** / AVAPFOTO004_109 · **p. 391** / AVAPFOTO011_69 · **p. 408**

As cartas integram o dossiê AVAP vpu e 1946.01.02, ordenadas cronologicamente.

FICHA CATALOGRÁFICA ELABORADA PELA BIBLIOTECA MARIO HENRIQUE SIMONSEN/FGV

Volta ao poder: a correspondência entre Getulio Vargas e a filha Alzira, v.1: 1946 a 1948 /
Organizadoras Adelina Novaes e Cruz, Regina da Luz Moreira.
Rio de Janeiro : FGV Editora : Ouro sobre Azul, 2018.
420 p.

Inclui índice.
ISBN: 978 85 225 2069 5  (FGV Editora)
ISBN: 978 85 88777 85 9  (Ouro sobre Azul)

1. Vargas, Getulio, 1883-1954 - Correspondência. 2. Peixoto, Alzira Vargas do Amaral,
1914-1992 - Correspondência. 3. Presidentes - Brasil – Correspondência. 4. Brasil –História.
I. Cruz, Adelina Maria Alves Novaes e. II. Moreira, Regina da Luz. III. Fundação Getulio Vargas.

CDD – 981